FED·ERICO BAR·OCCI URB·INO

L'EMOZIONE
DELLA PITTURA
MODERNA

a cura di
Luigi Gallo
Anna Maria Ambrosini Massari

FED·ERICO BAR·OCCI URB·INO

L'EMOZIONE DELLA PITTURA MODERNA

G·A L L E R I A
N·A Z I O N A L E
D·E L L E
M·A R C H E

Electa

·FED·BAR·VRB
·FAC·MDXCVIII

La mostra è posta
sotto l'Alto Patronato
del Presidente
della Repubblica Italiana
Sergio Mattarella

FEDERICO BAROCCI (1533-1612) URBINO
L'EMOZIONE DELLA PITTURA MODERNA

Palazzo Ducale
di Urbino
**Galleria Nazionale
delle Marche**
19 giugno –
6 ottobre 2024

La prima mostra che celebra Federico Barocci a Urbino onora altresì Andrea Emiliani (1931-2019), soprintendente e studioso che all'artista ha dedicato scritti fondativi

Mostra a cura di
Luigi Gallo e Anna Maria Ambrosini Massari
con Giovanni Russo
e Luca Baroni

Organizzazione della mostra
Palazzo Ducale di Urbino/Direzione Regionale Musei Nazionali delle Marche
Galleria Nazionale delle Marche, Urbino

Responsabile unico del progetto
Giovanni Russo

Restauri
Laura Cibrario
Coo.Be.C
Nicoletta Fontani
Fabiola Jatta
Daphne de Luca
e Petra Farioli
MarLeg -
Giacomo Maranesi
e Giulia M.F. Leggieri
Giulia Papini
Matteo Semprini

Diagnostica per i beni culturali
A. R. T. & Co. s.r.l., Università degli Studi di Camerino
ENEA. Agenzia nazionale per le nuove tecnologie, l'energia e lo sviluppo economico sostenibile, Roma
LabDia, Spoleto

Immagine della mostra
Leonardo Sonnoli
Irene Bacchi
-Studio Sonnoli-

Progetto e direzione lavori dell'allestimento
Studio Lucchi & Biserni, Forlì

Allestimento
Contemporanea Cantieri s.r.l., Forlì

Progetto illuminotecnico
Iskra e Giuseppe Mestrangelo -
Light Studio, Milano

Movimentazione opere
FERCAM s.p.a., filiale di Roma

Assicurazioni
AGE srl
AON
AXA XL
Blackwall Green
Gallagher
Kuhn & Bülow
UNIQA

Testi in mostra
Anna Maria Ambrosini Massari, Luca Baroni, Aurora Fapanni, Luigi Gallo, Eliana Monaca

Catalogo a cura di
Luigi Gallo e Anna Maria Ambrosini Massari

Coordinamento editoriale
Giovanni Russo
ed Eliana Monaca

Testi in catalogo
Barbara Agosti, Anna Maria Ambrosini Massari, Luca Baroni, Andrea Bernardini, Anna Bisceglia, Valentina Catalucci, Marina Cellini, Camilla Colzani, David Ekserdjian, Luigi Gallo, Mattia Giancarli, Ilaria Miarelli Mariani, Eliana Monaca, Raffaella Morselli, Maria Maddalena Paolini, Giovanni Russo

Editore
Electa

Responsabile editoriale
Marco Vianello

Coordinamento editoriale
Cinzia Morisco

Redazione
Tommaso Iannini

Progetto grafico
Leonardo Sonnoli
Irene Bacchi
-Studio Sonnoli-

Impaginazione
Barbara Galotta

Ricerca Iconografica
Simona Pirovano

MVSEI VATICANI

G·A L L E R I A
N·A Z I O N A L E
D·E L L E
M·A R C H E

Prestatori

Italia

Gallerie degli Uffizi, Firenze

Pinacoteca Civica "A. Vernarecci", Fossombrone

Comune di Milano, Gabinetto dei Disegni del Castello Sforzesco, Milano

Opera Pia Nobile Collegio della Mercanzia, Perugia

Galleria Borghese, Roma

Gallerie Nazionali di Arte Antica Palazzo Barberini e Galleria Corsini, Roma

Istituto Centrale per la Grafica, Roma

Ministero dell'Interno, Dipartimento per le libertà civili e l'immigrazione, Direzione Centrale degli affari dei culti e per l'amministrazione del Fondo Edifici di Culto, Roma

Trust Doria Pamphilj, Roma

Confraternita del Santissimo Sacramento e Croce, Senigallia

Diocesi di Senigallia

Austria

Kunsthistorisches Museum, Vienna

Città del Vaticano

Musei Vaticani, Città del Vaticano

Francia

Musée Bonnat-Helleu, Bayonne

Fondation Custodia, Parigi

Musée du Louvre, Département des Arts graphiques, Parigi

Germania

Staatliche Museen zu Berlin – Kupferstichkabinett, Berlino

Olanda

Rijksmuseum, Amsterdam

Regno Unito

The Fitzwilliam Museum, Cambridge

The Devonshire Collections, Chatsworth

The British Museum, Londra

The National Gallery, Londra

Ministero degli Affari Esteri e della Cooperazione Internazionale, Ambasciata d'Italia a Londra

The Ashmolean Museum, University of Oxford

His Majesty King Charles III

Spagna

Museo Nacional del Prado, Madrid

Stati Uniti

The Metropolitan Museum of Art, New York

Ungheria

Szépművészeti Múzeum / Museum of Fine Arts, Budapest

Ringraziamenti

Cristina Abbatini, Barbara Agosti, Giulia Agostinelli, Alessia Alberti, Roberto di Alicudi, Sebastien Allard, Stijn Alsteens, Rita Alzeni, Cinzia Ammannato, László Baán, Andrea Bacchi, Antonio Baldelli, Francesco Baldelli, Nicoletta Baldini, Carmen Bambach, Sara Bartolucci, Isabel Bennasar Cabrera, Massimo Berloni, Alessandro Berluti, Floriano Biagi, Alberto Bianco, Anna Bisceglia, Sonia Boccia, Caterina Bon, Laura Bossi, Aurelia Botella, Manuela Braconi, Luigi Bravi, Kate Brindley, Andrea Cannuccia, Francesca Cappelletti, Rosanna Cappelli, Cecilia Carlorosi, Tommaso Castaldi, Paolo Castellani, Sabine Cazenave, Anna Cerboni Baiardi, Keith Christiansen, Lorenzo Cinatti, Paolo Coen, Caitlin Corrigan, Benedetta Craveri, Beatrice Cristini, Valter Curzi, Tina Dähn, Mariska de Jonge, Emma Delgado, Giovanni Luca Delogu, Laurence des Cars, Taco Dibbits, Antonio Di Maio, Laura Donati, Gesine Doria Pamphilj, Jonathan Doria Pamphilj, Sam Dorman, Filippo Duro, Michael Eissenhauer, Paolo Ermini, Miguel Falomir Faus, Petra Farioli, Gabriele Finaldi, Nicoletta Fontani, Liletta Fornasari, Giuliana Forti, Eleonora Fusco, Ciara Gallagher, Annamária Gáspár, Christina Gernon, Silvia Ginzburg, Matteo Gnes, Sabine Haag, Max Hollein, Arthur Holmes, Victor Hundsbuckler, Eleonora Ippoliti, Barbara Jatta, Fabiola Jatta, Mark Jones, Tim Knox, Giuseppe Lacava, Matteo Lafranconi, Inigo Lambertini, Luigi La Rocca, Giulia M.F. Leggieri, S.E. Mons. Francesco Manenti, Philippe Mangeot, Giacomo Maranesi, Daniele Mari, Anna Matteucci, Alessandra Mercantini, Luca Mercuri, Marta Monopoli, Raffaella Morselli, Ketti Maria Germana Muscarella, Charles Noble, Massimo Osanna, Maurizio Perini, Maura Picciau, Daniela Porro, Yuri Primarosa, Alfredo Provenza, Gérard Régnier, Daniele Rossi, Francesca Rossi, Pierluigi Rossi, Giovanna Rotondi, Maria Russo, Xavier Salmon, Thomas Clement Salomon, Eike Schmidt, Elisabetta Scungio, Giuseppe Severini, Letizia Signorini, Davide Silvestri, Nino Silvestri, Filippo Sorcinelli, Alexander Sturgis, Luke Syson, Mattia Tabanelli, Francesca Tasso, Nicoletta Tintisona, don Davide Tonti, Alessandro Tortorella, Gilberto Urbinati, Simone Verde, Gerardo Villanacci

Sarebbe arduo classificare Urbino, nel variegato paesaggio artistico e culturale d'Italia, periferia, sia pur rispetto a città come Roma, Firenze, Napoli: troppo ha donato all'identità italiana, alla civiltà artistica mondiale, alla contemporaneità, essendo patrimonio Unesco, per poterla relegare in un canto. Urbino è stata ed è crocevia di tanti percorsi ideali, trama di molteplici fili storico-culturali e questa mostra dedicata a Federico Barocci – figlio suo, al pari di Raffaello, al pari di Bramante – torna a rammentarcelo. Urbino è dimora privilegiata di bellezza in un'Italia che è giardino del Bello.

La nostra nazione è edificata con mattoni fabbricati in "fornaci diverse" e spesso solo il tempo riesce a farli coesistere armonicamente nell'unica costruzione; se a Barocci non è stato finora riservato il giusto posto nel Pantheon della pittura – pur essendo stato una star continentale nella seconda metà del Cinquecento – ciò è anche dovuto alla negativa considerazione che l'epoca della Controriforma (più correttamente definita dallo storico Hubert Jedin "Riforma cattolica") ha ricevuto da eminenti storici e filosofi, parimenti a me cari. Ma se quella cospicua porzione di esistenza italiana che coincide col XVI e XVII secolo è così densa di opere d'ingegno tuttora universalmente ammirate, non è poi così sagace svalutarla per ragioni ideologiche o addirittura espungerla dal processo di costruzione nazionale. Naturalmente Barocci, collocato a cavallo tra manierismo e barocco, fu personalmente animato da ferventi convinzioni religiose e aderì di buon grado alle direttive relative all'arte diramate a quel tempo. Ma seppe interpretarle da par suo! E oggi dà lustro alla nazione. Il prestigioso staff curatoriale della mostra lo mette bene in luce sia attraverso le numerose opere ottenute in prestito (molte delle quali tornano per la prima volta qui, dove furono concepite quasi mezzo millennio fa; e il loro alto numero testimonia l'apprezzamento della qualità scientifica del progetto da parte di tante istituzioni museali del pianeta), sia con i pregevoli saggi contenuti in questo catalogo. Cinquant'anni fa un giornalista, storico e politico del calibro di Giovanni Spadolini dette vita al Ministero che oggi ho l'onore di guidare, nella consapevolezza che il patrimonio culturale e artistico costituisce un asset fondamentale dell'Italia, sia per la sua intima identità, sia come peculiarità mondialmente riconosciuta dalle altre nazioni, sia come valore cultural-educativo, sia come attrattiva turistico-economica. Provvidenzialmente il nostro paesaggio artistico è insieme denso e diffuso, il patrimonio è insieme concentrato e sparso; sicché ogni lembo d'Italia ha il suo *genius loci*, ovunque c'è qualcosa da tutelare e da valorizzare. Il "crocevia Urbino" innalza ora Barocci all'attenzione dell'opinione pubblica, non solo italiana, ne allarga e approfondisce la conoscenza grazie a un lavoro scientifico durato anni, diffondendo il messaggio estetico e spirituale di questo illustre figlio. Non posso che dichiarare il mio orgoglio di Ministro per questa eloquente impresa culturale e civile e ringraziare tutti coloro, in primis il Direttore della Galleria Nazionale delle Marche, qui anche nella veste di curatore, che l'hanno resa possibile, augurando che le arrida un più che meritato successo.

Gennaro Sangiuliano
Ministro della Cultura

Un luogo, un artista, una collezione: è questo il rapporto osmotico che lega Urbino, Federico Barocci e la Galleria Nazionale delle Marche. In quest'ottica va letta la grande mostra monografica organizzata dal Palazzo Ducale, curata da Luigi Gallo e Anna Maria Ambrosini Massari, per celebrare la figura del pittore marchigiano, la cui opera, ricca di innovazioni che segnano la scena artistica italiana ed europea, chiude idealmente la grande stagione rinascimentale. A cavallo fra Cinquecento e Seicento, prima che Urbino, con la morte di Francesco Maria II della Rovere nel 1631, sia devoluta allo Stato Pontificio, Barocci illumina con la sua pittura gli ultimi anni del glorioso ducato di Montefeltro che vanta sommi artisti come Piero della Francesca, Francesco di Giorgio, Bramante e Raffaello. Intimamente legato alla sua città natale, in cui sceglie di risiedere salvo brevi spostamenti, Barocci trasforma Urbino nel teatro vivente di ogni evento raffigurato in dipinti ricercatissimi dai committenti dell'epoca, dove il profilo inconfondibile del Palazzo Ducale eterna il mito della culla del Rinascimento. L'identificazione fra città e artista è confernata dalla solenne apertura della Galleria Nazionale delle Marche il 25 maggio 1913 in concomitanza con i festeggiamenti del terzo centenario della morte di Federico; per l'occasione un giovanissimo Lionello Venturi, primo direttore dell'istituto, annuncia una mostra, mai realizzata, che trova oggi consistenza. Con prestiti eccezionali che ratificano la collaborazione sinergica fra prestigiose istituzioni nazionali e internazionali, solidamente sostenuta dalla Direzione Generale Musei, l'esposizione, frutto di tre anni di lavoro, rinnova il sodalizio tra l'artista e l'istituto che ne conserva alcuni sommi capolavori. Le quasi ottanta opere provenienti da tutto il mondo tornano a Urbino per la prima volta dalla loro esecuzione, incantando l'osservatore con gli staordinari cromatismi pittorici e la meraviglia della grafica baroccesca: un lascito artistico in cui l'eredità rinascimentale si confronta con le primizie dell'età barocca. Poderoso è stato il lavoro preliminare alla mostra, con un'approfondita ricerca sulle fonti che trova spazio nelle pagine di questo catalogo e un'ampia campagna di restauri, interamente sostenuta dalla Galleria Nazionale delle Marche, che tanto ha svelato delle capacità e innovazioni tecniche dell'artista e sarà oggetto di una futura pubblicazione tematica.

Celebrando Federico Barocci, il grande erede di Raffaello, la Galleria Nazionale delle Marche, che nel Palazzo Ducale ha sede sin dalla sua fondazione, ha organizzato una mostra che proprio della ricchezza del contributo urbinate alla storia italiana, non solo artistica, ma culturale tutta, dà piena contezza. Ed è questa la missione dei musei italiani: valorizzare il nostro straordinario patrimonio culturale e trasmetterlo alle generazioni future.

Massimo Osanna
Direttore Generale Musei

"Giovane di grande aspettazione", così Giorgio Vasari nell'edizione giuntina descrive Federico Barocci, un pittore che ebbe un desiderio costante di bellezza oltre che di studio e di instancabile dedizione.

Barocci è intimamente legato al Vaticano, non solo per quel giovanile e incantevole cantiere al casino di Pio IV, realizzato fra il 1561 e il 1563 per un papa Medici milanese, ma anche per le meravigliose e delicate opere che sono confluite nelle collezioni papali e che si conservano nella sala XI della Pinacoteca Vaticana, la "sala Barocci".

Per questo motivo quando Luigi Gallo è venuto a condividere il progetto embrionale della mostra urbinate ho pensato che fosse determinante la collaborazione dei Musei Vaticani alla bella iniziativa.

I tre importanti prestiti alla mostra monografica che viene dedicata dalla Galleria Nazionale delle Marche di Urbino nel 2024 rendono omaggio a un sommo maestro che come Raffaello nacque e si nutrì di quei luoghi così fecondi e di quella città che fu tra le culle del Rinascimento.

I Musei Vaticani possiedono quattro opere capitali eseguite tra la prima metà degli anni settanta del Cinquecento e i primissimi anni del Seicento.

Si tratta della celebre e correggesca *Madonna delle ciliegie*, ossia la raffigurazione bucolica e permeata da una luce quasi metafisica del *Riposo durante la fuga in Egitto*; la monumentale pala d'altare con l'*Annunciazione*, commissionata dal duca Francesco Maria II della Rovere per la cappella di famiglia nella basilica mariana di Loreto e caratterizzata dal colpo di teatro della tenda rossa che, scostata, lascia intravedere la facciata dei torricini del Palazzo Ducale di Urbino; il *San Francesco che riceve le stigmate*, un quadro straordinariamente potente – considerando anche la vicinanza dell'artista all'ordine – e ancora in parte allo stato di abbozzo, da cui emergono vari pentimenti soprattutto in relazione alla figura del santo di Assisi; e la pala in stile pienamente controriformistico, ma con uno sguardo già proiettato al Barocco, raffigurante la *Beata Michelina*, realizzata all'inizio del XVII secolo, poco prima della morte dell'artista, e già custodita nella chiesa di San Francesco a Pesaro.

Tre di questi quattro capolavori dei Musei Vaticani, la *Madonna delle ciliegie*, l'*Annunciazione* e la *Beata Michelina*, collocati nella Pinacoteca, saranno visibili lungo il percorso dell'esposizione urbinate. Nei Musei Vaticani abbiamo dovuto infatti, per tutto il periodo della mostra, riallestire completamente la sala che dall'artista prende il nome.

Le opere vaticane ben testimoniano quanto scriveva nel 1584 Raffaello Borghini nel suo *Riposo* a proposito della maniera inimitabile del Barocci: "le cui opere sì per lo disegno, sì per la dispositione e sì per lo colorito fanno maravigliare chiunque le vede". E i dipinti vaticani "meravigliano" insieme alle altre opere che sono state riunite in questa importante mostra che conferma una fama già in vita destinata a propagarsi sia in Italia che in Europa nei secoli, anche grazie all'enorme prestigio che ebbero i suoi delicati disegni policromi e alla vasta e duratura circolazione di stampe che ne hanno divulgato le belle invenzioni.

Barbara Jatta
Direttrice Musei Vaticani

Le Gallerie degli Uffizi hanno accettato con entusiasmo di diventare il principale prestatore della mostra monografica dedicata a Federico Barocci che si tiene presso il Palazzo Ducale di Urbino durante l'estate. Peraltro, la prima mostra organizzata nella sua città natale. Il nostro museo ha quindi dato il suo contributo all'importante manifestazione culturale mediante il prestito di un cospicuo nucleo di opere che si presentano come i principali capolavori dell'esposizione. Tali opere potranno ancor più essere apprezzate dai visitatori grazie ai restauri conservativi che la Galleria Nazionale delle Marche ha generosamente finanziato.

Il motivo preminente che ci ha spinto all'attiva partecipazione al progetto, tuttavia, è stata la possibilità di ricreare il contesto storico-artistico che in antico esisteva a Urbino, quale parte delle ricchissime collezioni della famiglia Della Rovere che per mezzo del matrimonio tra Vittoria, ultima discendente del ducato, e Ferdinando II de' Medici, presero la via di Firenze dopo il 1631. È il caso di numerosi dipinti di Barocci presenti in mostra, alcuni usualmente esposti nelle sale degli Uffizi e della Galleria Palatina, altri conservati nei depositi museali e al Gabinetto dei Disegni e delle Stampe, ma originariamente provenienti dalle raccolte roveresche. Per la prima volta pitture e disegni ritornano a Urbino assieme ad altri capolavori appartenenti a chiese, cattedrali e prestigiosi musei nazionali ed esteri per celebrare, collettivamente, l'opera di Federico Barocci, uno fra i più alti interpreti della pittura italiana a cavallo fra XVI e XVII secolo. Le vicende monografiche dell'artista urbinate s'intrecciano perciò alla storia secolare delle raccolte dinastiche fiorentine, raccontando al contempo il gusto collezionistico dei Medici, prima, e dei Lorena, poi. Un gusto che seppe offrire nuovi orizzonti alla storia dell'arte.

L'opportunità di coinvolgere capolavori normalmente non accessibili al pubblico nell'ambito di questa importante esposizione permette, infine, di dare valore al patrimonio interno delle istituzioni museali: ciò ribadisce, non solo, la fondamentale importanza della circolazione delle opere nell'ambito di significative manifestazioni di carattere storico e artistico, ma mette altresì in evidenza l'inscindibile necessità della collaborazione tra musei, nazionali e internazionali, al fine di permettere la conoscenza del nostro vastissimo patrimonio culturale che gli enti di conservazione, sotto l'egida del Ministero della Cultura, hanno il compito di tutelare e di valorizzare.

Simone Verde
Direttore delle Gallerie degli Uffizi

Già quattrocento anni fa, alle eccellenze era riconosciuto un ruolo fondamentale nella promozione del territorio. I grandi artisti urbinati, tramite le loro opere, non solo davano lustro ai duchi committenti di fronte ai loro cittadini, ma ne rappresentavano la cultura, il gusto e la ricchezza presso gli altri regnanti. Così, tramite l'opera di Federico Barocci, Francesco Maria II porta il nome e l'immagine di Urbino, ad esempio, alla corte di Spagna. Il nome, perché alla capitale del ducato era fisicamente legato l'artista che, dopo una breve parentesi romana, torna nella città natale per non abbandonarla più. L'immagine, perché Urbino resta – nella sua fisicità – protagonista nell'opera del pittore, con il profilo caratterizzato dai torricini federiciani che appare sullo sfondo di moltissime sue opere.

Oggi come allora, l'artista – Barocci – e la città – Urbino – rappresentano l'eccellenza di un territorio: non più il ducato roveresco, ma una regione – le Marche – il cui nome, declinato al plurale, rivela una storia fatta di parallelismi e vicinanza, ma anche di specificità delle singole realtà. E se Barocci è stato l'ultimo grande artista urbinate, la città continua a essere un centro di eccellenza di quella formazione artistica che, insieme a Urbino, caratterizza tutte le Marche.

Nell'anno di Pesaro Capitale Italiana della Cultura, le Marche hanno la possibilità di promuovere, ancora di più, il loro ricco patrimonio artistico, architettonico, ambientale e, più genericamente, culturale, e lo fanno tramite iniziative – come questa della Galleria Nazionale delle Marche – che ne rimettono in luce le eccellenze: *Federico Barocci Urbino*.

Francesco Acquaroli
Presidente della Regione Marche

Chiara Biondi
Assessore alla Cultura, Sport, Istruzione,
Partecipazione e Volontariato

In questi anni il Palazzo Ducale di Urbino con la Direzione Regionale Musei Marche sta portando avanti numerosi cantieri architettonici e museografici destinati a rinnovare le sedi storiche –approfittando anche dell'occasione dei finanziamenti europei PNRR – e valorizzare le collezioni con nuovi allestimenti, depositi accessibili, cataloghi digitali, portali web, campagne di restauro e pubblicazioni. Tutte azioni congiunte grazie alle quali consegnare alle generazioni future il nostro straordinario patrimonio culturale.

Insieme ai lavori strutturali, la Galleria Nazionale delle Marche ha elaborato un programma di esposizioni dedicate alla storia di Urbino che trova oggi un'ulteriore tappa con la mostra su Federico Barocci. Per la città ducale Barocci, il vero erede di Raffaello, ha sempre rappresentato un debito di riconoscenza, perché la sua figura umana e artistica è di straordinaria importanza: con le sue opere illumina come una supernova gli ultimi anni del ducato Della Rovere, chiudendo la grande stagione del Rinascimento urbinate con le primizie di una pittura nuova che caratterizzerà l'età barocca. Non a caso il primo direttore di Palazzo Ducale, Lionello Venturi, aveva in animo di organizzare una mostra monografica, annunciata in occasione dell'apertura del museo nel maggio 1913. Adesso quel cerchio aperto più di un secolo fa si chiude e Barocci avrà finalmente l'antologica che merita nel suo – e nostro – luogo del cuore: il Palazzo Ducale.

Frutto di più di tre anni di lavoro, la mostra giunge al termine di un'approfondita azione di studio condotta da una squadra composta da eminenti esponenti del mondo accademico e della conservazione. Ed è importante che il museo si affermi come luogo della ricerca scientifica: spazio vivo e vitale per creare infinite occasioni di conoscenza e valorizzazione del patrimonio. L'esposizione ha motivato inoltre un'ampia campagna di restauri e indagini diagnostiche, sostenuta dal museo, permettendo di approfondire la storia delle tecniche di Barocci e apprezzare il caleidoscopio del suo cromatismo. Con un circuito virtuoso fra enti prestatori, che ringrazio sentitamente per aver partecipato con entusiasmo e disponibilità alla nostra iniziativa, la mostra offre un'occasione preziosa di arricchimento culturale, sia per noi che l'abbiamo concepita, progettata e realizzata, sia per chi la ammira nelle sontuose sale di Palazzo Ducale e sulle pagine di questo catalogo.

È importante infine che nell'anno in cui Pesaro è Capitale Italiana della Cultura, Urbino sia protagonista di questo evento, proponendo una mostra dedicata a uno dei suoi figli più illustri. Nel segno di Federico Barocci, il Palazzo Ducale ha elaborato un ampio progetto culturale in cui le opere della Galleria Nazionale delle Marche, accanto a quelle provenienti dai più importanti musei del mondo, raccontano la poetica del grande urbinate. La sua meravigliosa pittura cristallizza l'eredità artistica di una regione unica per varietà e importanza del patrimonio culturale che siamo chiamati a trasmettere e valorizzare, solidamente guidati dal superiore Ministero della Cultura.

Luigi Gallo
Direttore
Palazzo Ducale di Urbino/
Direzione Regionale
Musei Nazionali delle Marche

FEDERICO BAROCCI URBINO

L'EMOZIONE DELLA PITTURA MODERNA

Luigi Gallo
Anna Maria Ambrosini Massari

In occasione dell'apertura della Galleria Nazionale delle Marche, nel maggio del 1913, il suo primo direttore, un giovanissimo Lionello Venturi, annunciò una mostra dedicata a Federico Barocci per celebrare il terzo centenario della morte. L'evento poi non ebbe luogo e solo oggi, a più di cento anni di distanza, il museo dedica una monografia al grande pittore urbinate la cui opera chiude idealmente la grande stagione del ducato di Montefeltro, dominata da artisti del calibro di Piero della Francesca, Bramante e Raffaello. A cavallo fra due secoli, la pittura di Barocci illumina con la sua grazia intrisa di spiritualità gli ultimi anni dell'indipendenza di Urbino, destinata con la morte di Francesco Maria II della Rovere nel 1631 alla devoluzione allo Stato Pontificio. Pittore, straordinario disegnatore e innovativo incisore, Barocci segna per quasi un secolo la scena artistica italiana ed europea. Nonostante la scelta, inconsueta all'epoca, di restare nella sua città natale, lontana dai grandi centri culturali, egli riesce a imporsi con tenace fatica come il più ammirato, richiesto e pagato autore di dipinti sacri della seconda metà del Cinquecento. Diretto interlocutore di papi, sovrani e imperatori, anche grazie alla mediazione del suo signore e amico, il duca di Urbino Francesco Maria II della Rovere, Barocci partecipa in modo autonomo alle poetiche spirituali della Controriforma. La sua raffinata pittura armonizza i riferimenti all'alto Rinascimento con modelli più attuali, creando un binario parallelo rispetto al canone tradizionale della storia dell'arte. Erede del classicismo raffaellesco, ispiratore del naturalismo dei Carracci e attento interlocutore del colorismo di Tiziano e Correggio, nell'ultima fase della sua carriera con i suoi notturni e il suo timbro sentimentale anticipa il linguaggio barocco.

Con prestiti eccezionali, provenienti dai principali musei nazionali e internazionali, che arricchiscono la collezione già molto importante della Galleria Nazionale delle Marche, la mostra, di taglio monografico, raccoglie più di ottanta tra dipinti e disegni di Barocci, illustrando tutte le fasi della sua lunga carriera. Per la realizzazione di questa imponente campagna di prestiti, ringraziamo la straordinaria disponibilità e la piena collaborazione degli enti prestatori e dei colleghi che ci hanno supportato. Niente sarebbe stato possibile senza il cruciale sostegno delle Gallerie degli Uffizi, primo e imprescindibile riferimento per la storia collezionistica di Urbino, dei Musei Vaticani, della Galleria Borghese e delle Gallerie Nazionali d'Arte Antica, che per la prima volta prestano tutti i capolavori del pittore da loro conservati, e con loro le chiese e le collezioni diocesane di Roma, Perugia e Senigallia. Eccezionale è stata anche la risposta dei musei stranieri come il Louvre e la Fondation Custodia di Parigi, il Musée Bonnat di Bayonne, il Prado di Madrid, il Kunsthistorisches Museum di Vienna, il Kupferstichkabinett degli Staatliche Museen di Berlino, il Rijksmuseum di Amsterdam, il Fitzwilliam Museum di Cambridge, la National Gallery e il British Museum di Londra, le Collezioni Reali di Windsor, l'Ashmolean Museum di Oxford, il Szépművészeti Múzeum di Budapest, il Metropolitan Museum di New York. Il ritorno delle opere a Urbino da ogni dove, moltissime per la prima volta dalla loro esecuzione, conferma quanto la sinergia fra enti di conservazione sia importante nella valorizzazione della nostra grande eredità culturale.

Per la prima volta, il percorso artistico del maestro urbinate viene presentato secondo un ordinamento tematico, volto ad approfondire alcune peculiarità della sua produzione, inserendola nel contesto della grande arte del Cinquecento e del Seicento. La mostra si articola in otto nuclei narrativi, che legano la successione temporale dell'opera di Barocci a una presentazione diacronica organizzata seguendo i diversi temi della sua pittura. Si parte dalla disamina del contesto culturale in cui l'artista si forma e lavora, analizzato tramite l'*Autoritratto da giovane* e l'*Autoritratto da anziano* (Firenze, Uffizi), i ritratti dei personaggi più rappresentativi della corte e del suo principale committente, il duca *Francesco Maria II della Rovere* (Firenze, Uffizi). Qui sono presentati i capolavori della ritrattistica baroccesca insieme alla magnifica *Madonna della gatta* (Firenze, Galleria Palatina), in cui il profilo del Palazzo Ducale cristallizza il legame del pittore con la sua città natale. Si affronta poi il tema della composizione delle grandi pale d'altare che rivoluzionano la tradizione cinquecentesca con capolavori come la maestosa *Deposizione* eseguita per la cattedrale di San Lorenzo di Perugia, la *Madonna di san Simone* della Galleria Nazionale delle Marche o le tre straordinarie realizzazioni romane come la

Visitazione e la *Presentazione della Vergine al Tempio* della Chiesa Nuova e l'*Istituzione dell'Eucarestia* di Santa Maria sopra Minerva. La terza sezione è dedicata al tema degli affetti, della natura e delle emozioni, con i dipinti di piccola dimensione destinati alla devozione privata in cui più evidenti risultano i ragionamenti di Barocci sulle intime relazioni fra i personaggi e il loro rapporto con una natura intrisa di sentimento. Qui saranno presentati i magnifici *Noli me tangere* (Firenze, Uffizi), in cui il profilo di Urbino porta la scena sacra nell'ambito familiare della capitale feltresca, il *Riposo durante la fuga in Egitto* (Musei Vaticani), dove il dolcissimo paesaggio primaverile accoglie la rappresentazione dell'amore familiare, la *Madonna del gatto* (Londra, National Gallery), in cui i protagonisti sono rappresentati in una sala che richiama gli ambienti del palazzo urbinate, la *Madonna di san Giovanni* (Galleria Nazionale delle Marche), dipinta dopo il ritorno da Roma come ex voto per la guarigione, la *Natività* (Madrid, Museo del Prado) e ancora i magnifici *San Girolamo* e *San Francesco nella grotta*, rispettivamente dalla Galleria Borghese e dal Metropolitan di New York, in cui i personaggi sono rappresentati in estasi in un paesaggio struggente. La quarta sezione è dedicata alla grafica di Barocci, con una scelta significativa di disegni, cartoni e oli su carta provenienti dalle maggiori raccolte nazionali e internazionali. Nella quinta è possibile vedere le composizioni dalla loro fase preparatoria all'opera finita: sono presenti l'*Annunciazione* conservata in Vaticano, esposta vicino a diversi fogli elaborati per la sua realizzazione e diffusione a stampa, la straordinaria *Fuga di Enea da Troia* (Roma, Galleria Borghese), affiancata al cartone preparatorio conservato al Louvre, l'unica opera a tema mitologico di Barocci, in cui gli elementi ereditati dalla tradizione raffaellesca sono riletti con un nuovo pathos che ispira il ragionamento che sul dipinto fece Bernini, e infine il *Trasporto* di Senigallia, che dal 1608 – anno della fine dell'intervento di "restauro" operato dallo stesso Barocci – torna a Urbino, con accanto due bozzetti conservati rispettivamente a Urbino e Amsterdam. Nella sesta sezione sono presentate le ultime opere del pittore, risalenti al primo decennio del Seicento, nelle quali il colore diventa pura emozione cromatica, anticipando alcune soluzioni che contraddistinguono l'arte barocca: fra queste la *Beata Michelina* (Musei Vaticani), la *Madonna del Rosario* (Senigallia) e l'incompiuta *Assunzione della Vergine* (Galleria Nazionale delle Marche). Fuori dalle sale della mostra, l'arte di Barocci continua nell'appartamento roveresco del secondo piano dove il Palazzo Ducale vanta il nucleo più consistente della sua produzione sacra insieme alle opere dei seguaci: l'*Immacolata Concezione*, la *Crocifissione con i dolenti*, *San Francesco riceve le stigmate*, la derivazione dal *Perdono di Assisi* e le due opere in deposito dalla Pinacoteca di Brera alla Galleria Nazionale delle Marche, ovvero la *Madonna col Bambino in gloria con i santi Giovanni Battista e Francesco* e l'*Ecce Homo* finito dall'allievo Ventura Mazza. Parte integrante dell'esposizione e del suo percorso è la città di Urbino: sono state indagate le opere conservate nel duomo, il *San Sebastiano*, la *Santa Cecilia* e l'*Ultima cena*, nella chiesa di San Francesco, *Il Perdono di Assisi*, e nell'oratorio della Morte, la struggente *Crocifissione*. Ogni dipinto è stato studiato analiticamente e le ricerche archivistiche hanno svelato dettagli inediti e ricchi di interesse; al contempo una poderosa campagna di restauri condotta su diverse opere pittoriche e grafiche, accompagnata da precise indagini diagnostiche, permette di offrire al pubblico la ricchezza esaltante del colore e la maestria tecnica del grande artista urbinate.

La mostra, che abbiamo curato con grande passione, si avvale della preziosa collaborazione di Giovanni Russo, funzionario storico dell'arte della Galleria Nazionale delle Marche, e della disponibilità di Luca Baroni, Ph.D. all'Università Normale di Pisa, nonché del contributo indispensabile di tutti gli autori del catalogo, che racconta un'incredibile avventura artistica e culturale dalla quale emerge una delle personalità più originali e affascinanti del Cinquecento europeo, maestro e ispiratore nel tempo, poeta delle emozioni più intime e vicine alla modernità.

"UN SORRISO DI PURITÀ GENTILE"

FEDERICO BAROCCI E LA GALLERIA NAZIONALE DELLE MARCHE

Luigi Gallo

*Est quadam prodire
tenus, si non datur ultra*[1].
Orazio

Nella guida al Palazzo Ducale di Urbino edita nel 1920, Luigi Serra, da cinque anni direttore della Galleria Nazionale delle Marche, dedica alcune pagine alla descrizione delle opere di Federico Barocci che, sin dalla sua fondazione, arricchiscono le collezioni del museo. Analizzando con acume le peculiarità della sua arte, egli scrive:

> Né Raffello, né Michelangelo, che pure ammirò e studiò a Roma, e neppure il Correggio, verso il quale appar vivamente attratto, riuscirono a snaturare gli spiriti della sua arte. Nelle sue opere la Controriforma ebbe un'eco sincera e commossa. Un delicato velo di malinconia dolorante le avvolge, un sorriso di purità gentile, un palpito fantasioso e poetico le avviva[2].

Nelle sue parole Serra esplicita la lunga frequentazione con la pittura di Barocci, compiuta nel tentativo di definire la personalità sfuggente del grande pittore: l'ultimo rappresentante della scuola urbinate iniziata sotto Federico da Montefeltro e al contempo il primo dei moderni. Un artista difficile da definire che si pone a metà fra Rinascimento ed età barocca, anticipandone alcune soluzioni formali, come l'uso del colore con cui si confronta Rubens o le estatiche sante alle quali guarda Bernini, e il cui naturalismo intriso di spiritualità pare dialogare, seppure nella più radicale alterità, con l'espressività di Caravaggio[3].

All'analisi del rapporto fra tradizione e modernità che connota molti studi novecenteschi su Barocci, e conseguentemente la sua musealizzazione, si aggiunge la fascinazione indiscussa per il confronto fra il nostro pittore e Raffaello. Entrambi nativi di Urbino, cresciuti a cinquant'anni di distanza nelle stesse strade, negli stessi paesaggi, nella stessa raffinata corte, eppure segnati da destini diversissimi: Raffaello parte dalla città natale per non tornare, Federico invece, dopo la permanenza romana durante la quale accusa una malattia che lo tormenterà a vita, torna e non la lascerà più. Del primo Urbino non possiede opere fino al deposito della *Muta* dagli Uffizi nel 1927 e al successivo acquisto della piccola *Santa Caterina* nel 1991, del secondo, fortunatamente, la capitale feltresca e le collezioni del museo conservano numerosi capolavori. Letto in termini dialogici è il confronto con un convitato di pietra, silenzioso e inevitabilmente squilibrato. Lo testimonia la semplice lapide dedicata a Barocci disposta sulla facciata della dimora avita, se comparata al magniloquente monumento dedicato al Santi, realizzato dallo scultore torinese Luigi Belli fra il 1894 e il 1897 in seguito a una pubblica sottoscrizione promossa dall'Accademia Raffello, disposto originariamente davanti a Palazzo Ducale e spostato nel 1947 sul piazzale Roma appena fuori dalle mura[4]. Eppure Barocci, forse più di ogni altro, ha cristallizzato i caratteri di Urbino, rappresentandola in ogni dipinto (figg. 2-3), immersa nel paesaggio circostante come in una geografia sentimentale che la pone al centro di un universo poetico[5]. Anche i caratteri della sua personalità, tramandati dalla storiografia, schizzano un ritratto che in qualche modo si apparenta alle luci assolute e alle nebbie della sua Urbino: un personaggio gentile ma schivo, sensibile come un ispirato esegeta. Così scrive Corrado Ricci in un testo del 1913 di cui parleremo più avanti: "Federico Barocci, nella quiete d'Urbino, viveva in mezzo a' suoi gentili fantasmi assai più che in mezzo a' suoi modelli, e anche nel cielo e nella terra vedeva i colori che la sua anima e la sua mente vedevano, più che i suoi occhi non vedessero"[6]. L'autore sintetizza bene l'universo dominato dalla fantasia creatrice di Federico, una

1
Federico Barocci
Presentazione della Vergine al Tempio, 1593-1603, particolare. Roma, Santa Maria in Vallicella

FEDERICVS BAROCIVS VRBINAS
FACIEBAT ANNO DOM
M·D·CIII

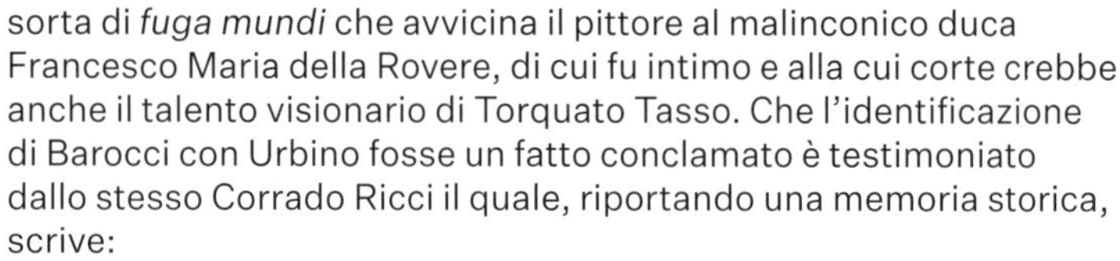

sorta di *fuga mundi* che avvicina il pittore al malinconico duca Francesco Maria della Rovere, di cui fu intimo e alla cui corte crebbe anche il talento visionario di Torquato Tasso. Che l'identificazione di Barocci con Urbino fosse un fatto conclamato è testimoniato dallo stesso Corrado Ricci il quale, riportando una memoria storica, scrive:

> I cittadini accorsero in folla a' suoi funerali per rendere onore di lodi e di preghiere a colui che, pur dopo Bramante e Raffaello, aveva accresciuto il nome della patria. In lui s'era spento l'ultimo grande artista della Rinascenza e l'ultimo grande artista d'Urbino: d'Urbino vetta di Parnaso, allietata di spiriti magni di poeti, d'artisti, di guerrieri, di donne famose; d'Urbino sede di bellezza, focolare di civiltà, decoro d'Italia[7].

L'arte di Barocci illumina come una supernova il crepuscolo politico del ducato, donando alla sua capitale una rinnovata epoca aurea.

Come ha ampiamente dimostrato la storiografia, la fortuna postuma dell'artista fu ampia, seppure mediata dai cambiamenti estetici e politici che contraddistinguono gli anni successivi alla sua morte. Certamente il pittore rimane noto per la raffinatezza delle soluzioni cromatiche, tanto da far scrivere ad Adolfo Venturi che furono i suoi toni cipriati a fare la "scoperta" del Settecento[8], e le sue realizzazioni grafiche entrano nelle maggiori collezioni europee. Ma è a Urbino che si è svolta la riscoperta e valorizzazione di Federico Barocci, accompagnando tutta la storia della Galleria Nazionale delle Marche grazie al lavoro dei suoi direttori, tutori dello straordinario lascito artistico dell'urbinate conservato nel museo che per la prima volta oggi gli dedica una mostra monografica.

La nascita del museo: Lionello Venturi

Più di dieci anni prima della fondazione della Galleria Nazionale delle Marche, un cospicuo nucleo di opere di Federico Barocci era già nel Palazzo Ducale di Urbino, conservate dal Regio Istituto di Belle Arti, istituito nel 1861 all'alba del Regno d'Italia[9]. Ne scrive nel 1899 Egidio Calzini, autore della prima guida del museo, ricordando come all'interno della prima sala del Magnifico, oggi appartamento della Duchessa, i dipinti barocceschi fossero confusamente presentati accanto ai maestri quattrocenteschi, subordinando l'ordinamento cronologico alle dimensioni[10]. Se fin dagli studi di Bellori e di Lanzi, la storiografia artistica ha sempre riservato onori a Federico Barocci, la descrizione estremamente riduttiva del Calzini permette di comprendere quanto, alle soglie del Novecento, fosse necessaria una svolta sia per riscoprire il profilo del pittore, sia per dare ordine alla collezione di Palazzo Ducale che, dopo la morte dell'ultimo conservatore, Camillo Castracane Staccoli, non aveva più un criterio espositivo. La monografia edita da August Schmarsow nel 1909 è tra le prime a riportare l'attenzione sull'artista ed è interessante notare come l'autore segnali le opere in una sala dall'illuminazione infelice[11].

Entrambe le riqualificazioni, tanto del Barocci quanto del museo, trovano soluzione nel 1912, con i loro destini legati a doppio filo[12]. Il 17 marzo viene istituita con regio decreto la Galleria Nazionale delle Marche, aperta al pubblico l'anno successivo, e Lionello Venturi assume il ruolo di primo direttore. Laureato alla Sapienza nel 1907, Lionello aveva iniziato la sua carriera di storico dell'arte come ispettore, dal 1909 al 1912, nelle Gallerie di Venezia e nella Galleria Borghese a Roma, per passare nel biennio successivo al ruolo di soprintendente alle Gallerie e agli Oggetti d'Arte delle Marche con sede a Palazzo Ducale di Urbino. Figlio del già citato Adolfo, fondatore della disciplina storico-artistica italiana, Lionello prende

2

Federico Barocci
Madonna della gatta, 1588-1592, particolare con veduta di Palazzo Ducale. Firenze, Gallerie degli Uffizi, Palazzo Pitti, Galleria Palatina

3

Federico Barocci
Trasporto di Cristo, 1579-1582, particolare con veduta di Palazzo Ducale. Senigallia, confraternita del Santissimo Sacramento e Croce

4

Antonio Cimatori
Madonna col Bambino in gloria e i santi Francesco, Agostino, Giovannino ed Elisabetta, detta *Madonna di sant'Agostino*, post 1598. Urbino, Galleria Nazionale delle Marche

5

Federico Barocci
Trasporto di Cristo,
1579 circa, particolare.
Urbino, Galleria Nazionale
delle Marche

servizio a soli ventotto anni e si occupa di riordinare e arricchire la collezione con depositi, restauri e nuove attribuzioni, operando inoltre cospicui interventi nelle otto sale destinate al pubblico che comprendevano l'appartamento della Duchessa e gran parte dell'appartamento del Duca al piano nobile di Palazzo Ducale[13]. Nel suo ordinamento, Venturi si avvale di un criterio scientifico che prevede la sistemazione cronologica e per scuole artistiche, individuando il nucleo dei trecentisti riminesi, che ospita nella sala degli Angeli, e collocando la pittura del tempo di Federico da Montefeltro nell'appartamento del Duca, una soluzione adottata anche dai successivi direttori. La guida della Galleria Nazionale redatta nel 1913 da Luigi Renzetti è un testo di primaria importanza per chiarire cosa sia esposto nel museo al momento della sua apertura[14]. Essa indica ben undici dipinti attribuiti a Federico Barocci e alla sua scuola tra quelli esposti, all'epoca non più di settanta in totale. Una percentuale così elevata dimostra l'importanza conferita all'artista marchigiano e al contempo testimonia quanto Venturi abbia una visione della Galleria come palcoscenico nazionale dove si possano riportare alla luce i capolavori delle scuole locali. Tale posizione coincide con le idee espresse da Corrado Ricci, direttore generale delle Antichità e Belle Arti dal 1906, che nel decimo Congresso Internazionale di Storia dell'Arte nel 1912, presieduto da Adolfo Venturi, presenta in termini estremamente laudativi la *Madonna di sant'Agostino* (fig. 4), considerata di Barocci ma oggi attribuita ad Antonio Cimatori, proveniente da Cagli e appena acquistata dallo Stato[15].

La rivalutazione dell'urbinate è motivo di vanto per l'intera città di Urbino che quello stesso anno, in occasione del terzo centenario dalla scomparsa dell'artista, pubblica un volume intitolato *Studi e Notizie su Federico Barocci* da cui abbiamo tratto alcuni brani sopra citati. Il tomo esprime il desiderio dei concittadini di celebrare l'artista e la Brigata Urbinate degli Amici dei Monumenti è la prima promotrice di questa multiforme raccolta di saggi dove confluiscono la trattazione di opere inedite, disamine di studiosi locali, un sintetico elenco delle opere note e la valutazione di Adolfo Venturi a suggellare l'allure scientifica della pubblicazione. Nelle prime pagine si trova il citato discorso tenuto da Corrado Ricci il 25 maggio 1913 in occasione dell'inaugurazione della Galleria Nazionale delle Marche[16]. A fronte del fervente clima di riscoperta baroccesca, infatti, Lionello Venturi aveva deciso di far coincidere l'apertura del museo con la celebrazione del pittore, come dichiara lui stesso in una comunicazione al Ministero datata 5 febbraio 1913:

> Mi sono trovato davanti la necessità, oltre che d'impiantare ex novo l'ufficio di direzione e di amministrazione, di riordinare la galleria, la quale si trova in locali monumentali, ma tenuti in modo indecoroso. E anche ho avuto notizia di un avvenimento che rende urgente il riordinamento [...]. Infatti, alla fine di maggio, Urbino prepara grandi feste per il centenario di Federico Barocci: inaugurazione di un monumento, feste al Municipio, all'Istituto di Belle Arti, stagione musicale etc., cui sarà invitato il Ministro della P. Istruzione. E oratore ufficiale della festa commemorativa sarà lo stesso Direttore Generale delle AA.BB.AA. Se dunque il Governo non avrà attuato i benefici promessi con il mostrare al pubblico la propria galleria nazionale almeno in una condizione decorosa, esso perderà l'occasione di veder valutata la propria azione in un momento solenne[17].

Così operando Lionello Venturi consacra il neonato museo marchigiano al grande artista urbinate, al quale decide di

6

Palazzo Ducale, secondo piano, seconda sala dell'appartamento roveresco con l'allestimento di Pasquale Rotondi, 1948. Galleria Nazionale delle Marche, Archivio Storico

7

Palazzo Ducale, secondo piano, terza sala dell'appartamento roveresco con l'allestimento di Pasquale Rotondi, 1948. Galleria Nazionale delle Marche, Archivio Storico

8

Federico Barocci
Le stigmate di san Francesco,
post 1576, particolare
del paesaggio notturno.
Fossombrone, Pinacoteca
Civica "A. Vernarecci"

9

Federico Barocci
San Francesco riceve le stigmate, 1594-1595, particolare del paesaggio notturno. Urbino, Galleria Nazionale delle Marche

dedicare anche una mostra, mai realizzata, ratificando un destino che trova oggi esito. In vista dell'apertura, le tele di Barocci sono tra le prime del museo a essere restaurate e fotografate, per poi trovare collocazione al piano nobile in una sala intitolata al pittore.

Con l'arrivo di Luigi Serra alla direzione della Galleria Nazionale delle Marche nel 1915, la collezione del museo si accresce grazie al deposito dei capolavori di Piero della Francesca, Tiziano, Signorelli e altri e contestualmente si assiste a un cospicuo aumento delle sale espositive che salgono a trenta, occupando gli spazi già in uso alla Sottoprefettura. Nel corso dei suoi quindici anni di direzione, Serra cambia integralmente i criteri museografici messi in opera da Venturi ed elabora un allestimento storicista che rievoca una dimora rinascimentale patrizia, grazie a mobili in stile, paramenti e trofei di armi. In questo rinnovato contesto, le opere di Barocci sono disposte in due sale dell'appartamento degli Ospiti, come riportato nella citata guida del 1920. Spezzando la continuità pensata da Venturi, Serra favorisce una lettura tematica, legata anche alle dimensioni degli spazi prescelti: i dipinti più piccoli sono presentati nello studiolo del duca Della Rovere, noto come sala del Re d'Inghilterra, in relazione con il soffitto decorato da eleganti stucchi cinquecenteschi di Federico Brandani. Nel 1920 inoltre la collezione baroccesca si accresce con il deposito della raccolta di disegni dell'artista e della sua scuola dei conti Viviani di Urbino. Senza cambiare l'opinione sostanzialmente positiva sull'artista, Serra opera una scelta critica che favorisce l'arte e l'architettura quattrocentesca a discapito delle tele sei e settecentesche, molte delle quali entrano in deposito, da dove sono uscite solo recentemente[18].

Nel corso degli anni trenta, sotto la direzione dall'architetto Guglielmo Pacchioni, il museo comincia a spogliarsi dell'allestimento storicista, valorizzando l'edificio e la collezione quattrocentesca, principalmente lo Studiolo di Federico da Montefeltro con l'arrivo dei dipinti degli *Uomini illustri* di Giusto di Gand e Pedro Berruguete nel 1934, mentre i dipinti di Barocci restano al margine del ragionamento museografico.

Guerra e pace: Pasquale Rotondi

Una svolta significativa nel percorso di musealizzazione delle opere baroccesche ha luogo dopo la Seconda guerra mondiale. È cosa nota come negli anni del conflitto il Palazzo Ducale di Urbino, insieme alla Rocca di Sassocorvaro e al Palazzo Falconieri di Carpegna, sia stato fra i maggiori depositi italiani di opere d'arte messe in salvo dai danni e dalle razzie belliche grazie al lavoro eroico di Pasquale Rotondi, direttore della Galleria Nazionale delle Marche dal 1939 al 1949[19]. Allievo di Adolfo Venturi e Pietro Toesca a Roma, Rotondi aveva ricevuto l'incarico dal ministro Giuseppe Bottai di individuare, trasportare e custodire un cospicuo numero di opere nel Palazzo Ducale, ritenuto sicuro per la sua posizione decentrata. Resosi presto conto che la città era un potenziale bersaglio militare a causa di un arsenale dell'aeronautica nascosto in un tunnel scavato nelle viscere della collina su cui sorge il borgo, il direttore individua i depositi alternativi dove nascondere le opere scelte fra quelle di maggior pregio, seguendo le indicazioni ministeriali. La selezione effettuata da Pasquale Rotondi è il frutto di scelte critiche ed estetiche proprie di uno storico dell'arte dell'epoca, che privilegia le opere tardogotiche e rinascimentali, come i capolavori di Piero della Francesca e Signorelli, mentre la maggior parte dei dipinti cinque e seicenteschi rientra in una seconda scelta di centosette opere che rimangono a Urbino, esposte al rischio dei bombardamenti. Alcune sono ricoverate nei locali al pianterreno del Palazzo Ducale, come i dipinti di Santi, Barocci, Viviani e Cantarini, altre in un torricino,

10
Palazzo Ducale, secondo piano, seconda sala dell'appartamento roveresco con l'allestimento rivisto dopo la partenza delle opere di Ancona, 1965. Galleria Nazionale delle Marche, Archivio Storico

come Viti[20]. Nelle sale del palazzo rimaste vuote, il direttore contempla la grandezza dell'architettura quattrocentesca cui dedicherà una fondamentale monografia.

Il sistema di valori che aveva accompagnato Rotondi nelle scelte operate durante la guerra lo guida anche nel riallestimento successivo, descritto nella guida da lui redatta edita nel 1948. Riprendendo il progetto di razionalizzazione degli spazi iniziato da Pacchioni, Rotondi destina il piano nobile alle opere strettamente affini al periodo di governo feltresco; per cronologia, nelle tre sale aperte al secondo piano, d'epoca roveresca, sono disposte le opere di Barocci insieme ad alcuni dipinti provenienti dalle pinacoteche civiche marchigiane in deposito a Urbino. Nella seconda sala in particolare, Rotondi dispone il bozzetto del *Trasporto di Cristo* (fig. 5, cat. V.3) fra le pale d'altare di Orazio Gentileschi, la *Visione mistica di santa Francesca romana* da lui acquistata per la Galleria nel 1940, e Guercino, la *Santa Palazia* proveniente dalla Pinacoteca di Ancona[21]. L'allestimento, riprodotto in una preziosa fotografia (fig. 6), testimonia come Rotondi abbia valorizzato l'aspetto non finito del dipinto in cui legge le primizie della modernità, come scrive: "È tra le più belle creazioni dell'artista per la spontaneità della composizione e la evanescente leggerezza dei colori. Essi sembrano, in alcuni punti, anticipare esperienze vicinissime ai nostri tempi. Eccezionale la vitalità dell'insieme"[22]. Nella terza sala Rotondi presenta le altre opere di Barocci (fig. 7); in particolare va sottolineato il confronto fra la monumentale pala con *San Francesco riceve le stigmate* (fig. 9, cat. VII.6) e il relativo bozzetto (fig. 8, cat. III.12), disposto su cavalletto al centro della stanza, di cui Rotondi scrive: "Il bozzetto è di gran lunga più significativo dell'opera finita. Nella quale troppo macchinosa è la composizione, per quanto fantastica possa essere la scena di paesaggio del fondo. Nel bozzetto, si noti, invece, l'immediatezza creativa dell'insieme, ottenuta con tanta vitalità e finezza di tocco"[23]. Nella stessa sala figura *L'Eterno Padre*, tradizionalmente attribuito all'artista, da lui descritto come uno "tra i più significativi di Barocci, notevolissimo per le delicate evanescenze del colore"[24].

La scelta di favorire il non finito rispetto alle opere compiute testimonia l'adesione di Rotondi all'orizzonte della critica d'arte a lui contemporanea, in particolare alle posizioni di Lionello Venturi che in quegli anni, prima in esilio in Francia poi in America, lavora alla *Storia della critica d'arte*, edita in Italia nel 1946. Nel volume un ampio spazio è lasciato alla trattazione del rapporto fra cultura accademica e istanze moderniste, fino alla nascita delle avanguardie storiche, con la scoperta di temi come la pittura *en-plein-air* di fine Settecento in un artista come Pierre-Henri de Valenciennes che lui definisce pre-impressionista[25]. Come Venturi per gli *études peintes*, Rotondi vede nei bozzetti di Barocci una sintesi risolutiva fra intuizione e sentimento, ossia il genio dell'artista colto nell'attimo della creazione. Tale raffinata lettura critica, ancora attuale se applicata alla sua straordinaria opera grafica, si riverbera nell'allestimento museale, confermando Barocci come una figura enigmatica: una sorta di Giano bifronte con un volto che guarda al passato e uno alla modernità.

L'allestimento di Rotondi, tra i più duraturi della storia del museo, rimane sostanzialmente invariato per trent'anni, seppure con una serie di modifiche e spostamenti che nei decenni alterano progressivamente la leggibilità dell'originale progetto espositivo. In particolare, le sale dedicate a Barocci vengono riordinate dopo il rientro della pala di Guercino ad Ancona nel 1952 perdendo la raffinata lettura rotondianda, come si evince dalla guida edita nel 1951 da Pietro Zampetti, direttore della Galleria di Urbino dal 1949 al 1953[26]. Una fotografia realizzata nel 1965 (fig. 10) permette di

11

Palazzo Ducale, secondo piano, seconda sala dell'appartamento roveresco con l'allestimento attuale

riconoscere nella seconda sala roveresca la *Madonna di san Giovanni* (cat. III.1) e la *Crocifissione* Bonarelli (cat. VII.1).

Rivedere e ripensare il museo: Paolo Dal Poggetto

Nei quarant'anni successivi alla fondazione del museo, la bibliografia su Federico Barocci attesta una sostanziale interruzione. Il merito di una nuova monografia va attribuito a Harald Olsen nel 1962[27], cui segue nel 1975 la prima importante mostra monografica curata da Andrea Emiliani al Museo Civico di Bologna[28]. Allievo di Roberto Longhi, fra i principali interpreti dell'amministrazione dei beni culturali del Novecento, raffinato storico dell'arte e museologo, Emiliani elabora nel corso dei suoi studi un ragionamento nuovo sull'artista urbinate che permette di meglio comprendere il suo ruolo, storicizzandolo in rapporto ai movimenti spirituali della Controriforma[29]. La pionieristica mostra bolognese e le successive pubblicazioni dell'autore hanno inoltre avuto il merito di accendere una nuova luce sull'opera grafica di Barocci, esaminando da vicino il suo elaborato processo creativo.

La rinnovata attenzione dedicata all'artista grazie agli studi di Emiliani si riverbera immediatamente nell'allestimento della Galleria Nazionale delle Marche. Quando nel 1975 viene chiesto al neodirettore Dante Bernini di riferire al ministro sullo stato del museo, emergono i problemi di un allestimento vetusto che non assicura l'auspicabile stato di tutela e valorizzazione delle opere. È l'inizio di un grande progetto di riallestimento, compiuto solo in parte, che attesta come le necessità museologiche, di sicurezza e fruibilità siano radicalmente cambiate rispetto agli anni quaranta. Il 20 ottobre 1977 viene presentato il progetto di allestimento che, tra le altre cose, punta a riordinare la pittura dalla fine del secolo XV al XVIII nella parte ovest e sud del primo piano, cioè negli appartamenti degli Ospiti e dei Melaranci. Bernini ricorda come, rispetto a Rotondi, ha ritenuto opportuna "la sistemazione al piano nobile delle raccolte dal Barocci in poi, che relegate al piano superiore sono rimaste a lungo escluse alla vista; ciò non è stato piccolo inconveniente per le frequenti lamentele dei visitatori che non si spiegavano, e con ragione, la mancata presenza ad esempio del Barocci, per giunta pubblicizzato dalla mostra monografica di Bologna"[30]. Nell'archivio storico della Galleria si conserva un interessante progetto dell'architetto torinese Giorgio Ranieri in cui si proponeva una sala dedicata al Barocci con soluzioni a sospensione che, tramite sostegni in acciaio e cavi metallici, avrebbero sorretto le due grandi pale con la *Crocifissione* e il *San Francesco riceve le stigmate* (cat. VII.6)[31]. L'impostazione degli aspetti tecnologici, scientifici, didattici si rifà direttamente agli allestimenti di Franco Albini, Carlo Scarpa e BBPR. I fondi però scarseggiano e nel 1979 il cambio ai vertici della Galleria causa l'arresto del progetto di Ranieri, forse considerato troppo visionario e costoso. In una minuta al Ministero, il 31 maggio 1980 Paolo Dal Poggetto, direttore del museo fino al 2003, evidenzia l'urgenza della riapertura del secondo piano e di un completo riallestimento del primo. La sua logica di presentazione era basata sull'uso di alti cavalletti metallici, muniti di distanziatore, la cui ripetitività pesava nel percorso di visita, inficiando inoltre la conservazione delle opere fissate con viti ai supporti. Con l'allestimento di Dal Poggetto le opere del tardo Cinquecento e Seicento tornano fruibili e al Barocci viene dedicata la prima sala del secondo piano, mentre gli allievi sono collocati nella seconda sala insieme ad autori manieristi come Andrea Lilli e Simone de Magistris. L'allestimento pensato da Dal Poggetto, terminato a metà degli anni ottanta, aveva il merito di offrire nuovi spazi e opere, preferendo tuttavia la quantità numerica a discapito della qualità estetica.

12

Palazzo Ducale, secondo piano, prima sala dell'appartamento roveresco con l'allestimento attuale

Nel nuovo millennio

A centodieci anni dalla sua istituzione e a più di quaranta dall'ultimo allestimento, è ancora una volta nel nome di Federico Barocci che si è dato avvio nel 2022 alla revisione della presentazione delle opere della Galleria Nazionale delle Marche. L'occasione dell'arrivo e dell'esposizione al pubblico della *Madonna col Bambino in gloria con i santi Giovanni Battista e Francesco* (cat. VII.2) e dell'*Ecce Homo* (cat. VIII.7) provenienti dai depositi della Pinacoteca di Brera insieme ad altre tre grandi pale di Simone Cantarini e Pomarancio, razziate dalle truppe napoleoniche e rientrate in territorio marchigiano nell'ambito del progetto *100 opere tornano a casa* voluto dal Ministero della Cultura, è stata il pretesto per aprire al pubblico tutto il secondo piano di Palazzo Ducale. Qui, dove precedentemente erano fruibili solo alcune sale, si è intrapreso un importante progetto di ristrutturazione che, oltre a triplicare lo spazio espositivo, ha comportato il riallestimento integrale degli spazi con un'attenta riprogettazione del sistema di illuminazione e un miglioramento del confort ambientale e dell'accessibilità. Tale lavoro, complesso e stratificato, accompagnato dal restauro delle pregiate superfici lapidee, prosegue alacremente al piano nobile di Palazzo Ducale grazie ai fondi PNRR allocati dal Ministero della Cultura[32]. A Federico Barocci e alla sua scuola sono state dedicate le prime due sale (figg. 11-12), cui si aggiungono ulteriori approfondimenti tematici nelle successive con i dipinti di devozione privata e l'opera grafica, che permettono di comprendere l'importanza della sua arte, letta in un percorso cronologico, unitario e coerente, grazie a una visione progettuale completa e aderente agli indirizzi della museologia contemporanea.

Prendendo ispirazione dalle esperienze dei direttori che l'hanno guidata nel corso della sua storia, la Galleria Nazionale delle Marche è un museo che cresce e completa il suo sviluppo portando a compimento il percorso iniziato al principio del Novecento. La mostra su Federico Barocci, frutto di più di tre anni di lavoro con la sua articolazione tematica e i prestiti da prestigiose istituzioni nazionali e internazionali, rinnova il sodalizio tra l'artista e l'istituto che ne conserva gelosamente alcuni sommi capolavori. Il museo risponde così al desiderio espresso un secolo fa da Lionello Venturi: raccontare le specificità del patrimonio culturale marchigiano cristallizzate nell'arte del grande pittore di Urbino nella cui anima, scriveva Giulio Cantalamessa nel 1913, "tutte le forme della natura si riverberavano ingentilite"[33].

Note

1 "È pur qualcosa avanzare fino a un certo punto, se non si può andar più in là".
2 Serra 1920, p. 71.
3 Cfr. il denso Montanari 2009a.
4 Sul monumento a Raffaello cfr. Nave 2007.
5 Si veda qui il saggio di Giovanni Russo.
6 Ricci 1913, p. XII.
7 Ricci 1913, p. XXX.
8 Venturi 1913, p. 20.
9 Si tratta di: *Le Stigmate di san Francesco*, *Madonna di san Simone*, *Immacolata Concezione*, *Padre Eterno*, *Due angioli*, *Il Perdono di Assisi*, *Crocifissione*, *Madonna con Bambino e san Giovanni Evangelista*, *Deposizione dalla Croce*.
10 Calzini 1897.
11 Schmarsow 1909.
12 Cfr. l'interessante Scarpacci 2015.
13 Per l'allestimento di Lionello Venturi e più in generale per una disamina degli interventi museografici cfr. l'imprescindibile *Palazzo Ducale di Urbino* 1977. È in corso un importante aggiornamento storico-critico dei documenti relativi agli allestimenti della Galleria Nazionale delle Marche condotto dalla dottoressa Aurora Fapanni nell'ambito del dottorato di ricerca in Museum Studies dell'Università IMT di Lucca.
14 Renzetti 1913; la lista dei dipinti barocceschi è a p. 45.
15 Galleria Nazionale delle Marche, inv. D. 241; cfr. Bernardini, in *L'altra collezione* 2023, pp. 101-102, n. 11, con note di restauro.
16 Studi recenti hanno certificato come giorno della morte di Barocci il 30 settembre e del funerale il 1° ottobre; cfr. Ambrosini Massari 2023.
17 Archivio di Stato di Ancona, *Fondo Soprintendenza ai Monumenti delle Marche, Amministrazione*, b. 188 "Rendiconto 1912-1913", Venturi a Ministero della Pubblica Istruzione, 5 febbraio 1913. Citato in Scarpacci 2015, p. 108.
18 Il recente allestimento del secondo piano ha permesso di esporre diverse opere da decenni giacenti in deposito; un percorso espositivo proseguito con la mostra *L'altra collezione* 2023, in cui sono stati presentati ulteriori sessanta dipinti conservati in riserva e restaurati per l'occasione.
19 Cfr. Gallo 2022.
20 Cfr. Bernardini 2022.
21 Sul museo dorico cfr. Paparello 2020.
22 Rotondi 1948, p. 144.
23 Rotondi 1948, p. 146.
24 Rotondi 1948, p. 145.
25 Cfr. Gallo 2002; Gallo 2017, in particolare pp. 87-91.
26 Zampetti 1951.
27 Olsen 1962.
28 *Federico Barocci* 1975.
29 Per le decennali ricerche sull'artista urbinate dello stesso autore cfr. Emiliani 2008.
30 Galleria Nazionale delle Marche, Archivio Storico, cartella 414-PS.
31 Galleria Nazionale delle Marche, Archivio Storico, cartella 414-PS, faldone n. 6.
32 Il progetto scientifico del percorso museale è di chi scrive e di Giovanni Russo, l'allestimento è di Francesco Primari.
33 Cantalamessa 1913, p. 27.

FEDERICO BAROCCI 1533-1612

STORIA DI UN CANONE INVERSO

Anna Maria Ambrosini Massari

La modernità
è il luogo delle emozioni...
Ezio Raimondi[1]

Mito e poesia del ritorno: riveder le stelle nel cielo della sua Urbino, le stelle delle notti vissute affacciato alla finestra della casa di via San Giovanni, che oggi porta il suo nome. Bagliori d'argento rendevano la sagoma di Palazzo Ducale sublime, immensa, in quei "silenzi in cui si vede in ogni ombra umana che si allontana, qualche Disturbata divinità"; silenzi urbinati, ancora oggi sono così[2]. Rivedere i dolci colli, "le discese ardite e le risalite", gli scorci dove soffia quell'aria fine, celestina, che si avverte quando si raggiunge Urbino "ventoso" che muove, accarezza e fa fremere le fronde, le vesti, i capelli, nei quadri di Barocci. Mito e poesia del ritorno appunto, il valore aggiunto della prima mostra che la patria dedica al suo pittore, nume tutelare della città ducale, non meno, ma diversamente identitario e simbolico di Raffaello: fin da subito, del resto, Barocci viene presentato[3] come il nuovo Sanzio, tornato a riportare la gloria alla città ducale. Raphael Urbinas lega però il suo destino glorioso anche all'abbandono precoce del luogo natale, a differenza di Barocci con la sua scelta controcorrente di Urbino come casa, rifugio, luogo di vita e di lavoro. Raffaello ha imboccato giovanissimo quella che Paolo Volponi chiamerà *La strada per Roma* (1991)[4], strada che percorrerà anche Federico Barocci, e più volte rispetto a quanto fino a oggi ritenuto[5], ma la sua sarà sempre un'andata e ritorno, rarissimo esempio di canone inverso.

Urbino: storia, arte, luoghi, clima sono dunque sostanziali per la comprensione del suo artista che, paradossalmente, non ha mai avuto qui l'onore di una mostra[6]. Una mirabile recensione alla mitica esposizione curata da Andrea Emiliani a Bologna nel 1975, determinante snodo di riscoperta, si soffermava su questo aspetto, su quanto Urbino debba essere scenario e complemento irrinunciabile per una mostra sul grande artista, poiché "nell'atmosfera urbinate e roveresca [...] si nutre e si sostanzia l'estro poetico di Federico Barocci"[7]. Sono questi, del resto, i termini critici della incisiva lettura di Emiliani, urbinate di adozione, che ha saputo modulare tutti gli aspetti della forza e della poesia del legame di Barocci con la sua terra, fino all'apice della compenetrazione spirituale e religiosa con il paesaggio e l'architettura: il Palazzo Ducale-Golgota sullo sfondo dei dipinti, la drammatica *Crocifissione* donata dal duca Della Rovere a Filippo IV di Spagna nel 1628 (fig. 1), nell'atmosfera fatale della crisi del ducato, gigantesco e solitario, come Federico. Una costruzione interpretativa molto caratterizzata e insuperata in questo senso: Urbino luogo di vita e luogo dell'anima, Barocci cantore della "chiesa degli umili", da cui si sviluppava un'alta e vasta visione dell'artista, del contesto, dell'epoca.

Dopo una celebre apertura di Francesco Arcangeli[8], il "Barocci di Emiliani"[9] procedeva a connotare, anche sulle note del parallelismo con la crisi del ducato, l'artista antimanierista, in grado di aprire alle innovazioni naturalistiche del secondo Cinquecento, riuscendo a ispirare anche i Carracci, veri realizzatori, infine, del rinnovamento seicentesco classicista, come piaceva al biografo per eccellenza di Barocci: Giovan Pietro Bellori, fonte imprescindibile ma anche condizionante[10]. E se è senz'altro vero, documentabile per qualche tratto nelle opere, e senza dover scomodare Correggio, lo stimolo esercitato da Barocci sui Carracci[11], stilisticamente si profilano due universi distanti, e a me pare che la più stringente affinità con Annibale sia il temperamento saturnino[12], che non incide minimamente sulle opere, come vorrebbe una mal riposta visione postromantica. Anzi, in particolare nel caso di Barocci, quanto più l'animo era esacerbato da sofferenze fisiche e interiori, tanto più le sue opere esprimevano quel "sorriso continuo"[13], che fa del pittore un protagonista cristallino della Controriforma, o meglio della Riforma cattolica[14], sogno breve, destinato a essere soffocato dalla riaccensione dell'assolutismo della Chiesa romana nel Seicento.

1
Federico Barocci
Cristo spirante, 1604,
particolare. Madrid, Museo Nacional del Prado

"A very complex artist"[15] dunque, che non può essere compresso entro esteriori categorie formali e che contraddice, più che confermare, lo schema belloriano della sospensione tra due epoche: isolato e insofferente nel suo tempo, non raggiungerebbe la piena collocazione nel "nuovo": "oscilla fra la condizione di prima stella vespertina e quella di lucente messaggero dell'alba"[16].

Federico Barocci, in realtà, non "languiva in Urbino", come vorrebbe Bellori[17]: piuttosto costruiva coraggiosamente nel ducato, ancora ingangliato alle maglie della politica italiana ed europea, la sua innovativa formula espressiva, decisamente anticlassica, in quanto autenticamente spirituale[18], avvio dello scavo interiore che rompe generi e barriere, annuncia la moderna complessità della natura umana, divisa tra ragione ed emozione.

Questa dimensione interiore affiora pur sempre nel rovello mentale e progettuale pienamente allineato all'arte del tempo: "quel colorire a velature che sfocano l'immagine, quel lumeggiare inquieto..."[19], che si traduce in un inesausto sperimentalismo tecnico: come in un anticipo di collage[20], è emblematica la testa a olio su carta applicata sopra il corpo già dipinto del san Francesco nel *Perdono di Assisi* (cat. VII.3)[21].

L'articolazione della mostra per temi e tipologie aiuta a entrare nella poetica dell'artista, a comprendere la qualità della sua natura inventiva, in parallelo a riletture possibili anche grazie alle ricerche che hanno accompagnato il lavoro di preparazione dell'iniziativa, con una revisione serrata e ancora in corso di fonti e documenti[22].

Si è così messo in luce un pittore per certi aspetti molto diverso da quello tramandato dalla tradizione: non un artista isolato e arroccato a Urbino ma, almeno fino agli inoltrati anni ottanta, propenso a viaggiare per motivi professionali e devozionali, occasioni di un continuo confronto e aggiornamento alla cultura visiva del passato e del presente.

2

Tiziano
Ultima cena, 1542-1544.
Urbino, Galleria Nazionale delle Marche

3

Tiziano
Resurrezione, 1542-1544.
Urbino, Galleria Nazionale delle Marche

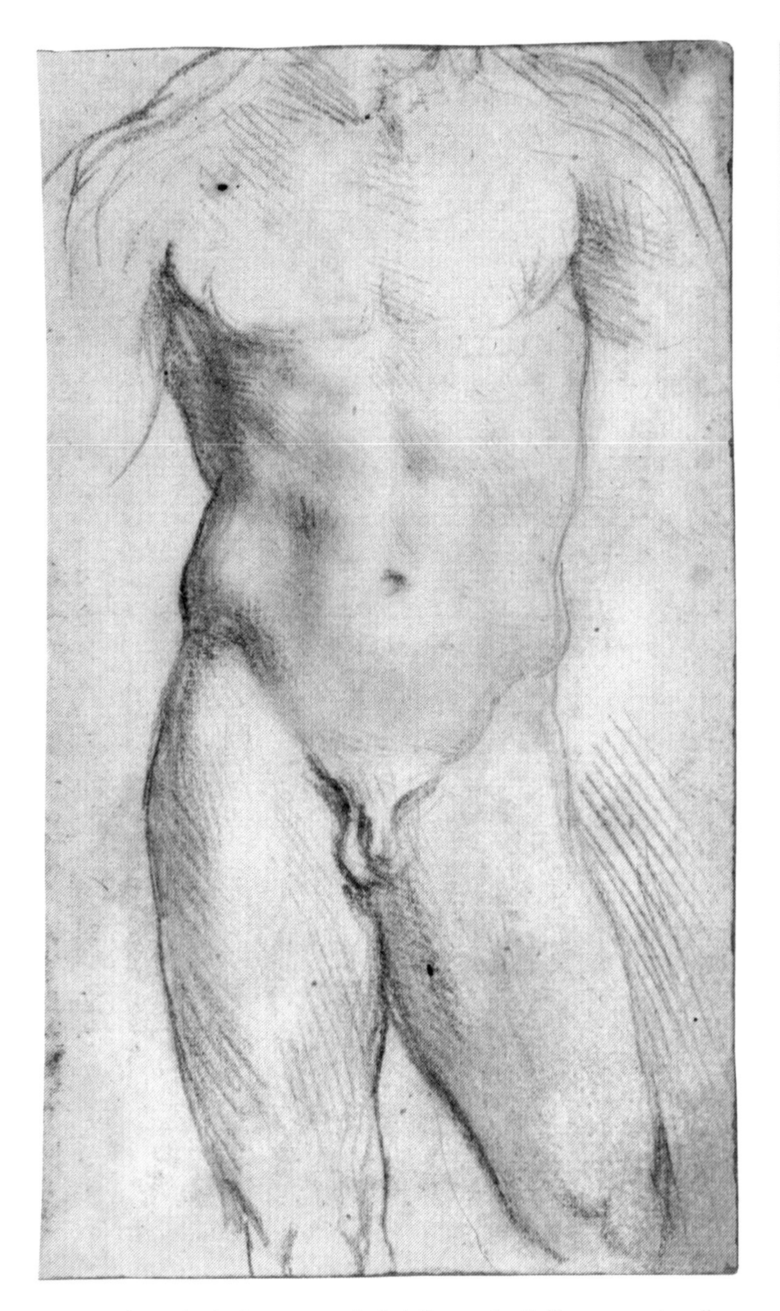

Sorprendente la ricchezza e varietà delle sue fonti: "he was a visually literate man with few artistic prejudices"[23], in grado di fondere e innovare tutto nel suo personalissimo messaggio, che questo testo prova a delineare, con la sintesi dei punti salienti della vita e della carriera, nell'intreccio indispensabile con gli altri contributi del catalogo.

Ormai acclarata la nascita di Federico nel 1533[24], è possibile inquadrare in modo più circostanziato la sua primissima educazione urbinate, che si svolse all'ombra della grande tradizione di mecenatismo ducale e sotto la protezione decisiva di Bartolomeo Genga, che lo introdusse alla magnifica galleria di pitture del palazzo di Pesaro[25], e del padre Girolamo, importante mediatore per la conoscenza della pittura di Raffaello e dei cicli decorativi di Villa Imperiale.

Questi incentivi sono alla radice della prima pala a oggi nota di Federico, la *Santa Cecilia e santi* (cat. VIII.1) del duomo di Urbino, che ci pone di fronte alla sua consuetudine con le stampe, in questo caso di Raffaello, dall'incisione di Marcantonio Raimondi basata sul primo progetto per la pala presso la Pinacoteca Nazionale di Bologna. Qui il modello raffaellesco è reinterpretato dal giovane Federico attraverso forme allungate e un po' gommose, memori di Francesco Menzocchi, ricordato come suo primissimo maestro quando era attivo a Urbino nella prima metà degli anni quaranta. In questa opera ancora acerba, che ritengo preceda il primo viaggio a Roma, dunque ante 1553 circa, tornano riferimenti al cantiere genghiano dell'Imperiale[26], cui va aggiunto, nella parte alta del dipinto, al centro fra gli angeli, l'esatto prelievo dalla *Vittoria* di Raffaellino del Colle nella sala dei Mezzi Busti, mentre le sante di Barocci richiamano le due allegorie femminili dipinte da Menzocchi[27] nello sfondo della *Apoteosi di Francesco Maria della Rovere*, nella sala della Calunnia, con le loro pose un po' addormentate e rigide.

4

Federico Barocci
Studio di nudo maschile stante. Firenze, Gallerie degli Uffizi, Gabinetto dei Disegni e delle Stampe, inv. 11570 F recto, riprodotto in controparte

5

Idolino di Pesaro. Firenze, Museo Archeologico

6

Tiziano
Ritratto di Francesco Maria della Rovere, 1537 circa.
Firenze, Gallerie degli Uffizi
Iscrizione: "TITIANVS F"

7

Federico Barocci
Ritratto di Antonio Galli, 1557 circa. Copenaghen, Statens Museum for Kunst

In quel cantiere, se pur forse già sentito come superato, Barocci dovette trovare non pochi spunti anche nella immaginifica, morbida cromia degli affreschi dei Dossi, con la messa a punto di un paesaggio[28] memorabile per la sua pregnanza naturalistica.

Nel contempo giungeva a Urbino, nel 1545, lo stendardo del Corpus Domini, oggi alla Galleria Nazionale delle Marche (figg. 2, 3), opera emblematica del confronto di Tiziano con la cultura figurativa centro-italiana, che permetteva all'urbinate di seguire gli sviluppi del grande maestro al di là degli esemplari di sua mano conservati nelle raccolte roveresche. In questa temperie era attivo nel ducato dalla metà del quinto decennio anche il veneziano Battista Franco, legatissimo a Bartolomeo Genga e attestato come secondo punto di riferimento nella maturazione di Federico[29]. L'alunnato presso Battista, appena arrivato da Roma carico di suggestioni e materiali grafici, è cruciale per Barocci: per la sua crescita come disegnatore[30], per l'esercizio sull'antico[31], per l'incremento delle conoscenze sull'orizzonte artistico contemporaneo[32], e anche per la pratica nel settore della produzione delle maioliche, nonché per una prima conoscenza indiretta di Correggio, da copie dalle cupole parmensi, utilizzate da Battista per i perduti affreschi nel duomo di Urbino, 1544-1546[33].

Per quanto riguarda l'argomento, a oggi poco considerato, dello studio dall'antico, vale la pena segnalare come all'origine di un mirabile *Studio di nudo* (fig. 4)[34] degli Uffizi si possa individuare, in controparte, il celebre bronzo di epoca romana conosciuto come *Idolino* di Pesaro (fig. 5), oggi a Firenze, Museo Archeologico, che dal 1530, anno della sua scoperta, venne programmaticamente posizionato proprio nel cortile dell'Imperiale, dove rimase fino alla fine del secolo[35]. È probabilmente nel corso di questo tirocinio formativo che Barocci assorbì l'uso di modelletti plastici studiati da diverse angolature e con differenti orientamenti, pratiche ben documentate in tutto il corso della sua produzione grafica. E anche ai disegni dall'antico attinge, rielaborando, ruotando[36], adattando, come d'abitudine, lo spunto iniziale sulle esigenze espressive maturate nel tempo[37].

Sul versante, pochissimo documentato e studiato, della maiolica[38], colpisce la vicinanza di un modello di Battista Franco come lo *Studio per un piatto con Enea difende il corpo di Pandaro da Diomede* (Parigi, Louvre, inv. 4962 recto) al progetto di Barocci per un piatto con *San Crescentino che uccide il drago* (Firenze, Uffizi, inv. 11313 F), stilisticamente già molto segnato dal magistero di Taddeo Zuccari, astro della pittura italiana della metà del secolo.

I rapporti di Federico con Taddeo, che aveva solo quattro anni di più, si erano intrecciati quando quest'ultimo aveva soggiornato alla corte di Guidubaldo II intorno al 1550[39] e si erano consolidati a Roma quando entrambi si erano trovati lì qualche anno dopo[40]: Taddeo sarebbe rimasto operoso nella città di Giulio III, mentre Federico era già tornato a Urbino entro il 1555. Infatti nel gennaio 1556 gli era saldato, dalla confraternita del Corpus Domini, il *Martirio di santa Margherita*, purtroppo perduto[41].

Il portato delle esperienze romane si percepisce con chiarezza nell'altra pala giovanile tuttora in duomo, il *Martirio di san Sebastiano* (cat. VIII.2), allogatagli l'anno seguente.

Il dipinto ci mette di fronte per la prima volta a quello che sarà il timbro caratterizzante dello stile baroccesco. La dichiarata conoscenza diretta dell'*Aman* sistino di Michelangelo[42] è palese nel *San Sebastiano* ma tradotto, verrebbe da dire, a passo di danza, in termini di grazia e non di vigore, raffinato dalla mediazione di Taddeo Zuccari e annuncio del registro prediletto da Barocci.

Costanti restano e resteranno il ricorso a Raffaello e Tiziano, e il nuovo timbro narrativo ed emozionale dell'opera di Barocci si condensa qui nel gruppo della Vergine col Bambino, ispirato dalla

8

Federico Barocci
Sacra Famiglia, 1561-1563.
Città del Vaticano, casino di Pio IV

pala Gozzi di Ancona, con quello scatto in direzioni opposte, tutto tizianesco, cui tradizionalmente è preferito lo stesso gruppo nella *Madonna di Foligno* di Raffaello, testo seminale ma fondamentale più avanti, nella fase di studio compositivo che va dal san Francesco della pala dei Cappuccini di Fossombrone (cat. III.12) al san Bernardino della *Deposizione* di Perugia (cat. II.2), per il quale va altresì rilanciato il suggestivo richiamo al san Francesco della Pala Pesaro di Tiziano[43].

Il cadorino pone anche le fondamenta del ritratto[44] in Barocci, l'intensità del volto del giovinetto da poco restituito alla pala del duomo ne è prova e da porre non distante dal *Ritratto di Antonio Galli* del museo di Copenaghen (fig. 7), un cono di luce sulla fase di esercizio sui prototipi tizianeschi nelle raccolte ducali, da dove il *Ritratto di Francesco Maria I* (fig. 6) risplenderà più tardi, 1572, in quello del giovane nipote in armatura (cat. I.5) soprattutto in quanto a composizione, perché in quanto a "fattura" si dovrà ricorrere ad altri Tiziano, di più complessa trama e cromia, come quelli di Filippo II, mentre eleganza e inquietudine sono in debito con un altro capolavoro delle raccolte roveresche, il *Ritratto di Guidubaldo II* di Bronzino.

Gli anni che vanno dal *San Sebastiano* al secondo, documentato, viaggio a Roma nel 1560-1563 restano più oscuri[45]. L'artista riappare nell'Urbe al fianco di Taddeo Zuccari, con un ruolo di notevole responsabilità all'interno del cantiere decorativo del casino di Pio IV in Belvedere e di alcuni ambienti del Palazzo Apostolico: disegni, affreschi e documenti mostrano l'autonomia ormai raggiunta da Federico, cui in particolare fu affidata la progettazione degli affreschi di due sale del casino, coadiuvato da propri aiuti, in cui mette a frutto le sue esperienze: un riscontro "michelangiolesco" nell'*Annunciazione* è lo stesso soggetto di Marcello Venusti già presso Santa Maria della Pace a Roma, noto in varie repliche[46].

Come testimoniano le fonti[47], il valore dimostrato dal giovane Federico in quella circostanza suscitò l'invidia dei colleghi, che giunsero ad avvelenargli l'insalata, costringendolo ad abbandonare Roma, compromettendo per sempre la sua salute e di conseguenza i suoi ritmi di lavoro, verosimilmente non più predisposti alla velocità dell'affresco[48].

Benché alcuni biografi raccontino che l'artista sia stato ben quattro anni senza poter toccare i pennelli fino a che, risanato, eseguì per ex voto la *Madonna di san Giovanni* (fig. 9, cat. III.1), la stringente affinità stilistica di quest'opera con la *Sacra Famiglia* del casino di Pio IV (fig. 8) spinge a collocarla non troppo oltre il rientro a Urbino nell'estate 1563[49].

Si susseguono, fino allo scadere del decennio, opere importanti, che riflettono differenti esperienze e punti di sviluppo del suo linguaggio e che è pertanto necessario provare a scandire nel tempo. Disegni e svolte stilistiche aiutano la seriazione nell'arco che va dal 1563 al 1569.

Mentre lavorava all'ideazione della *Madonna di san Giovanni*, Barocci infatti era già impegnato a studiare la *Crocifissione* (cat. VII.1) ordinatagli da Pietro Bonarelli, cortigiano del duca originario di Ancona, e insieme meditava sulla composizione di una pala d'altare attestata da un disegno di Chatsworth (inv. 358) e mai eseguita. Uno studio a pietra nera per la paletta ex voto si trova sotto il disegno visibile sul recto del foglio, come avviene su quello di un altro per la *Crocifissione* (cat. IV.20), opera che riaccende l'interesse per un Tiziano fino ad allora apparentemente fuori dai radar di Barocci, l'analogo, drammatico soggetto in San Domenico ad Ancona, 1556, forse stimolato anche dalla provenienza del committente.

Dalla composizione tracciata sul foglio di Chatsworth deriva inoltre l'invenzione della *Madonna sulle nuvole* utilizzata da Barocci sia nella pala per i Cappuccini di Fossombrone (cat. VII.2), sia nella fortunata acquaforte omonima, realizzata più avanti[50].

9

Federico Barocci
Madonna col Bambino e san Giovanni Evangelista, detta *Madonna di san Giovanni*, 1564-1565 circa, particolare. Urbino, Galleria Nazionale delle Marche

10

Correggio
Madonna di san Giorgio, 1526-1527. Dresda, Gemäldegalerie

11

Parmigianino
Visione di san Girolamo, 1530 circa. Londra, The National Gallery

12

Federico Barocci
Madonna col Bambino in gloria con i santi Giovanni Battista e Francesco, 1567 circa, particolare. Urbino, Galleria Nazionale delle Marche, in deposito dalla Pinacoteca di Brera

13

Federico Barocci
Madonna col Bambino, i santi Giuda e Simone e i donatori, detta *Madonna di san Simone*, 1566-1567, particolare. Urbino, Galleria Nazionale delle Marche

14

Correggio
Martirio dei quattro santi,
1524 circa, particolare.
Parma, Galleria Nazionale

15

Federico Barocci
Beata Michelina, 1590 circa-1606, particolare. Città del Vaticano, Musei Vaticani

Nonostante lo stato conservativo deteriorato del dipinto, salta ancora bene all'occhio la dipendenza della complessa e comunicativa figura di san Giovanni Battista dal suo omologo nella celebre *Visione di san Girolamo* di Parmigianino[51] (fig. 11), oggi alla National Gallery di Londra ma dal 1558 nella cappella Bufalini in Sant'Agostino a Città di Castello, meta plausibile degli spostamenti di Federico nella seconda metà degli anni sessanta, quando già era implicato nella commissione della grande ancona per Perugia, 1567-1569 (cat. II.2). In relazione alla pala già a Fossombrone, nuove evidenze giungono dal confronto con la *Madonna di san Sebastiano* di Correggio oggi a Dresda nell'impianto generale e con il particolare del gruppo celeste che si specchia con quello della pala di Barocci e poi nella relativa acquaforte.

Una cesura capitale è segnata dunque in questa densa fase dal viaggio dell'artista a Parma[52], che deve aver avuto una tappa anche a Modena, se così forte è l'impatto della *Madonna di san Sebastiano* (1524 circa) e poi di quella di San Giorgio eseguita dall'Allegri. Tale viaggio deve essere avvenuto prima dell'esecuzione della *Madonna di san Simone* (fig. 13, cat. II.1) alla quale lavorava già dal 1565[53], opera dove la critica ha da sempre riconosciuto l'impatto di Correggio: da intendersi però come visione diretta delle sue opere e non attraverso la mediazione di disegni. L'opera rivela un vero e proprio dialogo con la *Madonna di san Giorgio* (Dresda, Gemäldegalerie; fig. 10) e una riprova eclatante dell'avvenuta scoperta dell'universo formale del maestro emiliano spicca nella *Deposizione* per il duomo di Perugia, dove la Maddalena non solo cita quella del *Giorno*[54] ma è anche composta da un cartoccio di panneggi come le figure dei dipinti della cappella Del Bono in San Giovanni Evangelista (fig. 14), che ispireranno anche invenzioni più tarde, quali la *Beata Michelina* (fig. 15, cat. VI.4). Al tempo stesso, Barocci è ancora fortemente memore, nel superbo artificio compositivo della *Deposizione*, di esempi della maniera romana. Oltre ai più conclamati, come la *Deposizione* Orsini di Daniele da Volterra in Trinità dei Monti e quella affrescata da Taddeo sulla parete d'altare della cappella Mattei in Santa Maria della Consolazione, preme aggiungere la pala di Iacopino del Conte nell'oratorio di San Giovanni Decollato.

Nella prima metà degli anni settanta si addensano commissioni determinanti per la piena espressione del suo messaggio spirituale molto vicino alla religiosità francescana e cappuccina, opere destinate alla devozione sia pubblica sia privata, per le quali poterono contare anche ulteriori viaggi, a Roma nel 1574[55] e a Firenze l'anno dopo[56]. Si sovrappongono i faticosi impegni sulla pala del *Perdono di Assisi* per l'altare maggiore di San Francesco a Urbino, allogata nel 1571 ma finita solo cinque anni dopo[57], l'imponente tavola della *Madonna del popolo* per Arezzo, ordinata nel 1575 e consegnata nel 1579[58]. In mezzo si scala la realizzazione di dipinti di minori dimensioni, più inusuali nella carriera da pittore di grandi pale d'altare di Barocci.

La fascinazione per Correggio domina il *Riposo durante la fuga in Egitto*, invenzione fortunatissima nata in occasione delle nozze del duca con Lucrezia d'Este nel 1570 e replicata da Barocci stesso a stretto giro per l'amico perugino Simonetto Anastagi (cat. III.2) e per il conte Antonio Brancaleoni di Piobbico, per il quale di lì a poco, verso il 1575, realizza la *Madonna del gatto* (cat. III.3), dove pare scoprire la costruzione fiorentina di primo Cinquecento[59], con il progredire della pittura a velature ma composta e con il gruppo principale in primo piano, alla Andrea del Sarto.

Un'invenzione di cui alcuni dettagli furono studiati in parallelo all'*Immacolata Concezione*, nella serie di opere francescane urbinati e che, come testimoniano i disegni, in particolare uno custodito a Firenze (Uffizi, inv. n. 11446 F recto), fu messa a punto progressivamente, innovando, a partire dalla *Madonna della Misericordia* di Girolamo Genga oggi a Elton Hall (Peterborough) ma sicuramente proveniente dal territorio urbinate[60]. Debuttano qui una nuova spettacolarità e un nuovo dinamismo nella concezione dello spazio e nel raccordo tra i registri della composizione, che culminano prima nell'impianto del *Perdono* e della *Madonna del popolo* (si veda qui il saggio di Anna Bisceglia), manifesto di devozione autentica e umile, destinata alla confraternita dei Laici di Arezzo, e poco oltre nell'innovativa costruzione della scena per diagonali del *Trasporto di Cristo* di Senigallia, con la suggestiva apertura sul fondo evanescente di paese, preludio alle opere degli anni ottanta, con la più romantica delle rappresentazioni del Golgota con le tre croci, di fronte a Palazzo Ducale.

Barocci raffina la sua sapienza narrativa e sa dosare il massimo grado di intensità sentimentale della scena con brani quotidiani: animali, scorci o come qui, la natura morta in primo piano, così vicina e vera eppure inquietante *memento mori*.

La sensibilità alla resa del paesaggio in termini insieme naturalistici e di tensione spirituale si segue in questo periodo nella produzione di Barocci tanto in ambito pittorico quanto nel campo della produzione di incisioni, come fa capire in particolare il tema del san Francesco stigmatizzato (catt. III.12, VII.6).

La successiva stagione dell'artista è innescata, nel 1580, dalla commissione della pala per San Vitale a Ravenna, consegnata tre anni dopo, che accende i riflettori sul tema del rapporto di Barocci con Venezia e la pittura veneziana[61], per quanto riguarda sia i modelli, sia le tecniche esecutive, con al centro la pratica delle velature sempre più caratterizzante il suo stile.

Una grande veduta marina fa da sfondo all'incontro tra Cristo e Andrea nella *Vocazione* per l'oratorio del santo a Pesaro oggi nei Musées royaux des Beaux-Arts di Bruxelles, firmata e datata 1583, dove l'intimo colloquio tra i due protagonisti anticipa quello messo in scena, con affine senso di raccoglimento, nell'*Annunciazione* per la cappella ducale nella basilica di Loreto (cat. V.4) e poi in chiave assai più monumentale nel *Noli me tangere* dipinto per Giuliano della Rovere nel 1590 e oggi alla Alte Pinakothek di Monaco, cui si connette la versione degli Uffizi (cat. III.4)[62].

Uno scatto in avanti nella fama di Barocci è determinato dalla richiesta nel 1583 di una prima pala per la chiesa di Santa Maria in Vallicella a Roma, di cui i padri oratoriani di Filippo Neri stavano iniziando allora ad allestire gli altari. Non stupisce che la *Visitazione* (cat. II.3), con la sua pittura di superficie, presentata nel 1586, venisse accolta con grandissimo favore e stupore dall'ambiente artistico romano, scuotendolo alle radici, né meraviglia che fosse in grado di ispirare fino all'estasi le meditazioni di Filippo Neri, come raccontano i biografi sia del santo sia di Barocci[63].

La profonda adesione di Federico, peraltro proprio in questi anni devoto frequentatore della Santa Casa lauretana[64], agli ideali di rinnovamento della Chiesa, è comprovata dalla sua esclusiva concentrazione su soggetti sacri, a eccezione dei ritratti e del caso isolato[65] della *Fuga di Enea da Troia* (cat. V.12), la cui prima versione fu spedita a Praga nel 1589. In questa grande tela di argomento mitologico, pur sempre simbolica di una *pietas* familiare e civile del mondo classico prodromica ai valori cristiani, predomina l'interesse per l'architettura all'antica e per l'ambientazione a lume di notte, filo conduttore della pittura di Barocci in tutto l'ultimo tratto della sua attività: dalla *Circoncisione*, firmata e datata 1590, già nell'oratorio del Santissimo Nome di Dio a Pesaro e oggi al Louvre, alla *Madonna del Rosario* di Senigallia (cat. VI.1), dalla *Madonna della gatta* (cat. II.4) al *San Francesco riceve le stigmate* (cat. VII.6), dalla *Crocifissione* del duomo di Genova al *San Girolamo* della Galleria Borghese (cat. III.6) e all'*Ultima cena* per la cappella del Sacramento nel duomo urbinate (cat. VIII.3), dalla *Presentazione della Vergine al Tempio* per la Chiesa Nuova (cat. VI.8) alla *Natività* del Prado (cat. III.5), fino alla *Istituzione dell'Eucarestia* per la cappella di Clemente VIII in Santa Maria sopra Minerva (cat. II.5).

Per questa intensa accelerazione della sua ricerca luministica fu certamente essenziale un'ulteriore trasferta a Venezia dove poté misurarsi con le novità di Tintoretto.

In tale congiuntura bene si inquadra la genesi della *Beata Michelina*, in passato creduta opera tarda e agganciata alla data 1606, mentre sappiamo oggi che era già in lavorazione intorno al 1590[66], modulo fortunatissimo già nel seguito baroccesco e che affonda ancora una volta le sue radici in Correggio[67]. Fondativa per l'interpretazione in chiave preromantica dell'artista, quasi un Friedrich del Cinquecento, tanto con la sua pittura tutta colpi e velature, portati al massimo grado dell'uniformità di tono, conduce alla fusione della materia nel sentimento e nella luce.

È emblematico l'apprezzamento accordato a quest'opera da Simone Cantarini, che ne tesseva le lodi a Carlo Cesare Malvasia, in visita a Pesaro, ammirandola nella chiesa di San Francesco e che ne traeva ispirazione nei suoi studi[68].

Del resto, il linguaggio messo a punto da Barocci, soprattutto in questa fase di "stupore della notte", caratterizzato dallo sfaldarsi della materia cromatica, parlerà in modo particolarmente effuso agli artisti che consideriamo campioni dell'età barocca, da Rubens a Vouet, a Bernini, a Pietro da Cortona, a Van Dyck, a Rembrandt, nonché all'intermittente ma ininterrotta strada del sentimento che raggiungerà romanticismo e impressionismo, e sulla quale Barocci ha tracciato una tappa essenziale, sempre con una misura di grazia, affetti, delicatezza, di cui abbiamo tutti, oggi più che mai, tanto bisogno.

Note

1 Raimondi [1982] 2003, p. 37.
2 "Città del silenzio", e non da meno rispetto a Mantova o Ferrara, Borea 1976, p. 56. La prima citazione è da Eugenio Montale, *I limoni*, in *Ossi di seppia* (1925). Seguono richiami a Lucio Battisti, *Io vorrei... non vorrei... ma se vuoi* (1972), e Giovanni Pascoli, *L'Aquilone*, da *Primi poemetti* (1897).
3 Perini 2005; Baroni 2015; Ambrosini Massari 2023, pp. 392-397.
4 Sul tema, Ambrosini Massari 2018.
5 Ambrosini Massari in corso di stampa [a].
6 Per la celebrazione del 1913 e altre considerazioni si veda qui il saggio di Luigi Gallo. Dopo quella bolognese (*Federico Barocci* 1975), si ricordino le mostre di Siena (*Federico Barocci* 2009) e di St. Louis-Londra (*Federico Barocci* 2012).
7 Borea 1976, p. 56.
8 Arcangeli 1956.
9 Toscano 2022. Si veda anche Ambrosini Massari 2020b.
10 Bellori [1672] 1976, pp. 179-207. Sul tema ora Agosti, Ambrosini Massari in corso di stampa e qui la introduzione alla sezione V.
11 Ambrosini Massari 2009.
12 Wittkower [1963] 1988, Barocci e Annibale sono due esempi.
13 Emiliani 2008, I, p. 32.
14 Lingo 2008; Sangalli 2009; Gillgren 2011; Arcangeli 2012, p. 11; Verstegen 2015.
15 Shearman 1976, p. 54.
16 Emiliani 1975, p. XXI.
17 Bellori [1672] 1976, p. 32.
18 Arcangeli 2012, p. 11.
19 Borea 1976, p. 57.
20 Sul Manierismo come primo affaccio dell'arte contemporanea: Bonito Oliva [1976] 2012; Ambrosini Massari 2017.
21 Per primo se ne accorse Luigi Lanzi [1783] 2003, p. 198. Anche la donatrice nella pala di San Simone (cat. II.1).
22 Progetto del Centro InArtS dell'Università di Urbino, da me diretto e tema del Prin 2022 *Federico Barocci in modern sources, from Urbino to Europe: a digital corpus*.
23 Shearman 1976, p. 53.
24 Mann 2012a, p. 1, nota 5.
25 Bellori [1672] 1976, p. 181, che trasmette un periodo di studio nelle collezioni ducali a Pesaro, ospite di Bartolomeo Genga, figlio di Girolamo e di una sorella del nonno di Barocci.
26 Droghini 2014, pp. 109-110.
27 Per l'attribuzione a Menzocchi, Benati 2018, pp. 250-252. E si veda qui cat. VIII.1 per una diversa ipotesi di cronologia.
28 Sul paesaggio si veda qui Gallo, pp. 180-181.
29 Bellori [1672] 1976, p. 181, anche per relazione con Menzocchi.
30 Riflesso nello studio per la *Santa Cecilia* e nel colorito plumbeo della pala, *The Graphic Art of Federico Barocci* 1978, p. 29, n. 1.
31 Bellori [1672] 1976, p. 181.
32 Pizzorusso 2018.
33 Grosso 2016, pp. 37-38.
34 Inv. 11570 F recto. Sul verso, *Studio con un busto virile visto di fianco*. Ambrosini Massari in corso di stampa [a], anche per altre acquisizioni dall'antico al catalogo di Barocci.
35 Nella strategia politica del ducato in espansione, illuminata dal modello imperiale di Roma antica: Haskell, Penny 1981, pp. 240-241, n. 50; Luni, in *I Della Rovere* 2004, pp. 382, 383, cat. XI.1.
36 Aliventi 2022, pp. 105-106, con bibliografia.
37 *The Graphic Art of Federico Barocci* 1978, pp. 83-87, nn. 62-64; Pizzorusso 2009.
38 Katalan 1997, che trasferisce da Taddeo a Barocci un piatto del Museo Correr di Venezia.
39 Agosti 2017.
40 Bellori [1672] 1976, pp. 182-183. Per il debito verso Taddeo nella grafica baroccesca, Gere 1969, pp. 66-67.
41 Il disegno del Victoria and Albert, inv. D 1084-1900, è però più tardo (Mann 2012a, p. 28 e nota 14).
42 Olsen 1962, p. 40.
43 Shearman 1976, p. 53.
44 Cfr. la mia introduzione alla sezione I.
45 Fontana 1997 ipotizza qui un viaggio a Firenze, da spostare al 1575 in base a disegni, si veda la scheda della *Madonna del gatto* (cat. III.3).
46 Stante la nota diffidenza del maestro, è da escludere che Barocci conoscesse il disegno di Michelangelo (Lingo 2008, pp. 26-27). Va detto che Barocci poteva aver visto repliche di Venusti anche a Urbino, donate dallo stesso Michelangelo a Cornelia, moglie di Francesco Amadori detto l'Urbino, dalla quale erano poi giunte al duca Della Rovere nel 1557 (Leonardi 1995; Vowles 2024, pp. 96-97 con bibliografia precedente).
47 Per una sintesi, Ambrosini Massari 2023.
48 Sapori 2022, p. 49.
49 Smith 1977, pp. 67, 83.
50 Si veda qui il saggio di Ilaria Miarelli Mariani.
51 Popham 1966.
52 Gandolfi 2021, pp. 294-296. Faietti 2015, p. 129.
53 Firenze, Uffizi, inv. 11447 F recto con studi per il dipinto; sul verso, la lettera a Barocci di Giovan Battista Clarici, del 24 giugno 1565: Emiliani 2008, I, p. 181, cat. 20.13. Su Clarici: Mara 2020.
54 Si veda anche qui il saggio di Barbara Agosti e Camilla Colzani.
55 Agosti 2021.
56 Si veda nota 45.
57 Aronberg Lavin 2006; Bohn, in *Federico Barocci* 2012, pp. 120-133, cat. 5.
58 Giannotti 1999; si veda qui il saggio di Anna Bisceglia.
59 Aliventi 2015, pp. 212, 248, cat. II.29.
60 Ambrosini Massari 2018, p. 22. Si tratta di due tele, l'una presso la vicaria di Isola del Piano, l'altra in Santa Maria delle Selve, quest'ultima di scuola baroccesca.
61 Si veda qui la sezione di Agosti nel saggio di Barbara Agosti e Camilla Colzani.
62 Molto più tarda la versione semidistrutta, Allendale, Byam Hall, documentata al 1609: Lucarini 2000, p. 128.
63 Bacci 1622; Baglione [1642] 2023, I, p. 391.
64 Ambrosini Massari in corso di stampa [a].
65 Perini 2005.
66 Zezza 2009.
67 Cfr. la mia introduzione alla sezione VI e nota 33, e cat. VI.4.
68 *Studio per una Trinità su nubi che appare a una santa*, Venezia, Museo Correr, inv. 1383; collezione privata, Ambrosini Massari 2020b.

FEDERICO BAROCCI, TRA STORIOGRAFIA E DOCUMENTI

Barbara Agosti,
Camilla Colzani

Su Barocci e i suoi biografi

Nessun altro artista della sua generazione può contare su un numero di fonti biografiche coeve pari a Federico Barocci, elemento di per sé indicativo del riconoscimento della sua statura.

Trentenne, il pittore urbinate era stato consacrato come "giovane di grande aspettazione" nella seconda edizione (1568) delle *Vite* di Giorgio Vasari, che lo ricordava operoso al tempo di papa Pio IV nel cantiere decorativo del casino del Belvedere in Vaticano, coordinato da Taddeo Zuccari con l'assistenza del fratello[1].

Quando era nel pieno della sua attività, una precoce istantanea gli era stata dedicata dal fiorentino Raffaello Borghini, in grado di fotografare un profilo aggiornato di Barocci fino alla data di uscita dell'opera (1584), che sarà la base per la più parte dei successivi biografi[2]. In area settentrionale, la fama del maestro era presto intercettata da Giovan Paolo Lomazzo (1584, 1587, 1589, 1590), pittore e trattatista lombardo, primo ad agganciare il nome di Barocci all'imitazione dello stile di Correggio[3].

Intorno al 1590 viene steso l'informatissimo e autonomo referto biografico di un autore ancora anonimo ma certo intrinseco alla corte di Francesco Maria II, un testo che è stato recuperato solo una quindicina d'anni fa e che ha sovvertito diverse false certezze[4]; e ancora nel 1604 è pubblicata una *Vita* di Barocci nello *Schilder-Boeck* di Karel van Mander, che negli anni settanta del Cinquecento aveva lavorato come pittore a Roma e in Umbria, e la sua è una voce che già risponde al fenomeno dell'imponente successo riscosso dalle invenzioni del maestro urbinate nell'arte incisoria d'oltralpe[5].

Scomparso Barocci, si succedono i medaglioni a lui riservati da due pittori e storiografi del primo Seicento romano, entrambi interessati soprattutto alle opere del maestro visibili nell'Urbe, quello steso (1614-1640 circa) da Gaspare Celio e quello pubblicato da Giovanni Baglione nelle *Vite* del 1642[6]. Grande spazio gli lascia poi il libro del forlivese Francesco Scannelli (1657), che rispetto alle fonti a stampa per primo registra una prova della sua produzione tarda quale l'incompiuto *Compianto su Cristo morto* allora nel duomo di Milano (oggi Bologna, Musei Civici d'Arte Antica)[7].

Era a quel punto già in pieno corso il progetto radicalmente innovativo delle *Vite* di Giovan Pietro Bellori, edite solo nel 1672 ma messe in cantiere una trentina d'anni prima, dove appare la più articolata, circostanziata e meglio scritta tra le biografie dell'artista, precedenti e successive[8].

Alla Vita di Bellori è sempre stato giustamente dato speciale risalto negli studi su Barocci, fino a trasformarla nella seconda metà del Novecento in chiave di lettura privilegiata, se non esclusiva, della sua personalità e della sua opera (e determinante è stata la possibilità, dal 1976, di fruire del testo in un'eccellente edizione critica, e poi anche in traduzione inglese[9]).

La posizione di Barocci nel sistema storiografico di Bellori, strutturato sulla definizione dei vertici della moderna scuola romana, era chiarita al principio del libro, nel passo capitale con cui si apre la biografia di Annibale Carracci: sullo scorcio del Cinquecento, quando la pittura era "quasi estinta", affogata tra le asfittiche astrazioni del tardo manierismo e i conati di un naturalismo indifferente al decoro, prima che Annibale la facesse risorgere con la sua "buona maniera naturale", nuovissima perché innervata dallo studio di Correggio e dei moderni maestri veneziani, "Federico Barocci, che avrebbe potuto ristorare e dar soccorso all'arte, languiva in Urbino, non le prestò aiuto alcuno"[10].

La Vita del pittore si trova collocata tra quella di Domenico Fontana, un protagonista della Roma di Sisto V, nato dieci anni dopo

1
Federico Barocci
Natività, 1597-1604 circa, particolare. Madrid, Museo Nacional del Prado

Barocci, e quella di Caravaggio, nato quasi quarant'anni dopo di lui, con l'effetto di ipotecare la periodizzazione del maestro urbinate, proiettato nel confronto con artisti di tutt'altra generazione.

Nato nel 1533, nonostante la sua attività abbia lambito il pontificato di Paolo V, per età e formazione Barocci è piuttosto un coetaneo dei fratelli Zuccari (Taddeo era del 1529, Federico del 1539); ma gli studi del secondo Novecento lo hanno voluto guardare in parallelo persino a pittori, come appunto Caravaggio o Guido Reni, che lo staccano in avanti di un quarantennio[11].

Oltre il crinale segnato dalle *Vite* di Bellori, si susseguirono ancora il medaglione intitolato a Barocci da Joachim von Sandrart (1675), fondato sulla sua produzione di acqueforti, quello di Roger de Piles (1699), quindi la biografia di Filippo Baldinucci (1702) e poi quella di Pio (1724), entrambe molto in debito con Bellori, come pure sarà tutto il ricchissimo filone biografico settecentesco[12].

Coerentemente con tale consistente catena di fonti, esiste una quantità straordinaria di evidenze archivistiche di varia natura relative all'attività di Barocci, disperse tra innumerevoli sedi, che integra la tradizione storiografica e consente di verificarne l'attendibilità, e di circostanziare le informazioni che essa tramanda.

Ma soprattutto questa mole davvero impressionante di materiali, una volta riconsiderata nella sua intera estensione, obbliga a guardare in modo differente la posizione di Barocci sulla scena artistica italiana ed europea nella stagione cruciale della transizione dal Cinque al Seicento. Di qui le potenzialità del progetto di ricerca promosso dal Centro InArtS dell'Università di Urbino, incentrato appunto sulla ricomposizione e l'analisi di questo vasto ed eterogeneo corpus di documenti, editi e inediti[13]. La rete dei raffronti praticabili aiuta a capire come hanno lavorato i biografi di Barocci nel lento processo di ricostruzione del suo catalogo e della sua figura,

2

Correggio
Madonna col Bambino e i santi Girolamo e Maddalena e angeli (Il Giorno), 1527 circa, particolare. Parma, Galleria Nazionale

3

Federico Barocci
Studio per la Maddalena della Deposizione, 1567-1569 circa. Berlino, Staatliche Museen, Kupferstichkabinett, inv. KdZ 20469

per come li abbiamo sin qui recepiti, e chiarisce quanto c'è e quanto non c'è nella tradizione critica su Barocci cristallizzata dalle maggiori voci della storiografia artistica.

Innanzitutto, bisogna chiedersi se davvero Barocci "languiva in Urbino", come scriveva Bellori, ingenerando una chiave interpretativa del pittore tutta sentimentalmente sbilanciata sul suo rapporto con la città natale, amplificata fino alla deformazione negli studi italiani del secolo scorso. Già nell'orazione funebre tenuta per le esequie di Barocci nel 1612, Vittorio Venturelli riferiva che il pittore aveva visitato le "più chiare città d'Italia"[14], e l'affermazione è corroborata, almeno per un buon tratto, da un nutrito gruppo di riscontri visivi e testuali.

Dopo una prima esperienza nella Roma di Giulio III, decisiva per la sua formazione (è il salto che si misura dalla *Santa Cecilia* al *Martirio di san Sebastiano*, catt. VIII.1, VIII.2), Federico era stato operoso nell'Urbe nei primi anni sessanta sotto Pio IV[15]. A seguito dell'avvelenamento, del ritorno a Urbino e del parziale ristabilirsi delle condizioni di salute, va collocato il viaggio a Parma: evidentemente successivo alla *Madonna di san Giovanni* (cat. III.1), che non ne reca traccia ed è ancora tutta romana, e anteriore sia alla *Madonna di san Simone* (cat. II.1), già molto segnata da Correggio, sia all'ideazione della *Deposizione* di Perugia (cat. II.2), dove la Maddalena è esplicita ripresa della sua omologa nella *Madonna col Bambino e i santi Girolamo e Maddalena e angeli* dell'Allegri per la chiesa di Sant'Antonio a Parma (figg. 2-3). E qualche indizio lascia pensare che a Roma sia tornato ancora una volta, nei primi tempi del pontificato di Gregorio XIII[16].

Secondo una prassi tipica degli artisti della Maniera, il progressivo aggiornamento del proprio linguaggio si intreccia a spostamenti dettati da incarichi professionali: nel giugno 1575 Barocci era ad Arezzo per firmare il contratto di allogagione della *Madonna del popolo* (fig. 2 p. 84), e vi fu di nuovo nel giugno di quattro anni dopo per la consegna della tavola[17]. In questa circostanza, nel 1579, Bellori inquadrava il primo soggiorno di Barocci a Firenze, che tuttavia è forse più plausibilmente da collocare qualche anno prima[18].

E due volte è attestata la sua presenza a Ravenna, per la sottoscrizione del contratto di commissione per il *Martirio di san Vitale* (fig. 5) destinato alla basilica nel 1580 e per la messa in opera del dipinto nel 1583[19], spostamenti che aprono al tema del rapporto di Barocci con Venezia, probabilmente iniziato proprio in quella fase. Un contatto con la pittura di Tintoretto, e in particolare un impatto con il *Miracolo dello schiavo* per la Scuola Grande di San Marco (fig. 4), pare infatti presupposto dalla ricerca di una nuova energia del colore e della luce e di forme avventanti, dal punto di vista rialzato e dalla spazialità turbinosa che connotano la pala ravennate, molto diversa dalla ordinata scalatura di piani su cui è costruita la tavola aretina e dalla sua pittura più controllata[20]. È inoltre attestato che entro l'aprile del 1583 i padri cassinesi di San Giorgio Maggiore avevano maturato l'intento di chiamare Barocci a Venezia[21].

E d'altra parte, a contraddistinguere la *Visitazione* (cat. II.3) consegnata a Santa Maria in Vallicella nel 1586, e a spiegare lo scalpore che fece, sono proprio la naturalezza dell'inscenatura e la fusione della materia cromatica e luministica, così diverse dal linguaggio tanto più accademico, secco e iconico degli altri pittori del circuito romano (Cesare Nebbia, Girolamo Muziano, Scipione Pulzone) coinvolti nella stessa fase per la decorazione degli altari della chiesa[22].

Dalla metà degli anni ottanta, la propensione di Federico a muoversi cala drasticamente, forse anche per l'acuirsi del male, ma lo sforzo per una nuova puntata a Venezia nel decennio seguente Barocci dovette farlo, dato che la critica ha da sempre individuato nell'*Ultima cena* di Tintoretto in San Giorgio Maggiore (1592-1594) il modello a monte della tela con lo stesso soggetto per la cappella del Sacramento nel duomo urbinate, compiuta nel 1599 (cat. VIII.3)[23].

E poi c'è da tenere in conto la grande finestra sul mondo aperta dai fitti scambi di Barocci con la cerchia degli incisori nordici, da Cornelis Cort a Stradano[24].

Ma quello che i documenti attestano con irrevocabile chiarezza è l'impressionante esplosione della fama di Barocci all'indomani della prima pala per la Chiesa Nuova, dimostrata dal sopraggiungere di una scarica di illustri commissioni, destinate però a restare inevase, e per questo sfuggite ai radar delle maggiori fonti biografiche.

Si susseguono a tambur battente tra 1586 e 1589, e tutte senza esito, richieste di dipinti sacri da parte del cardinale Gabriele Paleotti a Bologna[25], del cardinale Alessandro Farnese a Roma[26], di Enrique de Guzmán conte di Olivares, ambasciatore della corona spagnola[27], del governatore del Portogallo Juan de Silva[28], del consigliere di Filippo II, il conte di Chinchón Diego Fernández de Cabrera y Bobadilla[29]; e nell'ultimo decennio del secolo altre commissioni giungono da monsignor Ottavio Bandini e dal cardinale Paolo Emilio Sfondrati (1591)[30], dai padri della Chiesa Nuova a Roma (1591, 1603)[31], da Giovanni Andrea Doria a Genova (1597)[32], dal cardinale Federico Borromeo a Milano (1599)[33], dove già due anni prima il maestro era reputato "il primo uomo d'Italia et del mondo"[34], e poco dopo ancora da Guidubaldo del Monte (1602)[35], da Maffeo Barberini (1604) e da Innico III d'Avalos (1608)[36]. Questo a dire quanto su Barocci puntassero alcuni tra i più lungimiranti committenti e collezionisti, romani e non solo, alla svolta tra i due secoli.

Entrambe le due ultime pale romane, la *Presentazione della Vergine al Tempio* per la Chiesa Nuova (cat. VI.8), consegnata nel 1603, e l'*Istituzione dell'Eucarestia* (cat. II.5) per la cappella Aldobrandini in Santa Maria sopra Minerva, commissionata nel 1603, ultimata nel 1609 ma esposta solo due anni dopo, confermano il coerente sviluppo dell'artificiosa naturalezza di Barocci, anche nella pratica combinatoria con cui sono concepite: la *Presentazione* assembla con disinvoltura invenzioni elaborate per la *Madonna del popolo* (fig. 2 p. 84) e per la *Circoncisione* (fig. 4 p. 74) già a Pesaro (oggi al Louvre); l'*Istituzione dell'Eucarestia* rimette in scena figure ideate per due opere rimaste incompiute ma già in lavorazione quando il pittore si impegnò sulla pala Aldobrandini, l'*Assunzione* (cat. VI.5), da cui deriva l'apostolo prosternato con le braccia tese all'indietro, e il *Congedo di Cristo dalla madre* (Chantilly, Musée Condé, fig. 6), dove era stata messa a punto la posa di Gesù[37]. Ma la "deliziosa falsificazione" baroccesca (Longhi) di una pittura fondata sul naturale sortì bene i suoi effetti[38]. Nella sistemazione critica di Bellori, che pure fu tanto convintamente neovasariano sul piano della storiografia quanto ferocemente antivasariano sul piano della pittura, il maestro urbinate apparirà infatti indenne da ogni sospetto di affettazione manieristica[39]: un'immagine di Barocci derivata dalla familiarità di Bellori con i suoi disegni assai più che con i suoi dipinti[40].

Documenti alla mano

Lo slittamento della posizione di Barocci tra gli artisti della generazione successiva innescato dalla biografia belloriana fu ripreso ed esplicitato da Luigi Lanzi: "Federigo Barocci potrebbe per l'età collocarsi nell'epoca precedente, ma il suo merito lo fa ascrivere a questa, ove io racchiudo i riformatori dell'arte"[41]. Sancendone di fatto

4

Tintoretto
San Marco libera lo schiavo dal supplizio della tortura (*Miracolo dello schiavo*), 1548. Venezia, Gallerie dell'Accademia

5

Federico Barocci
Martirio di san Vitale, 1580-1583. Milano, Pinacoteca di Brera

la fortuna, Lanzi traghettava questa lettura del maestro urbinate avanti di un altro secolo, ed essa è stata ripresa, percorsa e ripercorsa dal carro degli studi novecenteschi fino a creare un solco profondissimo, dal quale si ha tutt'oggi l'impressione di faticare a sfilarsi.

Lo studio dei documenti (corrispondenze, atti notarili, inventari di collezioni, libri di cassa) permette però di ricostruire, punto dopo punto, nel tempo, la gigantesca maglia dell'attività dell'artista, lungo la quale si succedono i puntuali e documentati eventi del suo percorso: opere realizzate, solo promesse o delegate agli allievi, figure di grandi committenti o di più modesti collezionisti, vicende personali e familiari completano il racconto tramandato dalle biografie. Del resto già Hermann Voss, in chiusura del secondo decennio del Novecento, che aveva visto nascere alcuni tra i primi importanti studi sull'artista[42], sottolineava la tendenza a staccare Barocci dal suo effettivo contesto temporale e culturale, pur restando egli "condizionato dagli intenti generali del suo tempo, anzi, ne appare come uno dei più significativi esponenti, in certo qual modo il culmine di tutto il tardo sviluppo del Cinquecento"[43].

La ricostruzione del corpus delle fonti sull'artista, avviata nel 2021, si sta rivelando un'operazione molto fruttuosa oltre che estremamente necessaria tanto per Barocci e i suoi collaboratori, quanto per altri attori della storia dell'arte del Cinquecento che, tra le carte, affiorano o si ridefiniscono come suoi committenti.

Il riesame, ad esempio, dei documenti legati al collezionista perugino Simonetto Anastagi (? -1602) conservati all'archivio dei Gesuiti di Roma, se da un lato conferma i dati già noti sul *Riposo durante la fuga in Egitto* oggi ai Musei Vaticani (cat. III.2), commissionato nel 1570 e consegnato nel 1573[44], dall'altro lato fa emergere la figura di un collezionista forse non tra i più facoltosi, ma che possedeva dipinti, cartoni e disegni di artisti rilevantissimi, acquistati a partire dall'inizio dell'ottavo decennio del secolo[45]. Esponente della nobiltà perugina, membro dell'Accademia del disegno e in stretto contatto con letterati, pittori e scultori, da Roma a Venezia, Simonetto ha lasciato tre registri di cassa all'interno dei quali annotava le spese effettuate per la sua sussistenza e per il mantenimento della sua casa. Tra questi materiali si trovano anche preziose informazioni sulla sua collezione di dipinti, disegni e sculture e sugli interventi di conservazione e manutenzione che egli apportò via via alle sue opere[46].

Tra i pagamenti per una *Sibilla* di Paolo Veronese[47], per un *Profeta* promesso nel 1575 da Jacopo Tintoretto e poi giunto effettivamente a Perugia, per una "Madonna col Salvator in grembo di chiaro scuro" di Sebastiano del Piombo[48], per un "San Marco che scrive" di Lorenzo Lotto[49], apprendiamo pure che Anastagi aveva visitato alcune delle maggiori città dell'Italia centrosettentrionale, dove si procurò vari dipinti. A Genova nel 1570 pagò a Luca Cambiaso dieci scudi d'oro per un quadro raffigurante un *Cristo tra i dottori*[50]; da lì passò per Milano dove lasciò l'opera perché fosse spedita a Perugia[51], e nella città meneghina, non sappiamo se proprio in quell'occasione, fece almeno un acquisto: "un quadretto in tavola finito di cornice dorata, venuto da Milano, ritratto de l'ultima duchessa, ridotto in forma della Madalena alto p. 1.4, largo p. 1.2"[52]. Nel 1571 fu a Firenze, dove pagò un acconto ad Alessandro Allori per la realizzazione di una *Visitazione della Vergine*[53], e molti altri esempi si potrebbero fare. Ma per restare sulla scuola baroccesca, Simonetto acquistò un *San Girolamo* di Ventura Mazzi: "E sino à 30 di ottobre 1599 scudi doi per un quadretto dipinto a olio, in tela posto in un telaio semplice, nella qual pittura è finta la notte e l'istoria è San Girolamo in penitentia di mano di Ventura da Urbino discepolo di Federigo Barocci a la cassa"[54].

Quanto ai disegni, Simonetto possedeva una serie di pastelli di Federico, tenuti in gran considerazione e percepiti come vere "pitture". Nei suoi libri di cassa è ricordata, l'8 novembre del 1587, una spesa di quattro scudi per "quattro teste di pastelli, di man di Federigo in doi è la testa della Madonna, una cioè della Nuntiata di Loreto, e l'altra dell'istoria della circoncisione in Pesaro, opere del Barocci, dell'altra una la testa di san Ioseffe e l'altra una sibilla; dette pitture sono poste in telai finiti di cornici, coperte di vetri"[55]. Qualche anno dopo, il 15 agosto 1592, Simonetto acquistava sei vetri grandi, per proteggere le teste "grandi quanto il vivo fatte con pastelli di man di Federigo Barocci da Urbino" poste su tavola[56].

I libri di cassa di Simonetto Anastagi aiutano anche a comprendere un punto della biografia di Bellori frainteso dalla critica. Lo storiografo infatti indicava come soggetto della tela realizzata da Barocci per Anastagi non un *Riposo* ma una *Natività*, informazione che è stata sempre intesa come un mero errore nella definizione del soggetto[57]. In realtà, una *Natività* fu effettivamente commissionata a Federico da Simonetto una volta ricevuta la prima tela, a riprova dell'ammirazione che egli aveva per l'artista, conosciuto verosimilmente durante gli anni di permanenza di quest'ultimo a Perugia per la realizzazione della *Deposizione* (cat. II.2)[58]. Il collezionista perugino versò infatti un acconto per questo soggetto il 10 dicembre 1576, salvo poi avvisare gli eredi nell'allegato al proprio testamento, da lui stesso definito "quinternetto" e datato 1602, di riscuotere quei venti denari inviati anni prima per una *Natività* mai consegnata[59]. Bellori dunque, pur non sapendo che il quadro non era mai stato compiuto, trasmetteva una notizia attinta dalle carte fornitegli dal suo informatore urbinate Pompilio Bruni oppure attraverso il contatto che egli stesso dichiara di avere con Francesco Beni, depositario, secondo il biografo, di parte dell'eredità grafica dell'artista e prossimo a Barocci stesso[60].

Il legame di Barocci con il ramo urbinate della famiglia Beni, supportato da più evidenze documentarie[61], torna in campo anche per un'altra *Natività*, quella realizzata per Federico Borromeo e conservata alla Pinacoteca Ambrosiana (fig. 7)[62]: nelle trattative avviate dal cardinale con l'artista per ottenere il dipinto e condotte in loco dal cappuccino Damiano da Fossombrone, Raffaele Beni subentrò a quest'ultimo nel momento in cui il frate, nell'estate del 1599, fu costretto ad allontanarsi da Urbino[63]. Come fra Damiano, Raffaele aveva il compito di marcare a vista Barocci per la realizzazione dell'opera chiesta da Borromeo: un caso su cui vale la pena soffermarsi, poiché potrebbe cambiare lo statuto della versione dell'Ambrosiana, considerata dalla maggior parte della critica come una copia di mano di Alessandro Vitali dell'originale conservato al Museo del Prado, agganciato a un acconto versato dal duca di Urbino nell'agosto 1597 e da lui spedito all'inizio del 1605 alla corte di Spagna (fig. 8, cat. III.5)[64]. Tuttavia la corrispondenza epistolare del cardinale Borromeo relativa alla sua commissione a Barocci, nota in parte dalla fine degli anni novanta del secolo scorso e arricchitasi di altre evidenze documentarie nel corso delle ricerche recentemente avviate[65], spinge a riconsiderare la natura della redazione del dipinto dell'Ambrosiana, che fu realizzato in pochi mesi, forzando i lenti tempi di lavoro dell'artista in ragione del peso del committente: commissionato nel dicembre del 1598, fu inviato a Roma nell'agosto del 1599 e da lì, qualche anno dopo, fu spedito a Milano.

Ma le origini di quest'opera risalgono ad alcuni anni prima. Un *Presepe* di Barocci era atteso a Milano fin dal 1593, quando la Fabbrica del Duomo aveva espresso il desiderio di avere un quadro del maestro urbinate, di soggetto inizialmente non specificato, ma che si apprende in seguito essere appunto una *Natività*[66].

6

Federico Barocci
Congedo di Cristo dalla madre, 1590-1612 circa.
Chantilly, Musée Condé

7

Federico Barocci e aiuti
Natività, 1598-1599. Milano,
Pinacoteca Ambrosiana

8

Federico Barocci
Natività, 1597-1604 circa, particolare. Madrid, Museo Nacional del Prado

A darne notizia in una lettera è l'urbinate Guidubaldo Vincenzi, dal 1575 trasferitosi a Milano, dove fu confessore di Carlo Borromeo e curato del duomo fino alla propria morte nel 1612. Il contenuto della missiva è di fondamentale rilievo perché informa del coinvolgimento di Federico Borromeo già sul nascere di questa commissione: la Fabbrica del Duomo chiedeva infatti al cardinale di intercedere presso il duca di Urbino – il quale, com'è noto, stabiliva il calendario delle commissioni dell'artista – per mandare avanti la realizzazione del dipinto.

Borromeo inviò effettivamente la richiesta a Urbino il 22 marzo 1597 per tramite di Giovan Battista Talento Fiorenza[67], il quale fu anche incaricato di consegnare un acconto all'artista: siamo dunque qualche mese prima del pagamento del duca di Urbino per la versione poi mandata in Spagna[68]. Questo significa che il progetto del *Presepe* per il duomo di Milano si mise in moto con una battuta d'anticipo rispetto al *Presepe* per il duca di Urbino. Al complesso iter ideativo di questa composizione, attestato da numerosi disegni, fa capo la diversa versione del soggetto affrontata nello stupendo, incompiuto dipinto già in collezione Rasini, che mostra con grande immediatezza gli esiti di un rinnovato confronto con la pittura veneziana[69]. Nell'autunno del 1598 il capitolo della Fabbrica provava a inviare un secondo acconto a Barocci sperando che egli in questo modo avrebbe cominciato a lavorare al dipinto. A cambiare le carte in tavola fu, nel dicembre del 1598, il viaggio in terra marchigiana di Borromeo, durante il quale con tutta probabilità il cardinale incontrò fra Damiano e a lui affidò il compito di fermarsi qualche mese a Urbino per vigilare sull'effettiva esecuzione dell'opera chiesta a Barocci[70].

Dopo che il cardinale Borromeo si fu accaparrato la *Natività*, la Fabbrica del Duomo richiese a Federico un dipinto di altro soggetto, ossia il *Compianto su Cristo morto* oggi a Bologna[71].

Il primo contatto diretto tra l'artista e il suo committente per la *Natività* avviene il 16 aprile 1599, quando Borromeo scrive a Barocci di rimettersi alla volontà di fra Damiano da Fossombrone[72]. Al contempo, il cardinale si accorda con il frate, il quale avrebbe dovuto accertarsi che l'opera "si finisca con quella diligenza che suole usare l'autore nelle sue opere e di mandarmelo poi a suo tempo con ogni avvertenza per che non si guasti e in questo mentre averò cura che la persona vostra non sia rimossa da Urbino per quest'estate"[73]. Un allontanamento da Urbino, tuttavia, fu a un certo punto necessario e fra Damiano delegò allora Raffaele Beni, suo cugino e "cogniato del Baroccio"[74]. Per qualche mese diventa lui l'interlocutore del cardinale, ed è Beni a occuparsi dell'invio dell'opera verosimilmente a Roma il 28 agosto 1599, dove l'arcivescovo di Milano ancora risiedeva e dove fu ammirata dai "valent'uomini di questa città"[75]. Dall'Urbe il "quadro del Baroccio" verrà spedito a Milano da Papirio Bartoli, agente di Federico Borromeo, il 28 dicembre del 1603 insieme ad altri quattro quadri non specificati[76].

Quanto ricostruito finora sembra l'iter ben documentato di un'opera autografa, nonostante i dubbi sollevati da buona parte della storiografia novecentesca, riluttante a indagare a fondo le pratiche della bottega di Barocci, il quale fu, fin da un momento precoce, disponibile alla riproposta e alla replica di invenzioni già messe in opera. Un nuovo confronto tra le due redazioni sarà a questo punto dirimente.

Le ricerche documentarie intorno alle commissioni milanesi rivolte a Federico Barocci hanno consentito da ultimo di definire meglio il profilo di Guidubaldo Vincenzi come committente; egli infatti, al pari di alcuni illustri signori milanesi per i quali era riuscito a ottenere opere degli allievi del maestro urbinate, aveva da un certo punto in poi ricercato anche dei dipinti per sé. A Urbino erano i suoi fratelli Nanno e Ludovico che riportavano alla bottega i desiderata dei committenti milanesi e trasmettevano informazioni, richieste e sollecitazioni da recapitare a Barocci[77].

L'intenzione di avere un'opera di mano di un allievo di Barocci si affaccia in una lettera del 2 luglio 1593 di Guidubaldo al fratello Ludovico, già nota ma solo per la parte riguardante la commissione per il duomo di Milano[78]. Nel prosieguo della missiva si fa cenno a due quadri, "cioè il piccolo e il mezzano", per i quali era in corso una trattativa gestita a Urbino da Ludovico per conto di Guidubaldo, che ora intendeva prendere tempo. Il progetto riprende corpo qualche anno dopo quando, il 23 aprile 1597, Guidubaldo torna nuovamente alla carica per acquisire un quadro "dell'istessa grandezza di quello del signor Barocci perché così credo rivenirà più bello, e se se ne potrà aver doi mi sarà più caro"[79]. Egli ricercava quindi un paio di copie da opere del maestro che erano a disposizione a Urbino[80]. Il 5 giugno successivo Nanno Vincenzi informa Guidubaldo che Ventura Mazza (o Mazzi) era disponibile a replicare tali dipinti del maestro, un *Riposo durante la fuga in Egitto* e verosimilmente una *Madonna col Bambino*:

> Ho parlato a messer Ventura circa del quadro, quale mi ha risposto che del grande ne vuole trenta scudi e di quel piccolo quindici, ma senza paragone è più bello quel grande, quale rappresenta la fuga in Egitto di nostro Signore e vi è la figura di nostro Signore, la Madonna, San Gioseffo, un asinello con alcune delle cose come una sachetta con pane, et fiaschetto con il vino, un asinello e San Gioseffo mostra esser montato sopra un ciregio et dar le ciregie a nostro Signore, cosa che certo è bellissima, il piccolo vi è solo l'immagine di Nostro Signore et della Madonna. Scrivete ora la vostra intenzione che farò subito dar principio. Non sono più lungo per esser stracco per la processione[81].

Ma già il 9 luglio capricciosamente Guidubaldo fermava l'accordo, riservandosi di riprenderlo più avanti: una *Madonna*, ma di mano di Alessandro Vitali per Vincenzi, giungerà effettivamente a Milano anni dopo, nel 1603.

Il prototipo della prima copia che gli era stata offerta è chiaramente il *Riposo durante la fuga in Egitto*, concepito da Barocci in prima battuta nel 1570 per la duchessa di Ferrara Lucrezia d'Este (perduto), e quindi subito replicato da lui stesso per Anastagi (cat. III.2) e per Antonio Brancaleoni in Santo Stefano a Piobbico, e poi dagli allievi in tante altre versioni. Di individuazione più difficoltosa è il secondo modello, con "l'immagine di Nostro Signore et della Madonna", forse ma non necessariamente una Madonna col Bambino.

Quelli qui rievocati sono soltanto alcuni tra i molti esempi possibili di quanto, nel caso di Barocci, una nuova indagine sistematica sulla documentazione d'archivio sia decisiva ai fini di una migliore comprensione della sua attività, del suo catalogo e dei suoi metodi di lavoro.

Note

A Barbara Agosti compete la sezione *Su Barocci e i suoi biografi* del saggio, a Camilla Colzani la sezione *Documenti alla mano*.

1 Vasari [1568] 1966-1987, V, pp. 562-563.
2 Borghini 1584, pp. 568-570.
3 Lomazzo [1584] 1973-1974, II, p. 191; Lomazzo 1587, p. 102; Lomazzo [1589] 1993, pp. 155-156; Lomazzo [1590] 1973-1974, I, p. 358.
4 Zezza 2009.
5 Van Mander 1604, ff. 186v-187r.
6 Celio in Gandolfi 2021, pp. 294-296; Baglione [1642] 2023, I, pp. 388-393.
7 Scannelli 1657, pp. 196-197.
8 Per la genesi e l'orientamento del libro di Bellori: Montanari 2009b, pp. 686-694; Ginzburg 2015; sui caratteri, sulla struttura e sulla centralità della biografia belloriana di Barocci: Perini 2005; Giannotti 2009.
9 Per l'edizione critica del 1976 si veda Bellori [1672] 2009; una prima traduzione inglese della *Vita* di Barocci è in *The Graphic Art of Federico Barocci* 1978, pp. 12-24; per la traduzione dell'intero volume: Bellori [1672] 2005.
10 Bellori [1672] 2009, I, p. 32.
11 Il fenomeno era già registrato da Borea 1976, pp. 56-57.
12 Sandrart 1675, II, p. 209; Baldinucci 1681-1728, III, pp. 110-119; Pio [1724] 1977, pp. 49-50; si veda Perini 2005, p. 399.
13 Il progetto è sostenuto dal Prin 2022 *Federico Barocci in modern sources, from Urbino to Europe: a digital corpus*.
14 Baroni 2015, p. 79.
15 Il primo viaggio romano, compiuto "all'età di venti anni" è attestato da Bellori ([1672] 2009, I, pp. 181-183), che tuttavia, credendo Barocci nato nel 1528, lo ambientava implicitamente al tempo di Paolo III.
16 Agosti 2021.
17 *The Graphic Art of Federico Barocci* 1978, pp. 26-27, doc. n. 1; Lepri, Palesati 2001.
18 Bellori [1672] 2009, I, pp. 188-189; ma cfr. Fontana 1997, dove un viaggio a Firenze prima del 1579 è argomentato sulla base di evidenze che convergono intorno alla metà degli anni settanta (si veda qui la scheda della *Madonna del gatto*, cat. III.3).
19 Muratori 1912, pp. 251-253; la seconda trasferta del pittore a Ravenna risulta dal documento segnalato in Eiche 1982, pp. 399-400, ed è dichiarata da lui stesso in una lettera ad Antonio Talpa: Archivio della Congregazione Oratoriana di Roma, B III, 1, f. 113.
20 Per l'importanza del soggiorno a Venezia e degli studi di Barocci su Tintoretto in questa fase: Friedlaender 1923, p. 262; Olsen 1962, p. 69; Mann 2012a, pp. 18-19; Lingo 2021.
21 Eiche 1982, p. 400.
22 Barbieri, Barchiesi, Ferrara 1995, rispettivamente pp. 71, 67, 56; Verstegen 2015; e si veda qui la scheda della *Visitazione*, cat. II.3.
23 Friedlaender 1923, p. 260; Olsen 1962, p. 82; Mann, in *Federico Barocci* 2012, p. 231, n. 12.
24 Borea 2009a, *ad indicem*; Borea 2009b.
25 Greco Grassilli 2005, pp. 337-338; Bianchi 2008, pp. 179-180.
26 Gronau [1936] 2011, p. 188, n. CCLXIV, pp. 188-189, n. CCLXV.
27 Gronau [1936] 2011, pp. 194-195, n. CCLXXVIII.
28 Gronau [1936] 2011, p. 208, n. CCC; Baroni 2021a.
29 Gronau [1936] 2011, pp. 199-200, n. CCLXXXV.
30 Gronau [1936] 2011, pp. 192-193, n. CCLXXIV; pp. 191-192, n. CCLXXII.
31 Verstegen 2015, p. 81, nota 57; Bonadonna Russo 1968, p. 152, nota 1; von zur Mühlen 1996, pp. 269-270, n. B 25.
32 Alippi 1909, p. 73; Gronau [1936] 2011, p. 208, n. CCCI.
33 Mojana 1998, p. 377. Ma si veda qui Colzani, pp. 56, 60.
34 Sangiorgi 1982, pp. 24-25, n. VIII.
35 Wazbinski 1994, II, p. 529.
36 Pollak 1913, p. 5 (e Baroni 2021a); Gronau [1936] 2011, p. 190, n. CCLXVIII.
37 Un'*Assunzione* è ricordata come già esistente il 7 giugno 1600: Sangiorgi 1982, pp. 30-31, n. XVI; questa indicazione è coerente con la ripresa della Vergine dalla pala di Tiziano ai Frari (si veda qui Ekserdjian, p. 75). Olsen (2002, p. 200) ipotizzava fondatamente che il *Congedo* fosse nato su richiesta di Isabella della Rovere, sorella di Francesco Maria II e consorte di Niccolò Berardino Sanseverino principe di Bisignano, per una cappella in allestimento a Napoli negli anni novanta (cfr. Gronau [1936] 2011, p. 189, n. CCLXVI).
38 Longhi [1915] 1961, I, p. 178.
39 Si vedano le osservazioni di Borea 1976, p. 60; Shearman 1976, p. 54, e Montanari 2009b, pp. 694-710.
40 Agosti, Ambrosini Massari in corso di stampa.
41 Lanzi [1792] 2022, I, p. 344.
42 Schmarsow 1909; Bombe 1912; Di Pietro 1913; *Studi e notizie* 1913.
43 Voss [1920] 1994, p. 297.
44 Città del Vaticano, Musei Vaticani, inv. 40377.
45 Archivum Romanum Societatis Iesu (d'ora in poi ARSI), Fondo Gesuitico, 1490, f. 310v; Sapori 1983, pp. 79-80.
46 Per il contesto perugino di Anastagi cfr. Sapori 2001; Galassi 2014a; Galassi 2011b.
47 ARSI, Fondo Gesuitico, 1490, f. 258v: "E sino adi detto scudi sei d'oro pagati in Venetia l'anno 1574 per man di messer Giulio Caporali pittor, a messer Paolo Veronese pittor, per il quadretto della sibilla che tiene in mano una Croce, alto p. 2.2 e mezzo e largo p. 2.9 e mezzo".
48 Sapori 1983, p. 82; ARSI, Fondo Gesuitico, 1490, f. 284v: "Un quadretto in tavola finito di cornice d'ebano alto d.5 e largo d. 4, la Madonna col Salvator morto in grembo di chiaro scuro di man di Fra Bastiano venetiano. Scudi 5".
49 Sapori 1983, p. 82. Dalla nota spese dell'Anastagi apprendiamo che il *San Marco* di Lorenzo Lotto, "alto p. 2, largo p. 2.2" fu acquistato da "Pietropaolo Torelli pittor" prima del dicembre 1579, data nella quale Anastagi si premura di far realizzare a Simone falegname un nuovo telaio; la stessa operazione di conservazione è destinata al *Profeta* di Tintoretto: cfr. ARSI, Fondo Gesuitico, 1490, f. 259v.
50 ARSI, Fondo Gesuitico, 1490, f. 258v: "e sino adi detto scudi dieci d'oro pagati in Genova da Simonetto Anastagi l'anno 1570 a messer Luca Cambiaso pittor, per la valuta di un quadro in tela di p. 3 in circa, dove è dipinta l'Istoria della Beatissima Vergine quando ritrovò Gesù al tempio alto p. 3.1, largo p. 2.3". Questa non fu l'unica opera di Cambiaso posseduta da Simonetto: nell'aprile del 1577, infatti, egli registra: "scudi quindici c'oro pagati in Genova da Simonetto Anastagi a messer Luca Cambiaso pittor per la valuta di un quadro in tela di p. 3.2, largo p. 3.3 dove è dipinta l'Annuntiatione della gloriosissima Vergine".
51 ARSI, Fondo Gesuitico, 1490, f. 258v: "E sino adi detto scudi 60 pagati in maggior somma per il porto del quadro del Genovese, da Milano, dove fu lassato da Simonetto, sino a Perugia".
52 ARSI, Fondo Gesuitico, 1490, f. 284v.
53 ARSI, Fondo Gesuitico, 1490, f. 258v.
54 ARSI, Fondo Gesuitico, 1490, f. 285v.
55 ARSI, Fondo Gesuitico, 1490, f. 285v.
56 ARSI, Fondo Gesuitico, 1490, f. 260r.
57 Olsen 1962, p. 155.
58 Sapori 1983, p. 80.
59 Sapori 1983, p. 80; ARSI, Fondo Gesuitico 1490, f. 6r.
60 Duro 2022.
61 Gabriele Beni fu il notaio che rogò il testamento di Federico del 1599. Su una precedente versione del testamento datata 1587 e recentemente scoperta cfr. Duro 2022; Barocci eseguì anche un ritratto di Gabriele Beni, documentato nell'inventario della collezione Albani: *Il cardinale Alessandro Albani* 1980, p. 25.
62 Milano, Pinacoteca Ambrosiana, inv. 153.
63 Raffaele Beni (1564-1630) è ricordato da Grossi [1819] 1856, p. 65. Una biografia manoscritta più completa a opera di Marcantonio Virgili Battiferri si conserva in più esemplari nella Biblioteca Universitaria di Urbino; una copia del testo, di mano di Antonio Rosa, in particolare, mi è stata gentilmente segnalata da Filippo Duro (Biblioteca Universitaria di Urbino [d'ora in poi BUU], Fondo del Comune, sezione volumi, ms. Urbino 73, ff. 54-57). Da essa, oltre alle numerose cariche ricoperte in patria e agli scritti da lui lasciati si apprende che Raffaele era figlio di Gabriele (si veda la nota precedente) e di Barbara Vagnarelli; studiò lettere a Urbino e a Roma, qui presso Paolo Beni suo zio. Nel 1588 sposò Lisabetta Guidalotti dalla quale ebbe nel 1590 un figlio, Francesco, menzionato da Bellori (cfr. Agosti, Ambrosini Massari in corso di stampa). Quest'ultimo sposò Elena Crivelli, figlia del conte milanese Luigi Crivelli, il 18 giugno del 1610. Raffaele nel 1621 fu eletto priore del Collegio di Urbino; nel 1623 la moglie Lisabetta morì e lui prese i voti. La biografia, come del resto il testo di Grossi, ricorda un suo "ritratto in fresca età" eseguito da Federico Barocci.
64 L'opera si è attestata nella critica come una copia realizzata da Alessandro Vitali a partire da Olsen 1962, pp. 196-197; in seguito: *Federico Barocci* 1975, pp. 191-193; Emiliani 1985, II, pp. 319-320; Marchi 2005, pp. 134-135; Emiliani 2008, II, pp. 206-207; *Federico Barocci* 2012, pp. 262-271 (non citata); Lanzi [1792] 2022, p. 670, nota 38. A favore dell'autografia baroccesca dell'opera, invece, Mojana 1998; Verstegen 2015, pp. 86-91; Squizzato, in *Pinacoteca Ambrosiana* 2006, pp. 29-33.
65 Mojana 1998.
66 Sangiorgi 1982, pp. 19-20, n. IV: in una lettera del 12 marzo del 1597 Guidubaldo Vincenzi in Milano informava il fratello che il consiglio dell'istituzione milanese aveva deliberato di volere tale soggetto "se vurriano seguitare la disposizione antica".
67 Biblioteca Ambrosiana di Milano (d'ora in poi BAMi), G 260 inf., f. 435r.
68 Archivio della Veneranda Fabbrica del Duomo di Milano, *Mandati*, 14, alla data.
69 Si veda *The Graphic Art of Federico Barocci* 1978, pp. 85-86, n. 63.
70 Un incontro tra i due dovette effettivamente avvenire in questa occasione, data l'informazione molto puntuale contenuta nella lettera inviata da Borromeo a fra Damiano il 1° maggio del 1599: "Avend'io caro che la Persona Vostra si fermasse due o tre mesi in Urbino per quel mio servitio ch'io le disse a bocca"; BAMi, G 261 inf., f. 314r.
71 Bologna, Collezioni Comunali d'arte, inv. P673.
72 BAMi, G 261 inf., f. 302v.
73 BAMi, G 261 inf., f. 354r; Mojana 1998, p. 377.
74 BAMi, G 184 inf., f. 157r. L'attributo di cognato va qui probabilmente inteso non come un legame diretto di parentela poiché a oggi sappiamo che Barocci aveva una sorella a lui molto cara, Geronima, la quale però non ebbe marito.
75 BAMi, G 261 inf., f. 391v. Raffaele Beni verrà ringraziato dal Borromeo per il suo servizio in BAMi, G 261 inf., f. 390r. Sul trasferimento a Milano nel 1601 cfr. Jones 1997, pp. 23-24.
76 BAMi, G 251a inf. ff. 26-27.
77 Sangiorgi 1982. Sui consolidati rapporti tra Urbino e Milano nella seconda metà del Cinquecento cfr. Mara 2020.
78 BUU, *Congregazione di Carità*, Busta 37, IV, f. 381r/v; Sangiorgi 1982, pp. 17-18, n. II.
79 BUU, *Congregazione di Carità*, 37, IV, f. 402r; Sangiorgi 1982, pp. 24-25, n. VIII.
80 Si veda anche 21 maggio 1597: BUU, *Congregazione di Carità*, 37, fasc. IV, f. 405r: "[...] Di quella Madonna ch'io vi scrissi avisatemi se quel giovane la vorrà fare, et volendola fare diteli che cominci per sua posta, e perché mi pare che mi abbiate scritto che il signor Barocci ne fa due bellissime se vorrà farmene la copia di tutte due mi sarà caro, et fate che siano dell'istessa grandezza di quelle del signor Barocci perché così credo riusciranno meglio [...]".
81 BUU, *Congregazione di Carità*, 38, VI, f. 787r.

L'IPEROPIA DI BAROCCI, LA PAZIENZA DEL DUCA, LE PRESSIONI DEL MERCATO

STRATEGIE DI SOPRAVVIVENZA

Raffaella Morselli

Federico Barocci non è mai stato il pittore di corte, iscritto regolarmente nei ruoli e al servizio del suo duca: è stato molto di più, tanto da essere definito "uno dello stato"[1]. Il suo impiego potrebbe assimilarsi a quello di un sovrintendente agli affari in materia artistica, passando dagli edifici, alle decorazioni, agli oggetti di arti suntuarie, ma i suoi erano piuttosto suggerimenti che incarichi. È infatti solo a lui che il duca si rivolge per ogni tipo di consiglio in ambito artistico relativo alle commissioni ducali, alle disposizioni degli arredi, agli artisti da impiegare a corte. Il fatto stesso che fosse Francesco Maria II della Rovere a preoccuparsi di lui e a fargli visita nella sua casa, ribaltando in tal modo il rapporto cortigiano, almeno nelle corti di antico regime, è la prova dell'unicità della loro relazione.

Barocci e Della Rovere sono connessi da un vincolo del tutto unico nel panorama degli artisti attivi per il duca a Urbino e a Pesaro. Il duca lo stimava profondamente e non lo confondeva con il manipolo di artigiani-artisti che lavoravano al suo servizio. Persino Giovan Pietro Bellori ricorda come egli gli mettesse a disposizione un appartamento a palazzo, presumibilmente a Urbino[2]. Senz'altro Barocci è stato l'unico artista attivo a corte ad avere a disposizione delle stanze dentro il perimetro del palazzo, ricevendo così un trattamento straordinario (figg. 2-3). È pur vero che a Pesaro il duca provvedeva a offrire un'abitazione a palazzo o in edifici limitrofi agli stipendiati dei botteghini: ciò faceva parte degli accordi perché, oltre alla "provisione", essi ricevevano vitto e alloggio, ma doveva trattarsi di abitazioni molto più modeste rispetto al privilegio offerto a Barocci a Urbino[3]. D'altra parte, il pittore aveva tracciato una mappa personalissima sul tessuto urbanistico della città: aveva infatti in affitto, dal 1575, per due scudi l'anno, una stanza, probabilmente di notevoli dimensioni per ampiezza, presso il convento dei frati di Sant'Antonio Abate, di cui era confratello fin dal 1566[4]. Qui alloggiava quadri grandi in preparazione, come si dichiara apertamente in un documento del 1581: "per nolo della sala dove egli sta a dipingiare"[5]. In questa sede doveva aver eseguito almeno *Il Perdono di Assisi* tuttora in San Francesco (cat. VII.3), pala di eccezionale estensione (427 × 236 cm) e che non poteva essere ospitata in un locale di dimensioni standard, ma anche l'*Immacolata Concezione* già in San Francesco (Urbino, Galleria Nazionale delle Marche, cat. VII.5).

L'occupare più sedi contemporaneamente era una pratica frequente per un pittore che aveva un manipolo di allievi e molto lavoro, tra cui preparare disegni, abbozzi, cartoni: Barocci aveva una percezione della città rinascimentale quale unico grande palazzo in cui viveva e in cui si muoveva in sicurezza tra sedi differenti, eppure vicine le une alle altre. Avanzando negli anni, egli abbandonò l'alloggio ducale per ritirarsi solamente in una propria abitazione in via San Giovanni, dalle cui finestre, all'ultimo piano, manteneva un rapporto visivo con la corte. Questa amorevole devozione al suo duca e alla sua casa si apprezza nel *Cristo spirante* (Madrid, Museo del Prado), in cui il punto di vista corrisponde esattamente alla finestra della casa del pittore[6]. Sull'orizzonte si staglia il Palazzo Ducale che rivela un unico piano illuminato: quello corrispondente all'appartamento privato. Il dipinto fu saldato dal duca nel 1604 e donato, alla sua morte e per volontà testamentaria, a Filippo III re di Spagna. La coincidenza delle finestrelle rischiarate e la data del saldo suggeriscono un evento ancora più intimo, di cui il pittore era certamente partecipe: la gravidanza tanto attesa della duchessa, che avrebbe dato alla luce, il 16 maggio 1605, l'erede dei Della Rovere.

Il fatto di avere Federico Barocci a corte era motivo di orgoglio per il duca ma era anche la sua pena. La malattia del pittore, che tanto rallentava il suo lavoro, aveva un lato positivo, ovvero garantiva la residenza stabile nel ducato di uno dei più noti e richiesti artisti

1
Federico Barocci
Visitazione della Vergine a santa Elisabetta, 1583-1586, particolare. Roma, Santa Maria in Vallicella

del tempo. Ciò aveva permesso a Francesco Maria II di ottenere quello che non era stato possibile a Francesco I de' Medici, cioè avere Barocci a corte. Infatti, nel 1578, in occasione del viaggio in Toscana in cui il pittore aveva accompagnato l'attesissima pala con la *Madonna del popolo* ad Arezzo, il granduca pare gli avesse offerto una posizione di rilievo a palazzo, ma egli aveva rifiutato ufficialmente a causa delle sue indisposizioni[7].

Al riparo dal mondo, nella sua Urbino, protetto dal duca, Barocci era al sicuro anche a fronte di richieste di pagamenti fuori mercato, di rimborsi spese esosi e non pattuiti, di contratti fatti stilare con grande puntiglio ma non rispettati, di scelte di valute preziose, di trasporti difformi. Nessuno poteva affrontarlo con fermezza "perché niente d'auttorità che si voless'usare seco [...] sarebbe un farlo cacciar subito in un letto et accrescere non poco l'indisposizioni sue ordinarie, di modo che noi, quando volemo qualche cosa da lui, bisogna che procediam seco con un rispetto et risserva grandissima", scriveva il duca l'11 febbraio del 1588[8]. Nonostante tutti questi difetti accertati dai documenti e dalle fonti, la reputazione della pittura di Barocci cresceva di anno in anno presso le corti italiane ed europee, gli ordini religiosi, le confraternite, i singoli collezionisti; la sua lentezza, ritrosia, spigolosità era proporzionale alla fama che incrementava il desiderio dei committenti culturalmente più disparati. Per la prima volta nella storia delle corti italiane di antico regime, un duca diventava l'intermediario diretto di un artista che era un suddito e viveva nel suo territorio senza essere iscritto nei ruoli.

Dalla corrispondenza ducale, appare chiaro che il pittore è il vanto del ducato tanto che, dopo la sua morte, lo stesso Francesco Maria II afferma che "in questo mio paese dopo la morte di Federico Barocci non v'è pittore di valore"[9]. La presenza di Barocci nel ducato, tuttavia, provocava, come è noto, molteplici difficoltà al duca, che avrebbe voluto accontentare le richieste dei numerosissimi e autorevoli potenziali committenti, ma si trovava spesso impossibilitato dalla sua lentezza, dal suo stato di salute, dalla sua difficoltà a relazionarsi con l'esterno[10]. Il duca sembrava, tuttavia, capirne l'indole e persino i famigerati tempi di produzione, anche quando questi gli creavano imbarazzi diplomatici. Successe con Filippo II di Spagna, con Rodolfo II e con alcuni alti dignitari di queste corti, tanto che egli scriveva, il 5 luglio 1590, a Bernardo Maschi, ambasciatore urbinate presso la corte spagnola: "È ben strano assai che di lui non potiam prometter et valere in conto alcuno si può dire, ma molto più ancora che per causa sua noi abbiam ad acquistarci ora una malevolenza et ora un'altra, il che ci dispiace tanto che poco men che non diciamo di desiderar che muoia per non aver più di questi travagli"[11]. Francesco Maria II era irritato dalla pressione che il conte di Chinchón esercitava su di lui per ottenere il dipinto di Barocci richiesto l'anno precedente ed esponeva i consueti argomenti sull'estrema sua lentezza dei tempi di lavoro, enumerando le varie opere che gli erano state commissionate invano o esasperando i committenti: il quadro per il conte di Olivares, quello per la sorella principessa di Bisignano, la *Vocazione di sant'Andrea* per Filippo II e *La fuga di Enea* per Rodolfo II (cat. V.13), per i quali il duca stesso aveva tollerato una lunga attesa.

Nonostante queste esternazioni spazientite, Francesco Maria II sembra duttile e vulnerabile con Federico Barocci e come mecenate e collezionista si manifesta sicuro e con un disegno chiaro da realizzare, fornendo vitalità e progettualità all'organizzazione di un ducato che non ha precedenti negli stessi anni, mettendosi a confronto con le altre corti europee, la maggior parte di estrema rilevanza e di difficile paragone per grandezza e disponibilità finanziaria[12].

Il duca era committente di due pittori universali e autoctoni quali Federico Barocci e Federico Zuccari, e nel contempo di una congerie di artisti locali e stranieri che gravitavano attorno al ducato e che erano perlopiù di importazione, destinati a essere impiegati nella produzione suntuaria di cui l'entourage di Francesco Maria II brillava per capacità e perizia. Il primo, carissimo nei prezzi e poco gestibile, era affiancato da artisti promettenti ed esordienti, da pagare di meno, da indirizzare secondo il proprio gusto, meglio se allievi diretti o approvati dal maestro.

A tal fine il duca promosse, fin da subito, un'operazione di rinnovo delle residenze roveresche finalizzata a corrispondere ai criteri di magnificenza dell'epoca, e contestualmente mantenne a corte una serie di artisti e artigiani che lavoravano a stretto contatto, e spesso in collaborazione, nei cosiddetti "botteghini" ducali. Il duca si rivela un appassionato collezionista, in particolare nel settore delle oreficerie e argenterie, incrementando significativamente le raccolte del ducato. In un caso, riportato da Bellori, Francesco Maria II utilizza anche i servigi di Barocci per la produzione di arti suntuarie, quando, nel maggio del 1598, Clemente VIII, diretto a Ferrara, sostò a Urbino, ospite del duca, e questi gli regalò un vaso d'oro per l'acqua santa ornato da un'opera dell'artista, su lamina d'oro, con il Bambino tra le nuvole che con una mano tiene il mondo e con l'altra benedice, purtroppo perduto[13].

La documentazione superstite per l'analisi dell'impostazione produttiva del lavoro di Barocci nel ducato di Pesaro e Urbino, e da queste terre verso l'esterno, conta di fonti eccezionali: tre documenti autografi del duca, rari e unici come tipologia[14]; i sopravvissuti ma lacunosi "libri dei provisionati"; le innumerevoli lettere del duca e i contratti che il pittore stipulò con i propri committenti senza l'intervento di Francesco Maria II. Queste carte, ripercorse in una visione unitaria, contribuiscono a comporre un quadro ricco di elementi soprattutto per quanto riguarda gli incarichi affidati a corte alla moltitudine di artisti-artigiani e a Barocci, mettendo subito in risalto l'alterità dei primi rispetto al secondo e la sua capacità di contrattazione economica.

I pagamenti che il duca corrispondeva a Barocci, documentati nella nota di spese personali, erano suddivisi, solitamente, in un acconto, in una parte della somma per l'avanzamento dei lavori e in un saldo alla consegna. In un caso, Francesco Maria II paga il quadro prima dell'inizio dei lavori: si tratta della pala d'altare che Clemente VIII commissiona a Barocci raffigurante l'*Istituzione dell'Eucarestia* per la cappella della famiglia Aldobrandini a Roma (Santa Maria sopra Minerva, fig. 4, cat. II.5). In una lettera del 1603, il duca afferma di voler pagare egli stesso l'opera per la quale ha già sborsato l'intero prezzo al pittore, operazione che dice di fare usualmente quando egli lavora per committenti esterni al ducato, quasi facesse da garante per le difficoltà che il maestro avrebbe potuto incontrare nella lavorazione lenta e perigliosa[15]. I pagamenti registrati nel suo libro dei conti, tuttavia, dimostrano come i compensi avvengano nella procedura usuale della ratealizzazione. Tre sborsi di cinquanta scudi per l'*Annunciazione* destinata alla cappella dei duchi a Loreto nel 1582-1583 (cat. V.4); quattro da cento scudi l'uno per il *Sant'Andrea* all'Escorial nel 1586 e altrettanti tra il 1587 e il 1588 per *La fuga di Enea da Troia* (perduto) per l'imperatore Rodolfo e così via fino alla morte del pittore. L'intero prezzo corrisponde sempre a una valutazione di mercato internazionale, di altissimo livello per queste date, che sottolinea la straordinarietà dell'artista e di contro la sua eccezionale presenza a Urbino. D'altra parte, la sua quotazione avveniva non solo attraverso canoni di mercato, ma anche in base ai moti d'animo e di devozione che la

sua opera suscitava. Basti solo citare un dettaglio riportato nel 1622 da Pietro Giacomo Bacci nella *Vita di san Filippo Neri*, appena proclamato santo da Gregorio XV: l'oratoriano era solito sistemare una piccola sedia di fronte alla *Visitazione* di Barocci, collocata alla Chiesa Nuova nel 1586 (fig. 5, cat. II.3), e fissare l'immagine fino a cadere in un'estasi dolcissima[16]. Era chiaro che l'urbinate aveva oltrepassato i limiti della professione per entrare in un firmamento in cui la sua pittura era investita di un valore semioforo.

Se si analizzano i pagamenti delle opere di Barocci e si raffrontano con quelli degli altri artisti autoctoni, di cui il duca era costretto a servirsi per la decorazione più corsiva dei suoi palazzi e chiese, ci si rende conto dell'impossibilità di paragone. Il pittore era il divo della corte: il duca stava alle sue regole e, nello stesso tempo, lo proteggeva dall'aggressione dei committenti europei. La corte era al servizio del pittore in un sistema di ribaltamento di ruoli unico nel suo genere. Barocci non poteva e non voleva essere il pittore della corte: stava al di fuori del sistema. D'altra parte, in una lettera del 1596, l'artista dimostra quanta fatica facesse a stare al passo. Per la pala della cattedrale di Genova richiede, e ottiene, mille scudi: tenta questo azzardo per poter creare un fondo per la sua vecchiaia e per la sua malattia, come spiega in un'accorata lettera al suo duca, riflettendo inoltre sulla sua supposta indigenza, ovvero di come fosse possibile aver lavorato tanti anni e non aver "il modo a vivere"[17]. È una domanda che rimbalza fino ai nostri giorni: vivendo solo, senza una famiglia da sostenere, in una città come Urbino dove non aveva spese per il fasto personale, in una casa di proprietà, servito dal duca e dalla corte, lavorando anche lentamente ma percependo acconti e saldi importanti, come poteva essere inseguito dalla necessità di denaro? Lo stesso Francesco Maria II, maniacale nel rendicontare ogni minima uscita, registra nella nota spese personale cento scudi "donati al Barroccio" nel marzo del 1593, senza ancorarli a nessuna commissione e come pura regalia[18]. Questa supposta carenza di pecunia doveva far parte delle ansie dell'artista, del suo rapporto maniacale con il denaro e della paura di perderlo, oggi appellata iperopia, esito della sua patologia psicologica che il duca cercava di alleviare e di nutrire in un rapporto ambivalente di grandissimo rispetto reciproco tanto da considerare il pittore uno di famiglia[19]. La prova è la richiesta, da parte di Barocci, in un post scriptum di una lettera molto eloquente del 26 ottobre 1578 ai rettori della Fraternita dei Laici di Arezzo, in cui egli chiede che gli sia erogata la seconda tranche del compenso convenuto per la tavola della *Madonna del popolo*, aggiungendo che "mandando li scudi d'oro in oro farete che sieno di peso, perché qua il nostro duca ha fatto un bando che se li perde assai; imperciò serà meglio avertirci acciò non vi venisse il danno mio"[20]. Si preoccupa del cambio, della svalutazione degli scudi d'oro a Urbino e del rapporto tra il peso dell'oro e lo scudo: un'attenzione che suggerisce la maniacalità nel gestire i guadagni, che non sembrano mai bastare, per sedare la sua ansia. In una vertenza scritta dal suo difensore, il 9 luglio 1590, si chiarisce, tuttavia, in maniera inequivocabile che "il signor Federico Baroccio è comodo di havere, guadagna quanto vuole et è homo di buona vita, condotta e fama, e di buona conscienza, anzi nelle cose di conscienza scrupoloso et molto accurato"[21]. Poco prima, il 25 marzo, aveva alzato di nuovi i prezzi per i due dipinti destinati alla cappella del Sacramento nel duomo di Urbino: per la *Caduta della manna*, mai realizzata e delegata poi ad Alessandro Vitali, e per l'*Ultima cena* (cat. VIII.3) aveva chiesto un compenso di duemila scudi, scontati a milleduecento per l'esosità della pretesa[22].

2

Federico Barocci
Madonna del gatto, 1575-1576, particolare con scorcio di Palazzo Ducale. Londra, The National Gallery

3

Palazzo Ducale, piano nobile, salone del Trono, particolare

4
Federico Barocci
Istituzione dell'Eucarestia, 1603-1608, particolare.
Roma, Santa Maria sopra Minerva

5

Federico Barocci
Visitazione della Vergine a santa Elisabetta, 1583-1586, particolare. Roma, Santa Maria in Vallicella

·I·N·R·I·

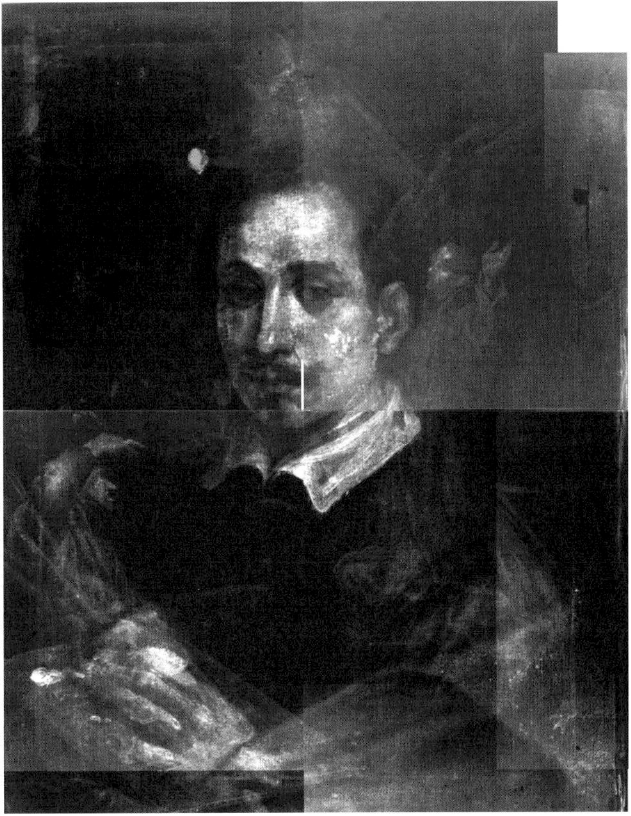

I millecinquecento scudi ottenuti da Barocci sei anni dopo, senza l'intervento del duca, di cui trecentocinquanta, trecento e quattrocento secondo la sequenza delle caparre e del saldo, per la *Crocifissione* posta nella cappella di Matteo Senarega nel duomo di San Lorenzo a Genova, firmata orgogliosamente in lettere capitali "FEDERICUS BAROCCIUS URB. F. MDLXXXXVI" (fig. 6), rappresentano un apice non solo per l'urbinate, ma per tutti quegli artisti di fama internazionale che con lui volevano misurarsi[23]. Guido Reni prenderà proprio questo pagamento come termine di paragone quando gli verrà commissionata, nel 1616-1617, l'*Assunzione*, su ordine di Agostino Durazzo, per la chiesa gesuitica di Sant'Ambrogio a Genova, dove ancora oggi è posizionata all'interno della terza cappella della navata di destra. Carlo Cesare Malvasia riporta che fu pagata mille scudi, una cifra ancora fuori mercato per quegli anni, e che Ludovico Carracci si era proposto per farla a metà prezzo. La sua fonte è Filippo Brizio, presente alle dichiarazioni orgogliose di Guido che si prendeva una rivincita sull'antico maestro bolognese, andando a posizionarsi su un registro molto più alto che lo accomunava addirittura a Barocci[24]. La dipendenza di Reni dall'urbinate è dichiarata apertamente nel suo *Autoritratto* giovanile (collezione privata, fig. 7) in cui le indagini diagnostiche sulla tela (fig. 8) hanno rivelato la preesistenza di una copia del *San Francesco riceve le stigmate* di Barocci (Urbino, Galleria Nazionale delle Marche, cat. VII.6) del 1594-1595, forse tratta dall'incisione di Francesco Villamena del 1597[25].

Morto Barocci nel 1612, insostituibile per capacità e fama, Francesco Maria II si ritrovava con una schiera di suoi allievi che non avevano contezza del mercato esterno al ducato e avevano come termine di paragone solo il maestro. Sarà per questo motivo che "tengono prezzi tanto alti", si lamentava il duca, senza peraltro garantire una qualità degna di commissioni di grande visibilità[26].

Note

1 Gronau [1936] 2011, p. 24.
2 Sul rapporto di Barocci con la corte si veda: Lingo 2007; Morselli 2014.
3 È il caso di Antonio Visaccio, il legatore di libri, e di altri cinque personaggi che nel 1588 erano alloggiati in una casa del signor Carlo Macigni a spese della corte: cfr. *I Della Rovere nell'Italia delle corti* 2002, p. 106, doc. 246.
4 Scatassa 1901, p. 129.
5 Scatassa 1901, p. 129.
6 Emiliani 2008, pp. 274-275.
7 Bellori [1672] 1976, p. 178.
8 Gronau [1936] 2011, pp. 195-196, n. CCLXXIX.
9 Bellori [1672] 1976, p. 210, doc. CCCVIII.
10 Bellori [1672] 1976, pp. 158-210.
11 Gronau [1936] 2011, pp. 200-201, n. CCLXXXVIII.
12 Semenza 2008-2009.
13 Bellori [1672] 2009, I, pp. 179-207.
14 Il primo è una redazione della vita di Francesco Maria II scritta di proprio pugno con la volontà di raccontare "la schietta e mera verità" su se stesso pubblicata in Ciacca 1776, p. 4. L'autobiografia arriva cronologicamente agli accordi per gli sponsali tra Federico Ubaldo e Claudia de' Medici. A essa segue la storia della devoluzione del ducato scritta dal nobile veneziano Antonio Donato. Lo scritto è ripercorso in Dennistoun 1851, II, pp. 129-224 ed è ripubblicato da Eiche 1995, pp. 57-85. Il secondo è il noto *Diario*, utile resoconto degli avvenimenti di cui il duca vuole lasciare memoria, come i fasti di corte, per cui si veda: *Diario* 1989. Il terzo documento è la *Nota di spese* stesa dal Della Rovere, che si direbbe il corrispettivo del diario nell'ambito degli acquisti. Il documento abbraccia un arco di tempo compreso tra il 1582 e il 1624 e registra le spese pagate dal duca dal 1580 al 1621. Firenze, Archivio di Stato, Fondo Ducato Urbino, Classe III, filza 23, ff. 686r-791v.
15 Gronau [1936] 2011, p. 182.
16 Bacci 1622, p. 304.
17 Gaye 1840, pp. 510-511. Lettera da Urbino del 14 gennaio 1590.
18 Firenze, Archivio di Stato, Fondo Ducato di Urbino, Classe III, Divisione B, filza XXIII, *Nota di Spese di Francesco Maria II*, f. 727r. Nella *Nota*, che è compilata dal 1580 al 1609, solo in un'altra occasione il duca fa un donativo a un artista di questo valore. Nel 1595 dona cento scudi a Palma il Giovane in cambio di un dipinto con san Girolamo che il pittore gli aveva regalato (f. 733r).
19 Gronau [1936] 2011, p. 24.
20 *The Graphic Art of Federico Barocci* 1978, p. 27, n. 2.
21 Cleri 1993-2000, pp. 174-175.
22 Gronau [1936] 2011, pp. 168-169, n. CCXXII.
23 Gronau [1936] 2011, pp. 164-165.
24 Malvasia [1678] 2019, IX, p. 505, nota 103: "Quando poi ebbe mille scudi dell'Assonta di Genova, se ne pregiava e diceva: Lodovico mi voleva tener mortificato coll'umiliare le mie cose, et io le alzo più delle sue. Parmi che questa tavola fosse proposta a Lodovico, ma rissoluta di darsi a Guido". Si vedano anche le pp. 67-68.
25 Whitfield 2001, pp. 12-13. Malvasia [1678] 2019, p. 516, nota 40.
26 Gronau [1936] 2011, p. 210, doc. CCCVIII, 25 febbraio 1615.

6

Federico Barocci
Crocifissione di Cristo con la Madonna, san Giovanni Evangelista e san Sebastiano, 1596.
Genova, duomo di San Lorenzo

Iscrizione: "FEDERICUS BAROCCIUS URB. F. MDLXXXXVI"

7

Guido Reni
Autoritratto giovanile, 1601.
Londra, collezione privata

8

Guido Reni
Autoritratto giovanile, 1601, RX. Londra, collezione privata

FEDERICO BAROCCI E LA PALA D'ALTARE

David Ekserdjian

Il percorso artistico di Federico Barocci viene definito, attraverso quasi sei decenni di attività, dalle sue pale d'altare. La sua prima opera superstite, la *Santa Cecilia e santi* del duomo di Urbino (cat. VIII.1), eseguita nei primissimi anni cinquanta, quando il pittore non aveva vent'anni, è una di queste ma l'artista continuò a dipingerne altre fino alla sua morte nel 1612[1]. Ben tre ancone, rimaste incompiute, vengono elencate nell'inventario *post mortem* del suo "studio"[2]: due di queste – l'*Assunzione della Vergine* della Galleria Nazionale delle Marche di Urbino (cat. VI.5) e il *Congedo di Cristo dalla madre* al Musée Condé a Chantilly – esistono ancora, mentre un'*Annunciazione* dovrebbe essere quella poi finita dall'allievo Ventura Mazza per la confraternita dei Laici a Gubbio dove tuttora si trova[3]. Oltre a queste, Barocci lasciò incompiuta anche una quarta pala, che ora si trova nei Musei Civici d'Arte Antica di Bologna e che rappresenta il *Lamento sul Cristo morto con san Michele e un santo vescovo.* L'opera era destinata al duomo di Milano, ma stranamente non compare nell'inventario[4].

Per il periodo, il numero delle sue pale d'altare è eccezionale, e inoltre esse rappresentano la stragrande maggioranza della sua produzione artistica. Ovviamente, Barocci ha eseguito affreschi (pochi, e solamente all'inizio della sua carriera), varie opere religiose di più piccolo formato, ma non molte, alcuni splendidi ritratti e un unico dipinto profano – *La fuga di Enea da Troia* della Galleria Borghese (cat. V.12) – ma è la trentina di pale d'altare a imporsi[5].

Piuttosto che considerarle in ordine cronologico, pare più proficuo suddividerle per categorie iconografiche[6].

Se durante tutto il Rinascimento italiano la raffigurazione della Madonna col Bambino e i santi – o Sacra conversazione – è di gran lunga quella che compare più frequentemente, al contrario, nella pratica di Barocci questo soggetto rappresenta un'assoluta rarità, con un totale di sole quattro pale eseguite in tutta la sua carriera: due giovanili e altre due realizzate verso il 1590 da allievi anonimi[7].

È vero che i committenti giocavano un ruolo significativo nella scelta dei soggetti, ma a volte – come vedremo soprattutto nel caso della *Madonna del popolo* per Arezzo – poteva capitare che il pittore riuscisse a far cambiare loro idea. Più generalmente, e in particolare quando un altare veniva intitolato a un santo, invece che alla Madonna, a Cristo o a un mistero, le due opzioni ugualmente accettabili erano quelle di raffigurare una Sacra conversazione con il santo principale in posizione d'onore, alla destra della Vergine, oppure un episodio della sua vita. Nel caso specifico di Barocci, è evidente che l'artista e i suoi mecenati preferirono la soluzione narrativa.

La prima Sacra conversazione dopo la *Santa Cecilia* – che pure ne recupera l'impostazione, tanto che si potrebbe considerare una Sacra conversazione dove la santa centrale rimpiazza la Vergine – è la *Madonna di san Simone* della Galleria Nazionale delle Marche, che risale al 1566-1567 (fig. 1, cat. II.1)[8]. Contrariamente al titolo dato comunemente al dipinto, la tela rappresenta san Giuda Taddeo, identificato con l'alabarda del suo martirio, alla destra della Madonna. È sempre lui a stabilire il contatto visivo con lo spettatore; san Simone, riconoscibile grazie alla sega usata dai suoi aguzzini per ucciderlo, è alla sinistra del gruppo principale della Vergine col Bambino. Dato che questi due apostoli, fratelli, condividono lo stesso giorno di festa, il 28 ottobre, vengono quasi sempre raffigurati insieme. Si sa che la pala proviene dalla chiesa di San Francesco di Urbino[9] dove dal 1561 aveva il giuspatronato della cappella Simone Bacchio, di cui pertanto nell'opera è raffigurato il santo eponimo. I donatori, raffigurati in basso a destra, dovrebbero essere Giovan Cristofero Biancalana e sua moglie Giacoma Lante[10].

1

Federico Barocci
Madonna col Bambino, i santi Giuda e Simone e i donatori, detta *Madonna di san Simone*, 1566-1567, particolare. Urbino, Galleria Nazionale delle Marche

2

Federico Barocci
Presentazione della Vergine al Tempio, 1593-1603, particolare. Roma, Santa Maria in Vallicella

3

Federico Barocci
Visitazione della Vergine a santa Elisabetta, 1583-1586, particolare. Roma, Santa Maria in Vallicella

In questa pala, l'artista manifesta già la sua straordinaria capacità di evocare la tenerezza umana – appresa soprattutto da Correggio[11] – in particolar modo nella figura della Vergine che insegna a suo figlio a leggere, non rendendosi nemmeno conto dell'angelo che sta per porle sul capo una corona di fiori spontanei. La stessa sensibilità e simpatia compaiono anche nella reverenza intima dei santi così vicini alla Madonna, e nella pia devozione dei donatori.

Nella Pala di Fossombrone (cat. VII.2), probabilmente eseguita non molto dopo per la chiesa di san Giovanni Battista del convento dei Cappuccini di Fossombrone, i due santi – in questo caso Giovanni Battista e Francesco, tutti e due muniti di croci – hanno gli stessi ruoli dei loro predecessori nella *Madonna di san Simone*, col primo che guarda verso di noi, indicando il gruppo con la Madonna e il Bambino, e il secondo che s'inginocchia in adorazione[12]. Il dipinto segna anche un'importante novità iconografica nella pratica di Barocci. Sulla scia della *Madonna di Foligno* di Raffaello, conosciuta in occasione di uno dei suoi viaggi a Roma, nella pala, infatti, il gruppo della Madonna col Bambino è raffigurato in cielo e non sulla terra, in questo caso circondato da una nuvola dorata piena di cherubini[13].

È possibile incontrare una seconda raffigurazione celestiale nella *Madonna di santa Lucia* del Louvre, proveniente dalla cappella Danzetta in sant'Agostino a Perugia. Qui il rapporto dei due santi inginocchiati col gruppo in alto si è completamente trasformato e ci sono anche varie altre presenze[14]. Sant'Antonio Abate, che si ritrova in posizione d'onore, abbassa la testa per leggere il suo libro e pare quasi non badare alla vicinissima visione. Al contrario, santa Lucia, accompagnata da un angelo che ci guarda e ci mostra gli occhi della ragazza raccolti su un piatto d'argento, alza lo sguardo e allunga la mano destra per ricevere dal piccolo Gesù la palma del martirio. Sopra la Madonna col Bambino, dove la tela è bagnata da una luce perlacea, invece, si vedono due putti in volo mentre tengono una corona di fiori, accompagnati dalla colomba dello Spirito Santo.

L'ultima Sacra conversazione, più o meno contemporanea, è la *Vergine col Bambino, i santi Geronzio e Maria Maddalena e i donatori*, eseguita in origine per l'altare della Misericordia in San Francesco a Cagli e ora al Pio Sodalizio dei Piceni a Roma[15]. Il fatto che quasi ogni dettaglio della composizione rappresenti un'autocitazione da varie pale d'altare precedenti potrebbe sorprendere, anche nel contesto di una produzione di bottega invece che del maestro, ma alcuni elementi dell'iconografia sono del tutto nuovi. In particolare, è insolita la combinazione che prevede la Madonna col Bambino raffigurata con il mantello protettivo di una Madonna della Misericordia, mentre l'angelo che sta per incoronare la Vergine con la mano destra, tenendo un giglio con la sinistra, sembra quasi essere identificabile con l'arcangelo Gabriele.

Passando alle rappresentazioni di "historie", per utilizzare il termine rinascimentale, queste si possono dividere tra quelle ricavate dalle biografie della Vergine e di Cristo, soprattutto derivanti dal Nuovo Testamento, e quelle che raccontano gli eventi cruciali delle vite dei santi[16].

Esistono molte narrazioni che coinvolgono non solo la Vergine ma anche Cristo; solitamente, però, come si desume dalle dediche degli altari, solo uno dei due è l'assoluto protagonista. Cominciando con la Madonna, ed esaminando le pale di Barocci secondo l'ordine cronologico delle storie mariane che raffigurano, la prima è la *Presentazione della Vergine al Tempio* nella Chiesa Nuova a Roma, databile tra il 1593 e il 1603 (fig. 2, cat. VI.8)[17]. L'opera fa parte di un rarissimo ciclo di undici pale d'altare che raccontano la vita della Vergine attraverso una sequenza di cappelle, cominciando con la *Presentazione* e terminando con l'*Assunzione*[18]. Come in molte tra le pale narrative di Barocci, la protagonista non viene raffigurata in primo piano ma viene anticipata da un proscenio di oggetti e figure: da sinistra verso destra compaiono una donna seduta accanto al suo cappello di paglia mentre regge un cestino contenente due colombe, un giovane che porta con sé un agnello e un fanciullo con un vitello. La Vergine occupa una posizione centrale, ma viene introdotta da linee di forza diagonali che salgono dalla donna con le colombe nell'angolo in basso a sinistra e raggiungono Maria dopo aver attraversato il gruppo composto dai suoi genitori Gioacchino e Anna. Come si può osservare, infatti, le costruzioni narrative di Barocci ricorrono molto spesso a diagonali. Inoltre, quando la storia lo permetteva, pare che il pittore amasse riempire le sue composizioni con gruppi di persone disposti attorno all'azione principale. Nella *Presentazione della Vergine al Tempio*, infatti, l'incontro di Maria con il sommo sacerdote è accompagnato da almeno una dozzina di accoliti e numerosi putti e cherubini in alto.

Il secondo evento della vita della Vergine immortalato da Barocci in una pala è l'*Annunciazione* (cat. V.4), eseguita tra il 1582 e il 1584 per la cappella di Francesco Maria II della Rovere nella basilica di Loreto, e ora nei Musei Vaticani[19]. Di solito, in conformità con il nostro modo di scrivere, che prosegue da sinistra a destra, l'arrivo di Gabriele viene rappresentato sulla sinistra e l'accoglienza di Maria sulla destra, ma Barocci non è il solo artista rinascimentale a rovesciare questo schema. Notevolmente più idiosincratico è il panorama presentato dalla finestra che separa i due protagonisti e che offre un prospetto inconfondibile dei torricini del Palazzo Ducale di Urbino. In questo quadro, come in molti altri della sua produzione, Barocci sceglie di ambientare gli eventi del Nuovo Testamento nella sua città natale, dove ha abitato per quasi tutta la sua vita[20]. Molti artisti del periodo rivelano la loro nazionalità nella firma, ma il fatto che nei suoi dipinti Federico aggiunga sempre la dicitura "VRBINAS" o "VRB" ci informa che il suo pennello è ispirato da una vera fierezza patriottica[21].

Come nella *Presentazione*, anche la *Visitazione*, una seconda pala per il ciclo della Chiesa Nuova databile al 1583-1586, ha una composizione costruita secondo un orientamento diagonale (fig. 3, cat. II.3)[22]. Nel dipinto, l'incontro tra Maria ed Elisabetta viene introdotto dalla figura di san Giuseppe con l'asino sulla sinistra e la scena è bilanciata da una serva che porta due galli in un cestino sulla destra, mentre san Zaccaria, più indietro, scompare nella penombra dello sfondo. Tre dei numerosi disegni preparatori per la pala, tuttavia, rivelano una preferenza iniziale per una soluzione capovolta: in due fogli ora alla Fondation Custodia di Parigi e al Museo Reale di Copenhagen, Elisabetta e Zaccaria si trovano davanti e Maria e Giuseppe arrivano dal fondo, mentre nella seconda idea di Barocci Zaccaria occupa precisamente la stessa collocazione che ha Giuseppe nell'esecuzione pittorica finale. In un secondo disegno sempre alla Fondation Custodia, invece, Zaccaria e Giuseppe sono tutti e due in primo piano, mentre Maria, con la serva, arriva ugualmente da lontano[23].

La terza e ultima pala d'altare dedicata alla Vergine è l'*Assunzione* (cat. VI.5), incompiuta, già menzionata, che rappresenta un'interpretazione particolarmente animata dell'episodio[24]. Un importante precedente per il dipinto è la pala con lo stesso soggetto dipinto da Tiziano per la basilica di Santa Maria Gloriosa dei Frari a Venezia, con la differenza che gli apostoli di Barocci sono inginocchiati e non in piedi; una soluzione, questa, che l'artista ebbe modo di osservare anche nell'*Incoronazione della Vergine* – i due temi sono quasi intercambiabili – di Giulio Romano per Monteluce,

4

Federico Barocci
Circoncisione, 1590.
Parigi, Musée du Louvre
Iscrizione: "FED. BAR. VRB. PINX. MDLXXXX"

ora nei Musei Vaticani[25]. Anche in questo caso, l'apostolo in primo piano sulla sinistra, notevolmente più grande degli altri, ci introduce alla raffigurazione guardando in alto e ci incoraggia a contemplare con lui la spettacolare ascensione della Madonna verso l'apertura dorata che fende il nero del cielo.

L'unico episodio dell'infanzia di Cristo affrontato da Barocci in una pala fu la *Circoncisione*, firmata e datata 1590 (fig. 4). Nella religione ebraica la cerimonia aveva luogo otto giorni dopo la nascita dei figli maschi e coincideva con il momento in cui al bambino veniva conferito il nome. Dato che il dipinto, ora al Louvre, fu commissionato dalla Compagnia del Nome di Gesù di Pesaro, la scelta dell'iconografia diveniva quasi inevitabile[26]. Non è l'unica volta, questa, in cui una figura – il giovane pastore con l'agnello, controbilanciato dalla natura morta con i recipienti metallici sulla destra – compare in basso a sinistra per introdurre la scena. Come sempre, Federico riflette sulla realtà dell'evento. La circoncisione è appena avvenuta: un assistente rimette il coltello nel suo fodero e il *mohel* (circoncisore) tampona la ferita, mentre Gesù, divinamente mite, è tenuto in braccio dal sommo sacerdote. A destra, accanto al loro figlio, vediamo Giuseppe con Maria, inginocchiata in preghiera, mentre è possibile scorgere l'asino e il bue della Natività in lontananza. Infine, un giovane accolito, che tiene una candela nella mano sinistra, indica una goccia di sangue in una piccola scodella a un altro pastore in visita.

Il primo soggetto del ciclo della Passione di Cristo che Barocci dipinse fu l'*Istituzione dell'Eucarestia* (cat. II.5). La pala si trova ancora nella sua collocazione originale: la cappella Aldobrandini in Santa Maria sopra Minerva a Roma, di proprietà di papa Clemente VIII (1536-1605), che sfortunatamente morì prima di vedere il dipinto terminato nel 1608 e sistemato sull'altare solo nel 1611[27]. Come racconta Giovanni Pietro Bellori nella sua biografia di Barocci: "Prima che si dipingesse questo Quadro volle il Pontefice vederne il disegno; e perché il Barocci vi haveva finto il Demonio, che parlava all'orecchio di Giuda, tentandolo a tradire il maestro, disse il Papa che non gli piaceva il Demonio si dimesticasse con Giesù Christo, e fosse veduto su l'altare"[28]. Sebbene possa sembrare un aneddoto ben escogitato da Bellori, le parole dello storiografo trovano conferma in un foglio della collezione del duca di Devonshire a Chatsworth (cat. IV.23). Per di più, inizialmente Barocci aveva progettato una soluzione diversa anche per le figure in primo piano: mentre nella pala compaiono due giovani servitori, uno dei quali è accompagnato da un cane, nel disegno quello sulla sinistra viene rimpiazzato da una donna con due bambini, probabilmente una raffigurazione allegorica della Carità[29].

La descrizione del *Commiato*, incompiuto, elencato nell'inventario *post mortem* dell'artista chiarisce le identità dei suoi protagonisti non omettendo la presenza di un santo del tutto estraneo all'episodio: san Francesco[30]. Aggiunte di questo tipo, ispirate da devozioni particolari dei committenti, erano normali nel Rinascimento, e si ritrovano in altre opere già eseguite da Barocci, come la *Crocifissione con i dolenti e san Sebastiano* del duomo di Genova e la *Deposizione* di Perugia (cat. II.2)[31]. Nel primo caso, come nelle sue altre tre pale d'altare con il medesimo soggetto, le figure intorno alla croce sono pochissime. Nel *Cristo spirante* del Prado (fig. 5) a Madrid il Redentore è da solo[32], mentre nelle altre due – come nella versione a Genova – è sempre compianto a terra dalla Vergine e da san Giovanni Evangelista, in un caso anche dalla Maddalena, e in cielo da angeli e putti[33].

Uno dei più grandi successi della carriera giovanile di Barocci è stata la sua *Deposizione* del 1567-1569 per il duomo di Perugia, dove tutt'ora è collocata[34]. Nella pala la Madonna sviene sulla destra, la Maddalena la sostiene e due altre Marie corrono da sinistra per consolarla, ma in due disegni preparatori questo dettaglio è al rovescio[35]. Per il resto, il corpo inanime di Gesù viene circondato da quattro figure che lo stanno schiodando dalla croce (la mano destra del Redentore è ancora fissata al legno), mentre san Giovanni Evangelista si prepara ad accoglierlo a terra. Infine, a destra, sopra la Vergine, compare san Bernardino. Vestito con il suo abito monacale e con un libro in mano, il frate è aggiunto alla scena così discretamente che è facile non rendersi conto della sua presenza. Qui, conformemente ai modi di tutte le sue pale giovanili, ma contrariamente alla pratica della sua maturità, ci ritroviamo molto vicini ai protagonisti e l'azione principale non è filtrata da gruppi di personaggi.

Il *Trasporto di Cristo* del 1579-1582 (cat. V.1) per la confraternita della Croce di Senigallia è indubbiamente uno dei massimi capolavori di Barocci e, inoltre, rappresenta la prima pala che lo vede esplorare la possibilità di presentare una storia attraverso vari livelli di profondità[36]. In primo piano, una natura morta con vari strumenti della Passione a sinistra viene bilanciata dalla Maddalena inginocchiata, che guarda verso l'azione centrale rappresentata dal Cristo portato al sepolcro[37]. Significativamente, più indietro vediamo la Madonna con le altre Marie e, ancora più in fondo, all'orizzonte le tre croci sul Monte Calvario.

L'ultima pala di Barocci che racconta la Passione – se si eccettua il *Lamento* incompiuto ora a Bologna menzionato sopra – è un *Noli me tangere*, con la versione oggi a Monaco, firmata e datata 1590, molto rovinata, riflessa dalla paletta agli Uffizi qui esposta (cat. III.4) e la seconda versione, purtroppo rovinata, che risale al 1609 e si trova in una collezione inglese, entrambe ricordate da Bellori[38]. Come avviene anche nell'*Annunciazione*, l'artista rovescia la solita sequenza, disponendo qui Cristo a sinistra e la Maddalena a destra.

Passando alle commemorazioni narrative dei santi, pare opportuno iniziare con la *Chiamata di sant'Andrea* del 1586-1588 di Bruxelles[39]. È vero che Gesù è uno dei due protagonisti, ma la committenza della confraternita di Sant'Andrea a Pesaro non lascia dubbi sull'importanza dell'apostolo in questa raffigurazione. Alla scena principale in primo piano vengono aggiunte una barca a destra con san Pietro e altre due di solito ignorate a sinistra; come indicano i Vangeli di Matteo e Marco, sulla più vicina dovrebbero trovarsi Giacomo e Giovanni.

Nel caso dei martiri, invece, è il loro supplizio che viene rappresentato. Barocci ne ha raffigurati solo due, e in entrambi i casi vengono combinati tra loro quattro elementi: la persona che impartisce la sentenza, il o i boia, le vittime e la folla che assiste alla scena.

Nel giovanile *Martirio di san Sebastiano* del 1557-1558 per il duomo di Urbino (fig. 6, cat. VIII.2), vengono aggiunti, in alto, la Madonna col Bambino circondati da putti e il ritratto di un fanciullo, in basso. Nel *Martirio di san Vitale* per l'omonima basilica a Ravenna, ora a Brera, firmato e datato 1583, un'altra sorta di allegoria della Carità viene raffigurata in primo piano a sinistra, accompagnata a destra dalla natura morta con la spada e il cane (attributo del santo), mentre un putto alato che regge la palma del martirio e una corona di fiori viene illuminato in alto dai raggi dorati che fendono il grigio del cielo[40].

Per il resto, Barocci celebra soprattutto i santi Francesco e Domenico, i due grandi fondatori di ordini religiosi nel primo Duecento. Nel caso del primo, ha rappresentato la stigmatizzazione del santo per ben due volte, anche se è molto incerto che la prima

5

Federico Barocci
Cristo spirante, 1604, particolare. Madrid, Museo Nacional del Prado

interpretazione proveniente dall'oratorio di Fossombrone – ora nella Pinacoteca Civica della città – fosse una pala (cat. III.12)[41]. Il secondo dipinto, invece, oggi nella Galleria Nazionale delle Marche, fu sicuramente collocato nella chiesa dei Cappuccini di Urbino (fig. 7, cat. VII.6)[42]. Vari elementi della scena sottolineano l'attenzione di Barocci per i testi canonici pertinenti ai suoi soggetti: qui, non solamente il falco in alto a sinistra ma anche i pastori intorno al fuoco in lontananza derivano dalle *Considerazioni delle stigmate*[43].

Al contrario, invece, pionieristica è la sua pala con *Il Perdono di Assisi* per l'altare maggiore di San Francesco a Urbino, databile al 1571-1576 (cat. VII.3). Se il momento in cui Francesco riceve le stigmate è tra le scene della vita del santo la più riprodotta, anche se Barocci nelle sue versioni ne amplifica la carica emotiva congegnando una raffigurazione originale, *Il Perdono di Assisi* è un soggetto che non ha precedenti nella storia dell'arte[44]. La visione di Cristo e della Vergine ebbe luogo nella chiesa della Porziuncola che, come luogo miracoloso, divenne meta di pellegrinaggio per molti fedeli anche per il fatto che, visitandola, a essi veniva concessa l'indulgenza plenaria. Il modello di Federico venne seguito da artisti come Francesco Vanni e Pietro Faccini, le cui versioni confermano che la presenza di san Nicola non fosse essenziale per questa raffigurazione, e inserisce un'aggiunta devozionale come la figura di san Bernardino nella *Deposizione* di Perugia o il san Francesco nel *Congedo* a Chantilly[45].

Date le corrispondenze tra san Francesco e san Domenico, forse non deve sorprendere che, nella *Madonna del Rosario* per la confraternita dell'Assunta e del Rosario a Senigallia del 1588-1592 (cat. VI.1), l'atteggiamento quasi estatico dato da Barocci al fondatore dell'ordine dei predicatori rispecchi quello del santo di Assisi nel *Perdono*[46]. Per il resto, l'unica vera differenza è che la visione di san Domenico trova ambientazione in un paesaggio mentre quella di san Francesco, necessariamente, nella chiesa della Porziuncola. Anche nella sua pala con la *Beata Michelina* del 1606 circa (cat. VI.4), dipinta per la chiesa di San Francesco di Pesaro e ora nei Musei Vaticani, viene raffigurata una visione mistica, in questo caso sul monte Calvario, dove da Pesaro Michelina si era recata in pellegrinaggio. Come nelle pale rappresentanti Francesco e Domenico, vengono ripetuti lo sguardo estatico levato in cielo e le braccia aperte[47].

Per concludere questo rapido *tour d'horizon*, rimangono due pale che non sono né icone né storie, ma quelli che nel Rinascimento venivano chiamati "misteri"[48]. La prima, conservata presso la Galleria Nazionale delle Marche, rappresenta l'*Immacolata Concezione* (cat. VII.5) e venne eseguita nei primi anni settanta del Cinquecento per la confraternita della Concezione, che l'aveva richiesta per il suo altare nella chiesa di San Francesco a Urbino[49]. Molte interpretazioni dell'Immacolata riempivano gli altari delle chiese, con i vari santi muniti di lunghi cartigli, ma evidentemente Barocci decise di fare il contrario rappresentando la Vergine in piedi su uno spicchio di luna crescente adorata da devoti in basso che si dispongono rigorosamente divisi tra maschi alla sua destra e femmine alla sua sinistra, quasi a formare una predella per la scena principale[50].

Poco dopo, il 30 ottobre 1574, la Fraternita dei Laici – o della Misericordia – di Arezzo scrisse a Barocci chiedendogli di eseguire una Madonna della Misericordia per il suo altare in Santa Maria della Pieve. Come ho già proposto in un'altra sede, pare che il pittore per questo nuovo dipinto fosse partito dall'invenzione della Madonna della Misericordia, come si vede in un foglio degli Uffizi, ma che, non volendo ripetersi, il 5 novembre 1574 rispose ai committenti

6

Federico Barocci, *Martirio di san Sebastiano*, 1557-1558, particolare. Urbino, cattedrale di Santa Maria Assunta

7

Federico Barocci,
San Francesco riceve le stigmate, 1594-1595, particolare. Urbino, Galleria Nazionale delle Marche

8

Federico Barocci
Deposizione, 1567-1569, particolare. Perugia, duomo di San Lorenzo

suggerendo loro "più belle inventione [invenzioni] come sarebbe la Anuntiata la Sumptione la Visitazione o altre istorie che più piacessero alle S[ignorie] V[ostre]"[51].

Alla fine, Barocci inventò una pala unica, basandosi sulla vecchia iconografia della Doppia Intercessione, ma combinandola con raffigurazioni di quasi tutte le sette opere della Misericordia in conformità con la devozione della Fraternita[52]. Questa non è la sede per esplorare tutti gli episodi presenti nella composizione, ma è importante sottolineare il fatto che il filo che li unisce è la loro umanità.

In conclusione, sarà anche cruciale insistere sulla profonda fede e devozione personale del pittore, e come questa lo abbia spinto – sin quasi dall'inizio della sua carriera – a "rallentare" lo sguardo dello spettatore, soprattutto nel contesto della pala d'altare, che gioca un ruolo centrale nella liturgia della chiesa cattolica. Perché è solo contemplando a lungo queste pale d'altare che si può riuscire a scovare e apprezzare tutti i loro dettagli. Ho già provato a elencarne molti in questo contributo, ma tanti altri possono essere approfonditi. Per concludere, qui posso fornirne solo una piccolissima selezione.

Nella *Crocifissione* della Galleria Nazionale delle Marche (cat. VII.1), in lontananza al margine sinistro e quasi nascosti nell'oscurità, si ritrovano tre apostoli, con san Pietro in testa. Nella *Madonna di Fossombrone*, il rosario di san Francesco reca la parola "MARIA" in maiuscolo ma bisogna essere vicinissimi per vederla. Nel *San Francesco riceve le stigmate*, frate Leone – come Mosè alla presenza del roveto ardente – ha tolto gli zoccoli, ma non sono facili da vedere nel buio. In certi casi, ci si chiede se questi dettagli siano stati inseriti per piacere all'occhio di Dio[53].

Tutti questi particolari devono essere cercati. Altri sono perfettamente visibili, come per esempio i vari brani di natura morta che Barocci amava inserire nei suoi quadri – a partire dalle piume sull'elmo di san Sebastiano nella pala del suo *Martirio* – ma anche loro hanno sempre lo stesso obiettivo: far soffermare l'occhio dell'osservatore. Davanti a questi straordinari capolavori, non si deve mai avere fretta.

Note

1 Emiliani 2008, I, pp. 98-100, cat. 2, e p. 98, cat. 1.1, per un perduto *Martirio di santa Margherita* dello stesso periodo, e Zezza 2009, p. 264, per entrambi.
2 Ekserdjian 2018, pp. 163-164.
3 Emiliani 2008, II, pp. 328-349, catt. 84-85.
4 Emiliani 2008, II, pp. 312-327, cat. 83.
5 Emiliani 2008, II, pp. 58-70, cat. 46 e Zezza 2009, p. 264, per la *Fuga*.
6 Ekserdjian 2021a, per una trattazione più ampia sulla pala d'altare nel Rinascimento italiano e le sue possibili categorie.
7 Ekserdjian 2021a, pp. 108-137, per la *Madonna col Bambino e santi*.
8 Emiliani 2008, I, pp. 174-184, cat. 20.
9 Zezza 2009, p. 264, dove il committente viene descritto come "un cittadino" ma non identificato.
10 *Una guida settecentesca d'Urbino* 1992, p. 29; Ceccarelli 2003, p. 39.
11 Ekserdjian 1997, pp. 19, 208, 228, 294-295, per i riferimenti più importanti dell'influsso di Correggio su Barocci.
12 Emiliani 2008, I, pp. 185-190, cat. 21.
13 Meyer zur Capellen 2001-2008, II, pp. 98-106, n. 52, dove si dice che fu rimosso da Foligno nel 1565.
14 Emiliani 2008, II, pp. 128-135, cat. 52.
15 Emiliani 2008, II, pp. 118-127, cat. 51
16 Ekserdjian 2021a, pp. 158-235, per le "historie".
17 Emiliani 2008, II, pp. 249-267, cat. 72.
18 Ekserdjian 2021a, p. 167.
19 Emiliani 2008, II, pp. 19-30, cat. 42, pp. 33-34, cat. 42.13, e pp. 362-367, cat. 89, per due rappresentazioni dello stesso soggetto eseguite dalla bottega. Si veda anche Zezza 2009, p. 264.
20 Emiliani 2009, pp. 14-23, che illustra diversi particolari eccellenti di varie vedute di Palazzo Ducale in dipinti di Barocci.
21 Emiliani 2008, I, pp. 377-405, cat. 40; II, pp. 5-18, cat. 5, pp. 58-70, cat. 46, pp. 71-73, cat. 47/A, pp. 89-106, cat. 49, pp. 168-171, cat. 58, e pp. 172-183, cat. 59.
22 Emiliani 2008, II, pp. 37-57, cat. 45, e Zezza 2009, p. 264.
23 Emiliani 2008, II, p. 40, cat. 45.1, pp. 40-41, cat. 45.2 e pp. 44-45, cat. 45/9.
24 Emiliani 2008, II, pp. 328-341, cat. 84.
25 Pedrocco 2001, pp. 116-117, n. 53, per Tiziano; Meyer zur Capellen 2001-2008, II, pp. 210-220, n. 67, per Giulio; e Ekserdjian 2021a, pp. 192-194, per i legami tra l'*Assunzione* e l'*Incoronazione*.
26 Emiliani 2008, II, pp. 89-106, cat. 49, e Zezza 2009, p. 264. Si veda anche Ekserdjian 2021a, pp. 174-175, per altre pale d'altare rinascimentali con la *Circoncisione*.
27 Emiliani 2008, II, pp. 296-310, cat. 81.
28 Bellori 1672, p. 188, e Ekserdjian 2021a, pp. 180-181, e figg. 99-100.
29 Emiliani 2008, II, p. 300, cat. 81.1.
30 Emiliani 2008, II, pp. 342-349, cat. 85.
31 Emiliani 2008, II, pp. 172-183, cat. 59; I, pp. 191-217, n. 22, e Ekserdjian 2021a, pp. 18-19, per questa pratica.
32 Emiliani 2008, II, pp. 273-275, cat. 74.
33 Emiliani 2008, I, pp. 160-173, cat. 19; II, pp. 268-271, cat. 73. Si veda anche Zezza 2009, p. 264, per la prima di queste tre Crocifissioni. Come verrà discusso più tardi, ci sono anche figure supplementari in questo dipinto.
34 Emiliani 2008, I, pp. 191-217, cat. 22; Zezza 2009, p. 264.
35 Emiliani 2008, I, pp. 196-197, catt. 22.4 e 22.5.
36 Emiliani 2008, I, pp. 350-376, cat. 39; Zezza 2009, p. 264.
37 Ekserdjian 2007, pp. 168-169, per la natura morta.
38 Bellori 1672, p. 194. Tschudi Madsen 1959, in particolare fig. 29, per lo stato attuale della tela in collezione Allendale. Si veda sul tema cat. III.4.
39 Emiliani 2008, II, pp. 5-18, cat. 41; Zezza 2009, p. 264.
40 Emiliani 2008, I, pp. 110-115, cat. 7, pp. 377-405, n. 40; Zezza 2009, p. 264. Si veda anche Ekserdjian 2006, p. 56, fig. 48, per un affresco di Parmigianino che rappresenta san Vitale con un cane.
41 Emiliani 2008, I, pp. 292-297, cat. 36.
42 Emiliani 2008, II, pp. 156-167, cat. 57.
43 *I fioretti* 1963, pp. 159-168.
44 Emiliani 2008, I, pp. 264-283, cat. 34; Zezza 2009, p. 264.
45 Ekserdjian 2021a, p. 218, *Francesco Vanni* 2013, pp. 14-17, fig. 10; Negro, Roio 1997, pp. 102-103, n. 23, per le versioni di Vanni e di Faccini.
46 Emiliani 2008, II, pp. 107-117, cat. 50.
47 Emiliani 2008, II, pp. 284-291, cat. 78; Zezza 2009, p. 264, dove si legge che Barocci "lavora parimente un quadro che s'havera da porre in S. Francesco di Pesaro, dov'è una beata Michelina della detta città, che è in contemplatione et è per riuscire parimente bellissima", un appunto che serve inoltre a datare questa "notizia". Si veda anche Ekserdjian 2021a, pp. 52-54, fig. 32, per esempi di pale con un beato o una beata come protagonista.
48 Ekserdjian 2021a, pp. 236-279, per i misteri.
49 Emiliani 2008, I, pp. 298-309, cat. 37.
50 Ekserdjian 2021a, pp. 243-252, per l'*Immacolata Concezione*.
51 Ekserdjian 2021a, p. 241 per il disegno e p. 237 per la lettera.
52 Emiliani 2008, I, pp. 310-349, cat. 38; Zezza 2009, p. 264, dove viene descritto come "una Madonna della Misericordia con gran numero di figure". Si veda anche Ekserdjian 2021a, pp. 258-261, per la Doppia Intercessione.
53 Ekserdjian 2021a, pp. 39-41, figg. 21-24, per il concetto dell'occhio di Dio.

LA *MADONNA DEL POPOLO*

VICENDE DI COMMITTENZA NELLA TOSCANA DEI MEDICI

Anna Bisceglia

Nella pieve di Arezzo è fatta da lui la tavola della Madonna della Misericordia con molte figure appartenenti a tal misterio; ed è questa opera molto nominata e fatta con grand'arte.
Raffaello Borghini[1]

Nel 1584, a cinque anni di distanza dalla presentazione nella pieve aretina di Santa Maria, il successo della grande pala di Federico Barocci, tradizionalmente nota come *Madonna del popolo* (figg. 1-2), era definitivamente sancito nella letteratura artistica. Il referto di Borghini rifletteva concretamente il fermento scatenatosi intorno al capolavoro del marchigiano, a studiare il quale si erano avvicendati prima i fiorentini Lodovico Cigoli e Gregorio Pagani e poi i senesi Salimbeni e Vanni[2]. Parallelamente, cresceva l'attenzione del collezionismo granducale che – rafforzato dagli innesti di eredità roveresca – avrebbe garantito al Barocci una fortuna lunga oltre due secoli e senza soluzione di continuità, da Francesco I al cardinale Leopoldo, dal gran principe Ferdinando a Pietro Leopoldo di Lorena che acquistò la pala nel 1787 su consiglio del direttore delle Gallerie, Giuseppe Pelli Bencivenni[3]. Assente da questa esposizione per ragioni conservative, la *Madonna del popolo* rappresenta, come è noto, uno snodo importante nel percorso di Federico per il punto di stile, per la riflessione sui problemi spaziali e compositivi che egli andava affinando nei dipinti di grandi dimensioni di quegli anni – la *Deposizione* di Perugia, *Il Perdono di Assisi* prima e il *Trasporto* di Senigallia poi – e non ultimo per lo sforzo di ideazione testimoniato dall'impressionante corredo grafico di circa cento fogli che permette di seguire passo dopo passo la lunga elaborazione progettuale del maestro[4].

La storiografia più recente ha concentrato l'attenzione sugli aspetti iconografici di questo dipinto, rispetto al percorso artistico del pittore. Più raramente invece si considera la vicenda globale della commissione e i fatti che precedono l'arrivo di Barocci ad Arezzo, incidendo sugli aspetti tecnici dell'opera richiesta dalla Fraternita (le dimensioni, l'aggiunta di un elemento sommitale ecc.). È da qui che converrà ripartire.

Antefatti vasariani

La commissione della *Madonna del popolo* si inserisce nel più ampio complesso di lavori finanziati dalla Fraternita dei Laici, cioè uno dei più importanti istituti della storia aretina, le cui funzioni si estendevano ben al di là delle pratiche assistenziali e di carità tipici dei sodalizi confraternali. Grazie a un cospicuo patrimonio costituito da immobili, fondi, gestione di servizi, lasciti ereditari e contributi incamerati a vario titolo, la Fraternita era una sorta di braccio operativo dell'amministrazione cittadina e fin dalla metà del Cinquecento era impegnata attivamente nel rinnovo del quadrante urbano intorno a Piazza Grande, culminato nell'ambizioso progetto vasariano delle logge sul lato nord e anticipato dalla ristrutturazione dell'antica pieve di Santa Maria[5]. Qui, oltre al radicale rinnovamento architettonico, avviato nel 1560, l'intervento dell'aretino comportò l'erezione di tre nuovi altari con relative pale: quello per la famiglia Albergotti (1570), ornato da una *Incoronazione della Vergine*[6], la macchina a due facce dell'altare maggiore destinata a fungere da monumento sepolcrale per la famiglia Vasari[7], in ultimo quello della Fraternita dei Laici, murato negli ultimi mesi del 1572. A dicembre di quell'anno i rettori comunicavano a Vasari il desiderio di vedere realizzata quanto prima una tavola "bella e preclara" eseguita dal maestro, auspicabilmente meno costosa di quelle che negli stessi anni egli andava predisponendo sulle pareti di Santa Maria Novella e di Santa Croce a Firenze[8]. L'altare vasariano non esiste più, distrutto nel rifacimento ottocentesco della chiesa, ma sulla sua posizione nella navata e sulla sua struttura ci informa una serie, poco nota agli studi, di piante e prospetti eseguiti da Cristofano di Donato Conti tra la fine del XVIII e gli inizi del XIX secolo (fig. 3)[9]. Si apprende così che la cappella della Fraternita si ergeva sotto la quarta arcata destra e consisteva di un basamento sul quale si impostavano la mensa

1
Federico Barocci
Madonna del popolo, 1575-1579, particolare.
Firenze, Gallerie degli Uffizi, Galleria delle Statue e delle Pitture

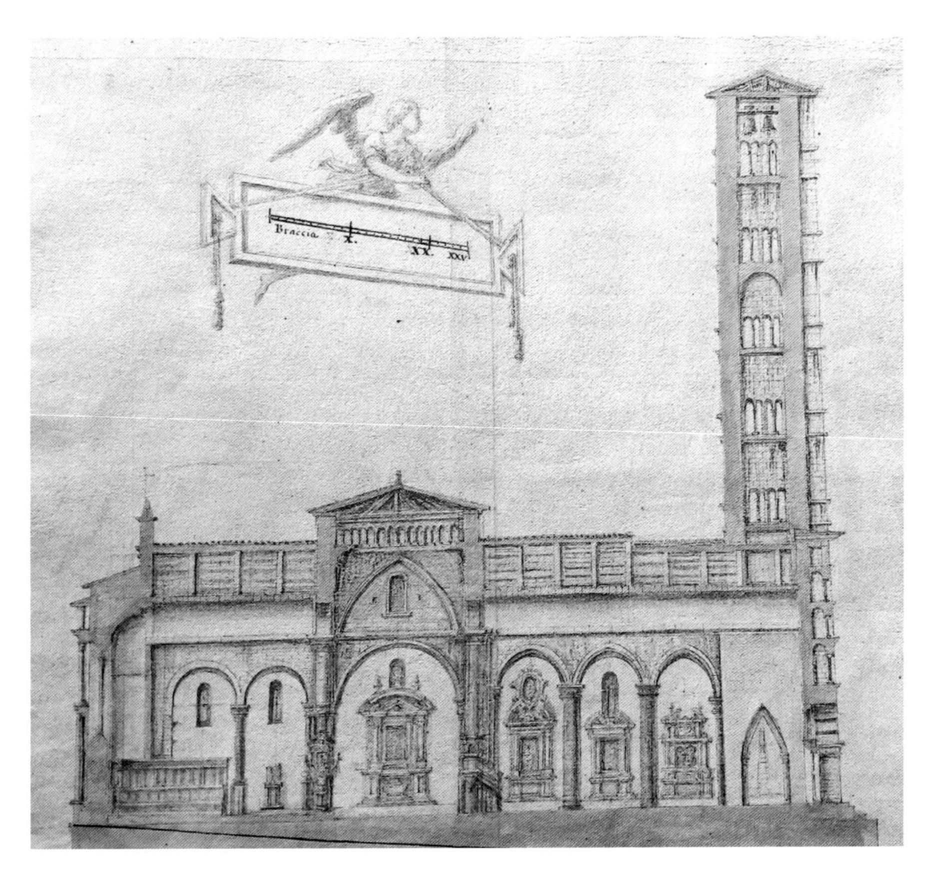

con due colonne sormontate da un frontespizio che includeva un timpano triangolare, un modello del tutto analogo a quello messo in opera a Santa Maria Novella, caratterizzato da una pala slanciata, abbinata a un tondo dipinto nella cimasa[10]. Pressato dai lavori romani e fiorentini, Vasari non onorò l'impegno e la sua morte, nel giugno del 1574, prospettò l'urgenza di trovare un altro pittore in grado di condurre in porto l'impresa, possibilmente in tempi brevi. Per avere notizie di "qualche valente, et eccellente Pittore, che volesse o potesse attendere a tal opera" i rettori si rivolsero a Nofri Roselli, un nobile aretino e rappresentante della città a Firenze, nonché agente di fiducia di Cosimo I e di suo figlio Francesco, per i quali svolgeva delicati compiti diplomatici: uno di quegli "uomini nuovi", di provenienza rigorosamente non fiorentina, sui quali i granduchi avevano abilmente costruito la rete di amministrazione e controllo dello Stato[11]. Inoltre, circostanza questa meno nota agli studi barocceschi, Nofri era vicino a Vasari già nel 1557, anno in cui procurava i materiali e seguiva la realizzazione del baldacchino processionale che la Fraternita aveva ordinato all'aretino, di cui oggi sopravvive il tondo in seta con la *Madonna della Misericordia*[12].

La missiva al Roselli, datata 22 luglio 1574, premette il carteggio di ventisei lettere pubblicato da Michelangelo Gualandi nel 1844, punto di riferimento per tutti gli studi sulla commissione della *Madonna del popolo*[13]. Sebbene non si conoscesse la risposta di Roselli, si era finora dato per assodato che fosse lui ad aver suggerito di chiamare Barocci, dal momento che il 30 ottobre 1574 un messo partiva alla volta di Urbino con un invito al pittore, lodato come "celebre e famoso e ancora cortese e volunteroso di comunicare la virtù sua in molti luoghi", e una descrizione minuziosa della cappella, accompagnata persino da uno strumento di misurazione per evitare confusioni tra sistemi diversi[14]. Federico accoglieva rapidamente la proposta, suggerendo però di sostituire il tema della Madonna della Misericordia, che evidentemente gli risultava eccessivamente schematico, con un'altra di "più bella invenzione" e poneva alcune condizioni, prima fra tutte quella di non muoversi da Urbino a causa di quei malanni che avrebbero condizionato da lì ai cinque anni successivi le relazioni con i committenti aretini[15]. Nel corso del novembre 1574 due ulteriori scambi erano incentrati da una parte sull'insistenza dei Laici di avere il pittore ad Arezzo per verificare le condizioni di luce, discutere iconografia e prezzo, e dall'altra sul rifiuto deciso del Barocci di mettersi in viaggio: gli bastava avere le informazioni essenziali (uno schizzo della cappella con l'indicazione delle fonti luminose e il soggetto prescelto) "e del resto lasceranno la cura a me, e con questo faccio fine..."[16]. I contatti preliminari si arrestavano dunque all'autunno del 1574 con un sostanziale nulla di fatto.

Una lettera di Nofri Roselli ritrovata e qualche ipotesi sulle ragioni della committenza

Come si è detto, nella sequenza pubblicata da Gualandi non c'è evidenza della risposta di Nofri Roselli ai Laici. Una sua lettera però esiste e ho potuto rintracciarla nello stesso volume che contiene le missive tra Barocci e la Fraternita. La carta è datata 11 febbraio 1575, un semestre dopo la richiesta dei rettori, probabilmente perché successiva a un'altra non ancora emersa o perché fa parte di un giro di comunicazioni avvenute, come era frequente, anche in forma orale, magari in occasione di un passaggio aretino di Nofri o di un suo incaricato. I due testi, se letti in sequenza, appaiono a mio avviso in stretta continuità tra loro e svelano un quadro dei fatti assai più articolato di quanto finora noto. Roselli non fa accenno a Barocci, ma spiega di aver chiesto a Pietro Vasari, fratello, erede e amministratore

2
Federico Barocci
Madonna del popolo, 1575-1579. Firenze, Gallerie degli Uffizi, Galleria delle Statue e delle Pitture

3
Cristofano di Donato Conti
Interno della pieve di Arezzo. Arezzo, Archivio diocesano e capitolare, Pieve di Santa Maria, Miscellanea 54, tav. 3

dei beni di Giorgio, di dargli notizie di un pittore che ha sentito assai lodare dall'aretino: Lorenzo Sabatini, il bolognese tra i più vicini aiuti del maestro negli ultimi anni romani[17]. Nofri ha appreso che Pietro, seguendo gli intenti del fratello, vuole indicare al granduca proprio il Sabatini per portare a termine gli affreschi della cupola di Santa Maria del Fiore, fermi ad appena un terzo del totale, e questa occasione gli appare propizia per risolvere finalmente il problema della pala della Pieve, quindi consiglia di attendere "se Lorenzo viene o no a fare il restante della Cupola e venendo, fargli fare un disegno e mandarlo alle Signorie Vostre... e non venendo, mandargli la misura della cappella a Roma e fargli fare il medesimo e se si contentano che sia costui che gli serva, che a quello che io intendo, no ci è meglio"[18]. L'importanza del documento sul fronte fiorentino è tale da meritare un discorso a parte, ma sinteticamente si può intanto dedurne che la questione della cupola del duomo era ancora in alto mare agli inizi del 1575, dato che Francesco I teneva ancora in sospeso la scelta, e il campo di ricerca del nuovo titolare dell'impresa si estendeva a più di un artista proveniente da fuori Firenze. L'opzione Sabatini era del tutto coerente e in continuità con il progetto di Vasari, che per la gestione di un cantiere articolato come quello della cupola aveva richiesto fin dal 1572 al granduca che fosse proprio il bolognese ad assumere il coordinamento dell'équipe di pittori impegnati sulle impalcature, e gli aveva fatto eseguire la parte sommitale con le finte architetture e i *Profeti sotto la lanterna*, tra il luglio e il settembre dello stesso anno. Se a questa evenienza si aggiunge il suo precedente soggiorno fiorentino del 1565, nel corso del quale aveva dipinto il ricetto dell'appartamento di Giovanna d'Austria in Palazzo Vecchio, gli apparati effimeri nel Salone dei Cinquecento e all'Arco della Dogana, ed era tra i pochi non toscani immatricolati all'Accademia delle Arti del Disegno[19], abbiamo sufficienti elementi per comprendere perché, per quanto in quel momento lontano da Firenze, fosse nel raggio di interesse almeno di una parte di quell'entourage granducale che si occupava delle incompiute imprese vasariane.

Sabatini, tuttavia, assorbito com'era dalla decorazione delle sale vaticane in vista del giubileo del 1575, non lasciò Roma né papa Boncompagni, suo principale protettore, e nell'affare della cupola prevalse l'orientamento di Bernardo Vecchietti, uno dei più fidati consiglieri di Francesco I che premeva per avere Federico Zuccari, suo protetto e amicissimo di Giambologna. Anche Federico era preceduto da un'ottima fama a Firenze, avendo lavorato in Palazzo Vecchio per gli spettacolari apparati delle nozze granducali e alle pitture dell'Arco della Dogana, cioè nei medesimi luoghi in cui si era mosso Sabatini, e, come il bolognese, esperto nella capacità di gestire la decorazione di ampie superfici[20].

Quanto alla pala aretina, mi pare che la lettera di Nofri metta soprattutto in evidenza che la trattativa con Barocci non era l'unica messa in campo dalla Fraternita, anzi, era ancora lungi dall'essere definita e probabilmente la renitenza del pittore aveva spinto i committenti a perlustrare parallelamente altre vie. Anche in questo caso l'idea di convocare Sabatini, seppure perseguita, dovette avere vita breve perché dopo neanche un mese dalla lettera di Roselli i contatti con Barocci ripresero, giungendo stavolta a una felice risoluzione.

Se, da quanto emerge dai documenti sinora ritrovati, non fu il Roselli a fare il nome di Barocci, occorre provare a spiegare diversamente i motivi che lo portarono alla Fraternita. Come detto in apertura la *Madonna del popolo* fu di certo la consacrazione del pittore in terra toscana[21], ma la congiuntura di fatti che mettevano Federico nella luce giusta si era andata definendo già in anni precedenti, grazie al convergere di elementi diversi sia di carattere

4

Federico Barocci
Padre Eterno benedicente, 1580 circa. Arezzo, Fraternita dei Laici

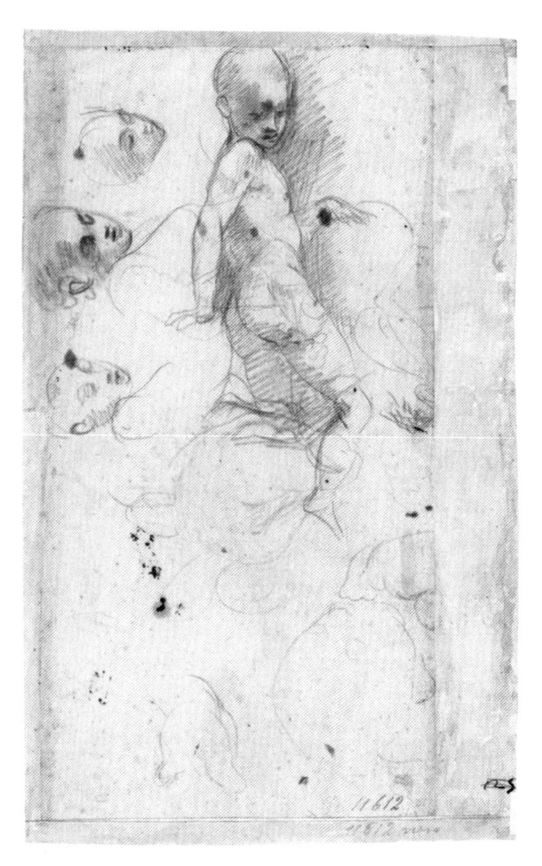

letterario (il giudizio sintetico ma incisivo di Vasari)[22] sia socio-culturale – gli agenti urbinati a Firenze che promuovevano scambi artistici tra le due corti[23] –, e a cui si aggiungeva il recente successo della grande *Deposizione* (cat. II.2), prima importante commissione pubblica di Federico fuori da Urbino, per giunta in un'area geografica, quella perugina, tradizionalmente in relazioni storiche e culturali con il territorio aretino. Entro questo quadro variegato di concause, vale la pena ricordare la funzione pratica di mediazione che spesso veniva svolta in loco da artisti meno conosciuti ma attivi sui due versanti dell'Appennino. In tal senso appare utile segnalare, come spunto da approfondire, alcune notizie documentarie che si possono aggregare alla lettera con cui Barocci riaggancia il dialogo con gli aretini dopo la pausa invernale. L'urbinate scrive di aver saputo da "Maestro Bastiano scalpellino" che i rettori incalzano per averlo ad Arezzo e ancora una volta lamenta una salute precaria "come da maestro Bastiano potranno informarsi" (perché evidentemente lo ha constatato di persona, passando da Urbino)[24]. Questo brevissimo inciso acquista valore se messo in relazione con i documenti successivi, perché lo scalpellino menzionato si deve identificare con il "magistro Sebastiano Iohannis alias Giannone, scultore aretino", testimone al contratto tra Barocci e la Fraternita firmato ad Arezzo il 18 giugno del 1575, quando finalmente il pittore si era risolto a varcare il confine toscano, spingendosi verosimilmente anche a Firenze[25]. Questo maestro di scalpello è il Bastiano di Giovanni Bencivenni che insieme al fratello Antonio esegue tra il 1563 e il 1575 i due monumentali pergami in marmo di reimpiego nel duomo di Arezzo, opere in parte sovvenzionate proprio dalla Fraternita[26]. A pubblicare per primo i documenti su questi lavori fu il Gualandi, il quale cadde nell'equivoco di sovrapporre i due lapicidi aretini con Antonio e Bastiano Bencivenni da Mercatello, padre e figlio, finissimi intagliatori in legno attivi fra le Marche e l'Umbria tra il 1500 e il 1530[27]. Si tratta, con tutta evidenza, di due generazioni diverse (oltre che diversi gradi di parentela), ma la consonanza tra i nomi fa sperare in ulteriori sondaggi archivistici in grado di provare l'esistenza di qualche legame familiare tra i due ceppi di artefici itineranti. È certo però che anche i Bencivenni aretini non furono estranei al contesto marchigiano, maturando forse un rapporto di consuetudine con Barocci, tale da metterli nella condizione di fornirgli un utile supporto nei contatti con Arezzo. Referti documentari ancorano infatti la presenza di Bastiano (aretino) nel ducato almeno nel 1589, anno in cui gli viene saldato il pergamo della cappella del Santissimo Crocifisso nella cripta del duomo urbinate[28].

Qualche osservazione sulla *Madonna del popolo*

L'accordo siglato ad Arezzo nell'estate del 1575 conteneva indicazioni dettagliate sui termini del lavoro e sulla scelta definitiva del soggetto, ovvero l'intercessione della Vergine "pro populo"[29] che molto ha impegnato gli studiosi nell'interpretazione della scena e nelle variazioni introdotte rispetto alla più tradizionale Madonna della Misericordia, emblema della Fraternita[30]. Sono state opportunamente messe in evidenza le modifiche tra il "cartoncino per i lumi" (probabilmente già eseguito in una prima fase, entro il 1576, stando al carteggio)[31] e la redazione finale alla quale, come si spiega in questo catalogo, Barocci doveva aver messo mano non prima di aver terminato *Il Perdono di Assisi* (cat. VII.3)[32]. Nella pittura, infatti, la rappresentazione più didascalica delle opere di carità lascia spazio a un'azione corale dove prevale il moto degli affetti e che implica la presenza del "popolo" in tutti i gradi, a sottolineare il legame della Fraternita con la città giacché tutti i nati ad Arezzo erano per legge automaticamente suoi membri[33]. A confronto con le accademiche pale vasariane presenti nella Pieve, l'invenzione di Barocci spiccava

5

Parmigianino
Adamo, 1535-1538 circa, particolare. Parma, chiesa di Santa Maria della Steccata

6

Federico Barocci
Putto nudo volto di tre quarti a destra, tre studi di testa. Firenze, Gallerie degli Uffizi, Gabinetto dei Disegni e delle Stampe, inv. 11612 F recto

per la fluidità della composizione, l'armonico disporsi della folla ai piedi dell'apparizione miracolosa, parte in ombra, parte in luce: ci sono i cavalieri degli ordini di Santo Stefano e di Malta in preghiera, le gentildonne con i loro breviari, i molti confratelli assiepati intorno alle comparse principali cui è demandato il compito di introdurre il fedele alla visione divina mediante la serie calcolatissima di gesti che rintoccano da destra a sinistra. L'elegante giovane donna a sinistra – giustamente assimilata a una Carità[34] – viene bilanciata sul lato opposto dal suonatore viandante mentre lo storpio protende la mano in attesa che giunga anche a lui l'elemosina che un bimbo sta versando alla giovane popolana avvolta nel suo scialle di canapa. Questo dispositivo iconografico funziona appieno solo considerando l'elemento sommitale e cioè il *Padre Eterno benedicente* (fig. 4) che, escluso dal trasferimento a Firenze nel 1778, era caduto nell'oblio per tornare sotto la lente degli studi solo dalla metà del secolo scorso. Sbucando vigorosamente da un fondale di cielo che dobbiamo immaginare assai più luminoso di quanto appaia oggi, il *Padre Eterno* completa il gruppo trinitario che presiede alla "Doppia Intercessione" della Vergine, un soggetto che in Toscana conta ancora qualche interessante attestazione a metà Cinquecento[35]. Il tondo giunse tuttavia nella Pieve diverso tempo dopo perché Barocci non lo aveva ancora eseguito al momento di consegnare la pala principale nel 1579, allorché si era portato nuovamente ad Arezzo per sistemarla nella Pieve, con un ritardo di tre anni sugli accordi iniziali e una sequela di lettere dai toni accesissimi[36]. Con l'occasione gli fu concesso un anno di tempo per presentare il *Padre eterno*, la cui datazione va dunque scalata almeno agli inizi degli anni ottanta[37]. È difficile giudicare serenamente questa pittura di cui sopravvivono sostanzialmente piccole isole di colore, ma l'autografia baroccesca appare confermabile, a fronte della qualità che si coglie nel disegno delle mani o nel piccolo brano della manica verde. E solo da pochi passaggi si può intuire l'articolazione e lo scorcio del volto anziano, una tipologia che Barocci approfondisce molto in quegli anni anche nei disegni[38].

Un'ultima segnalazione, in chiusura a queste brevi note, andrà fatta al riguardo dei modelli stilistici cui il marchigiano attinse. Si tratta, come si sa, di un bacino immenso di riflessioni, accostamenti, studi voraci condotti sui maestri di primo Cinquecento, da Raffaello a Tiziano e soprattutto a Correggio e Parmigianino, la cui visione diretta doveva procurare a quel giovane insaziabile un bagaglio di modelli da interiorizzare, elaborare e restituire in forme del tutto autonome[39]. Tra questi, vorrei richiamare l'attenzione sul legame di continuità, mentale e stilistica, tra il delicatissimo e spirituale angelo accanto a Gesù – una delle figure chiave dell'intera composizione per il contatto diretto che stabilisce con il fedele/spettatore – e l'*Adamo* di Parmigianino nel sottarco della volta presbiteriale di Santa Maria della Steccata a Parma. Se nella pala aretina l'effetto di questa appartenenza viene stemperato dal sofisticato apparato di stoffe, colori e trasparenze, il rapporto si coglie in maniera diretta se si confronta l'*Adamo* con i due disegni preparatori che accompagnano lo sviluppo di questa figura (figg. 5-6). Avvalendosi probabilmente anche di uno studio dal vero sull'anatomia, Barocci è andato al nocciolo del prototipo di Parmigianino per estrarne tutte le possibilità espressive, la posizione, il potente scorcio dal basso, l'avvitamento sciolto e veloce, e infonderle al suo giovane putto per mandarlo ad accomodarsi tra le nuvole[40].

Appendice

Lettera di Nofri Roselli
ai rettori della Fraternita di Arezzo,
Archivio Storico della Fraternita dei Laici,
Lettere e diversi, 657,
11 febbraio 1574 (stile fiorentino)

Molto mag.ci Sig.ri

Parlai con S(er) Pietro Vasari per haver qualche notitia dove si ritrovassi un certo m. Lorenzo Sabbatini da Bologna, quale havevo più volte sentito lodare a m. Giorgio Vasari nell'arte della Pittura, et intesi, che si ritrovava a Roma in negotii importa(n)ti di S. B.ne e che il ser.mo Sig.r nro potria facilme(n)te servirsene nel dar fine all'opera della Cupola, per essergli stato di gia nominato dal Cavalier Vasari, quando fece supp(li)ca per la condotta di detta cupola, nella quale diceva, che detto Lore(n)zo a q(ua)le voleva per aiuta(n)te, ma(n)cando detto Vasari di vita haria potuto dar fine à tal opera, et io ho vista la supp(li)ca istessa, mostratami da S(er) Pietro, il q(ua)le procura che detto m. Lorenzo voglia supplicar S.A.za vogli surrogarlo nel luogo del Cav.r Vasari per(ci)o non mi pare da fare altro eccetto che aspettare l'esito, e risolution di quel che si tratta, cio e, se m. Lore(n)zo viene o no, a far il restante della pittura della cupola e venendo fargli fare un disegno, e mandarlo alle Sig.re Vre, e quelle diran(no) se li piace, e no(n) venendo, mandargli la misura della cappella a Roma, e fargli fare il medesimo, se VV. SS.re si contentano che sia costui che gli serva, che a quello che io intendo no ci è di meglio e co(n) questo gli bacio le mani pregandogli felicità

Di Fior.za el di 11 ferraio 1574 (stile fiorentino)

Di VV. SS. RR.

Serv.re aff.mo
Nofri Roselli

Note

1 Borghini 1584, p. 569.
2 Barbolani di Montauto, in *Federico Barocci* 2009, pp. 112-123; Maccherini, in *Federico Barocci* 2009, pp. 92-103; Bonelli, in *Federico Barocci* 2009, pp. 104-111. Sulla fortuna aretina di Barocci fra sei e settecento: Fornasari 2003.
3 La documentazione dell'acquisto è in Archivio Gallerie degli Uffizi, filza XX, n. 12 (Fileti Mazza, Tommasello 2003, pp. 64-67; Spalletti 2010, pp. 140-143).
4 L'intera serie grafica è riepilogata in Emiliani 2008, I, pp. 314-349; a essi si aggiungono il grande foglio in collezione privata a New York parte del cartone preparatorio (Bambach 2015) e un altro frammento del medesimo cartone a Milano, Castello Sforzesco (Baroni 2022b) (cat. IV.8).
5 Sulla Fraternita: *L'archivio della Fraternita dei Laici* 1989, pp. VII-LIII; Benvenuti 1993; Biagianti 1993. Sulla vicenda delle logge del Vasari: Conforti 1993, pp. 243-255.
6 La tavola, originariamente eseguita da Vasari per i Salviati di Firenze, fu acquistata da Nerozzo Albergotti, traslata ad Arezzo e corredata da due pannelli laterali con san Francesco e san Donato oltre a teste di santi martiri nella centina (Droandi 2002; *Le opere di Giorgio Vasari* 2011 pp. 45-47, n. 11).
7 Sull'altare maggiore di patronato Vasari, spostato nel 1865 nella pieve delle sante Flora e Lucilla come la pala Albergotti: *Le opere di Giorgio Vasari* 2011, pp. 40-44, n. 10.
8 Gualandi 1840-1845, III, p. 29; Frey 1923-1930, II, pp. 728-729. Già nel 1566 Vasari aveva carteggiato con la Fraternita riguardo all'invio di un cartone, eseguito da Stradano, che doveva però verosimilmente riguardare un'altra opera (Frey 1923-1930, II, pp. 222-223).
9 Mercantini 1982, pp. 10-15, 32-34.
10 Sugli altari di Santa Maria Novella: Bertoncini Sabatini 2017, pp. 37-41.
11 Fasano Guarini 2004, pp. 156-166. Nel 1571 Roselli fu inviato da Cosimo I a Madrid con il compito di informare il re Filippo II dei tentativi francesi di incrinare i rapporti tra Toscana e Spagna (Alberi 1838, pp. 321-323). Il diplomatico è poi documentato più volte negli anni che qui ci interessano per seguire affari di vario genere per conto della Fraternita anche fuori da Arezzo (Archivio Storico della Fraternita dei Laici, d'ora in poi AFL, Lettere e diversi, 657, 1573, 2 giugno e 2 luglio, su una eredità da recuperare a Ferrara).
12 Per le vicende del baldacchino vasariano della Fraternita, che sostituiva uno più antico di Domenico Pecori distrutto in un drammatico incendio: Droandi 2002, pp. 12-16, 21-22 (docc. VIII-XIII).
13 Gualandi 1844-1856, I, pp. 134-135, n. 59.
14 AFL, Lettere e diversi, 657, i rettori a Federico Barocci, 30 ottobre 1574 (Gualandi 1844-1856, I, pp. 135-137, n. 60).
15 AFL, Lettere e diversi, 657, Federico Barocci ai rettori della Fraternita di Arezzo, 5 novembre 1574 (Gualandi 1844-1856, I, pp. 137-138, n. 61).
16 AFL, Lettere e diversi, 657, Federico Barocci ai rettori della Fraternita di Arezzo, 19 novembre 1574 (Gualandi 1844-1856, I, pp. 141-142, n. 63).
17 Sul rapporto Vasari-Sabatini nei cantieri vaticani e il subentro del bolognese nella direzione dei lavori rimando a Balzarotti 2020, pp. 69-78 e Balzarotti 2021, pp. 123-125 e i relativi documenti, pp. 350-354, con bibliografia precedente.
18 AFL, Lettere e diversi, 657, Nofri Roselli ai rettori, 19 febbraio 1574.
19 Allegri, Cecchi 1980, pp. 284-285; Winkelman 1986, p. 595.
20 Heikamp 1967, p. 46, note 7 e 9; Acidini Luchinat 1998-1999, II, pp. 76, 115, note 6, 8; Giffi 2023, pp. 69-75 e 192-194.
21 A tale proposito cfr. la lettera di Simone Fortuna, agente del duca di Urbino a Firenze nel 1583, con la richiesta da parte medicea di avere un ritratto di Francesco Maria II (Gronau [1936] 2011, pp. 153-154, n. CXCVI; Barocchi, Gaeta Bertelà 1993, pp. 241-242, n. 266).
22 Vasari [1568] 1966-1987, V, pp. 562-563, *Vita di Taddeo Zuccari*. Ad arricchire il quadro di strade attraverso le quali la reputazione di Barocci era venuta consolidandosi in area toscana, anche per effetto delle informazioni di prima mano portate dagli artisti, vale rammentare l'équipe toscana attiva al fianco del pittore nei lavori al Belvedere, in particolare i biturgensi Leonardo Cungi e Durante Alberti e Giovanni Boscoli, detto Nanni da Montepulciano (Friedlaender 1912, p. 131; Smith 1977, p. 67, nota 18).
23 Si pensi ancora al ruolo di Fortuna nel favorire l'ingaggio di Giambologna, Buontalenti e Giovanni Bandini per il duca di Urbino (Schmidt 1998; Principi 2016; Mezzolani 2019).
24 AFL, Lettere e diversi, 657, Federico Barocci ai rettori della Fraternita di Arezzo, 3 marzo 1575.
25 AFL, Deliberazioni dal 1573 al 1577, filza 1486, ff. 107r-108r, pubblicato in *The Graphic Art of Federico Barocci* 1978, pp. 26-27.
26 I documenti sono in Gualandi 1840-1845, pp. 111-114, n. 61.
27 Su questa bottega: *Mercatello e i Bencivenni* 2001 (e bibliografia precedente).
28 Scatassa 1904, p. 204.
29 "Historia ipsius tabulae sit gloriosissimae Mariae Deiparae semper Virginis intercedentis et orantis ad dominum Yesum Christum filium eius benedictum pro populo ibi similiter picto et representato in dicta tabula cum decoro et venustate et gratia secundum conditionem et qualitatem figurarum ibi pingendarum, singula singulis congrue et respective referendo": *The Graphic Art of Federico Barocci* 1978, pp. 26-27, n. 1.
30 Da ultimo Ekserdjian 2021a, pp. 258-262.
31 Il 10 febbraio 1576 Barocci precisa "sin ora ho finito tutti li disegni e condotto il cartone quasi al fine il che è parte del opera": AFL, Lettere e diversi, 657 (Gualandi 1844-1856, I, pp. 149-150, n. 69).
32 Nel giugno 1577 Barocci scrive ai rettori "prima che io pigliassi a fare la tavola per la loro pia Compagnia aveva alle mani una opera per la nostra chiesa di Santo Francesco quale come ebbi condotta al fine diedi principio a lavorare per le Signorie loro, et in questo tempo non ho mancato secondo il mio potere condurla a buon termine" (AFL, Lettere e diversi, 657, 7 giugno 1577 (Gualandi 1844-1856, I, pp. 157-158, n. 74).
33 *L'archivio della Fraternita dei Laici* 1989, p. XIX.
34 Olsen 1962, p. 65; Giannotti 1999, pp. 26-27.
35 Ekserdjian 2021a. In ambito toscano il soggetto della Doppia Intercessione viene utilizzato da Pier Francesco Foschi nella pala per la cappella Marchetti a Pistoia (Pinelli, in *Pier Francesco Foschi* 2023, pp. 38-40).
36 Le carte degli anni successivi sono in Gualandi 1844-1856, I, pp. 148-182, nn. 68-85.
37 Olsen 1962, p. 165; *The Graphic Art of Federico Barocci* 1978, p. 59. Non sono ancora emersi documenti sulla consegna del *Padre Eterno*.
38 Sulla grafica legata alla tipologia di testa barbuta: *The Graphic Art of Federico Barocci* 1978, p. 59, nota 2a; Olsen 1955, p. 133 n. 32 (preparatorio per il *Trasporto* di Senigallia); Olsen 1962, p. 173, cat. 34: per il *Martirio di san Vitale*, e così anche Emiliani 2008, I, p. 397, cat. 40.50.
39 Si rimanda qui al saggio di Ambrosini Massari.
40 Firenze, Gabinetto Disegni e Stampe degli Uffizi, 11612 F verso, pietra nera e rossa su carta giallina, 329 × 208 mm; e 11492 F recto, pietra rossa, quadrettatura a punta d'argento su carta giallina, 248 × 201 mm. Bambach 2015, p. 168.

FEDERICO BAROCCI E IL DISEGNO

Luca Baroni

DESSIN (L'ART DU). Se compose de trois choses: la ligne, le grain, et le graine fin; de plus, le trait de force. Mais le trait de force, il n'y a que le maître seul qui le donne.
Gustave Flaubert, *Dictionnaire des idées reçues*

Da più di tre secoli l'apprezzamento dei disegni del pittore urbinate Federico Barocci è ravvivato, ma anche complicato, dal fattore più rischioso in cui possa incorrere l'opera di un artista: l'apprezzamento entusiastico di un critico intelligente[1]. Nel 1672, a Roma, lo storico erudito e conoscitore Giovan Pietro Bellori (1613-1696) pubblica un volume in cui raccoglie le biografie dei nove migliori artefici attivi tra Cinque e Seicento: *Le vite de' pittori, scultori et architetti moderni*[2]. L'obiettivo del testo è esplicito: fornire ai giovani artisti, come quelli che frequentano l'Accademia romana di San Luca, fondata nel 1593, o l'Académie de France à Rome, recentemente inaugurata (1666), dei modelli esemplari da seguire[3]. Tra i nove eletti, assieme ad Annibale e Agostino Carracci, Caravaggio e Poussin, c'è anche Barocci, generazionalmente il più anziano del gruppo e l'unico, assieme ai forestieri Rubens e Van Dyck, ad avere lavorato perlopiù fuori Roma. Bellori, nato un anno dopo la morte dell'urbinate, ne conosce le vicende biografiche grazie a due figure oggi pressoché dimenticate, Pompilio Bruni e Francesco Beni. Bruni, un orologiaio di Urbino che ha ereditato la bottega della famiglia Barocci[4], fornisce a Bellori una serie di preziose memorie manoscritte e documenti di commissione raccolti dallo stesso artista. Beni, gentiluomo eugubino che vive a Roma, dove è in contatto con membri della cerchia di Bellori come il pittore Pietro Testa e il collezionista e studioso Cassiano dal Pozzo, mette a disposizione dello storico la sua straordinaria collezione di circa cinquecento disegni di Barocci, provenienti direttamente dalla bottega urbinate dell'artista[5]. Studiando in originale le dozzine di schizzi di composizione e di nudo, i dettagli di mani, braccia, piedi disegnati sul modello e spesso ripetuti più volte per trovare la forma perfetta (fig. 1), Bellori identifica in Barocci un meticoloso campione del disegno dal vero, autore di composizioni "naturali" e "senza affettazione" e quindi esenti da quelle forzature artificiose (oggi diremmo "manieriste") che, agli occhi di un critico vissuto a metà Seicento, connotano negativamente l'arte del secolo precedente.

Forte della conoscenza della collezione Beni, Bellori dedica il paragrafo conclusivo della sua biografia baroccesca al disegno, con passaggi didattici che assumono, se riportati al loro contesto e scopo originale, il sapore di un manuale per aspiranti disegnatori. Alcune frasi, specie quelle relative alla fedeltà al disegno dal vero ("egli [Barocci] operando ricorreva sempre al naturale, né permetteva un minimo segno, senza vederlo"), sembrano scritte avendo in mente i fogli dell'artista in cui il modello virile nudo, disposto nello studio con l'aiuto di banchetti e appoggi, viene progressivamente trasformato nella figura voluta, come avviene nello schizzo per la Vergine per l'*Annunciazione* vaticana (1582-1584) oggi agli Uffizi (fig. 2). L'abbondanza di materiali presenti nella raccolta Beni permette a Bellori di ricostruire tutti i meticolosi passaggi del disegno baroccesco, dal primo appunto a penna al disegno a pastello finito, passando per il cartone preparatorio e il "cartoncino" per i colori. Infine, con geniale exploit critico, lo storico romano trasforma l'arte del vecchio maestro in occasione di polemica contemporanea, rivolgendosi ai giovani artisti del suo tempo e rivelando l'attualità programmatica delle *Vite*: "So che alcuni si burleranno di questi studi, e diligenze, come inutili, e superflue, ma altri ancora deriderà la loro ignoranza, persuadendosi essi vanamente di formare un componimento con uno schizzo ò con trè colpi di gesso su la tela"[6].

Nell'ottica didattico-accademica di Bellori, i disegni di Barocci sono strettamente funzionali alla preparazione della pittura. L'efficacia di questa interpretazione non deve però distogliere

1
Federico Barocci
Studio per l'Annunciazione (mani della Vergine), particolare. Berlino, Staatliche Museen, Kupferstichkabinett, inv. KdZ 20453

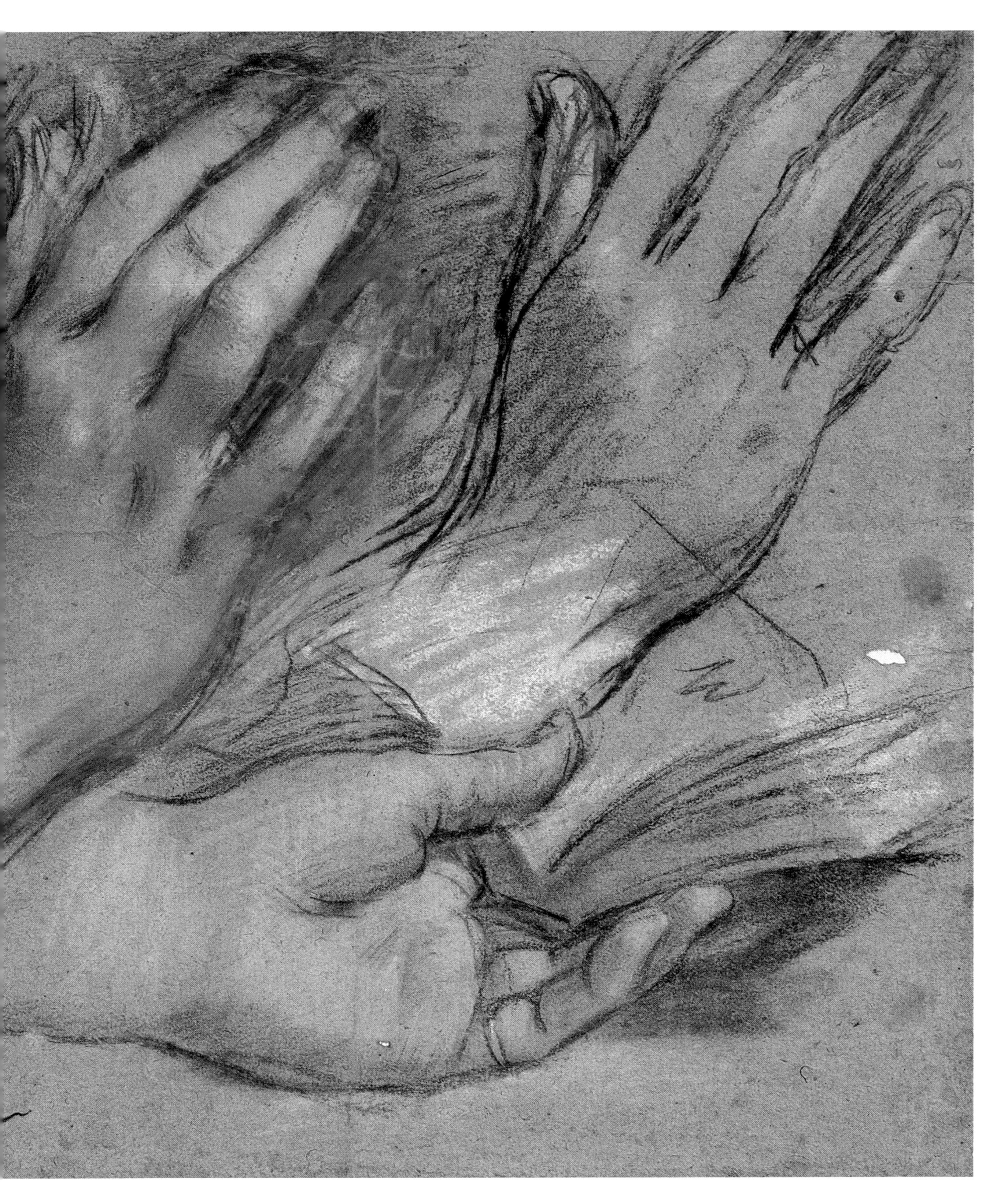

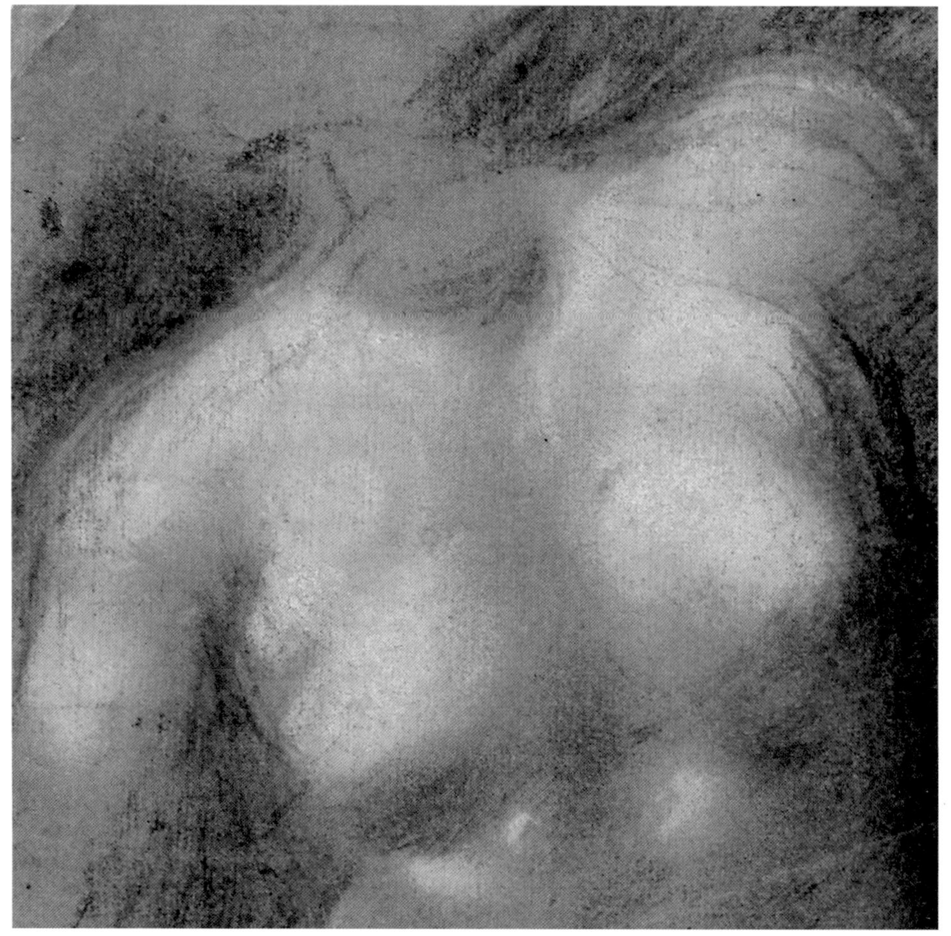

l'attenzione da una serie di temi che, anche a partire dallo straordinario gruppo di disegni raccolti in occasione della mostra di Urbino, diventa possibile esplorare. Quali sono le caratteristiche peculiari dei disegni di Barocci, quel misterioso *trait de force* su cui Flaubert ironizzava nel *Dizionario dei luoghi comuni* e che però è indiscutibilmente legato all'idea che il pubblico ha di un artista? Cosa spinge Federico ad adoperare una tecnica piuttosto che un'altra? E, soprattutto: quali sono i percorsi biografici, mentali e manuali che portano Federico a disegnare in un modo piuttosto che in un altro, costruendo quella serie di codici espressivi altamente personali che formano la base del suo stile?

La giovinezza: educazione al disegno

Quando Barocci nasce a Urbino attorno al 1533, la dinastia dei Della Rovere ha recuperato il potere da poco più di una dozzina d'anni, dopo l'interregno (1517-1521) del fiorentino Lorenzo de' Medici. Il duca Francesco Maria I e la duchessa Eleonora Gonzaga stanno ripristinando le strutture economiche e amministrative dello Stato, così come le alleanze con le principali famiglie locali e le aristocrazie cittadine. Questo dinamismo sociale e politico si riflette nell'eclletticità del gusto artistico: per tutta la prima metà del Cinquecento, i committenti urbinati preferiscono importare opere e artisti dall'esterno, in particolare da Roma e Venezia[7]. Il cantiere decorativo più prestigioso della prima metà del Cinquecento, quello della Villa Imperiale di Pesaro, è affidato a un'équipe di artisti provenienti da tutta Italia, tra cui i ferraresi Dosso e Battista Dossi, il borghese Raffaellino del Colle e il fiorentino Agnolo Bronzino. La quadreria ducale si arricchisce di straordinari capolavori di Tiziano, mentre nelle chiese urbinati si alterna l'opera dello stesso Tiziano, del veneziano (ma educato a Roma) Battista Franco o del forlivese Francesco Menzocchi. Anche la principale forma di espressione artistica interna al ducato, l'arte della maiolica, dipende da modelli esterni, quali le grottesche di Raffaello o le incisioni di traduzione di Marcantonio Raimondi e Albrecht Dürer, importate in gran numero a Urbino per fornire dei modelli decorativi ai mastri maiolicari[8].

Alla pluralità degli stimoli figurativi si contrappone l'assenza di botteghe pittoriche stabili. Gli artisti arrivano nel ducato di Urbino solo per brevi periodi, chiamati per commissioni specifiche o per consegnare opere eseguite altrove, seguendo una tendenza italiana che, dopo il Sacco di Roma del 1527, vede la figura dell'artista itinerante sostituire quella, tipicamente quattrocentesca, dell'artista di corte[9]. Di conseguenza, Barocci non segue l'abituale percorso dell'apprendistato in bottega, tipico di centri come Roma, Firenze, Bologna e Venezia, ma si forma da autodidatta, esercitandosi assiduamente a copiare "gessi, e rilievi" e sopperendo con la ripetitività dell'esercizio all'assenza dei consigli e delle correzioni di un maestro[10].

Questo attaccamento al disegno, forse da mettere in relazione con una sottile, cronica insicurezza caratteriale, costituisce una delle qualità più persistenti della produzione di Federico. Anche quando è un maestro ormai consumato, egli replica più volte lo stesso schizzo, ricalcando e riprendendo le linee di contorno fino a raggiungere l'effetto voluto e soffermandosi in modo quasi ossessivo su dettagli minori come l'anatomia delle dita e delle falangi (cat. IV.13) – una ripetitività che attorno al 1700 porterà il collezionista e conoscitore romano padre Resta, in un'annotazione apposta in calce a un disegno di Barocci in cui la stessa figura appare tre volte, a esclamare ammirato "quanto studiavano!"[11].

A differenza di altri pittori, che eseguono le piccole correzioni direttamente sulla tela (i cosiddetti "pentimenti"), prima di prendere in mano i pennelli Barocci sente il bisogno di mettere a punto un modello grafico dal quale non si distaccherà più. A questo scopo produce eleganti cartoni preparatori, tanto rifiniti da sembrare disegni di presentazione e che, una volta utilizzati per trasferire il disegno sulla tela, vengono scrupolosamente conservati nello studio per fornire spunti agli allievi o per permettere l'esecuzione di repliche pittoriche del medesimo soggetto (cat. IV.8)[12]. Persino le caratteristiche proprie della pittura, ovvero il colore e gli effetti di chiaroscuro, sono studiate preliminarmente al tavolo da disegno con l'aiuto di tecniche ancora poco usate come il pastello (catt. V.5, V.7, IV.7)[13] e l'olio su carta (cat. IV.2)[14], secondo un processo creativo la cui originalità non sfugge all'occhio attento di Bellori:

> Quanto il colorito, dopo il cartone grande, ne faceva un altro picciolo, in cui compartiva le qualità de colori, con le loro proportioni e cercava di trovarle trà colore, e colore; accioche tutti li colori insieme havessero trà di loro concordia, & unione, senza offendersi l'un l'altro; e diceva che si come la melodia delle voci diletta l'udito, così ancora la vista si ricrea dalla consonanza de' colori accompagnata dall'harmonia de' lineamenti[15].

In anni maturi questa pratica evolve nella produzione di opere su carta che non hanno nulla di preparatorio, ma sono oggetti di valore estetico, economico e collezionistico indipendente, eseguiti *d'après* da Barocci a partire dalle proprie composizioni più importanti e destinate al mercato privato (catt. IV.2, IV.3, IV.4)[16]. Il disegno, montato su tela, incorniciato e posto sottovetro, finisce per prendere il posto della pittura: un'inversione delle tradizionali gerarchie materiali che si estende su opere finite di grande impegno come l'*Autoritratto da anziano* (cat. I.2) o il *Ritratto virile* della Galleria Nazionale delle Marche (cat. I.4), ma anche nella pratica di applicare frammenti cartacei sulla tela delle pale d'altare per enfatizzare la resa materica dei volti (*Madonna col Bambino, i santi Giuda e Simone e i donatori*, Urbino, Galleria Nazionale delle Marche, cat. II.1; *Il Perdono di Assisi*, Urbino, chiesa di San Francesco, cat. VII.3).

Disegno come memoria

Lo studio di un taccuino di schizzi giovanili, eseguito da un Barocci ventenne durante il suo primo viaggio a Roma nel 1553 e oggi custodito smembrato presso il Gabinetto dei Disegni e delle Stampe degli Uffizi, evidenzia un'altra funzione cruciale del disegno per l'artista: quella del disegno come memoria[17]. Le pagine del taccuino, completate da una manciata di schizzi coevi risalenti allo stesso periodo, vedono Federico impegnato a studiare l'opera di Raffaello e Michelangelo, del coetaneo scultore francese Barthélemy Prieur (1536 circa – 1611), dell'anatomia maschile e della scultura antica[18]. Da questi appunti emerge il bisogno, tipico di un artista cresciuto e attivo in provincia, di documentare ogni cosa. Gli schizzi diventano un supporto al ricordo che, custodito gelosamente all'interno della bottega urbinate, continua a fornire per decenni spunti di ispirazione e aggiornamento; così avviene, per esempio, nel bel *Torso della Vergine* dell'Istituto Centrale per la Grafica di Roma (cat. IV.9), eseguito a Urbino verso il 1575 come preparazione per l'*Immacolata Concezione* della Galleria Nazionale delle Marche (cat. VII.5) ma ispirato alle sculture classiche studiate in gioventù.

Oltre che disegnatore, Barocci è anche collezionista di disegni[19]. Alla sua morte, nel 1612, l'inventario dello studio descrive un libro di schizzi "di mano di Rafaello, e vi sono da ottanta carte dissegnate", al quale si aggiungono "cento altri pezzi di dissegni di

2
Federico Barocci
Studio per l'Annunciazione, particolare. Firenze, Gallerie degli Uffizi, Gabinetto dei Disegni e delle Stampe, inv. 11293 F

3
Federico Barocci
Studio per l'Immacolata Concezione (torso della Vergine), particolare. Roma, Istituto Centrale per la Grafica, inv. D-FC125566 recto.

Proprietà Accademia Nazionale dei Lincei

4

Federico Barocci
Bozzetto per un'Adorazione dei Magi, particolare.
Amsterdam, Rijksmuseum, I.Q. van Regteren Altena Bequest, inv. RP-T-1981-28

5

Federico Barocci
Bozzetto per un'Adorazione dei pastori, particolare.
Parigi, Musée du Louvre, Département des Arts graphiques, inv. RF 2844 recto p.f.

diversi valenthuomini, tutti ben fatti in diverse maniere”[20]. Questa attenzione per l’opera su carta di altri maestri si rispecchia in una tradizione di collezionismo locale avviata già a inizio Cinquecento con la raccolta di disegni di Raffaello portata a Urbino da Timoteo Viti, e proseguita nei decenni successivi con le collezioni di disegni assemblate da Federico Zuccari o Antonio Viviani[21]. Sebbene sia difficile misurare con precisione l’impatto della collezione in termini stilistici o iconografici, è evidente che Barocci nutra per il disegno un’attenzione tutt’altro che strumentale, facendone, al contrario, il suo principale strumento di studio, riflessione e aggiornamento. A differenza di altri artisti, che rivelano i propri influssi nell’adozione di una nuova tavolozza o pennellata, la pittura di Federico può essere paragonata a un congegno raffinatissimo e impenetrabile, nel quale è quasi impossibile rintracciare i riferimenti visivi e stilistici[22]. Spetta quindi al disegno, con i suoi continui pentimenti e correzioni, il compito di preservare la memoria della fatica creativa. L’artista è intimamente consapevole di questa funzione delle sue opere su carta: se nel 1564 Michelangelo, poco prima di morire, “abruciò gran numero di disegni, schizzi e cartoni fatti di man sua, acciò nessuno vedessi le fatiche durate da lui et i modi di tentare l’ingegno suo, per non apparire se non perfetto”[23], negli stessi anni Federico avvia un’attenta campagna di raccolta e classificazione dei propri fogli, custoditi con cura nello studio e usati sia per l’insegnamento che per poter tornare, a distanza di decenni, sulle proprie antiche invenzioni[24]. È grazie a questa inclinazione se oggi il corpus su carta di Barocci, composto da oltre millecinquecento disegni autografi, è uno dei più nutriti del Cinquecento: una preziosa fonte per lo studio del processo preparatorio dei suoi dipinti, ma anche la traccia di un’esistenza quotidianamente intessuta dal lavoro grafico.

6

Federico Barocci, *Bozzetto per La verga di Mosè si trasforma in serpente*, particolare. Parigi, Musée du Louvre, Département des Arts graphiques, inv. RF 2841 recto

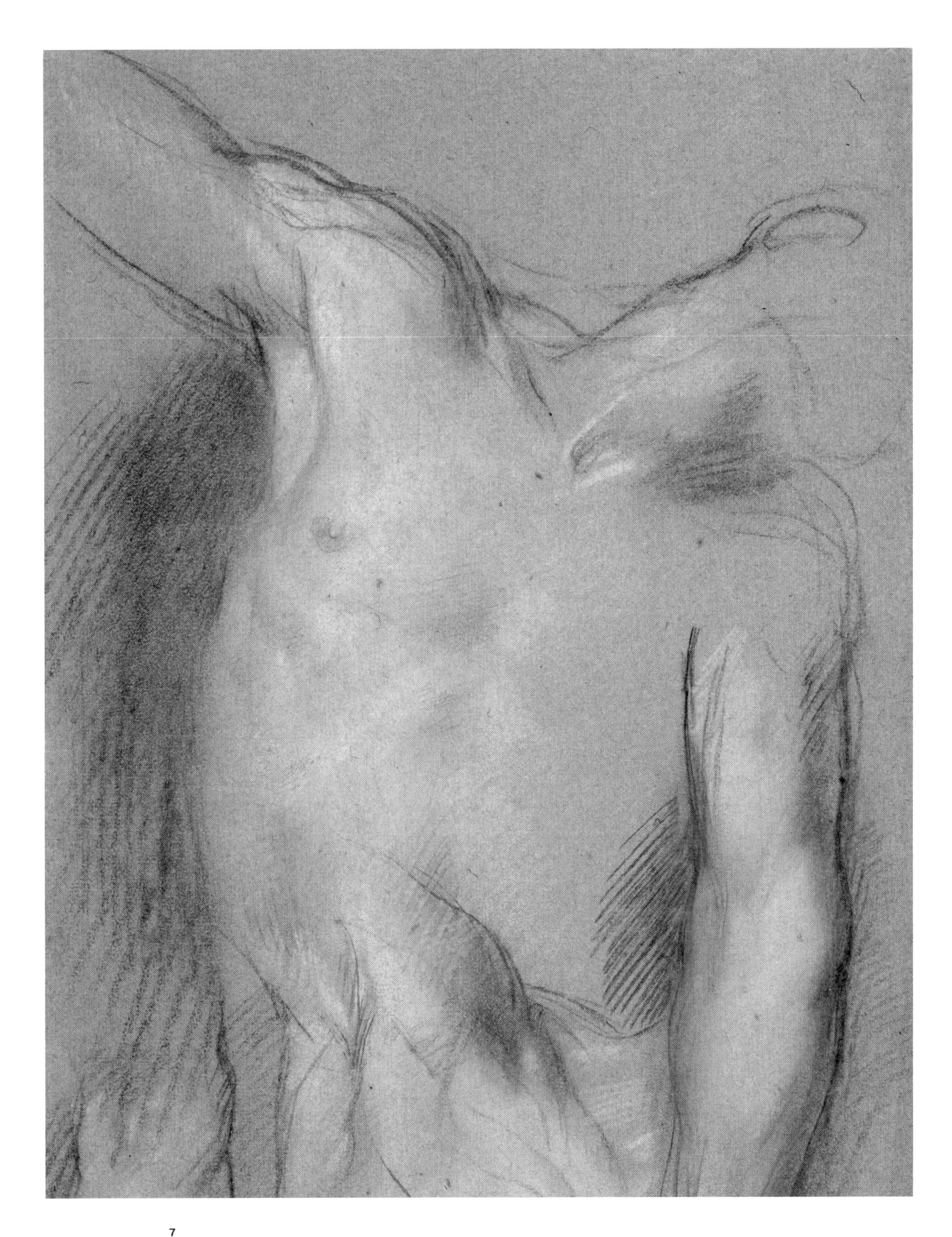

7

Federico Barocci
Studio per la Deposizione (torso di Cristo), particolare.
Berlino, Staatliche Museen, Kupferstichkabinett, inv. KdZ 20466

Dentro il disegno: tre studi giovanili

Tra i più antichi disegni noti di Barocci due, un'*Adorazione dei Magi* oggi al Rijksmuseum di Amsterdam (fig. 4) e un'*Adorazione dei pastori* al Louvre (fig. 5), spiccano per qualità e impegno. Sono comunemente datati attorno al 1558-1560 circa e cioè quando l'artista, ormai venticinquenne, ha raggiunto la maturità espressiva, ma non la consacrazione professionale. Fatto interessante, nessuno dei due studi è connesso a un dipinto, esistente o documentato: potrebbero quindi essere stati eseguiti come esercizi o, più probabilmente, come appunto in vista di future commissioni, cosa che li rende il palinsesto ideale per indagare da vicino il processo di creazione grafica di Federico.

La prima cosa che colpisce osservando i due fogli è la loro complessità. Il giovane Barocci riempie la scena di figure, architetture, dettagli naturalistici. Le idee da fissare sono talmente tante che diversi personaggi vengono appena abbozzati: del mago con il prezioso vaso di incenso riconosciamo solo la testa e una mano, mentre i due pastori che recano dei cesti sembrano, come un noto personaggio dei cartoni animati, dei vortici di linee dai quali fuoriescono un gesto o il profilo di un volto. Federico sta *pensando* sulla carta: anche se ha già un'idea della composizione, dei personaggi, della prospettiva e del punto di vista, non ha ancora fissato definitivamente pose e atteggiamenti, e sceglie quindi di sperimentarli un po' tutti. Come un artista che modella la creta, piegando e flettendo la forma fino a ottenere la giusta angolazione, la foga grafica di Barocci lo porta a disegnare contemporaneamente più soluzioni possibili prima di scegliere quella definitiva: il già citato mago con vasetto ha, dietro il viso finale, altre due possibili teste, mentre il giovane portatore di mirra di fronte a lui ha due arti sinistri e svariate dita soprannumerarie. Come in una cronofotografia dell'Ottocento (o in un dipinto cubista o futurista), nella quale il movimento è evocato sovrapponendo fotogrammi leggermente sfasati dello stesso oggetto, Barocci sfuoca i corpi in una miriade di varianti, prima di scegliere quella definitiva e che si integra meglio con l'insieme. Lo schizzo non è quindi un disegno *dal vero*, eseguito in studio avendo il modello davanti, ma un percorso tutto mentale, nel quale il foglio di carta e la penna o matita strette nel pugno costituiscono tutto l'orizzonte della realtà.

Se lo sfasamento delle forme e dei personaggi nelle due *Adorazioni* evoca le oscillazioni operative all'atto pratico del disegno, le tecniche e i materiali adoperati ci introducono a un'ulteriore sfera di comprensione del disegno, quella temporale. Prima di accingersi all'atto creativo, Barocci seleziona un supporto scuro, di carta azzurra: una carta economica, certo, ma anche più accomodante e permissiva verso gli errori e i ripensamenti. Un segno nero su fondo bianco si nota immediatamente: al contrario, tratteggiando leggermente con la pietra nera (l'antenata della nostra matita) la parte superiore del foglio di Amsterdam, l'artista ha costruito con suprema leggerezza una scala (in alto) e, plausibilmente, una figura reclinata in avanti (sull'angolo superiore destro) che ha poi scelto di non portare avanti e che rimangono, quindi, celate all'attenzione dell'osservatore. Il fondo scuro selezionato da Barocci ha anche un altro vantaggio: smorzando i contrasti, permette di integrare media diversi (la pietra nera, la penna e inchiostri di seppia) e, soprattutto, fornisce lo sfondo ideale sul quale aggiungere, a disegno finito, la cosiddetta "lumeggiatura" a biacca, una sostanza liquida opaca applicata a pennello che "alza" le porzioni dell'immagine colpite dalla luce. Quest'ultima garantisce al disegnatore due utili risultati: nel caso di disegni finiti, eseguiti senza pentimenti o correzioni, permette di rendere più completa e preziosa l'immagine. Al contrario, in opere come le vulcaniche *Adorazioni* di Amsterdam e del Louvre, la biacca isola, modifica, ricopre, permettendo all'artista di isolare tra le varie soluzioni adottate quella definitiva che andrà poi a ricalcare e approfondire in un secondo momento[25].

Disegnare il corpo e la natura

Lo studio della coppia di *Adorazioni* giovanili suggerisce che, almeno nei suoi primi anni di attività, Barocci non possieda esplicite competenze di rappresentazione del corpo umano. Nel foglio di Amsterdam, le figure non hanno alcuna coerenza spaziale, ma vengono aggregate sulla superficie come ritagli di un collage (si noti il dettaglio, ambizioso ma goffo, della testa di cavallo che fa capolino sul margine sinistro della composizione e che si trova incongruamente alla stessa altezza delle ginocchia della Vergine). Il foglio del Louvre, per contro, è più raffinato: anche qui i personaggi si dispongono fuori scala e in modo vistosamente approssimativo attorno alla mangiatoia del minuscolo Bambino, ma la coerenza generale della scena è rafforzata da una robusta costruzione prospettica che aiuta a risanare le precarie posizioni tra i personaggi. Barocci è consapevole di queste mancanze, e cerca di correggerle. Come suggerito dalle gambe del mago e del pastore inginocchiati in primo piano, che appaiono quasi scorticate nel guizzare vivo dei muscoli e dei tendini, dopo il 1558 circa Federico si applica attentamente allo studio dell'anatomia. Di lì a pochi anni, questa fatica dà i suoi frutti: il *Mosè* con il serpente del Louvre (fig. 6), eseguito verso il 1563 come progetto per una sezione di un affresco destinato agli appartamenti del papa in Vaticano, è una figura plasticamente coerente e che trova nella sua corporatura massiccia, ispirata all'esempio dei nudi michelangioleschi, la propria principale ragione d'essere.

Grazie al lungo soggiorno a Roma (1560-1563), che gli permette di studiare dal vero sia il nudo che la scultura antica, Barocci trasforma progressivamente la rappresentazione del corpo umano in uno dei suoi strumenti espressivi più potenti. Uno studio di inquietante bellezza per il torso di Cristo della *Deposizione* di Perugia (fig. 7), eseguita tra il 1567 e il 1569, rivela la pratica di disegno dal vero, ma anche una nuova sensibilità per la rappresentazione del corpo nudo virile. Abbandonando progressivamente la penna, Federico manifesta una spiccata predilezione per l'uso di carte colorate (blu o preparate marroni) che gli permettono, una volta abbozzate le forme e le anatomie, di applicare uno strato di gesso bianco e di conferire alla figura la vibrazione luminosa della carne e della pelle[26]. Nei fogli più belli (fig. 1), le aree del corpo più scure o soggette ad arrossamento, come le areole, le nocche o le guance, sono rialzate con sottili colpi di pietra rossa o pastello giallo e rosa: una finitura che, trasformando le emozioni in colore (l'arrossamento causato dal pudore o dall'eccitazione, lo sbiancamento tipico della paura o della morte), conferisce alle immagini una straordinaria vitalità e conferma in Barocci un attento osservatore della natura e della fisicità virile e femminile[27].

Attorno al 1570, la raggiunta padronanza dell'anatomia e della figura umana, unita a una conoscenza diretta dell'architettura e della prospettiva trasmessagli dallo zio architetto Bartolomeo Genga (1508-1558), permette a Barocci di concentrarsi su altri dettagli della composizione: non i panneggi, ancora rigidi e convenzionali (come per l'inverosimile arco del mantello di Mosè, pura invenzione grafica atta a rafforzare l'efficacia del suo gesto di sorpresa), ma, piuttosto, i dettagli di gusto paesaggistico. Se l'*Adorazione dei Magi*, ancora insicura, include la natura solo nella forma convenzionale di una testa di cavallo, quella coeva dei *Pastori* e il *Mosè* presentano garbate visioni di tronchi, rami e rocce descritti con la minuzia di un miniatore medioevale.

Il corpo umano è, come è noto, una delle sfide più difficili del disegnatore di soggetto, secondo solo alla resa delle espressioni del volto; così che, dopo le fatiche impiegate per concepire le azioni dei propri personaggi, si può immaginare che Federico provi un segreto piacere nel comporre, con larghi segni ondulati e generose pennellate di biacca, il fremere sotto il vento dei rami e delle fronde, l'armonia bilanciata delle nodosità dei tronchi e l'identità levigata dei ciottoli di fiume. Proprio in questo piacere manuale e mentale sembra allora di potere individuare quel *trait de force* in cui Flaubert individuava l'impronta personale di ogni maestro e che, nel caso di Barocci, si traduce in un'inesauribile inclinazione al disegno, conferendo ai suoi fogli quella qualità e passione esecutiva che li rende capolavori senza tempo.

Note

1 L'opera grafica di Barocci è stata oggetto di numerosi contributi. Tra i testi di orientamento generale rimando almeno ai cataloghi di mostra: *Disegni di Federico Barocci* 1975 e *The Graphic Art of Federico Barocci* 1978. Più di recente, si vedano Marciari, Verstegen 2008; Bohn 2012a, e *Raffaello, Parmigianino, Barocci* 2015, con bibliografia precedente
2 Bellori 1672; ma cfr. anche la riedizione moderna Bellori [1672] 2009.
3 Oltre alla sempre valida biografia belloriana di Donahue 1943-1945, sulle *Vite*, la loro datazione e i loro scopi si vedano almeno Borea 2000; Sparti 2002; Previtali 2009. Cfr. anche, più recentemente, la raccolta di saggi in *Begrifflichkeit* 2014 (tra cui, in particolare, quello di Sparti 2014, pp. 187-214); e Sparti 2012, pp. 85-102.
4 Nato a Urbino nel 1606 e qui morto nel 1669. Il suo ritratto si conserva presso l'Accademia Raffaello di Urbino.
5 Le poche notizie su Beni e Bruni si devono allo stesso Bellori (1672, pp. 170, 173) e a una lettera pubblicata in Bottari, Ticozzi 1822-1825, I, pp. 358-360, doc. CXLVI. Per ulteriori precisazioni mi permetto di rimandare al paragrafo dedicato nel mio studio, di imminente pubblicazione, Baroni in corso di stampa [c]. Per la descrizione dello studio di Barocci e la compilazione del suo inventario cfr. Ekserdjian 2018 e Baroni 2023a, con bibliografia precedente.
6 Bellori 1672, p. 196.
7 Sul contesto urbinate durante gli anni di formazione artistica del giovane Barocci e i suoi disegni giovanili si veda Baroni 2020a.
8 Baroni 2020b.
9 Castelnuovo, Ginzburg [1979] 2019; Chastel 1983; Warnke 1991.
10 Bellori 1672, p. 171.
11 Federico Barocci, *Studi per la Visitazione* (recto) / *Studio di figura femminile* (verso). Penna e inchiostro bruno e tracce di pietra nera, 197 × 265 mm. Gran Bretagna, collezione privata (già Londra, Christie's, 1.7.1986, lotto 114). L'annotazione di padre Resta, iscritta sul recto, recita: "Studij per far un S. Gioachino / in cappela di S. Anna / alla Visitatione della / Madonna. quanto studiavano!".
12 Bambach 2015; Verstegen 2005-2006; Baroni 2022b.
13 *The Graphic Art of Federico Barocci* 1978; Prytz 2011.
14 Sull'adozione dei pastelli da parte di Barocci si vedano Folds McCullagh 1991; McGrath 1998; Loisel 2008; Ballarin 2010; Monbeig Goguel 2020 e da ultimo, con nuove proposte di cronologia, Baroni 2024a.
15 Bellori 1672, p. 195.
16 Baroni in corso di stampa [a]. Per la presenza di pastelli di Barocci in collezione di fine Cinquecento: Sapori 1983; Lafranconi 1998; Galassi 2014b.
17 Baroni 2018.
18 Ekserdjian 2021b.
19 Baroni in corso di stampa [b].
20 Calzini 1898.
21 Rinaldi 2023; Bolzoni, Damen 2020; Arcangeli 2012 (per i disegni della raccolta Viviani oggi custoditi presso la Galleria Nazionale della Marche).
22 Shearman 1976.
23 Vasari [1568] 1966-1987, VI, p. 108.
24 Cleri 1993-2000, su cui cfr. Baroni 2022b.
25 Sulla pratica del tracciamento in Barocci (riferito ai dipinti, ma applicato anche al disegno), si veda Freeman Bauer 1986.
26 Baroni 2024c.
27 Baroni 2021b.

BARROCCI RIPRODOTTO

LA FORTUNA A STAMPA

Ilaria Miarelli Mariani

La fortuna a stampa di Federico Barocci comincia già negli anni ottanta del XVI secolo, quando la sua opera attira l'attenzione di illustri incisori sia connazionali che "forestieri". Le opere principali del pittore, come nota per prima Evelina Borea, erano collocate in luoghi poco frequentati dagli artisti dell'epoca e non facilmente raggiungibili da Roma[1]. Sembra dunque plausibile che il diffuso interessamento da parte degli incisori per tali opere "decentrate", che si verificò in maniera continuativa dal 1584 al 1615, sia stato motivato dall'apparizione delle prime tre acqueforti dello stesso Barocci da opere di sua invenzione, la *Madonna delle nuvole*, *Le stigmate di san Francesco* e *Il Perdono di Assisi*, le prime due di incerta datazione e la terza del 1581. La piccola stampa nota come *Madonna delle nuvole* o *Madonnella* (fig. 2) è ispirata alla porzione superiore della pala d'altare che il pittore urbinate dipinse per la chiesa di san Giovanni Battista, eremo dei Cappuccini di Fossombrone (cat. VII.2)[2], un'invenzione che ebbe molta fortuna, omaggio alla *Madonna di Foligno* di Raffaello e alla *Madonna della scala* di Correggio, fortuna documentata dalle diverse versioni del soggetto nel territorio dell'ex ducato di Urbino e, ovviamente, dall'acquaforte firmata dallo stesso maestro[3]. Questa, databile forse intorno al 1580, dimostra una sua autonomia rispetto al dipinto ed ebbe una grande diffusione[4]. Il *San Francesco riceve le stigmate* (fig. 3), stampa in cui il pittore mette a punto la rivoluzionaria scoperta delle morsure multiple, riprende in controparte la tela oggi alla Pinacoteca Civica (ma si veda Ekserdjian p. 78 per altra destinazione), collocabile dopo il 1576 (cat. III.12), mentre *Il Perdono di Assisi* (fig. 4) è tratta dal dipinto per la chiesa di San Francesco a Urbino, di cui esiste una versione con varianti alla Galleria Nazionale delle Marche (cat. VII.4)[5]. Le tre stampe costituirono una novità sorprendente al loro apparire, non solo per la diffusione della conoscenza delle novità formali del Barocci, ma anche per l'utilizzo della tecnica, "capace di rendere, con la modulazione delicatissima delle morsure dell'acido, lo svariare del pulviscolo atmosferico tipico della pittura baroccesca, cancellando il disegno interno"[6]. La straordinaria resa coloristica e i passaggi di luce del pittore trovano dunque, per sua stessa mano, il mezzo adatto per essere tradotti e diffusi. Comparse dunque le acqueforti, entra subito in gioco colui che è forse il migliore incisore italiano della sua epoca[7], Agostino Carracci, fratello maggiore di Annibale e cugino di Ludovico, protagonisti indiscussi dell'"ideale classico". Agostino, le cui incisioni sono soprattutto basate su composizioni di altri artisti scelte con occhio da critico d'arte[8], volle copiare nel 1582 a bulino la *Madonna delle nuvole* e, più tardi, uno dei dipinti più famosi del Barocci, unica sua opera di soggetto profano, la straordinaria *Fuga di Enea da Troia* (fig. 5). Dell'opera esistevano due versioni, entrambe eseguite per committenti illustri. La prima, databile al 1586-1589 per la raccolta di uno dei più grandi collezionisti del secolo, Rodolfo d'Asburgo, e destinata a Praga, oggi dispersa, e la seconda, datata 1598, per Giuliano della Rovere, che probabilmente la donò al cardinale Scipione Borghese, nella cui collezione è attestata dal 1613. L'incisione di Agostino, eseguita probabilmente a Roma per Odoardo Farnese, è datata 1595, pur essendo molto simile al dipinto del 1598 della Galleria Borghese. Dunque, o le due opere riproponevano la stessa composizione o Agostino si servì di un dettagliato bozzetto del Barocci per la seconda versione[9]. Al di là dell'importanza dell'esistenza della stampa per testimoniare o meno le fattezze del perduto dipinto per l'imperatore Rodolfo, il bulino costituisce l'ultimo episodio di rilievo della carriera del bolognese come incisore, il quale si rivolge a un dipinto maturo dell'urbinate e, conformemente alle proprie inclinazioni del periodo, sceglie un soggetto profano,

1

Cornelis Cort
Riposo durante la fuga in Egitto, particolare. Roma, Istituto Centrale per la Grafica, inv. S-FC122764

Federicus Barotyus Vrbinas
inuentor

2

Federico Barocci
Madonna delle nuvole.
Roma, Istituto Centrale per la Grafica, inv. S-FC76168

3

Federico Barocci
San Francesco riceve le stigmate. Roma, Istituto Centrale per la Grafica, inv. S-FC76170

4

Federico Barocci
Il Perdono di Assisi. Roma, Istituto Centrale per la Grafica, inv. S-FC76167

carico di pietà filiale[10]. Un disegno monocromo compatibile con le dimensioni dell'incisione e oggi a Windsor Castle è stato a lungo considerato preparatorio alla stampa, anche se recentemente è stato invece riavvicinato alla mano dello stesso Barocci[11]. Della grande incisione, come riporta il Malvasia, Agostino si compiacque molto, rimanendo soddisfatto della propria capacità tecnica nel rendere un'opera di grande complessità di azioni e scenografia. Ne inviò due copie al pittore a Urbino, che invece manifestò all'autore tutta la sua insoddisfazione indirizzando ad Agostino "risentita ed indiscreta risposta che giurava il pover uomo non aver mai a' suoi giorni incontrata simil mortificazione"[12]. Il virtuosismo tecnico, l'accento sulle muscolature derivate probabilmente dall'influsso di Goltzius, in Italia dal 1591, furono forse le cause delle forti perplessità del Barocci[13], ma la stampa resta uno dei punti più alti della carriera incisoria del Carracci. Agostino era abituato alla traduzione di scene particolarmente complesse dal punto di vista sia compositivo che coloristico grazie alle apprezzate riproduzioni, a Venezia, delle opere di Veronese e Tintoretto e "la stampa magnifica impostata sulla spettacolare composizione baroccesca reca possente il marchio plastico dei Carracci a scapito di quegli effetti di trasparenza atmosferica che il Barocci otteneva nelle sue pitture o, con l'acquaforte, nelle sue stampe"[14]. Siamo allo scadere del XVI secolo e al passaggio tra due epoche e stili pittorici, quando molti incisori avevano già reso omaggio alle atmosfere a tratti rarefatte e raffinate del pittore urbinate, contribuendo alla diffusione del suo repertorio.

Si era infatti cimentato nella riproduzione di due opere di Barocci il famosissimo incisore olandese trapiantato a Roma per quarant'anni, Cornelis Cort, uno dei maggiori fautori della fortuna nordica del pittore. Barocci comprende infatti molto presto il valore della stampa come strumento di divulgazione del proprio operato[15] e fu forse a Roma, dove era con ogni probabilità tornato tra il 1573 e il 1574, che ebbe modo di conoscere il noto incisore[16]. Cort incide, nell'anno giubilare 1575 e con dedica al vicario di Roma, il cardinale Giacomo Savelli, il *Riposo durante la fuga in Egitto* (fig. 6), dipinto eseguito in varie versioni – la stampa riproduce quella per il conte Brancaleoni di Piobbico, ancora oggi nella chiesa di Santo Stefano della cittadina – decretando l'incredibile successo dell'opera, soprattutto nell'ambiente manierista olandese[17]. Un soggetto di vita familiare e idillica in cui Cort riesce a rendere appieno la luminosità della tela e la delicata gradazione cromatica, elemento ritenuto essenziale per la buona riuscita di una trasposizione incisoria. Una trasposizione peraltro eseguita virtuosisticamente nello stesso verso del dipinto e che vanta oltre quindici derivazioni fino al XVIII secolo[18]. Del 1577 è invece la stampa dalla *Madonna del gatto*, soggetto altrettanto domestico, sempre eseguita per il conte Brancaleoni e oggi alla National Gallery di Londra, questa volta realizzata in controparte. Il modello per la stampa è stato individuato in un disegno di Barocci oggi al British Museum e a lungo ritenuto, per la finitezza del segno, una derivazione dalla stampa di Cort. Alla luce di questa considerazione Anna Cerboni Baiardi ha giustamente ipotizzato un esclusivo rapporto di fiducia che legava Barocci all'olandese quale traduttore "ufficiale" della sua opera, un rapporto purtroppo interrotto dalla morte del Cort nel 1578. Fu infatti prevalentemente dopo quella data che l'urbinate si dedicò personalmente all'attività calcografica. Del 1581 è infatti la già citata acquaforte del *Perdono di Assisi*, per la quale il pittore richiese il privilegio papale per dieci anni e che fu riprodotta da un altro incisore del Barocci, Francesco Villamena, nel 1588. Capolavoro incisorio del pittore è la trasposizione dell'*Annunciazione* eseguita per la cappella di Francesco Maria II della Rovere nella basilica di Loreto e oggi nei Musei Vaticani (cat. V.4), nella quale l'artista rende con assoluta perizia la profondità prospettica e la morbidezza chiaroscurale ottenuta nella tela mediante il cromatismo. Dopo questa prova, collocabile tra il 1584 e il 1588, Barocci sembra però abbandonare l'incisione diretta delle sue opere, lasciando ad altri il compito di trasmettere la sua opera, pur non rimanendo sempre soddisfatto dei risultati, come nel caso, certamente non isolato, di Agostino Carracci.

Nel frattempo anche le opere conservate a Roma avevano suscitato attenzione calcografica. Nel 1588 Gijsbert van Veen, originario di Leida, incise per primo la *Visitazione* della Chiesa Nuova (cat. II.3) con la dedica al cardinale Ippolito Aldobrandini, un'opera che fu poi trasposta a stampa da Philippe Thomassin, Philip Galle e Aegidius Sadeler. Barocci fu, infatti, fatta eccezione per Tiziano, il pittore che vide il maggior numero di opere riprodotte quando era ancora in vita. È evidente che la sua produzione doveva apparire "nuova" ma al tempo stesso ancora nel solco della tradizione cinquecentesca[19]. La fine di questa straordinaria fortuna si colloca al 1615, quando, morto il pittore da tre anni, Thomassin incide la seconda opera eseguita per la Chiesa Nuova, la *Presentazione della Vergine* (cat. VI.8). La Vita a lui dedicata da Giovanni Pietro Bellori non condusse infatti a un revival del suo operato.

La storia delle incisioni tratte dalle sue opere tra XVIII e XIX secolo è stata ripercorsa sempre nel 2009 da Evelina Borea. Si tratta di apparizioni sparute, immagini che diventano primariamente devozionali oppure inserite all'interno di pubblicazioni dedicate a musei e collezioni insieme a molti altri autori. Così, ad esempio, il *Riposo durante la fuga in Egitto* della collezione Aldobrandini compare in uno dei più sontuosi libri a stampa del XVIII secolo, la *Schola italica picturae* di Gavin Hamilton, inciso da Antonio Capellan, e altre opere appaiono sempre in pubblicazioni miscellanee.

5

Agostino Carracci
La fuga di Enea da Troia.
Roma, Istituto Centrale per la Grafica, inv. S-FC30369

6

Cornelis Cort
Riposo durante la fuga in Egitto. Roma, Istituto Centrale per la Grafica, inv. S-FC122764

7

Raffaello Morghen inc.,
Stefano Tofanelli dis.
Noli me tangere, 1816.

8

Giovita Garavaglia
Agar e Ismaele, 1823. Roma, Istituto Centrale per la Grafica, inv. S-FC51758

Il trasformarsi, tra XVIII e XIX secolo, delle stampe di traduzione da veicolo di ammirazione e conoscenza di opere indicate come modello anche a mezzo di diffusione di dipinti per il mercato si coglie bene nel caso del *Noli me tangere* della collezione Buonvisi di Lucca. La bella stampa che ne trasse nel 1816 Raffaello Morghen, tra i più acclamati incisori del suo tempo, fu eseguita da un disegno realizzato a Lucca da Stefano Tofanelli nel 1802 (fig. 7), come dimostra una lettera recentemente pubblicata[20]. Secondo Evelina Borea l'apparizione della stampa era "del tutto casuale", ma questa, eseguita anni più tardi, ha una funzione ben precisa e rientra nella collaborazione tra Morghen e il pittore lucchese nel campo della riproduzione di opere sovente conservate in raccolte private, e dunque con spiccate finalità promozionali e destinate soprattutto al mercato[21]. Sono infatti molto spesso incisioni singole, eseguite al tratto lineare e talvolta chiaroscurate, da quadri che in molti casi lasciano sfortunatamente le proprie dimore nel giro di pochi anni[22]. Il percorso collezionistico del dipinto, molto lodato da Bellori, è stato ricostruito per primo da Olsen, ma in base a recenti ritrovamenti documentari è ora possibile seguirlo con maggiore precisione. Il *Noli me tangere* faceva parte della collezione Buonvisi di Lucca ed è registrato nella dimora di Francesco nel 1768 e ancora nel 1776[23]. È inciso per la prima volta nel 1609, quando Barocci era ancora in vita, dall'urbinate Luca Ciamberlano con l'intento di rendere nota un'opera pregevole del suo conterraneo fino a quel momento sconosciuta a Urbino. Spesso l'incisione di Morghen è erroneamente ritenuta come ripresa da quella di Ciamberlano. In realtà, la coincidenza di date e la prassi del binomio Morghen-Tofanelli di riprodurre opere da immettere sul mercato collega chiaramente la stampa all'uscita dell'opera dalla dimora avita. I Buonvisi, trovandosi in difficoltà economiche, avevano infatti alienato la propria collezione, che si ritrova poi in quella della regina di Etruria e duchessa di Lucca, Maria Luisa di Borbone, che comincia a raccogliere opere d'arte proprio a partire dal 1817[24]. Il dipinto, insieme alla collezione, è successivamente venduto a Londra nel 1841 e dopo alcuni passaggi di proprietà giunge nella collezione Allendale a Bywell Hall[25].

Associata invece alle esposizioni museali e alla diffusione dei cataloghi e delle incisioni delle grandi collezioni pubbliche è la fortuna di un'opera nella galleria di Dresda più volte riprodotta in Germania e oggi declassata a scuola di Barocci, l'*Agar e Ismaele* o la *Madonna col Bambino*, a cui lega la sua fama un altro grande incisore ottocentesco, Giovita Garavaglia, che la riproduce con grandi lodi nel 1823 (fig. 8).

Poco resta, dunque, a inizio XIX secolo, della straordinaria fama che aveva accompagnato al suo apparire la pittura di Barocci, a suo modo "rivoluzionaria", fatta di colori brillanti e avvolgenti e atmosfere rarefatte. Ma di certo non era del tutto dimenticata se nel 1819, nella sua prima visita a Roma, il grande "romantico" William Turner schizza e annota alcune opere che lo avevano particolarmente impressionato. Turner è interessato soprattutto ai "sublimi" paesaggi romani, ma anche alcuni dipinti attirano la sua attenzione, tra cui l'*Enea* della Borghese (cat. V.12), che aveva certamente già conosciuto attraverso le stampe[26]. Sono soprattutto i colori infuocati che lo colpiscono, tanto che Cecilia Powell ha suggerito una perfetta sintonia tra l'approccio di Barocci e quello di Turner nell'uso di colori emotivi[27] e dunque la possibile influenza del pittore urbinate su uno dei più grandi artisti del secolo.

Note

1 Borea 2009a, III, p. 231. Borea dedica un paragrafo alla *Fortuna del Barocci* che costituisce un solido punto di partenza per la ricostruzione della fortuna in stampa del pittore.
2 Emiliani 2008, I, pp. 188, 218-221.
3 Moretti 2013, p. 186.
4 Cerboni Baiardi 2022-2023, pp. 107-108.
5 Catalucci, in *L'altra collezione* 2023, pp. 96-97, n. 7.
6 Borea 2009a, III, p. 231.
7 Sutherland Harris 2000, p. 212.
8 Borea 2009a, III, p. 213.
9 Per un riassunto della questione, Cerboni Baiardi 2022-2023.
10 Borea 2009a, III, p. 214.
11 Cerboni Baiardi, in *Federico Barocci* 2009, p. 345, n. 74.
12 Malvasia 1678, I, p. 401.
13 Malvasia 1678, I, p. 401.
14 Borea 2009a, III, p. 214.
15 Cerboni Baiardi 2022-2023, cui si rimanda per la ricostruzione della produzione incisoria del Barocci.
16 Agosti 2021; Cerboni Baiardi 2022-2023, p. 99.
17 Capitelli 2009, p. 22; G. Marini, in *Federico Barocci* 2009, pp. 389-390, n. 115.
18 Marini, in *Ferderico Barocci* 2009, pp. 389-390, cat. 115
19 Borea 2009a, III, p. 232.
20 Lisanti 2023, pp. 100-101.
21 Lisanti 2023, p. 16.
22 Miarelli Mariani 2021, p. 219.
23 Carloni 2000, p. 91.
24 Carloni 2000, p. 91.
25 Tschudi Madsen 1959, p. 274, n. 11.
26 Turner 1819.
27 Powell 1984, p. 433; Powell 1987, pp. 68-69.

BAROCCI E URBINO

Giovanni Russo

Per le esequie di Federico Barocci il letterato e cortigiano Vittorio Venturelli lesse un'orazione funebre in San Francesco a Urbino alla presenza dei familiari, delle autorità e dell'intera comunità locale; quel discorso, riaffrontato e commentato in tempi recenti, intreccia la vicenda personale e artistica del maestro con la sua patria d'origine[1]. Così i monumenti e la storia gloriosa della città diventano protagonisti nella narrazione della vita e dell'opera del suo ultimo grande figlio, erede della pittura di Raffaello Sanzio che tanto aveva dato lustro al ducato dei Montefeltro e dei Della Rovere. In quell'occasione furono ricordati due tra i più celebrati capolavori del maestro destinati alla locale famiglia francescana: *Il Perdono di Assisi* (cat. VII.3) e *San Francesco riceve le stigmate* per i Cappuccini (cat. VII.6). Urbino, come è stato messo in rilievo dalla critica, era nelle parole del Venturelli la città ideale in cui il maestro, al riparo dalla pressione di committenti esigenti e dalla feroce competizione artistica alla corte pontificia, poté dare indisturbato saggi inarrivati delle sue capacità, recuperando l'aura più contemplativa della città nei paesaggi che facevano da sfondo alle sue composizioni religiose[2].

La sincera partecipazione alla spiritualità della Controriforma influì sul Barocci nella rappresentazione delle ambientazioni delle storie sacre, in cui il dato reale della quotidianità, l'osservazione e lo studio dal vero acquistano un valore centrale nella successiva fase di elaborazione pittorica. Gli scorci di Urbino, su tutti quelli del suo Palazzo Ducale (fig. 2), diventano agli occhi dei fedeli, tanto dei suoi concittadini quanto dei committenti italiani e stranieri ai quali erano spediti i suoi dipinti, scenografie predilette in cui calare gli episodi salienti della vita di Cristo. Esemplari in tal senso, seguendo l'andamento delle sezioni di mostra, sono la *Madonna della gatta* di Palazzo Pitti (cat. II.4), la *Visitazione della Vergine a sant'Elisabetta* della Vallicella a Roma (cat. II.3), il *Noli me tangere* pure a Palazzo Pitti (cat. III.4), la *Madonna del gatto* della National Gallery di Londra (cat. III.3) e l'*Annunciazione* (cat. V.4) già nella cappella dei Duchi della Rovere nel santuario di Loreto, oggi ai Musei Vaticani. Ma tale parallelismo, come rilevato negli studi, non può e non deve ridursi a una lettura semplificata del rapporto di Barocci con la sua patria e con le contingenze del suo tempo, tra ansie congenite e cristiana speranza nella gloria dei Cieli, né tantomeno si dovrebbe cadere in una lettura finalistica degli ultimi decenni di indipendenza del ducato roveresco, finendo per trasfigurare la sua antica capitale in una seconda Ávila di ascetismo e di penitenza. Si possono allora prendere in prestito le parole con cui Andrea Emiliani metteva lucidamente in prospettiva storica gli avvenimenti politici dello scorcio del XVI secolo:

> Barocci, il maggiore artista della riforma cattolica, è dunque destinato a rimaner confinato in Urbino, chiuso e sofferente nelle alte disadorne stanze della sua stessa città, pur tra i numerosi capolavori rinascimentali che furono dei Montefeltro, da Paolo Uccello a Luca Signorelli, allo stesso Piero. La città aveva cessato di essere patrimonio di quella signoria con la morte di Guidubaldo, nel 1508; e dopo un ventennio vedeva attestarsi infine il nuovo condizionato potere dei Della Rovere e di Francesco Maria II, di quel casato imparentato ai suoi dì con Giulio II e con i Gonzaga di Mantova[3].

Oggi appare riduttivo, anche alla luce delle recenti scoperte documentarie, considerare il pittore tenacemente "barricato" nella sua Urbino a partire dalla metà degli anni sessanta a gestire da lì committenze di prestigio assoluto e a controllare meticolosamente la diffusione delle proprie invenzioni tramite le incisioni[4]; d'altro canto, attraverso una sistematica riproposizione degli studi dal vero

1

Federico Barocci
Madonna col Bambino e san Giovanni Evangelista, detta *Madonna di san Giovanni*, 1564-1565 circa, particolare. Urbino, Galleria Nazionale delle Marche

2

Urbino, veduta del Palazzo Ducale dalla fortezza Albornoz

3

Urbino, veduta della vallata di Crocicchia

del paesaggio e di ambientazioni urbane, Barocci portò Urbino, e con essa simbolicamente la memoria dell'importanza storica che la sua corte ebbe a livello europeo a cavaliere di Quattrocento e Cinquecento, a diventare quasi una seconda firma nelle sue pale d'altare e nei suoi dipinti per la devozione privata.

La vicinanza agli ambienti romani del Borromeo, di san Filippo Neri non ancora esaltato nell'agiografia, ci trasporta perciò nell'antica capitale del ducato negli anni successivi al rientro del Barocci dai lavori al casino di Pio IV in Vaticano, in quel clima di fervente religiosità rinnovata nel messaggio di povertà evangelica dei Cappuccini, famiglia di recente formazione che proponeva il ritorno a una rigorosa lettura della regola francescana con l'allontanamento dal mondo e con una rinuncia totale ai beni terreni e al conforto materiale[5]. Certamente Barocci condivideva l'attitudine alla preghiera, al lavoro e alla solitudine con quest'ala riformista del grande ordine francescano, ai cui frati sperduti tra le colline di Crocicchia non a caso fece dono di un ex voto per lo scampato avvelenamento (o presunto: ma poco importa). Ancora oggi, per chi si muova da strada Rossa nelle strade vicinali attorno al campus scientifico Enrico Mattei (ex Sogesta) dell'Università degli Studi di Urbino, le colline di campi coltivati a foraggio e i boschi di querce rievocano gli interessi del pittore verso un'indagine realistica del paesaggio naturale, che tanta importanza ebbe nelle sue tele (fig. 3)[6]. Possiamo immaginare che in questa vallata e nei dintorni d'Urbino egli mettesse a punto gli schizzi che poi avrebbe rielaborato al rientro in bottega, calibrando composizioni e riorganizzando nei fogli lo studio dei "lumi". Per i Cappuccini, su commissione dell'anziano duca Francesco Maria II, a distanza di un trentennio il pittore realizzò anche la pala con il *San Francesco riceve le stigmate*, straordinaria prova di notturno in cui l'evento miracoloso è ambientato esattamente nel prato antistante la chiesa, con la facciata rimasta sostanzialmente intatta fino a noi sul versante della collina opposto all'area occupata dai collegi universitari di Giancarlo De Carlo.

Lasciati i dintorni della città, un itinerario urbano tra la vita e le opere di Federico Barocci dovrebbe toccare alcuni luoghi privilegiati di visita, a partire dalla via, a pochi passi dall'oratorio di San Giovanni Battista, in cui si trovano sia la casa di famiglia, abitata dall'avo Ambrogio, scultore di Federico da Montefeltro nella fase culminante della decorazione del Palazzo Ducale sotto la guida dell'architetto senese Francesco di Giorgio, sia quella che Federico abitò dal 1580, come è stato ricostruito attraverso i documenti da Franco Negroni (fig. 4)[7]. Non si riesce invece a dire molto della bottega del maestro: da un lato sappiamo che al suo rientro a Urbino dopo la breve parentesi romana egli affittò per le sue commissioni per San Francesco alcuni locali sopra l'oratorio di Sant'Antonio Abate in Pian di Mercato (poi distrutto per far posto a Palazzo Nuovo Albani)[8], dall'altro una tradizione locale, a oggi non verificata nei documenti, ricorda l'uso di Ca' Gondi prima che vi si installasse Claudio Ridolfi con i suoi aiutanti agli inizi della sua attività urbinate per la corte del duca Francesco Maria II e del tanto sospirato erede Federico Ubaldo[9]. Grazie alle parole di Bellori si può rievocare, assieme a una certa dose di curiosità e di simpatia che la gente comune avrebbe potuto avere verso l'artista, come Barocci si aggirasse in cerca d'ispirazione per le vie del centro:

> sempre ch'egli si trovava in piazza o per istrada e respirava dal male, andava osservando le fattezze e l'effigie delle persone, e se vi ritrovava qualche parte riguardevole, procurava di accomodarsene in casa, facendone scelta e servendosene all'occasione; e se avesse veduto una bella bocca, ne formava le sue bellissime arie di teste[10].

Fin dal pionieristico contributo sul pittore di August Schmarsow, che verso il 1887 visitava Urbino per approfondire le sue conoscenze su Melozzo da Forlì e su Giovanni Santi e inevitabilmente entrava in contatto con Barocci tra quanto conservato nel Museo annesso all'Istituto di Belle Arti delle Marche e quanto esposto nelle chiese cittadine, non è estraneo agli studi il tentativo di rintracciare nella memoria visiva dell'artista alcune esperienze fondative della grande tradizione di Urbino, che affondava le sue radici, come il Palazzo Ducale stesso, nell'età dei Montefeltro[11]. Sono ancora una volta le parole di Emiliani a circoscrivere i termini della questione:

> nell'opera di Barocci, come accade in altri artisti, hanno la loro apparizione immagini che derivano da altri pittori e ciò anche se questo genere è abbastanza raro in Barocci, un artista che non concede molto sul piano di ciò che oggi chiamiamo il suo *stile*. Queste immagini delle quali daremo descrizione sono vere citazioni che il pittore compie in ossequio al dettato della *Recordatio* nuovamente richiamata in vita dalla norma della Regola francescana. E per l'ammirazione e la continuità dovute al passato Federico ricorre agli artisti che egli reputa esemplari per la vicenda storica della città di Urbino. Questi sono importanti per la sua vicenda e per la comunità, come avviene nel caso di Raffaello, che egli ritiene il genio dell'irripetibile e memorabile età montefeltresca. Il secondo artista che Barocci cita quanto a immagine è Tiziano: il grande pittore che morirà nel 1576 solo l'anno avanti di quando Barocci l'omaggerà nel *Perdono di Assisi*, utilizzando l'apparizione tipica del grande Cristo che sovrasta San Francesco. Barocci illumina la bellezza del dipinto con la *Resurrezione di Cristo* che Tiziano aveva mandato a Urbino, nella chiesa del Corpus Domini (a pochi passi dalla chiesa del Santo) ancora nel 1544[12].

Schmarsow è tra i primi a far emergere uno dei molti nessi che legano l'opera di Barocci per Urbino con la lunga tradizione artistica cresciuta all'ombra dei torricini: nelle figure di fondo alla destra dell'*Ultima cena* (cat. VIII.3) della cattedrale egli si lasciava suggestionare dall'eco delle figure al di là del duca Federico da Montefeltro nella pala di Giusto di Gand già nella chiesa della confraternita del Corpus Domini: "Laggiù, nell'angolo scuro, alcuni curiosi si affacciano attraverso una porta semiaperta. Riusciamo a vedere una madre con il bimbo appoggiato alla spalla, in cui ci sembra di riconoscere il principino di Urbino, come nel quadro di Giusto di Gand, il tanto desiderato erede nato appena nel 1605"[13]. La cattedrale di Francesco di Giorgio, voluta da Federico da Montefeltro, accoglieva nell'edificio originario altre due primizie dell'artista: la *Santa Cecilia* (cat. VIII.1), copia acerba da Raffaello mediata da un'incisione di Marcantonio Raimondi, e l'altrettanto giovanile *Martirio di san Sebastiano* (cat. VIII.2). Della prima fu l'arcivescovo Alessandro Angeloni alla metà dell'Ottocento a rivalutare l'importanza quale incunabolo del pittore, e ne impose la collocazione all'altare degli Antaldi nel nuovo edificio in sostituzione del *Battesimo di Cristo* di Giovanni Andrea Lazzarini, giusto accanto al *Martirio di san Sebastiano*[14]. In quest'ultimo il ricongiungimento del ritratto di giovane con la tela dopo il furto del 1982 è stato l'occasione per un approfondimento sui tempi e sui modi della sua committenza da parte dell'influente famiglia urbinate dei Bonaventura[15].

A conti fatti sopravvivono a Urbino solo due contesti pressoché intatti d'ambientazione delle pitture di Barocci: la già citata cappella del Sacramento nel duomo, con i suoi stucchi di Fabio Viviani e di Marcello Sparzio e con il complesso programma iconografico dipinto nelle tele della volta e alle pareti, e, a poche decine di metri di distanza, nell'oratorio della Morte, la maestosa *Crocifissione con i dolenti* (cat. VII.1) all'altar maggiore, che conserva ancora la carpenteria lignea originaria: l'unica superstite per un'opera del maestro a Urbino[16].

Un'ipotetica passeggiata per le vie del centro, lasciato alle spalle il portale di quest'oratorio in un severissimo bugnato post-tridentino dalla volta della Morte alla volta di Pian di Mercato, si deve concludere accennando ai contesti sacri che nella più importante piazza cittadina non sono più esistenti o sono stati radicalmente trasformati. Va ricordato che sostanzialmente tutta la periegetica urbinate tra XVIII e XIX secolo, manoscritta o stampata, riporta con orgoglio civico e con dovizia di particolari (in varia misura riprendendo gli estensori precedenti) le descrizioni delle opere dipinte dal Barocci per gli altari delle chiese e degli oratori cittadini: dal resoconto di papa Clemente

4

Urbino, via Barocci verso l'oratorio di San Giovanni Battista

XI per la visita di Curzio Origo e di Giovanni Maria Lancisi (1703)[17], agli anonimi degli elenchi del 1705-1708, del 1725 e del 1794, riuniti in un utilissimo studio sinottico da Francesco Vittorio Lombardi insieme alla compilazione di Ubaldo Tosi (1744)[18], a Michelangelo Dolci (1775)[19], all'abate Andrea Lazzari (1801)[20] e a Giovan Battista Pericoli (1846)[21], testimonianza estrema dell'assetto delle chiese cittadine prima delle leggi eversive dell'asse ecclesiastico. A causa di queste ultime, tra l'altro, si accelerò la perdita di memoria storica del legame di molte opere d'arte con i rispettivi contesti sacri di provenienza. Un primo esempio riguarda la *Crocifissione con i dolenti* (cat. VII.1) commissionata dal conte Pietro Bonarelli, fedelissimo di Guidubaldo II della Rovere, per la propria cappella nella chiesa del Crocifisso miracoloso, poi oratorio dei padri Filippini. L'edificio, distrutto nei primi decenni del Settecento per i lavori di ampliamento al collegio dei Nobili, oggi Collegio Raffaello, doveva essere di dimensioni alquanto ridotte, avendo solo due altari: per la *Crocifissione* e per il *Cristo trasportato al sepolcro dagli angeli* di Federico Zuccari[22]. Con la sua demolizione si persero di vista le due opere, che ricomparvero più d'un secolo e mezzo dopo nel Museo annesso all'Istituto di Belle Arti seguendo una traiettoria tutta ancora da disegnare. La vicenda dell'oratorio dei Filippini è assimilabile a quella dell'antica chiesa del Corpus Domini in Pian di Mercato, anch'essa demolita per far posto alla mole del collegio[23]. Qui era stata trasferita dalla chiesa di Santa Margherita una tela giovanile di Barocci raffigurante il martirio della santa, perduta sin dai tempi del Lazzari ma nota attraverso un disegno di sua mano e dalle note di pagamento del 1556[24].

Il breve itinerario cittadino si chiude con una visita alla chiesa di San Francesco, che ancora nel Seicento conservava la sua pianta originaria con le cappelle gentilizie distribuite lungo la navatella destra, alternate ai sepolcri di Guidantonio da Montefeltro, di Rengarda Malatesta, di Ugolino Bandi e di Calapatrissa Santucci non ancora trasferiti nel chiostro, da cui furono tolti dopo l'Unità d'Italia per aprire l'odierna piazza delle Erbe[25]. *Il Perdono di Assisi* all'altar maggiore trionfava sull'infilata prospettica del prezioso coro intarsiato della fine degli anni ottanta del Quattrocento, capace di ben cento stalli. Con i lavori settecenteschi di rifacimento dell'edificio sarebbe scomparso del tutto, ed è sempre fonte di stupore rilevare come non sia sopravvissuto nulla di quel che doveva essere un testo fondamentale per gli sviluppi locali dell'arte della tarsia fuori dalle stanze del Palazzo Ducale. Accanto alla cappella maggiore, dal lato dell'Epistola, la cappella della Concezione accoglieva la tela commissionata al Barocci dall'omonima confraternita (cat. VII.5); infine, all'ultimo altare sul medesimo lato, nella posizione grosso modo occupata oggi da quello di San Giuseppe da Copertino, già di San Clemente, stava la *Madonna di san Simone* (cat. II.1), curiosamente non ricordata nella visita triennale del 1597 del ministro provinciale frate Orazio Civalli alla custodia di Urbino[26]. Superata con fatica e grave danno per i religiosi la parentesi dell'occupazione francese, erano oramai lontani i tempi in cui l'Università si raccoglieva davanti all'*Immacolata Concezione* per mettere alla prova le competenze retoriche degli studenti, e già i primi mercanti d'arte raggiungevano la città alla ricerca di capolavori per le raccolte dei più importanti musei europei. In questo contesto anche per la *Madonna di san Simone*, di cui sembra quasi ci si fosse dimenticati dell'autografia del maestro, fu fatta una proposta d'acquisto nel 1803 da parte di un non meglio precisato agente inglese, prontamente registrata nell'archivio del convento[27]. Com'è noto, il decreto del commissario Lorenzo Valerio consentì l'incameramento della quasi totalità delle opere di Federico Barocci a Urbino e la pala dei Santi Simone e Giuda per l'altare di Simone Bacchio prese un'altra strada, diventando una tra i capolavori del maestro nel Museo annesso all'Istituto d'Arte delle Marche, poi Galleria Nazionale delle Marche[28].

Note

1 Per l'ipotesi che fosse tra le principali fonti impiegate da Giovanni Baglione e da Giovanni Pietro Bellori per le prime biografie sul pittore: Baroni 2015.
2 Baroni 2015, p. 82, nota 38.
3 Si veda la prefazione di Emiliani in *Federico Barocci* 2009, in part. pp. 15-16.
4 Si vedano i saggi di Ambrosini Massari e di Agosti-Colzani in catalogo, oltre ad Agosti 2021.
5 Sangalli 2009, p. 156.
6 Si veda l'introduzione di Luigi Gallo alla sezione di riferimento in catalogo.
7 Negroni 2005, pp. 142-144: l'abitazione di Ambrogio Barocci senior corrisponde all'attuale civico 7; Federico si trasferì poi al civico 18.
8 Scatassa 1901, pp. 129-130.
9 Si tratta dell'edificio isolato su via Nazionale all'incrocio con strada Rossa: cfr. *Studi e notizie* 1913, didascalia della fig. 25 a p. 74. Per Ridolfi: Mochi Onori 1994, p. 38 e nota 4 p. 45.
10 Bellori 1672 [1976], p. 205.
11 Si vedano le riflessioni di Emiliani nella prefazione alla traduzione italiana di Schmarsow [1909] 2010, p. 10.
12 Emiliani 2016, pp. 25-26 [corsivo dell'autore].
13 Schmarsow [1909] 2010, p. 125.
14 Rimando in sintesi alla mia scheda del *Battesimo* del Lazzarini in *L'altra collezione* 2023, pp. 107-108, n. 15.
15 *Barocci ritrovato* 2020. Per una ricostruzione grafica dell'assetto degli altari dell'antica cattedrale verso il 1560: fig. 6 a p. 23.
16 Per la cappella del Sacramento: Negroni 1993, pp. 95-107; per l'oratorio della Morte: Cucco, Nanni 1995, pp. 23-28.
17 *Una guida settecentesca d'Urbino* 1992, *ad indicem*.
18 Lombardi 1995.
19 Dolci [1775] 1933, *ad indicem*.
20 Lazzari 1801.
21 Pericoli 1846.
22 Galleria Nazionale delle Marche, inv. D 166. Per l'oratorio del Crocifisso: Lombardi 1995, p. 289 (Anonimo del 1705-1708; U. Tosi, 1744; Anonimo del 1794); Lazzari 1801, p. 95.
23 Moranti 1990, pp. 13-23; Cucco 2017, pp. 229-283.
24 Lazzari 1801, p. 141; Pungileoni 1822, p. 67.
25 Ricotti 1954, pp. 27-38; Mosconi 2013.
26 Ricotti 1954, p. 48 e Catalucci, in *L'altra collezione* 2023, pp. 102-103, n. 12. Civalli [1597] 1796, p. 195 (le altre due tele sono invece segnalate).
27 Per un sunto dei documenti: *L'Archivio storico del convento di San Francesco di Urbino* 2013, p. 414.
28 Per restare nel catalogo di mostra, dalla clausura di Santa Chiara giunse al museo la derivazione in piccolo dal *Perdono di Assisi* (cat. VII.3); il bozzetto del *Trasporto di Cristo* della confraternita della Croce di Senigallia (cat. V.I) entrò invece nel museo dal locale Monte di Pietà (congregazione di Carità).

LA BOTTEGA DI BAROCCI TRA INVENZIONI, METODO E COPIE

Mattia Giancarli

Le ricerche di Egidio Calzini, Ercole Scatassa, Anselmo Anselmi, Georg Gronau, Fert Sangiorgi[1], la vivace stagione di restauri condotti dalla Soprintendenza per i Beni Artistici e Storici delle Marche a partire dagli anni settanta[2] e la mostra dedicata all'arte nelle Marche al tempo di papa Sisto V del 1992[3] sono stati interventi fondamentali per la messa a fuoco del panorama artistico marchigiano tra la fine del Cinquecento e l'inizio del Seicento, con particolare attenzione al ducato di Urbino, durante il suo autunno. Significativamente molti di questi contributi avevano come esplicito oggetto di ricerca la bottega di Federico Barocci[4], con l'intento di circostanziare e dare una fisionomia alle diverse personalità che la frequentarono, tratteggiate spesso troppo sommariamente dalla letteratura artistica e dalla periegetica, e che venivano poste più o meno correttamente in relazione con la figura del maestro[5].

Proprio da Luigi Lanzi ripartiva nel 2005 il primo contributo critico dedicato alla comprensione sistematica del complesso fenomeno della scuola del pittore: *Nel segno di Barocci*. Il volume, curato da Anna Maria Ambrosini Massari e da Marina Cellini, è diventato strumento essenziale per orientarsi tra i differenti registri linguistici del baroccismo di allievi, seguaci ed epigoni tra Marche, Umbria e Siena[6]. Punto di partenza per un più profondo intendimento delle relazioni e delle dinamiche interne alla bottega del maestro, la pubblicazione ha avviato una nuova stagione di studi su Barocci e i suoi collaboratori che, con la loro produzione, concorsero alla tenace fortuna del maestro; un fenomeno marchigiano[7] ma che pure ha un respiro italiano, lambendo la Toscana, Napoli, Genova e la Lombardia, come raccontava l'importante mostra senese curata da Alessandra Giannotti e Claudio Pizzorusso[8].

La stretta cerchia urbinate della scuola di Barocci si caratterizza per tipologie e modalità molto riconoscibili[9]. Tra gli aspetti più significativi, ad esempio, c'è la stretta adesione ai modelli e alle invenzioni del maestro, riproposte quasi sempre attraverso il reimpiego di disegni e di cartoni ausiliari di Federico, ingranditi, rimpiccioliti e spesso combinati tra loro per dare forma a composizioni nuove[10].

Esemplare è la *Madonna di sant'Agostino*, attribuita ad Antonio Cimatori detto Visacci (fig. 4 p. 27)[11]. La tela, infatti, presenta un insieme di rimandi a diverse opere del maestro che vengono mescolati tra loro: dalla *Madonna del Rosario* di Senigallia (cat. VI.1), alla *Madonna del popolo*, alla *Madonna della gatta* (II.4), il dipinto ci restituisce la profonda dimestichezza dell'artista con i materiali di bottega di Barocci.

Un dato, questo, che ci consente di comprendere l'adesione di Cimatori al metodo di lavoro di Federico, che era solito studiare le proprie composizioni con orientamenti differenti e capovolgere i suoi disegni di figura durante il processo creativo, come pure usava contaminare e specchiare soluzioni inventive che avevano riscosso successo in passato, per riproporle in opere realizzate dalla seconda metà degli anni ottanta del Cinquecento in avanti, quando cioè iniziano a condensarsi commissioni importanti per dipinti di grande formato e, conseguentemente, comincia a farsi più pressante l'esigenza di collaboratori. Viene quindi da pensare che a partire da queste date i processi più meccanici di assemblaggio e di trasporto, sempre attentamente supervisionati dall'occhio vigile del maestro, fossero delegati agli allievi. Una prassi che recupera quella della bottega di Raffaello: ritengo pertanto che, tenendo per sé l'esecuzione pittorica, Federico fosse solito affidare ai collaboratori le fasi preparatorie del lavoro, dando loro, al contempo, l'invidiabile opportunità di esaminare e di copiare i suoi preziosi materiali di studio.

I

Alessandro Vitali
Annunciazione, entro il 1603, particolare. Urbino, Galleria Nazionale delle Marche

2

Alessandro Vitali
Perdono di sant'Ambrogio concesso all'imperatore Teodosio, 1600-1603.
Milano, duomo

3

Federico Barocci
Ultima cena, 1592-1599, particolare del volto di Cristo. Urbino, cattedrale di Santa Maria Assunta

4

Antonio Cimatori
detto Visacci (attribuito)
Cristo benedicente, inizio XVII secolo. Firenze, Gallerie degli Uffizi, Palazzo Pitti, Galleria Palatina

5

Ventura Mazza
(attribuito)
Cristo benedicente, inizio XVII secolo. Collezione privata

6

Antonio Viviani
detto il Sordo (attribuito)
Cristo benedicente, inizio XVII secolo. Collezione privata

7

Ventura Mazza (attribuito)
Sacra Famiglia con i santi Girolamo e Nicola da Tolentino, 1596-1598. Genova, chiesa di San Tommaso

8

Ventura Mazza (attribuito)
Madonna della cintola con i santi Agostino, Domenico e Crescentino, inizio XVII secolo. Fano, Pinacoteca San Domenico della Fondazione Cassa di Risparmio di Fano

Il grado di partecipazione della bottega sembra variare di opera in opera a seconda dell'importanza e del prestigio della commissione e quindi senz'altro anche in relazione al compenso percepito dall'oculato Barocci[12]. È dirimente quanto avviene per il *Crocifisso* (cat. VIII.4), commissionato all'artista dalla confraternita della Morte il 5 gennaio 1597 e saldatagli il 2 aprile 1604[13]. Il dipinto reimpiega ben due soluzioni già adottate dal pittore: la figura della Maddalena in ginocchio, ripresa dal *Trasporto di Cristo* di Senigallia (cat. V.I), e, ribaltandolo, il gruppo composto dalla Madonna e san Giovanni dipinto nella *Crocifissione con i dolenti e san Sebastiano*, inviata a Genova nel 1596[14]. Il Cristo in croce, invece, a eccezione del capo, si presenta identico a quello messo in opera su incarico di Francesco Maria II e saldatogli ugualmente nel 1604[15]. Mentre la commissione affidatagli dal doge Senarega permetteva a Federico di farsi conoscere lontano da Urbino e gli veniva lautamente pagata mille scudi[16], e l'esecuzione del *Cristo spirante* del Prado gli garantiva la rinnovata stima del duca di Urbino, gli accordi con la confraternita della Morte dovettero essere differenti, anche per andare incontro alle ridotte disponibilità economiche della compagnia, disposta ad autotassarsi per avere un dipinto del maestro. Prezzo, ricchezza e novità dell'invenzione sono aspetti che si influenzano reciprocamente, come testimoniano già le prime battute dell'accordo sottoscritto per la pala[17], e da questo rapporto dipende anche il maggiore o minore reimpiego di vecchi cartoni.

A partire da Bellori[18], la critica ha voluto individuare la presenza del più giovane e fedele aiuto di Barocci, Alessandro Vitali[19], nella parte bassa del dipinto[20], ma la pittura non mostra qui alcuna discontinuità di mano. La collaborazione dell'allievo appare ancora meno plausibile se si confronta la sezione inferiore della *Crocifissione* con la *Sant'Agata in carcere* (cat. VIII.5), licenziata dal collaboratore nel 1598[21], congelata nei suoi incarnati levigati e lucenti come la porcellana e accarezzati da ombre cobalto, che diventano ancora più metallici e raggelati nella successiva *Annunciazione* (cat. V.4). Allo stesso modo, i toni freddi del *Sant'Agostino* firmato e realizzato per l'omonima chiesa di Urbino non somigliano agli impasti soffusi e bruniti della *Crocifissione* urbinate (cat. VIII.4)[22]. Neppure i pagamenti sinora individuati nominano Vitali: sono tutti destinati al maestro, a differenza di quanto avviene negli stessi anni con il *Perdono di sant'Ambrogio concesso all'imperatore Teodosio* (fig. 2) per il duomo milanese. Per quest'ultimo dipinto, infatti, solo il versamento che avviava i lavori nel 1600 e il saldo finale del 1603 risultano indirizzati a Barocci, mentre i restanti vengono corrisposti tutti ad Alessandro[23].

Il collaboratore allestisce nella sua tela una trionfale parata delle invenzioni del maestro, mai analizzate nel dettaglio. Sul margine sinistro dell'opera si scorge un soldato vestito come l'Enea nella *Fuga da Troia* della Galleria Borghese (cat. V.12), mentre quello ammantato di giallo, appena sotto, si genuflette come il pastore adorante in primo piano nella *Circoncisione*. Un terzo di loro, in ginocchio sul gradino più alto, invece, ricalca l'instabile posa del suonatore di ghironda della *Madonna del popolo*. Sul margine destro della composizione il neonato infagottato tra le braccia della madre ripropone il tenero Gesù Bambino dipinto nelle *Natività* del Prado (cat. III.5) e dell'Ambrosiana, mentre il cagnolino in basso, abbeveratosi nel bacile dell'*Ultima cena* (cat. VIII.3), ora gioca curioso con i due fanciulli sotto lo sguardo della madre, modulata in controparte sulla torsione della donna in primo piano nel ravennate *Martirio di san Vitale*[24]. Tra i due ragazzini, infine, quello dipinto frontalmente ha lo stesso volto, specchiato, del san Giovannino nella *Madonna del gatto* (cat. III.3). Steso probabilmente ad asciugare nello studio di Barocci accanto alla *Presentazione della Vergine al Tempio* della Chiesa Nuova (cat. VI.8), di cui riflette infatti la composizione gremita, anche il *Perdono di sant'Ambrogio* partiva da Urbino nel 1603[25], inviato a Milano mentre la *Presentazione* prendeva in direzione contraria la strada per Roma[26].

La pratica delle repliche è un altro aspetto che caratterizza la produzione della bottega di Barocci, soprattutto per quanto riguarda i dipinti di piccolo e medio formato, pensati per la devozione individuale.

Molto riprodotto, per esempio, è il mezzo busto del Cristo dell'*Ultima cena* di Urbino (fig. 3, cat. VIII.3) che, estrapolato dal contesto originale e raffigurato con in mano un globo al posto del pane, diventa toccante raffigurazione del Redentore benedicente. Nessuno dei dipinti finora riemersi pare avere una qualità sufficientemente alta per raggiungere l'autografia, ma tra i migliori c'è indubbiamente il *Cristo benedicente* (fig. 4) di Palazzo Pitti[27], proveniente dalla Guardaroba del duca di Urbino[28]. I toni caldi che nel dipinto diventano rubini e l'incarnato fin troppo trasparente da cui riemergono sul collo e sulle tempie bluastre le preparazioni fredde, in un acceso contrasto di temperature che non riescono a fondersi in mezzi toni, tuttavia sembrano più affini al modo di dipingere del Visacci. Il suo stile, infatti, simile a quello di Vitali, si caratterizza per una pittura più magra e per fisionomie più aspre e allungate: lo si nota confrontando l'esemplare di Palazzo Pitti con il volto del san Giovanni nella *Visione sull'isola di Patmos* dipinta nel 1601 per la cattedrale di Fermo, ugualmente ispirato dall'*Ultima cena* di Barocci[29]. Per la tela fiorentina che si propone qui di attribuire a Cimatori sembrano quanto mai adatte le parole spese da Lanzi per definire lo stile di molti collaboratori di Barocci: "questo medesimo [il colorito] alterarono, usando in maggior dose que' cinabri e azzurri, che il maestro aveva usati più temperatamente [...]. Le carni sotto il lor pennello spesso diventano livide, e i contorni troppo sfumati"[30].

Ugualmente da assegnare a un collaboratore tra i più vicini al maestro è il *Cristo benedicente* (fig. 5) di collezione privata, recentemente passato sul mercato come opera dell'ambito di Barocci, con una proposta di assegnazione ad Alessandro Vitali[31]. La pennellata umettata e il sentire vibrante e atmosferico della pittura, come velata di foschia, indirizzano piuttosto verso un altro collaboratore di Federico: Ventura Mazza, di cui si dirà più avanti.

Un temperamento ancora diverso, opposto, si rileva infine in un'ulteriore versione del soggetto, pubblicata da Emiliani con l'attribuzione a Barocci (fig. 6)[32], ma che non presenta la sua tipica conduzione evanescente. La materia è invece corposa, le stoffe appaiono inamidate e negli incarnati, smaltati, luci e ombre si stagliano nette. La rotondità del viso e la pittura, comunque di grande qualità, che spesso tracima oltre i confini del disegno preparatorio, si accostano convincentemente ad altre opere della produzione di Antonio Viviani, detto il Sordo, come la *Santa Rosa da Viterbo* (cat. VIII.8). L'esperienza maturata a Roma sui ponteggi dei più importanti cantieri sistini portò Barocci a ritenerlo il candidato ideale per la decorazione pittorica del soffitto della cappella del Santissimo Sacramento nel duomo urbinate[33]. Sempre a lui veniva affidata la realizzazione delle scene con i *Miracoli del Rosario*, andati dispersi, che anticamente decoravano la cornice della *Madonna del Rosario* di Senigallia (cat. VI.1)[34], e a riprova della vicinanza con il maestro il suo nome è compreso tra quelli dei collaboratori che affittarono la stanza sopra la chiesa di Sant'Antonio Abate, dove Federico era solito lavorare.

L'ambiente, che per questa sua particolare posizione viene da immaginare di grandi dimensioni, fu occupato continuamente dal pittore tra il 1575, quando i Francescani glielo affittarono per consentirgli di dipingere *Il Perdono di Assisi* (cat. VII.3), e il 1586[35], e divenne per lui una seconda bottega a Urbino, oltre a quella in via San Giovanni, dove l'artista aveva residenza. È con ogni probabilità a questa stanza che si riferiscono le parole di Bellori: "Aveva il Barocci ordinata una sala grande, dove erano disposti i suoi quadri e cartoni"[36]. Il locale divenne poi luogo di lavoro e di ritrovo anche per diversi suoi collaboratori, che ne risultano in seguito affittuari. Antonio Cimatori rinnovò continuamente il contratto di locazione dal 16 marzo 1593 fino al 1598, mentre dall'aprile all'agosto del 1599 le chiavi passarono a Viviani[37], al tempo ancora impegnato nell'esecuzione delle tele per la cappella del Santissimo Sacramento[38].

Al Sordo sono stati dubitativamente attribuiti due dipinti che si trovano nella Galleria Nazionale delle Marche: una coppia di *Angeli*, che nascono evidentemente come laterali di un elemento centrale[39]. Dietro la diversa cromia delle vesti e la leggera torsione del capo della figura vestita di giallo si cela un altro illustre prototipo di Barocci: l'angelo dell'*Annunciazione* dipinta per la cappella dei duchi nella basilica di Loreto (cat. V.4). L'opera è tra le più copiate del maestro, e numerose varianti con formato e composizioni differenti si trovano sparse tra le Marche e l'Umbria, così come in Lombardia e in Francia, dove giunsero con i sequestri napoleonici perché ritenute autografe[40]. Appartengono a questo gruppo nutrito di derivazioni anche i due angeli ora a Palazzo Ducale che, per la provenienza urbinate e per la qualità della loro pittura, percepibile nonostante le diffuse svelature, vanno confermati a Viviani. A riprova del loro valore, occorre segnalare l'esistenza di altri due dipinti a Urbino, che replicano in coppia la reiterazione dell'arcangelo lauretano genuflesso, dipinti sul fronte dell'altare intitolato al Precursore nell'oratorio di San Giovanni Battista[41]. Lanzi riteneva che Viviani realizzasse "copie esattissime del maestro"[42] e del resto ancora Pompeo Gherardi nella sua *Guida* del 1875 scambiava queste due tele di Viviani per autografi di Barocci[43], a conferma del ruolo attivo avuto dai collaboratori nella diffusione del linguaggio del maestro attraverso copie, repliche e riproduzioni, di varia qualità e nobiltà.

Ciò avviene, talvolta, anche lontano da Urbino, dove gli allievi si trasferiscono per lavorare stabilmente[44] o come agenti per accompagnare il trasporto di opere di Barocci. Indicativo è il caso di Genova, dove nel 1596 viene spedita l'enorme *Crocifissione con i dolenti e san Sebastiano* commissionata da Matteo Senarega.

Nella lettera con i complimenti al maestro, datata 5 ottobre di quell'anno e pubblicata da Bellori[45], il doge ricordava la presenza a Genova di uno dei suoi più stretti collaboratori: Ventura Mazza[46]. Lo stesso giorno, inoltre, Mazza veniva ricompensato con quindici scudi per la consegna[47]. Poco meno di ottant'anni dopo, tuttavia, lo storiografo genovese Raffaele Soprani menzionava un altro allievo di Barocci giunto a Genova: Antonio Antoniano[48]. Non essendo documentato un artista di tale nome, Andrea Lazzari sosteneva si trattasse di una svista dell'erudito genovese per indicare Antonio Viviani[49], e questa stessa soluzione riproponeva a sua volta Lanzi[50]. Ritenendo attendibile la testimonianza di entrambe le fonti, Egidio Calzini ha supposto per primo che entrambi gli artisti avessero accompagnato la *Crocifissione* di Barocci[51], ma è ancora una volta solo Mazza, il 20 aprile 1598, a comparire nei documenti genovesi con un pagamento di cento scudi per un lavoro non meglio precisato[52]. Viviani, invece, nel marzo dello stesso anno è sicuramente nel ducato di Urbino[53]. Il compenso versato a Mazza è forse da legare all'esecuzione di uno dei due dipinti per la chiesa di San Tommaso a Genova menzionati da Soprani come opere di "Antonio Antoniano"[54]: un'*Incredulità di san Tommaso*, perduta, e la *Sacra Famiglia con i santi Girolamo e Nicola da Tolentino* (fig. 7), storicamente assegnata al fantomatico Antoniano[55] e poi semplicemente trasferita a Viviani[56].

Premessa l'incompatibilità stilistica tra la pala genovese e le opere sicure del Sordo, la tela presenta di fatto una reinterpretazione della giovanile Pala di Fossombrone di Barocci (cat. VII.2). Viceversa, l'attribuzione a Mazza può essere sostenuta dal confronto con alcuni capisaldi del catalogo dell'artista, come la documentata *Madonna col Bambino e i santi Ubaldo e Francesco* del Museo dei Bronzi di Pergola[57], l'*Ecce Homo* (cat. VIII.7) e la *Madonna della cintola con i santi Agostino, Domenico e Crescentino* (fig. 8)[58]. Tutte queste opere condividono la medesima pennellata umida e l'analoga sensibilità atmosferica, connotata da una luce diafana che bagna la scena di candori perlacei; nel caso specifico del confronto tra il dipinto genovese e la pala di Fano, inoltre, anche i cieli si aprono identici oltre nuvole che minacciano pioggia.

Menzionato frequentemente nei documenti urbinati legati alla corte, che ci restituiscono la sua prolifica attività come copista, e accanto a Barocci, da cui prende addirittura il cognome tanto è vicino al maestro[59], a Ventura spetterà il compito di terminare alcune opere rimaste incompiute alla morte di Federico: l'*Ecce Homo* e l'*Annunciazione* per la chiesa della confraternita di Santa Maria dei Laici di Gubbio[60], mentre, interpellato nel 1629 da Francesco Maria II per concludere il *Compianto sul Cristo morto*, di fatto si limiterà solamente ad accompagnare il dipinto a Milano[61].

Promossi e avvantaggiati dal maestro[62], numerosi tra i collaboratori di Barocci sembrano scomparire con lui il 30 settembre del 1612 e, mentre alcuni dei pochi che riescono a ritagliarsi una propria autonomia continuano attivamente a lavorare per la corte roveresca, dimostrando come di fatto anche la bottega del maestro fosse a tutti gli effetti un affare di Stato per Francesco Maria II[63], la storia del ducato stava volgendo al termine, non prima però di aver attraversato una delle sue pagine più gloriose nella storia dell'arte.

Note

1 Per un elenco di questi contributi, usciti principalmente sulle pagine della "Rassegna biografica dell'arte italiana", si veda: Ambrosini Massari 2005b.
2 Elencate in *1950-2000. Cinquant'anni di pubblicazioni* 2001.
3 *Le arti nelle Marche al tempo di Sisto V* 1992.
4 Pioniere in questo senso fu Harald Olsen che, nella sua monografia su Barocci, dedicò una sezione intitolata *Paintings from the studio of Barocci* ai barocceschi: Olsen 1962, pp. 222-231.
5 Ambrosini Massari, Paolini 2005.
6 *Nel segno di Barocci* 2005.
7 Sui luoghi dell'antico ducato di Urbino si veda: *Pittura baroccesca* 2008. Sulle Marche della seconda metà del Cinquecento: *Capriccio e natura* 2017, in particolare Ambrosini Massari 2017.
8 *Federico Barocci* 2009.
9 Si è scelto di affrontare qui solo i pittori più strettamente legati a Barocci, lasciando da parte autori come Giorgio Picchi e Filippo Bellini che con la loro pittura devono molto anche a Federico Zuccari. Su di loro: *L'altra collezione* 2023 e l'introduzione di sezione scritta da Giovanni Russo in questo catalogo.
10 Ambrosini Massari 2005a; Verstegen 2005-2006. Per altri spunti sulla bottega di Barocci: Cleri 2008; Cleri 2016.
11 Bernardini, in *L'altra collezione* 2023, p. 101, n. 11. Più in generale su Visacci: Vitali 2005.
12 Per un approfondimento si rimanda al saggio di Raffaella Morselli in catalogo.
13 Scatassa 1900.
14 Emiliani 2008, II, pp. 172-173, cat. 59.
15 Emiliani 2008, II, pp. 273-275, cat. 74.
16 Bury 1987, pp. 338-339, 352.
17 Scatassa 1900, p. 78.
18 Bellori [1672] 1976, p. 194, divulgato aneddoticamente da Lazzari 1800, p. 19, nota 1 (*Memorie di Federico Barocci di Urbino*).
19 Su Vitali: Marchi 2005; Catalucci 2021.
20 Bohn, Mann 2018, p. 7.
21 Negroni 1979, pp. 89-90; Marchi 2005, p. 137.
22 Sul dipinto di Sant'Agostino: Marchi 2005, p. 137. In merito alla *Crocifissione* dell'oratorio della Morte, pare interessante notare, inoltre, che Venturelli nell'orazione funebre tenuta per le esequie di Barocci nel 1612 (Baroni 2015, pp. 87-88) riferisca interamente al maestro l'esecuzione del dipinto, licenziato neppure una decina d'anni prima.
23 Arslan 1960, p. 100; Marchi 2005, p. 135.
24 La figura della donna dipinta in basso a sinistra nel *Martirio di san Vitale* è a sua volta un recupero, di poco variato, di Barocci dall'invenzione che il pittore aveva usato per la *Madonna del popolo* inviata ad Arezzo: Verstegen 2005-2006, pp. 103-104.
25 Arslan 1960, p. 100; Marchi 2005, p. 135.
26 Emiliani 2008, II, pp. 249-251, cat. 72.
27 Olio su tela, 60 × 48 cm. Olsen 1962, pp. 229-230, cat. 80 (Alessandro Vitali); S. Padovani, in *La Galleria Palatina* 2003, II, p. 65, n. 77 (copia da Barocci); Emiliani 2008, II, p. 239, cat. 66.68 (Antonio Viviani).
28 Semenza 2005b, p. 42.
29 Marchi 2005, p. 135, e Verstegen 2022, pp. 114-115, entrambi propensi a individuare anche un intervento di Barocci nel dipinto.
30 Lanzi 1809, II, p. 151.
31 Olio su tela, 41 × 30,5 cm. Bertolami Fine Art, Roma, Palazzo Caetani Lovatelli, 23 novembre 2023, *Dipinti, disegni e sculture dal XIV al XIX secolo*, asta n. 0275, lotto 75.
32 Olio su tela, 69 × 54,5 cm. Emiliani 2008, II, p. 216, cat. 66.2.
33 Su Viviani: Valazzi 2005; Moretti 2020; Prete 2023.
34 Anselmi 1905b, p. 142.
35 Scatassa 1901, p. 129.
36 Bellori [1672] 1976, p. 202.
37 Scatassa 1901, pp. 131-132.
38 Il 4 dicembre 1599 Viviani riceveva da Palma il Giovane del blu oltremarino, spedito da Venezia: Negroni 1993, p. 100, nota 21.
39 F. Bizzotto Abdalla, in *Restauri nelle Marche* 1973, pp. 440-443, n. 109. La coppia proviene dal convento urbinate di Santa Chiara, dove era assemblata, almeno nel 1875, insieme a una "Madonna dipinta in tela e imitata da una del Beato Angelico": Gherardi 1875, p. 82, nn. 63-64.
40 Cleri 2003; Ambrosini Massari 2005a, pp. 30-32.
41 Gli angeli sono documentati nella fototeca di Pietro Zampetti con un'improbabile attribuzione a Federico Barocci. Schede digitali "Sanzio Digital Heritage", Università degli Studi di Urbino: invv. BARFED 62 e 63.
42 Lanzi 1809, II, p. 152.
43 Gherardi 1875, p. 82, nn. 63-64.
44 Si pensi per esempio ad Antonio Cimatori, che si trasferisce a Rimini a partire dal 1612, salvo poi tornare a Urbino tra il 1620-1621 per lavorare agli apparati trionfali per il matrimonio di Federico Ubaldo della Rovere con Claudia de' Medici (Scatassa 1901, pp. 131-132; Vitali 2005, p. 94), o a Viviani, attivo a Roma per lungo tempo e poi anche a Fabriano (Moretti 2020; Prete 2023).
45 Bellori [1672] 1976, pp. 193-194. La lettera è stata rintracciata e ripubblicata in Bury 1987, pp. 355-356, doc. V.
46 Su Ventura Mazza: Blasio 2005; Nicastro 2008.
47 Bury 1987, p. 353.
48 Soprani 1674, p. 269.
49 Lazzari [1796] 1990, p. 3.
50 Lanzi 1809, II, 152-153 e IV, pp. 311-312.
51 Calzini 1912, p. 114; Olsen 1962, pp. 194-195, cat. 49; Blasio 2005, p. 107.
52 Bury 1987, p. 353.
53 Scorza 1980, pp. 24-26.
54 Soprani 1674, p. 269.
55 Alizeri 1875, p. 345.
56 Magnani 2009, p. 176. Il dipinto, come anche la perduta *Incredulità*, venne eseguito per la chiesa di San Tommaso a Genova. Quando l'edificio fu demolito nel 1889, l'opera venne spostata nella parrocchiale che prese poi il titolo dello stesso santo e che ancora ospita la tela.
57 Blasio 2005, pp. 109-110.
58 Olsen 1962, pp. 215-215, cat. 68; Ambrosini Massari 2005a, p. 32. Vedo che nella sua tesi di dottorato (a.a. 2022-2023), leggibile sul sito della Scuola Normale Superiore di Pisa, Luca Baroni converge su questo stesso parere.
59 Calzini 1912, p. 114. Lo stretto legame tra Mazza e Barocci è ribadito anche in un documento inedito rintracciato recentemente da Filippo Duro. Il collaboratore, facendo testamento in vista di un viaggio verso Roma, lasciava in caso di morte alcuni suoi disegni e stampe al maestro: Duro 2022, p. 274.
60 Blasio 2005, p. 111.
61 Blasio 2005, p. 112.
62 Celebre è il caso di Vitali, a cui fu assegnata la *Caduta della manna*, oggi perduta, collocata nel 1607 dirimpetto all'*Ultima cena* di Barocci nella cappella del Santissimo Sacramento nel duomo di Urbino. L'artista si guadagnò l'incarico "sia per il suo valore proprio, sia perché il Barocci l'avrebbe aiutato": Gronau [1936] 2011, p. 172, nota 1.
63 Sia Visacci (con uno stipendio dal 1587 al 1589) sia Vitali (come ritrattista del piccolo Federico Ubaldo tra il 1605-1607) vengono chiamati ripetutamente a lavorare a corte. Francesco Maria II, inoltre, finanzia un soggiorno di studio a Roma per il Cimatori (1582-1587). Insieme a Mazza, i due verranno incaricati dal duca anche di realizzare diverse copie: Semenza 2005b.

I.

Il mondo di Federico Barocci nei ritratti

Autoritratti

I.1 **Autoritratto da giovane**
Firenze, Gallerie degli Uffizi

I.2 **Autoritratto da anziano**
Firenze, Gallerie degli Uffizi

I.3 **Ritratto di uomo di mezza età**
Roma, Gallerie Nazionali di Arte Antica, Galleria Corsini

I.4 **Ritratto virile**
Urbino, Galleria Nazionale delle Marche

I.5 **Francesco Maria della Rovere di ritorno da Lepanto**
Firenze, Gallerie degli Uffizi

I.6 **Ritratto di fanciulla (Lavinia Feltria della Rovere?)**
Firenze, Gallerie degli Uffizi

I ritratti di Giuliano e Ippolito della Rovere

I.7 **Ritratto di monsignor Giuliano della Rovere**
Vienna, Kunsthistorisches Museum, Gemäldegalerie

I.8 **Ritratto di Ippolito della Rovere**
Firenze, Gallerie degli Uffizi

I.9 **Ritratto di nobiluomo**
Ministero degli Affari Esteri e della Cooperazione Internazionale, esposto presso l'Ambasciata d'Italia nel Regno Unito

I.10 **Ritratto di Prospero Urbani**
Firenze, Gallerie degli Uffizi, Palazzo Pitti, Galleria Palatina

IL MONDO DI FEDERICO BAROCCI NEI RITRATTI

Anna Maria Ambrosini Massari

Il mondo di Federico Barocci è Urbino[1]. Ci accoglie all'ingresso della mostra con il gesto scenico della tenda sollevata sullo sfondo di Palazzo Ducale nella commovente *Madonna della gatta* (cat. II.4): invito a entrare nella prima esposizione che gli dedica la sua patria[2]. Scenario simbolico e sentimentale delle sue opere, in particolare quelle destinate ad altre località, Urbino delinea il raggio delle sue relazioni che si diramano a partire dai rapporti familiari, dinastici, spirituali e artistici.

Il mondo di Federico Barocci aveva il suo centro nella casa di via San Giovanni, che oggi porta il suo nome, in una famiglia radicata nel contesto artistico e ducale. Dal bisnonno, Ambrogio, scultore di origine lombarda, autore di alcune delle più belle decorazioni a Palazzo Ducale, la famiglia si "nobilita" con il nonno Marc'Antonio, notaio come poi il padre Ambrogio junior. Il fratello Simone e i due cugini, Giovanni Battista e Giovanni Maria Barocci[3], furono produttori di strumenti di precisione e orologi, nella grande tradizione del Rinascimento matematico urbinate. Il legame di Barocci con la famiglia fu molto forte e un particolare affetto lo legò alla sorella Girolama, con cui visse fino alla morte[4]. Importante per gli avvii di Federico la parentela con Girolamo e Bartolomeo Genga[5].

I ritratti ci aiutano a dare un volto ai suoi amici e committenti, altrettante tappe della vita e dell'attività di Barocci, che trova nella ritrattistica una singolare prospettiva sull'opera tutta, tenendo conto anche di quanto ricordato da fonti e documenti[6].

Nonostante sia incontestabile che "il Barocci ebbe un particolar genio a dipingere le immagini sacre"[7], va notato che l'abate Bernardino Baldi[8], amicissimo del pittore, che lo elogia nel suo *Encomio della patria*, scritto nel 1590, dedica versi a tre generi pittorici che si incontrano nel suo lavoro: pittura sacra, con l'*Ultima cena* (cat. VIII.3) del duomo di Urbino; storico-mitologica, con il caso della *Fuga di Enea da Troia* (cat. V.12) e il ritratto, con l'immagine di Lavinia della Rovere. Quest'ultimo è forse da riconoscere nel dipinto in mostra (cat. I.6) che si può ammirare per la prima volta accanto alla fulgida immagine del fratello maggiore, che tanto l'amava, il giovane principe, poi duca, Francesco Maria II (cat. I.5). La vita irrompe nella storia e nell'arte: i due giovani si somigliano e lo sguardo rivela il carattere, la dolce ritrosia di lei, la malcelata inquietudine di lui. Un'affinità anche stilistica, con le straordinarie possibilità offerte nel ritratto dalla scoperta del mondo emozionale di Correggio.

I ritratti rappresentano anche i due registri di Barocci nel settore, come nella sua prassi operativa più in generale. Olio su carta e olio su tela, passaggi osmotici nella costruzione di quella mirabile armonia di colori e moti che è l'arte di Federico, dove i volti sono punto massimo di espressione, rivelazione della scintilla divina: si pensi al san Francesco, olio su carta applicato sulla tela dipinta nel *Perdono di Assisi* (cat. VII.3) o alla donatrice nella Pala di San Simone (cat. II.1). "...[fece] molti altri [ritratti] così di colore come di pastelli, che sono in perfettione di naturalezza"[9] scrive Bellori. Si tratta di un affaccio sulla modernità, come dimostrano gli straordinari risultati in questo campo, parte consistente della fama di Barocci e della sua potente influenza innovativa, che scuote gli ambienti contemporanei e futuri: da Muziano[10] a Rubens[11], a Van Dyck[12], all'Impressionismo. Barocci scardina la rigida formalizzazione del ritratto contemporaneo, soprattutto a Roma[13]. La terza via, quella di Barocci, oltre il classicismo di Annibale Carracci e il realismo di Caravaggio, è la via "degli affetti": uno scavo interiore animato dal registro di grazia e intimità.

Per primo incontriamo Federico, che si autoritrae in due momenti significativi della vita: la prima volta, giovane, con occhi neri che trafiggono, poi vecchio, un po' spiritato, con il riflesso di una interiorità vitale ma anche piegato da un fisico e un animo provati, affogato dal lavoro che non riesce più a smaltire. Escluso come autoritratto il piccolo dipinto Corsini (cat. I.3), variante su tela nel genere, ci cattura la potenza del *Ritratto virile* già Middeldorf (cat. I.4), rivelando l'avvenuta conoscenza diretta di Correggio[14]. Il precisarsi della tecnica delle velature, in parallelo al ritratto di Francesco Maria II in armatura, conferma questo dato culturale. Il *Ritratto di Prospero Urbani* (cat. I.10) raffigura l'erudito urbinate, frate di San Francesco, legato al duca e all'artista con cui dovette condividere il suo percorso spirituale. L'opera si affianca all'*Autoritratto* senile, per l'estrema semplificazione: pochi colori, scuri e terrosi, in cui spicca il guizzo degli occhi. L'impatto dei ritratti di Barocci, come si può vedere nelle opere in mostra, conserva sempre una forza comunicativa, un'empatia e un'immediatezza che affondano le loro ragioni anche nel genere, liberando l'autore dal rovello della costruzione delle pale d'altare, e lo mette in una posizione di contatto diretto col soggetto[15]. La cerchia degli amici più intimi dialoga con quella ducale, per parentele, relazioni e adesione religiosa al francescanesimo della Chiesa riformata che vede i Della Rovere molto attivi[16]. Lo speciale rapporto di affinità tra Federico e Francesco Maria[17] si rivela dirimente. Nella messa a punto dell'immagine dinastica, non secondariamente per l'educazione spagnola di Francesco Maria e per la sua costante ammirazione per quella corte, dove Tiziano fu protagonista, l'artista resta nel tempo punto di riferimento. Non sorprende che il *Ritratto di Francesco Maria II di ritorno da Lepanto* dialoghi con il più familiare *Ritratto di Francesco Maria I*, 1537, disponibile nelle raccolte ducali, nonché con il *Ritratto di Filippo II*, 1551, Madrid, Prado, con quel gesto carezzante l'elmo, più distaccato in Tiziano, più emozionato in Barocci, che riflette la giovanile passione e inquietudine del duca. Un fremito che diventa firma dell'artista e che conferma l'autografia di un dipinto controverso tra Tiziano e Barocci[18], il *Ritratto di Antonio Galli* (fig. 7 p. 41), dello Statens Museum di Copenaghen, a oggi il primo numero tra i ritratti noti del maestro urbinate[19].

Il profondo legame del duca con la corte spagnola[20] si può comprovare nel ritratto di Francesco Maria II "quando era duca"[21], soggetto che ha avuto più di una redazione ma che oggi ha almeno uno splendido esemplare autografo al Goethe Museum di Weimar[22], che credo nulla osti a identificare con quello richiesto a Barocci nel 1583 dal granduca Francesco I Medici: "più naturale che sia possibile"[23].

La mostra è preziosa occasione di una singolare "reunion", che vede uno accanto all'altro, per la prima volta[24], i due fratelli Ippolito e Giuliano della Rovere (catt. I.7, I.8) figli del cardinale Giulio[25], tra i primi protettori di Barocci, che lo aveva ritratto con alti personaggi del suo contesto, come Annibal Caro e lo stesso Antonio Galli. I ritratti dei figli del cardinale, con quello, sublime, firmato e datato 1602 (cat. I.9), sono capolavori della fase più matura, dove Barocci ritrova l'eleganza composta di Raffaello senza mai rinunciare al suo affondo intimista.

Note

1 Si veda qui il saggio di Giovanni Russo.
2 Si veda qui il saggio di Luigi Gallo.
3 Baroni 2015, in particolare pp. 71, nota 17, 78, nota 31; Ambrosini Massari 2023, pp. 388-393.
4 Duro 2022 con bibliografia precedente.
5 Bellori [1672] 1976, p. 181.
6 Zezza 2009; sempre Olsen 1962, pp. 240-242; Ambrosini Massari 2016; Agosti 2019, p. 21.
7 Bellori 1672, p. 190.
8 Olsen 1962, p. 240; Ambrosini Massari 2016, p. 51.
9 Bellori [1672] 1976, p. 205.
10 Sull'attenzione di Muziano per Barocci, specialmente teste e volti, Tosini 2008, pp. 270-276.
11 Morselli 2009.
12 *A Touch of the Divine* 2006, pp. 198-199. Per la fortuna visiva di Barocci, *Federico Barocci* 2009.
13 Castelnuovo 1973, II, 5**, p. 1072.
14 Si veda il mio saggio e l'introduzione alla sezione II.
15 Mann 2012b, p. 303, che spiega così lo scarno numero di studi rispetto a quelli per le pale.
16 Si veda qui il saggio di Giovanni Russo.
17 Si veda qui il saggio di Raffaella Morselli.
18 Mann 2012a, p. 2 e nota 9.
19 Galli muore nel 1561. Zezza 2009.
20 Semenza 2005b, pp. 38-49; Semenza 2010 prova che Francesco Maria II utilizzava copie dei ritratti di corte spagnoli per quelli ducali.
21 Zezza 2009.
22 Per la complessa questione Ambrosini Massari 2016. Una bella replica è in collezione privata, Ambrosini Massari 2017, p. 99.
23 Gronau 1936, p. 153 e pp. 153-156; si veda nota 23.
24 Arcangeli 2018.
25 Bellori [1672] 1976, p. 171.

AUTORITRATTI

Anna Maria Ambrosini Massari

L'opportunità singolare di vedere insieme i due autoritratti degli Uffizi e il dipinto della Galleria Corsini dovrebbe togliere ogni dubbio sull'identificazione di quest'ultimo con un autoritratto di Barocci. La tradizione risale all'inventario compilato da Tommaso Corsini nel 1808 (Magnanimi 1980, p. 102), da cui ha preso piede nella storiografia (Rufini 1861, p. 235; De Montault 1870, p. 387, n. 14) e anche nella catalogazione moderna (Santangelo 1947, p. 47; *Catalogo della Galleria Nazionale Palazzo Barberini* 1953, pp. 20-21), ma è stata respinta dopo la ferma posizione in merito di Olsen (1962, p. 182, n. 18), fatta eccezione per Gillgren (2011, p. 183). Siamo di fronte a un'altra persona rispetto a quella raffigurata nei dipinti fiorentini, con cui condivide solo generiche affinità quali l'incipiente calvizie o barba e baffi alla moda del tempo. Diversi sono i tratti fisionomici, ma anche l'espressività del ritrattato. Barocci, pur trascorso quasi l'intero arco della vita fra il primo e il secondo autoritratto, mantiene lo stesso guizzo negli occhi, tutto suo, un moto di curiosità e inquietudine, unito a uno sguardo indagatore, di chi si studia e al tempo stesso si specchia in chi lo guarda, sapendo di mostrare una natura ambivalente, in cui l'ambizione lotta con la debolezza fisica (Olsen 1962, p. 34), come lo descriveva Bellori (1672, p. 206). Molto diversa la natura del protagonista del ritratto Corsini, più tranquilla e pacata, davvero differente, per quota psicologica, dall'immagine di Barocci, che oltretutto in entrambi gli esemplari fiorentini conserva una corsività tipica della destinazione privata, basti notare la differenza di trattazione del collare, ben più rifinito e costruito nella tela romana rispetto ai pochi, magistrali tratti di veloce pennello con cui è reso negli altri due. Un elemento peraltro già rielaborato dal copista autore del ritratto di Barocci presso l'Accademia di San Luca (post 1633, ricordato da Baglione [1642] 2023, p. 393), base per l'incisione premessa alla Vita di Bellori (Agosti, Ambrosini in corso di stampa). Conferma del dato interiore è, a evidenza, quello esteriore. Il volto del giovane e poi anziano artista è più allungato e tale resta in due momenti molto lontani tra loro, diverso l'andamento del sopracciglio, che ha un arco continuo nei dipinti degli Uffizi, dello sguardo si è detto ma anche il naso è rivelatore: più affilato nella coppia di Firenze e con un'evidente gobbetta, più corto e privo di quest'ultima caratteristica nell'opera Corsini. Lo stile sorregge queste differenze. La pittura ricca di passaggi pastosi e rosati del dipinto romano, tornata a una buona leggibilità dopo il restauro, non può toccare il 1590, come ritenuto da Olsen, ma si assesta non troppo distante dai modi del ritratto di Francesco Maria II in armatura (cat. I.5), dunque negli anni settanta, quando sappiamo per esempio che Barocci realizza nel 1577 un ritratto di Giacomo Malatesta, marchese di Roncofreddo, perduto (Comandini 1961, pp. 51-55).

I tre dipinti qui esposti si inseriscono perfettamente nella tipologia di ritratti di dimensioni minori e legati a una sfera intima di relazioni, che Bellori ([1672] 1976, p. 192) distingueva dalla ritrattistica ducale, anche se, stanti i rapporti intrinseci dell'artista con il duca stesso e la sua corte, dove gravitavano i protagonisti dei suoi ritratti, tale definizione potrebbe comprendere l'intera sua produzione nel genere, connotata dalla vibrante empatia dell'artista.

Per quanto attiene in particolare ai ritratti di medie dimensioni, la sequenza stilistica e cronologica va dal *Ritratto di Antonio Galli (?)* della Galleria Palatina, all'*Autoritratto da giovane*, al *Ritratto virile* della Galleria Nazionale delle Marche (cat. I.4), al *Ritratto di fanciulla (Lavinia Feltria della Rovere?)* (cat. I.6), al *Ritratto di uomo* della Corsini, fino ai più avanzati esemplari, ovvero l'*Autoritratto da anziano* e il ritratto del cappuccino Prospero Urbani (cat. I.10).

I due ultimi dipinti, databili attorno al 1605 circa, hanno una forza di penetrazione psicologica particolare, anche per il sentito contrasto tra luce e ombra, in linea con la ricerca avviata dagli anni novanta, che ha fatto avvicinare (Olsen) l'*Autoritratto* a opere come il *San Girolamo* Borghese (cat. III.6) o la *Natività* del Prado (cat. III.5) ma direi con un'ulteriore e maggiore dose di introspezione, legata ai soggetti e a una speciale libertà e rapidità di tocco, nonché alla riduzione essenziale dei toni, che giocano sui chiari e sugli scuri entro una gamma ridottissima – bianco, marrone, nero – che rende il brillare degli occhi ancora più evidente: per l'*Autoritratto da anziano* si tratta forse anche di una meditazione sulla fine più vicina. Siamo del resto nella fase estrema dell'attività, quando però, nonostante il fisico sempre più compromesso, la qualità della sua arte non subiva cedimenti e così sarà fino alla morte, per espressa affermazione del duca (*Diario* 1989, p. 186). Le velature si fanno sempre più raffinate, e in particolare i ritratti saranno lascito essenziale per artisti quali il veronese Claudio Ridolfi e il suo allievo Simone Cantarini, e più in generale in questa adesione dello stile all'emozione Federico anticipa alcuni degli elementi più caratteristici della ritrattistica barocca, come Bernini e Van Dyck.

È indispensabile, *last but not least*, sgombrare il campo da una confusione che riguarda tecnica esecutiva e supporto dei due autoritratti, che va confermata come qui espressa nell'intestazione della scheda: olio su carta incollata su tela per l'*Autoritratto da giovane* e olio su tela per l'*Autoritratto da anziano*. Da troppo tempo infatti persiste un grande disordine su questo punto, con indicazioni, alternativamente, come olio su carta applicato su tela o tavola, olio su tavola, olio su tela.

L'inventario roveresco del 1631 registrava un autoritratto di Barocci, passato in quel momento a Firenze coi beni dell'ultima erede Vittoria della Rovere (Gronau 1936, p. 73; cfr. *Documenti urbinati* 1976, p. 233, n. 387), ma è impossibile stabilire su questa base di quale dei due si trattasse.

Nel 1667 il cardinale Leopoldo acquistò un altro autoritratto del pittore dal mercante di Fossombrone Cristoforo Vicentini (*Il cardinale Leopoldo* 1993, pp. 319-320).

Entrambi gli autoritratti sono elencati con precisione nell'inventario della Guardaroba del cardinale Leopoldo de' Medici, nel 1676, al n. 237 (quello "da vecchio") e al n. 239 (quello "di mez'età") (Archivio di Stato, Firenze, Guard. 826, f. 69 r e v), ed entrambi sarebbero confluiti nel progetto della Galleria degli autoritratti degli artisti, che tanto stava a cuore a Leopoldo. Filippo Baldinucci (1625-1696) lodava un autoritratto di Barocci "venuto alle mani del sopranominato Cardinal Leopoldo di Toscana" (Baldinucci [1681-1728] 1974-1975, VI, pp. 71-73, n. I), espressione che sembrerebbe riferirsi a quello acquisito nel 1667.

È verosimile infatti che per Baldinucci implicitamente l'iconografia di Barocci fosse quella fissata dall'autoritratto in età anziana, dal cui modello dipende in via indiretta il ritratto incluso nelle *Vite* di Bellori, sua principale fonte, e che a meritare un cenno a parte fosse il nuovo acquisto del cardinale.

L'autoritratto in età anziana era evidentemente assai noto quando ancora si trovava a Urbino, prima della devoluzione, come indicano il disegno di Ottavio Leoni, del 1614 (New York, Pierpont Morgan Library, inv. 142025; Primarosa 2017, p. 443), e le numerose copie (Olsen 1962, p. 205, cat. 59), fenomeno che non si registra per l'altro.

La vicenda storiografica dell'*Autoritratto da giovane* si è ulteriormente complicata in quanto nell'inventario delle raccolte medicee stilato da Giovanni Francesco Bianchi (1702-1714), l'effigiato viene identificato con Ambrogio Barocci (Linnenkamp 1961; Baroni 2016b). Forse però il nipote di Federico, che aveva trattato la vendita di tante sue opere alle collezioni fiorentine, piuttosto che il bisnonno scultore. A tale proposito va infine affermata con decisione la natura di copia della versione di Salisburgo (Residenzgalerie), la cui durezza, nei passaggi di tono, nella costruzione dell'impianto e nelle singole parti, dallo sguardo al collare, è impressionante alla visione diretta, ma eloquente anche se messa a confronto con la tela degli Uffizi tramite una buona riproduzione fotografica. Lo stile di Barocci, la sua qualità unica della pennellata, delle sfumature, del rapporto così morbido tra ombre e luci rende agevole individuare gli autografi ed è solo il serrato confronto con i capi d'opera certi che permette di decidere su altri numeri, indipendentemente da qualunque documento possibile che non sia lo stile e la qualità del dipinto.

I.1 Autoritratto da giovane

1560-1565 circa
Olio su carta incollata su tela,
33 × 25 cm
Firenze, Gallerie degli Uffizi,
inv. 1890 n. 1745

Bibliografia
Linnenkamp 1961, p. 47; Olsen 1962, pp. 105, 205, cat. 24; *Federico Barocci* 1975, pp. 188-189, n. 61; *Gli Uffizi* 1979, p. 799, n. A61; Gillgren 2011, pp. 182-183, 263-264, n. 18.7; Ambrosini Massari 2016, pp. 58, 67; Baroni 2016b, pp. 95-104.

I.2 Autoritratto da anziano

1605 circa
Olio su tela, 42,2 × 33,1 cm
Firenze, Gallerie degli Uffizi,
inv. 1890 n. 1848

Bibliografia
Linnenkamp 1961, p. 47; Olsen 1962, pp. 105, 205, cat. 59; *Gli Uffizi* 1979, p. 799, n. A61; Barbolani di Montauto, *Federico Barocci* 2009, pp. 401-403; Gillgren 2011, pp. 182-183, 263-264, n. 18.9; Mann 2012b, pp. 311-314, n. 23; Aliventi 2015, p. 194, I.4; Ambrosini Massari 2016, pp. 58, 64, 66; Baroni 2016b, pp. 95-104.

I.3 Ritratto di uomo di mezza età

1570-1580
Olio su tela, 44 × 35 cm
Roma, Gallerie Nazionali di Arte Antica, Galleria Corsini, inv. 318

Bibliografia
Santangelo 1947, p. 47; Carpegna 1953, pp. 20-21; Olsen 1962, pp. 182-183, cat. 40; Magnanimi 1980, p. 102; Emiliani 2008, II, p. 377, cat. 96; Gillgren 2011, p. 183, n. 18.8; Ambrosini Massari 2016, p. 67; Cosma 2016, p. 202.

I.4 Ritratto virile

1565-1570 circa
Olio su carta incollata su tela, 35,5 × 24,5 cm
Urbino, Galleria Nazionale delle Marche, inv. D 289

Bibliografia
Caldari, in *Gli ultimi Della Rovere* 2000, pp. 26-28, cat. 2; Dal Poggetto 2003, p. 226, fig. 265; Emiliani 2008, I, pp. 120-121, cat. 11; Ambrosini Massari 2016, pp. 57-58, fig. 5; Ambrosini Massari 2017, pp. 99 fig. 7, 100, 110 nota 49.

Presentato da Emiliani come inedito nella mostra bolognese del 1975 dove veniva dichiarata la provenienza da una collezione privata fiorentina (così rimasta anche in Emiliani 2008), il ritratto della collezione Ulrich Middeldorf è stato acquistato nel 1999 dallo Stato italiano per entrare nelle raccolte della Galleria Nazionale delle Marche nel 2000, e dal 2022 è esposto nelle sale del secondo piano di Palazzo Ducale.

Il *Ritratto virile* è stato accostato a quello di Antonio Galli conservato allo Statens Museum di Copenaghen, per lo stile tizianesco ma anche per una certa somiglianza fisiognomica, e a quello da esso derivato conservato a Palazzo Pitti (Padovani, in *Galleria Palatina* 2003, p. 64, cat. 76). Il ritratto danese è stato alternativamente attribuito a un pennello veneziano (*Federico Barocci* 1975; Pillsbury 1976, p. 58; Borea 1976, p. 60), se non di Tiziano stesso, e a quello di Barocci (Olsen 1962; Shearman 1976, p. 51; Ambrosini Massari 2016, pp. 54-56) e, di conseguenza, anche quello urbinate è oscillato tra le due attribuzioni. Ambrosini Massari (2016, p. 58) sostiene che non si tratti dello stesso personaggio pur avendo i due ritratti un rapporto di debito stilistico di derivazione veneziana, anche se questo della Galleria Nazionale delle Marche dimostra una stesura cromatica più liquida e cronologicamente collocabile a date più avanzate, stilisticamente vicino all'*Autoritratto di mezz'età* degli Uffizi e quindi da porre sullo scorcio degli anni sessanta.

Per questo ritratto Barocci ha utilizzato una tecnica speciale, la pittura a olio su carta successivamente applicata alla tela, particolarmente apprezzata e utilizzata per la ritrattistica anche in altri ambiti artistici, per esempio quello veneto con Tintoretto (Boesten-Stengel 2001, p. 235). Tale tecnica, prediletta da Barocci per i ritratti, gli permetteva di conservare una maggiore freschezza nel tratto e una conseguente immediatezza nella resa dell'effigiato. L'artista la utilizzava non solo per i ritratti a sé stanti ma anche per i volti dei personaggi inseriti in più ampie composizioni: sono noti i casi della donatrice nella *Madonna di san Simone* (cat. II.1) e del volto di san Francesco nel *Perdono d'Assisi* (cat. VII.3) (Calzini 1913b, p. 77, nota 3). Oltre a mantenere la naturalezza della pittura dal vivo, questo metodo era utile per interventi mirati sempre nel contesto di uno stile sobrio e riccamente inventivo. Tra gli artisti interessati alla felice resa naturalistica e luministica dei ritratti di Barocci doveva esserci Girolamo Muziano, che in una serie di "teste" dimostra una certa predilezione e sensibilità nei confronti dell'urbinate (Tosini 2008, pp. 270-276; Ambrosini Massari 2016, p. 58).

Lo studio dal vero attraverso gli schizzi e i disegni su carta, oltre a essere testimoniato da Bellori come operazione imprescindibile per l'artista secondo la sua metodologia di lavoro, è comprovato anche dai tanti fogli conservati nelle varie collezioni museali e private. Numerosi erano quelli rimasti nello studio alla sua morte, dove, tra i vari soggetti, prevalgono le "teste" a pastello: almeno cento quelle finite di personaggi di ogni età e sesso, più altre quattordici "colorite a olio [...] di vecchi, di donne, di giovani" (Calzini 1913b, pp. 77, 80; Duro 2022, pp. 273-274).

Il *Ritratto virile* potrebbe appunto appartenere, per tipologia, a una di queste ultime; difficile quindi riuscire a dare un nome all'uomo effigiato, che per la languidezza e la profondità dello sguardo, per l'evanescenza delle forme e quel modo "già quasi iridescente, di mescolare colore all'ombra e di negare altra struttura all'oggetto che non sia quella meramente cromatica" (Emiliani, in *Federico Barocci* 1975, p. 57), rientra pienamente tra la produzione ritrattistica di Barocci avviata verso la stagione dei grandi capolavori degli anni settanta del Cinquecento.

Maria Maddalena Paolini

I.5 Francesco Maria della Rovere di ritorno da Lepanto

1571-1572 circa
Olio su tela, 113 × 93 cm
Firenze, Gallerie degli Uffizi,
inv. 1890 n. 1438

Bibliografia
Olsen 1962, p. 156; Emiliani 2008, II, pp. 40-42, cat. 27;
Federico Barocci 2012, pp. 302 segg., cat. 19.

Francesco Maria II della Rovere (1549-1631), primo figlio del duca Guidubaldo II e futuro sesto duca di Urbino, ha una giovinezza difficile. Il padre, desideroso di prepararlo al governo e rafforzare le basi diplomatiche e politiche del piccolo ducato di Urbino, lo invia all'età di sedici anni alla corte di Spagna. Qui il principe si innamora e avvia una relazione con una giovane nobildonna spagnola, Maddalena Osuna Giron; scoperto, viene frettolosamente richiamato in patria da Guidubaldo, fatto che, oltre a rovinare irreparabilmente i rapporti tra padre e figlio, avvelenerà il successivo, infelice matrimonio di convenienza con la figlia del duca di Ferrara.

Nei mesi in cui il giovane Francesco Maria rientra di malavoglia in patria, gli stati italiani ed europei sono impegnati in fitte consultazioni relative alla crescente minaccia turca. La risoluzione viene trovata nel corso del 1571, con l'invio in Grecia di una potente flotta cristiana che, il 7 ottobre 1571, pone presso Lepanto un punto d'arresto all'avanzata ottomana. Come testimonianza del proprio sostegno al progetto, il Della Rovere invia in battaglia Francesco Maria, mettendo seriamente a rischio la continuità dinastica del ducato di Urbino (l'altro fratello, Giulio Feltrio della Rovere, ha preso i voti ed è ormai cardinale). La scommessa ha però successo: Il giovane principe urbinate, a capo di duemila armati e imbarcato sulla nave ammiraglia sotto il comando dell'amico Don Giovanni d'Austria, torna da Lepanto coperto di gloria, avendo ribadito in maniera incontestabile la forza militare di Urbino e i legami dei Della Rovere con Venezia, Roma, Genova e la Spagna. Pochi mesi dopo il padre lo sposa per procura a Lucrezia d'Este, figlia del duca di Ferrara, rinsaldando ulteriormente le alleanze del ducato.

È in questi mesi (e, cioè, tra il rientro da Lepanto e il matrimonio) che viene commissionato a Barocci il ritratto ufficiale del giovane principe, forse inteso come ritratto nuziale da presentare alla corte ferrarese. È un'opera sfarzosa, pensata per affermare la potenza e la ricchezza urbinati; il modello iconografico, tutto all'insegna della continuità dinastica, è esplicitamente individuato nel ritratto eseguito da Tiziano nel 1538 per il nonno omonimo del principe, Francesco Maria I della Rovere (Firenze, Gallerie degli Uffizi, inv. 1890 n. 926). Il quadro era esposto assieme al nostro nella medesima galleria di ritratti, la Guardaroba del Palazzo Ducale di Pesaro, dove il *Francesco Maria II* è descritto per la prima volta in un inventario del 1623-1624: "retratto di Sua Altezza Serenissima armato, con armatura e banda, quando tornò dall'armata, con cornici intagliate pinte turchine mineate d'oro con bandinella" (*Documenti urbinati* 1976, p. 322).

L'esecuzione del dipinto offre a Barocci l'occasione per confrontarsi con l'opera di Tiziano. La costruzione del suo ritratto è identica a quella della tela del maestro cadorino; laddove Francesco Maria I, che aveva dovuto lottare per riottenere il ducato di Urbino strappatogli da papa Giulio II, si tiene saldamente e quasi ostinatamente aggrappato al bastone del comando, il nipote assume una posizione più rilassata, da soldato vittorioso. Le mani, liberate dalle manopole, si appoggiano sul fianco e sull'elmo da parata, mentre dallo sfondo fanno capolino lo scudo, appoggiato contro la parete, e due libri, allusione alla raffinata educazione cortigiana del giovane.

Mentre Tiziano gioca la sua tela sul contrasto tra l'armatura nera e il vistoso drappo rosso alle spalle del duca, Barocci illumina l'immagine con la descrizione dell'oro cesellato, della fascia di seta rossa da condottiero e del colletto bianco. Persino la piuma dell'elmo, che il cadorino ha raffigurato sobriamente bianca, si tinge di rosa, quasi a riflettere l'incarnato gentile e la barba rossiccia del giovane principe.

Luca Baroni

I.6 Ritratto di fanciulla (Lavinia Feltria della Rovere?)

1575 circa
Olio su tela con inserti di olio su carta, 45,2 × 34,7 cm
Firenze, Gallerie degli Uffizi, inv. 1890 n. 765

Bibliografia
Olsen 1962, p. 157, cat. 25; Borea, in *Gli Uffizi* 1979, p. 142, cat. P120; Emiliani 2008, I, pp. 69, 244-245, cat. 30; Zezza 2009, pp. 264, 265 nota 27; Morselli 2015, pp. 339-341; Ambrosini Massari 2016, p. 53.

"La giovane bionda degli Uffizi, alla quale si dà il nome possibile di Lavinia della Rovere" (Emiliani 2008, I, p. 69) ci guarda interrogativa con un sorriso appena accennato, le gote arrossate e lo sguardo guizzante. Lavinia era la sorella minore del duca Francesco Maria II; nata nel 1558, crebbe e si formò nella corte ducale, con amicizie illustri come quella con Torquato Tasso, il quale ne declamò la beltà in un suo componimento. Fin dalla giovane età Lavinia attirò l'attenzione degli ospiti della corte urbinate per la vivacità dello spirito e per la bellezza (Furlotti 2016, pp. 140-141) e anche Bernardino Baldi nel 1590 ne decantò il fascino riferendosi al ritratto che le fece Barocci (Olsen 1962, p. 250). Numerose furono le trattative per combinare un matrimonio all'altezza della giovane – soprattutto conveniente per il casato – e finalmente, all'età di venticinque anni, nel 1583 fu data in sposa a Pesaro ad Alfonso Felice d'Avalos, marchese del Vasto e di Pescara.

Da quel momento a più riprese soggiornò con le figlie nel ducato di Urbino, soprattutto a Fossombrone, e vi tornò stabilmente una volta rimasta vedova, dopo un breve intermezzo a Vasto presso la figlia Isabella. Gli ultimi anni della sua vita, a partire dal 1609, li trascorse con la nipote Lucrezia al castello di Montebello dove morì nel 1632. Francesco Maria II annotò nel suo *Diario* (1989) ogni notizia relativa alla sorella, dal matrimonio alla nascita dei figli, ai suoi spostamenti tra le varie residenze del ducato, testimoniando un legame stabile e affettuoso tra i due.

Per primo Olsen propose il nome di Lavinia per il ritratto degli Uffizi con una datazione, che condivido, attorno al 1575, identificandolo con quello citato dalle fonti (Baldi, Bellori, Baldinucci) alle quali si aggiunge la testimonianza del manoscritto anonimo appartenuto a Giovan Vincenzo Pinelli del 1590: "fece medesimamente [ai ritratti di Francesco Maria II principe e poi duca] un ritratto della s.ra Donna Lavinia bellissimo" (Zezza 2009, p. 264).

La critica da tempo discute sull'identificazione di questo e di altri ritratti come, ad esempio, il *Ritratto di Lavinia della Rovere* di Scipione Pulzone, in cui la giovane indossa un abito caratterizzato da preziosi bottoni a forma di ghianda, riferimento alla casata di appartenenza (Furlotti 2016). Mettendo a confronto i due dipinti appare evidente una differenza fisiognomica, in particolare negli occhi, ma non va dimenticato che Pulzone realizzò un ritratto idealizzato corrispondente a una tipologia "alla moda" richiesta dalle dame dell'epoca e dalla stessa Lavinia dopo aver visto quello della cugina Clelia Farnese (Furlotti 2016, pp. 144-145).

Come sottolineava Ambrosini Massari (2016, p. 53), la somiglianza tra Francesco Maria II e la sorella appare evidente. Viene da chiedersi se Barocci non l'abbia utilizzata come modello di bellezza ideale per le tante donne bionde all'interno di composizioni sacre.
Il disegno della Galleria Estense di Modena (Emiliani 2008, I, p. 388, cat. 40.24; si veda anche R. Aliventi, in *Raffaello, Parmigianino, Barocci* 2015, pp. 262-265, catt. II.42-45) pare quasi uno studio dal vivo per la preparazione del ritratto, anche se quel volto scorciato è stato poi utilizzato dal pittore per la donna che allatta in primo piano nel *Martirio di san Vitale* e, in precedenza, per la donna nella medesima posizione nella *Madonna del popolo*. Gli stessi lineamenti delicati, la bocca minuta e il naso affilato, gli occhi languidi e le sopracciglia sottili, i capelli biondi spesso raccolti e intrecciati sul capo ritornano similari – e chissà se anche quella bambina bionda dai capelli intrecciati con un nastro a fiorellini rosso e dalle mani giunte ai piedi di Maria nell'*Immacolata Concezione* (cat. VII.5) non abbia una qualche relazione con la stessa modella.

Per le stesse caratteristiche fisiognomiche si può ipotizzare che la tela baroccesca conservata presso la Galleria Nazionale delle Marche, presentata da Dal Poggetto (2003, p. 256, fig. 308) come possibile *Ritratto di Lucrezia d'Este*, sia invece un ritratto della stessa Lavinia più avanti negli anni, con i capelli fulvi cotonati in un alto chignon e l'abito nero vedovile per la morte del marchese d'Avalos, avvenuta nel 1593. La stessa capigliatura e le stesse caratteristiche si ritrovano nel *Ritratto di dama in nero* di San Pietroburgo (Emiliani 2008, II, pp. 370-372, cat. 92).

Maria Maddalena Paolini

I RITRATTI DI GIULIANO E IPPOLITO DELLA ROVERE

Maria Maddalena Paolini

I due fratelli si riuniscono idealmente per questa occasione: Ippolito (1554-1620), militare e marchese di San Lorenzo in Campo, Montalfoglio, Castelleone di Suasa e Mirabello; e Giuliano (1560-1621), religioso e priore di Corinaldo, abate di San Lorenzo in Campo; figli naturali del cardinale Giulio poi legittimati da papa Pio V, dunque cugini di Francesco Maria II e da questi impiegati attivamente nella politica diplomatica dal 1590 al 1598, come annota il duca stesso nel suo diario (*Diario* 1989, pp. 47, 50, 56, 60, 93, 96, 99, 101, per poi ricomparire insieme nel 1604, p. 134). Secondo il racconto di Bellori (1672, p. 171), Barocci, da poco arrivato a Roma, incontrò un suo zio maestro di casa del "Cardinale di Urbino" ovvero Giulio della Rovere, per il quale realizzò un ritratto, perduto, e altri quadri "che lo resero gratissimo", tanto da farlo diventare protettore del pittore suo compaesano al quale fece anche prestare le cure dai "medici più esperti di Roma" all'epoca del secondo soggiorno romano (Bellori 1672, p. 174; Verstegen 2003b, p. 60).

Il legame artistico continuò con i figli del cardinale, di cui Barocci realizzò i ritratti, come riportato ancora una volta da Bellori (1672, p. 192), in particolare, con l'abate Giuliano, committente di altre due importanti opere: il *Noli me tangere* e la replica della *Fuga di Enea da Troia* (Bellori 1672, pp. 192-194). Segnalati negli inventari ducali del 1623-1624 e del 1631 (Arcangeli 2018, pp. 68-69), nel 1652 entrambi i ritratti si trovavano nelle stanze private di Vittoria della Rovere a Poggio Imperiale (Gronau 1936, p. 75; Archivio di Stato, Firenze [d'ora in poi ASF], *Guardaroba Medicea*, ms. 674, 1646-1652, ff. 7, 272) ma, come aveva già ipotizzato Giulia Semenza, questi potrebbero essere pervenuti all'ultima erede ducale non nel 1631 bensì dieci anni dopo per via ereditaria di Livia, sua nonna, cugina e seconda moglie di Francesco Maria II, nonché figlia dello stesso marchese Ippolito, morta nel 1641. Dall'inventario (ASF, *Ducato di Urbino*, Classe I, Divisione G, filza 94, ff. 1061-1066; trascritto in Semenza 2008-2009; Morselli 2015, p. 342) risulta infatti che la duchessa lasciò erede l'amata nipote di una serie di ritratti di famiglia da lei posseduti "a titolo di deposito temporaneo" (Biganti 2005, p. 12) una volta rimasta vedova, tra i quali vi erano quello del figlio Federico Ubaldo e della moglie Claudia de' Medici, del marito Francesco Maria II, del padre Ippolito della Rovere e dello zio Giuliano.

Il ritratto di quest'ultimo è datato da Olsen attorno al 1595, per la vicinanza stilistica alla *Presentazione della Vergine al Tempio* della Vallicella (cat. VI.8)– all'epoca l'effigiato avrebbe avuto sui trentacinque anni – mentre Arcangeli lo anticipa di qualche anno (2018, p. 74). Dalle stanze di Vittoria, il dipinto fu trasferito nella Real Galleria (Uffizi), dove compare nel catalogo stilato dall'allora direttore Giuseppe Bencivenni Pelli: "Una figura in abito nero sedente quasi in faccia, con libro aperto davanti, sopra una tavola coperta da tappeto rosso, ed altra tavola in disparte nella quale sono libri calamaro ed orivuolo a polvere. È giudicata pittura di Federigo Baroccio urbinate, col lume da destra. Alto b. 2.1, largo b. 1.12. * Potrebbe essere il ritratto di un tal maestro Prospero venuto da Urbino con i quadri dei quali parlo nel Saggio Istorico" (Bencivenni Pelli 1775-1792, f. 22, n. 31). All'epoca si era persa l'identificazione del *Ritratto di Prospero Urbani* della Galleria Palatina (cat. I.10) ma dalla dettagliata descrizione appare evidente che si trattasse del dipinto ceduto nel 1792 alla Galleria Imperiale di Vienna per uno scambio di quadri tra le due istituzioni. Il ritratto di Ippolito, di cui esiste una copia ridotta ai Musei Civici di Pesaro, invece è stato a lungo dimenticato in quanto fu concesso in deposito nel 1926 a Roma, dove rimase per lungo tempo prima in un ufficio al palazzo del Viminale e poi alla Galleria Corsini, infine restituito a Firenze nel 1962 dopo il restauro e identificato da Olsen (1971, p. 124) di mano del maestro urbinate come ritratto di

Guidubaldo del Monte (così riconosciuto anche da Calzini 1913c, p. 165). Per prima Evelina Borea (1976, p. 61), nella ficcante recensione alla mostra di Barocci del 1975, avanzava il nome di Ippolito della Rovere, proposta ripresa più recentemente da Luciano Arcangeli che ne ha ricostruito dettagliatamente il percorso storico-documentario proponendo una datazione del quadro al 1599, anno delle nozze della figlia di Ippolito, Livia, con il duca di Urbino (Arcangeli 2018, p. 74).

Emiliani (2008, I, p. 68) evocava suggestivamente per il dipinto di Giuliano un'inquietudine "che si direbbe stare tra Lorenzo Lotto e Giacomo Leopardi" esprimendo efficacemente il forte senso di condivisione psicologica tra ritrattista e ritrattato e tra questi e il riguardante, osservazione che può essere estesa anche al ritratto di Ippolito. Gli stessi occhi spalancati, acquosi e sospesi in un pensiero che dal libro sfogliato sembra balenare nello sguardo, assorto per Giuliano e velato di malinconia per Ippolito, donano alle opere un'intensità eccezionale pur nell'ascetismo degli ambienti e degli abiti. Nell'apparente semplicità della scena, Judith Mann (2012b p. 309, e prima di lei Olsen 1962, p. 104) evidenziava per il primo ritratto la funzionale e complessa costruzione dello spazio modellato sulla diagonale (riprendendo forse a modello il *Ritratto di Leone X e i nipoti* di Raffaello e, aggiungo io, l'*Ultima cena* di Tiziano dello stendardo per il Corpus Domini di Urbino) che dall'angolo sinistro del dipinto conduce l'occhio dell'osservatore fino al fondo dello studiolo. Il libro aperto sul tavolo mostra le pagine – dove è possibile leggere l'incipit: "In Ascens..." – di un testo religioso tra i numerosi rilegati in pergamena accumulati sulla scrivania alle spalle, dove è appoggiato anche il calamaio di ceramica bianca con il pennino; su un ripiano più in alto è posta una clessidra, simbolo di riflessione escatologica che si accorda con l'atmosfera intima della stanza, spoglia di ogni tipo di decorazione, e con il volto macilento e assorto di Giuliano.

I.7 Ritratto di monsignor Giuliano della Rovere

1595 circa
Olio su tela, 117 × 97,5 cm
Vienna, Kunsthistorisches Museum, Gemäldegalerie, inv. 162

Bibliografia
Bellori 1672, p. 192; Olsen 1962, pp. 192-193, cat. 47; Borea 1976, pp. 59 fig. 4, 61; *Gemäldegalerie* 1991, p. 26, t. 134; Emiliani 2008, II, pp. 152-155, cat. 56; Mann 2012b, pp. 306-309, cat. 21, 316-317; Morselli 2015, pp. 341-342; Ambrosini Massari 2016, pp. 64-66; Arcangeli 2018.

I.8 Ritratto di Ippolito della Rovere

1599 circa
Olio su tela, 106,5 × 88,5 cm
Firenze, Gallerie degli Uffizi,
inv. 1890 n. 567

Bibliografia
Bellori 1672, p. 192; Olsen 1962, pp. 192-194; Borea 1976, pp. 57 fig. 3, 61; Borea, in *Gli Uffizi* 1979, p. 144 cat. P125; Emiliani 2008, II, p. 373, cat. 93; Morselli 2015, pp. 341-342; Arcangeli 2018.

I.9 Ritratto di nobiluomo

1602
Olio su tela, 118 × 95 cm
Ministero degli Affari Esteri e della Cooperazione Internazionale, esposto presso l'Ambasciata d'Italia nel Regno Unito
Iscrizione: "FED. BAR. VRB. / AD MDCII."

Bibliografia

Olsen 1962, p. 204, cat. 56; Emiliani 2008, II, pp. 242-244, cat. 69; *Una guida settecentesca d'Urbino* 1992; *A Touch of the Divine* 2006, pp. 198-199, n. 73; Gillgren 2011, p. 261, n. 38; Ambrosini Massari 2016, pp. 65-66; Arcangeli 2018, pp. 70-72.

Questo superbo dipinto rappresenta al massimo grado il lascito di Barocci per la ritrattistica italiana e internazionale del Seicento, ed è uno dei punti fermi, per qualità, autografia e cronologia, recando firma e data, 1602.

L'opera riflette la straordinaria libertà esecutiva degli anni più maturi, distribuiti in quell'ultimo ventennio in cui si scalano alcuni capolavori nella sua produzione, compresa la ritrattistica, con il *Ritratto di monsignor Giuliano della Rovere* (cat. I.7) e quello del fratello, *Ippolito della Rovere* (cat. I.8) il secondo *Autoritratto* degli Uffizi (cat. I.2) e l'intenso *Ritratto di Prospero Urbani* (cat. I.10). Barocci firma un discreto numero di opere, tutte destinate a sedi non urbinati, ma fra i ritratti questo in esame è l'unico a oggi noto. Un dato non secondario per una riflessione sulla sua classificazione nell'opera dell'artista, se non per avvicinarci all'identità del nobiluomo.

Identificato da Olsen (1962, p. 204, n. 56) nel marchese Ippolito della Rovere (cat. I.8), dubitativamente proposto come tale anche da Emiliani (2008, II, pp. 242-243, cat. 69), il ritrattato viene riconosciuto in Federico Bonaventura (1555-1602), amico carissimo del duca Francesco Maria II, di cui fu consigliere e ambasciatore, molto legato a Barocci, da Sangiorgi (*Una guida settecentesca d'Urbino* 1992, p. 86, tav. V; Mann 2012b, 309, 314, cat. 22) in base a fonti, scalate tra 1775 e 1829 (Ambrosini Massari 2016, p. 66), che ne danno notizia, con descrizioni purtroppo generiche ma che ne esaltano la bellezza imponente. Contribuiva a tale identificazione un'incisione nell'antiporta del *Trattato sulla Ragion di Stato*, 1623, con l'effigie del Bonaventura, autore del testo (*Una guida settecentesca d'Urbino* 1992, p. 95), che mostra qualche affinità con l'immagine del ritratto, tale da rendere davvero intrigante quell'identificazione, ma infine non del tutto convincente per togliere ogni dubbio: lo rimarcava con decisione Luciano Arcangeli (2018, pp. 70-72) che attirava anche l'attenzione sulla storia "tutta inglese" del dipinto, già ricostruita da Olsen (1962, p. 204, n. 56) per i passaggi ottocenteschi, con il complemento dell'acquisto da parte dello Stato italiano nel 1952, e la concessione del deposito all'ambasciata italiana di Londra. A chiudere ora la questione si presta il collegamento (Baroni in corso di stampa [c]) del dipinto a una lettera a Lord Upper Ossory, scritta nel 1769 dal pittore Gavin Hamilton (*Digging and Dealing* 2010, II, p. 9), che sta trattando alcune opere d'arte a Roma e fa riferimento, con parole di altissimo apprezzamento che ne giustificano il prezzo molto alto, proprio a questo ritratto, senza possibilità di sviste, non solo per la destinazione inglese, ma anche perché menziona firma e data sulla sedia, documento inequivocabile, connotato dall'artista come la prova che Barocci stesso fosse pienamente consapevole di aver prodotto un capolavoro. Oltre a essere un documento rilevante e non isolato della fortuna internazionale di Barocci, questa lettera conferma che non siamo di fronte a Federico Bonaventura, visto che fonti e guide locali che lo menzionano sono tutte successive al 1769, quando il dipinto doveva già trovarsi sul mercato artistico romano.

Sembra dunque voler conservare ostinatamente il segreto della sua identità questa vetta della produzione baroccesca, monumentale ed essenziale al tempo stesso, che doveva senza dubbio avere una destinazione di grande rilievo, tale da spingere l'artista ad apporre la sua firma e la data sullo schienale della sedia, attirando l'attenzione su quel particolare elegante, ma anche strategico per il gioco di luce, che è la frangia dorata che si muove, facendo trasparire un moto impressionista: l'aria nella stanza, la memoria della vita. Lo stesso vale per la mano che trattiene inquieta la spada (con studi stupendi per entrambe le mani: Firenze, Uffizi, inv. 11440 F); per lo sguardo malinconico, fisso sullo spettatore (Emiliani 2008; Mann 2012b), pur nel suo piglio di dominio, avvalorato dalla posizione stante, studiata in un potente disegno del Martin von Wagner Museum dell'Università di Würzburg (inv. HZ 7185). Il nobiluomo indossa un elegante abito nero con collare secondo il gusto spagnolo, di particolare gradimento a Urbino per l'ammirazione che Francesco Maria II tributò sempre a quella corte, alla quale si ispirava nei ritratti (Ambrosini Massari 2016, pp. 61-65). Un gusto che rifletteva il rigore spagnolo, condiviso dal duca nell'impegno in particolare per i Francescani, che lo univa a Barocci e a tutta la cerchia nobiliare vicina alla corte (si veda qui il saggio di Giovanni Russo). La capacità di Federico di rendere, nero su nero, ricami e variazioni della stoffa nella luce è già stata evidenziata, così come la lezione, anche in questo, da Tiziano e da Tintoretto (Mann 2012b).

Anna Maria Ambrosini Massari

I.10 Ritratto di Prospero Urbani

1602 circa
Olio su tela, 58 × 49,5 cm
Firenze, Gallerie degli Uffizi, Palazzo Pitti, Galleria Palatina, inv. Palatina (1912) n. 407

Bibliografia
Olsen 1962, pp. 105, 205, cat. 58, fig. 98b; Padovani, in *Galleria Palatina* 2003, II, p. 64, cat. 75; Aronberg Lavin 2006, pp. 30-31, fig. 26 e p. 49, nota 83; Emiliani 2008, II, p. 248, cat. 71; Morselli 2015, pp. 342-343, nota 61; Ambrosini Massari 2016, p. 66, fig. 12; Paolini in corso di stampa.

Il dipinto, restaurato per la mostra è molto probabilmente in prima tela. Sul retro in alto a sinistra si legge una lieve scritta a pennello nero "Mons. Prospero d'Urbino". È stato individuato nell'inventario del Palazzo Ducale di Pesaro stilato tra la fine del 1623 e il gennaio 1624, dove si fa riferimento al soggetto ma non all'autore (Biblioteca Oliveriana, Pesaro, *Inventario di Guardaroba*, 460, f. 57r; *Documenti urbinati* 1976, p. 357, n. 437, nota 2), riconosciuto poi tra quelli spostati a Casteldurante (Semenza 2005a, pp. 96, 341 n. 2007) da dove, nella cassa 82, fu spedito a Firenze con il resto dell'eredità roveresca (Archivio di Stato, Firenze [d'ora in poi ASF], *Ducato di Urbino*, Classe II, Divisione A, filza 3, f. 896v). Ritroviamo il "Ritratto di maestro Prospero, di mano del Baroccio" nella *Nota dei quadri buoni* arrivati nel capoluogo toscano, lo stesso descritto tra quelli presenti nella camera di Vittoria della Rovere nella Villa del Poggio Imperiale, lì spostati tra il 1650 e il 1652: "Un quadro in tela alto br. 1, largo ⅞, dipintovi un Frate di San Francesco del Baroccio" (ASF, *Guardaroba medicea*, ms. 674, 1646-1652, f. 272; Gronau 1936, p. 73). Fu successivamente trasferito a Palazzo Pitti dove è inventariato tra il 1702 e il 1710: "Un quadro del medesimo autore [Baroccio], entrovi la testa d'un frate al naturale, vestito di bigio, con berretto tondo simile in capo, e barba bianca a spazzola, alto br. uno largo soldi diciassette con suo adornamento dorato" (ASF, *Guardaroba medicea*, ms. 1185, tomo III, 1702-1710, f. 1229; Giglioli 1909, p. 155, n. 407). Nel corso del Settecento appare, per errore, nel catalogo della Real Galleria (Uffizi), dove si ipotizzava che il ritratto di tal maestro Prospero potesse identificarsi con quello che invece si descriveva come il *Ritratto di monsignor Giuliano della Rovere* (cat. I.7) (Bencivenni Pelli 1775-1792, f. 22, n. 31).

Riferito ad autore e soggetto anonimi nel catalogo della Galleria Palatina curato da Luigi Bardi (1839), dove è pubblicata anche la riproduzione a incisione, fu Rusconi (1937, p. 51) a recuperare il nome di Barocci, anche se dubitativamente; autografia invece confermata da Olsen già nel 1955 (pp. 82, 160 cat. 57) e poi nel 1962, che riconosceva il personaggio ritratto in base all'iscrizione sul retro della tela stessa: "M.re Prospero...". Emiliani aggiungeva l'opera al catalogo dell'artista solo nell'edizione 2008 sottolineando come la tela rivesta "un notevole peso qualitativo e di identità fisionomica" (p. 248). Ambrosini Massari (2016) lo ha presentato tra i migliori ritratti del Barocci (e così Gillgren 2011, p. 183), accostandolo allo stile del secondo *Autoritratto* degli Uffizi (cat. I.2) per "la speciale compenetrazione comunicativa, nutrita dalla tecnica pittorica abbreviata, risolta con poche zone di colore dove brillano gli occhi" (p. 66) e datandolo intorno al 1602.

Nominato da Grossi (1819, p. 51; 1856, pp. 66-67) tra gli uomini illustri nelle scienze sacre, Prospero Urbani (1533-1609) entrò giovane nell'ordine dei Frati minori conventuali di San Francesco di Urbino, ebbe una carriera ecclesiastica importante come lettore di teologia e ricoprì diverse cariche tra le quali "Reggente Maestro, Guardiano, Commissario Generale, perpetuo Definitore, ed Inquisitore del S. Uffizio di Siena" (Colucci 1796, p. 291). Aronberg Lavin (2006) ha ricostruito il legame tra Urbani e Barocci, praticamente coetanei, nel periodo della realizzazione della tela del *Perdono di Assisi* (cat. VII.3) e per l'incisione da essa derivata. Ma il frate fu in stretto rapporto anche con Francesco Maria II (Franchini 1693, pp. 531-540), come dimostrano alcuni documenti inediti conservati presso l'Archivio della Dottrina della Fede (Città del Vaticano) che sto studiando, alla cui prossima pubblicazione rimando per ulteriori approfondimenti (Paolini in corso di stampa). Il ruolo di inquisitore a Siena fu coperto da Urbani dal 1578 al 1581, anni segnati dallo scalpore per l'arresto del poeta protestante Marcantonio Cinuzzi, che vide coinvolto anche il duca Della Rovere (Cinuzzi 2006); rientrato a Urbino fu guardiano del convento di San Francesco tra il 1583 e il 1588 e tra il 1596 e il 1597 (Bonifazi 2013, pp. 297-298). Urbani fu un protetto del duca, il quale annotò nel suo *Diario* il 13 agosto 1609 (*Diario* 1989, p. 168) la scomparsa del religioso, morto in odore di santità con il titolo di "servo di Dio", primo passo verso la beatificazione (Schwedt 2009, p. XLII), come si evince dall'orazione funebre scritta da Giovanni Bramosella e stampata nel 1610. Trova così giustificazione la presenza del *Ritratto* tra i dipinti di Barocci più cari all'interno delle collezioni ducali confluite a Firenze. Va quindi ricondotto a esso anche quel "Padre inquisitore" presente in un inventario di Palazzo Pitti del 1716-1723: "Un quadro in tela alto s. 19 largo 5/6, dipintovi un Padre inquisitore fino a mezzo busto con barba bianca a spazzola, e berretta bigia in testa; mano del Baroccio, con adornamento intagliato, e tutto dorato segnato n. 614 n.1" (Archivio Biblioteca Uffizi, Firenze, ms. 79, 1716-1723, f. 50).

Maria Maddalena Paolini

II.

Scenografia sacra, sensibilità moderna: le pale d'altare

II.1 **Madonna col Bambino, i santi Giuda e Simone e i donatori** detta **Madonna di san Simone**
Urbino, Galleria Nazionale delle Marche

II.2 **Deposizione**
Perugia, duomo di San Lorenzo

II.3 **Visitazione della Vergine a santa Elisabetta**
Roma, Santa Maria in Vallicella

II.4 **Madonna della gatta**
Firenze, Gallerie degli Uffizi, Palazzo Pitti, Galleria Palatina

II.5 **Istituzione dell'Eucarestia**
Roma, Santa Maria sopra Minerva

SCENOGRAFIA SACRA, SENSIBILITÀ MODERNA: LE PALE D'ALTARE

Anna Maria Ambrosini Massari

La serie di quattro pale è stata selezionata a rappresentare altrettante svolte determinanti nella carriera di Barocci, a partire dall'accensione correggesca della Pala di San Simone (cat. II.1), al suo comporsi con la cultura della maniera romana della *Deposizione* (cat. II.2), fino al manifesto del suo stile "delicato e divoto"[1] che conquisterà Roma con la *Visitazione* (cat. II.3), prima pala inviata alla Vallicella di Filippo Neri, per arrivare alla *Istituzione dell'Eucarestia* (cat. II.5), che porta agli estremi risultati la sua maniera "sì bella sfumata, dolce, e vaga"[2] che, nel soffuso e potente registro del lume di notte, indica la strada di un naturalismo alternativo a quello caravaggesco e al tempo stesso antitetico al classicismo carraccesco, tanto era nutrito di intensa spiritualità protesa sull'emozione barocca. E dunque verso la modernità.

La pala d'altare è il campo dove più intensamente si è esplicata la creatività di Barocci, del quale già i biografi antichi[3] evidenziavano sia la concentrazione pressoché esclusiva sui soggetti sacri sia l'estraneità, dopo la giovinezza, alla pratica dell'affresco.

Rispetto alla *Madonna di san Giovanni* (cat. III.1), dipinta poco dopo il rientro da Roma a Urbino nel 1563 e ancora in stretta continuità con i caratteri stilistici della *Sacra Famiglia* (fig. 8 p. 42) affrescata sulla volta di una delle due stanze del casino di Pio IV di cui Federico era stato responsabile, la *Madonna di san Simone* segna un notevole grado di maturazione del suo linguaggio e di arricchimento nel suo orizzonte di riferimenti culturali. Le due opere sono separate da un intervallo temporale breve ma denso di trasformazioni. Affiorano qui una nuova capacità di costruzione dello spazio illusivo attraverso un complesso gioco di scorci che coinvolge la posa e l'orientamento delle figure, una più risolta rappresentazione degli affetti affidata alla gestualità e agli sguardi dei personaggi, e una più raffinata orchestrazione cromatica. Come la critica ha rilevato fin dal Settecento[4], alle spalle della *Madonna di san Simone* sta la scoperta dell'universo formale di Correggio, una circostanza che sulla scia della biografia di Bellori veniva spiegata attraverso l'arrivo a Urbino di disegni del maestro emiliano. Ma questo importante snodo del percorso di Barocci e l'impatto così forte che Correggio lasciò sulla sua pittura anche negli anni seguenti si possono oggi capire meglio grazie alla notizia fornita da Gaspare Celio nel suo *Compendio delle Vite di Vasari con alcune altre aggiunte*, un testo solo recentemente riemerso. Il pittore e biografo romano, che aveva soggiornato a Parma nei primissimi anni del Seicento, riferisce infatti espressamente di un viaggio lì compiuto da Federico "a studiare [...] dalle opere del Correggio"[5].

Le esperienze compiute a Roma, il contatto ravvicinato con Taddeo Zuccari allora al suo exploit pubblico nella cappella Mattei in Santa Maria della Consolazione, l'esercizio su testi capitali della Maniera di pieno Cinquecento come la *Deposizione* affrescata da Daniele da Volterra nella cappella Orsini di Trinità dei Monti e la pala di analogo soggetto eseguita da Iacopino del Conte per la sala dell'oratorio di San Giovanni Decollato, e ancora le memorie della recente trasferta parmense, rifluiscono nella grande tela che fu allogata a Barocci nell'inoltrato 1567 per la cappella di San Bernardino nel duomo di Perugia. Si trattava della prima prestigiosa commissione ricevuta da Federico, dopo il rientro da Roma, in autonomia, al di fuori dei confini del ducato, in una città chiave dello Stato Pontificio. Le imponenti dimensioni dell'opera e le condizioni pattuite con i committenti imposero a Barocci di restare a Perugia fino alla consegna, che avvenne nel dicembre del 1569. Il successo fu immediato, e l'architetto perugino Raffaello

Sozi, che assistette alla sua presentazione, racconta l'impressione provata di fronte a quella "vera maniera nuova, arteficiosa, et piena di gratia, et di bontà in tutte sue parti" dispiegata da Federico, celebrato "come grandissimo imitatore di Titiano Vecello"[6]. La fama dell'opera fu molto alimentata anche dalla splendida stampa che ne trasse Francesco Villamena nel 1606.

Con un balzo in avanti nel tempo, la sezione prosegue con due capolavori di Barocci, rispettivamente la prima e l'ultima delle sue pale d'altare di destinazione romana. La *Visitazione* per la chiesa di Santa Maria in Vallicella, di cui proprio allora i padri dell'oratorio di Filippo Neri avevano iniziato ad allestire gli altari seguendo un programma iconografico basato sulle storie di Maria, fu commissionata a Barocci all'indomani del suo ritorno a Urbino dalla trasferta a Ravenna, dove si era recato per mettere in opera il *Martirio di san Vitale* (fig. 5 p. 55). Il restauro compiuto per la mostra permette di apprezzare le finezze di colore e di lume, i sofisticati accostamenti tra tinte fredde e calde, la costruzione dell'impasto cromatico per sottili velature che connotano la pala, dove l'incontro tra la Madonna ed Elisabetta è intonato a un clima di accostante e insieme solenne naturalezza che cela un sofferto processo creativo, giocando sulla presenza di umili dettagli, sulla morbidezza della condotta pittorica assimilata grazie a rinnovati contatti con la pittura veneziana, sulla colloquialità dei gesti dei personaggi, disposti entro uno spazio porticato che articola illusivamente in profondità lo spazio della cappella, fino all'apertura di paesaggio urbinate in penombra sul fondo. Non stupisce che san Filippo Neri vi vedesse un'immagine in piena sintonia con la sua religiosità improntata a una dimensione di "allegrezza cristiana", tanto da mandarlo in estasi[7]. E non stupisce lo stupore del contesto artistico romano di fronte a tanta novità di composizione e colore.

A distanza di oltre vent'anni, la commissione da parte di Clemente VIII nel 1603 dell'*Istituzione dell'Eucarestia* per la cappella Aldobrandini in Santa Maria sopra Minerva suggella la fama alta e vasta, anche europea, raggiunta dall'artista, e insieme ne comprova l'appartenenza a una stagione della storia dell'arte irrevocabilmente diversa da quella cui davano vita allora a Roma Annibale Carracci e Caravaggio.

Sfidando le infelici condizioni di luce della cappella e assecondando le minuziose istruzioni iconografiche trasmesse dal papa, cui si deve fra l'altro l'idea di ambientare la scena a lume di notte, Barocci assembla una macchina compositiva un po' forzata, con un protagonismo dell'architettura dipinta memore della *Cena* per il duomo urbinate consegnata solo qualche anno prima (cat. VIII.3). Introdotta dalle due figure dei servetti in primo piano rischiarati dal virtuosistico baluginio generato dalle torce, la scena dell'istituzione dell'eucarestia è costruita distribuendo gli apostoli intorno alla figura stante, frontale e iconica di Cristo in atto di porgere l'ostia. I tempi molto dilatati con cui l'artista dalla maturità in avanti lavorava alle proprie opere e la consunzione delle energie e delle forze spiegano la riproposta nella Pala Aldobrandini di invenzioni approntate per precedenti e mai compiute commissioni: dalla posa del Cristo sviluppata a partire dall'omologa figura ideata per la pala con il *Congedo di Cristo dalla madre* ordinatagli da Isabella della Rovere fin dal 1590[8] (fig. 6 p. 57) a quella dell'apostolo elegantemente prosternato in ginocchio sulla destra, già concepita per uno degli apostoli dell'*Assunzione* (cat. VI.5), un altro quadro incompiuto ma con ogni probabilità già in lavorazione entro il 1600[9].

Note

1 Bellori [1672] 1976, p. 209.
2 Baglione [1642] 2023, p. 391.
3 Bellori [1672] 1976, p. 190. Sul tema si veda il saggio di David Ekserdjian.
4 Lanzi [1783] 2003, p. 349; Dolci 1933, p. 303.
5 Gandolfi 2021, pp. 294-296. Per confronti parlanti con l'opera di Correggio si veda il mio saggio introduttivo.
6 Bombe 1909, p. 5.
7 Bacci 1622; Baglione [1642] 2023, I, p. 391.
8 Olsen 2002, p. 200.
9 Sangiorgi 1982, pp. 30-31, n. XVI.

II.1 Madonna col Bambino, i santi Giuda e Simone e i donatori detta Madonna di san Simone

1566-1567
Olio su tela, 281 × 190 cm
Urbino, Galleria Nazionale delle Marche, inv. D 84

Bibliografia
Bellori [1672] 1976, p. 174; Calzini 1913a; Olsen 1962, pp. 149-150, cat. 16; *Una guida settecentesca d'Urbino* 1992, p. 29; Emiliani 2008, I, pp. 174-184, cat. 20; Ambrosini Massari, in *Botticelli to Titian* 2009, pp. 412-413, n. 131; Zezza 2009, p. 264.

La pala di Barocci sovrastava l'altare della settima cappella della chiesa urbinate di San Francesco, che dal 1561 era stata affidata in giuspatronato a Simone Bacchio (Ceccarelli 2003, p. 39), anche se i donatori del dipinto, raffigurati in basso a destra, sono Giovan Cristofero Biancalana e sua moglie Giacoma Lante (*Una guida settecentesca d'Urbino* 1992, p. 29). Il ritratto della donna, che a torto Olsen (1962, p. 149) non ritiene autografo del maestro, è stato dipinto su carta, poi incollata sulla tela (Calzini 1913a).

Con l'Unità d'Italia, a seguito della soppressione delle corporazioni religiose, l'opera entra nel Museo dell'Istituto di Belle Arti delle Marche istituito a Urbino, primitivo nucleo della futura Galleria Nazionale, e nel 1867 è citata nella prima guida del museo (Gherardi 1867, p. 38).

Per Borghini e Bellori (riguardo ai quali si veda Ambrosini Massari, in *Botticelli to Titian* 2009, p. 412) la tela è stata eseguita prima del breve periodo perugino del maestro, nel quale realizzò la *Deposizione* (cat. II.2) (tra la fine del 1567 e il 1569), e subito dopo la *Madonna di san Giovanni* (cat. III.1) (1565 circa); per Olsen (1962, p. 149) è stata realizzata entro il 28 ottobre (giorno in cui si festeggiano i santi Giuda e Simone, raffigurati nel dipinto) del 1567.

La riflessione del pittore sul soggetto della pala prende avvio da un'idea compositiva ancora zuccaresca, simile a quella della *Sacra Famiglia* che Barocci dipinse negli affreschi del casino di Pio IV (1561-1563), inscritta però in uno spazio raccolto e intimo, come ben si coglie nel disegno del Louvre, inv. 2849 (recto), e, ancor prima, nei quattro schizzi presenti nel foglio inv. n. 11447F degli Uffizi. Nel verso di quest'ultimo compare la lettera che Giovan Battista Clarici scrive da Firenze il 24 giugno 1565, una datazione che forse rappresenta l'inizio della meditazione del Barocci sul tema della *Madonna col Bambino*, che nella nostra tela approda infine, citando le parole di Emiliani, a "un'estensione narrativa, piacevolmente dilatata in un'impostazione cromatica quanto atmosferica e volumetrica" (Emiliani 2008, I, pp. 174, 180-181). In un altro disegno sempre agli Uffizi, il n. 1418, che Olsen (1962, p. 149) per primo lega al quadro, si nota che la riflessione di Barocci tiene conto anche di due opere di Raffaello: la *Madonna della tenda* e la *Madonna di Foligno* (Emiliani 2008, I, pp. 174, 178). Legato alla pala è anche il bozzetto della Galleria Doria Pamphili a Roma (cat. IV.1), giudicato da Emiliani (2008, I, pp. 174, 176-177) "bello e vitale come un Correggio", utilizzato per il volto del giovane san Giuda sulla sinistra.

Per Ambrosini Massari (in *Botticelli to Titian* 2009, p. 412), le allusioni alle dolci e materne Vergini di Raffaello e ai Bimbi che mostrano alle Madri brani tratti dai libri delle Scritture, come nella *Madonna* Conestabile, si uniscono a influssi correggeschi non solo nel dipinto in questione, ma in tutta la produzione del Barocci, dando origine a una sua personale e originale interpretazione che ebbe notevoli ripercussioni sulla sua scuola e più in generale sulla storia dell'arte.

L'ambientazione umile e i ritratti realistici dei committenti e dei due santi rendono ancora più intensa la vibrazione emotiva che si sprigiona dalla visione del quadro. I personaggi celesti, rappresentati con colori vivaci, e il panneggio vermiglio-iridescente che li sovrasta e che si lega ai rami degli alberi, fungendo da baldacchino, risaltano sul paesaggio bucolico che si sfuma nel grigiore della nebbia sullo sfondo. Sempre Ambrosini Massari nota che la scena sacra, una sorta di palcoscenico al di là del tempo e dello spazio, è costruita da linee che compongono un triangolo formato dall'alabarda di san Giuda, dalla sega di san Simone e dal drappeggio sovrastante. Il vertice inferiore è costituito dai ritratti dei committenti, con la donna che prega a mani giunte e l'uomo che indica la scena sacra, per i quali la Madonna e il Bambino, centro sia della composizione geometrica, sia della devozione religiosa, intercedono in cielo. Sotto questo aspetto, il meraviglioso risultato di Barocci ben si accorda con i dettami della Controriforma, che professano l'immediatezza del messaggio evangelico e il decoro dell'immagine sacra (Ambrosini Massari, in *Botticelli to Titian* 2009, p. 412).

Andrea Bernardini

II.2 **Deposizione**

1567-1569
Olio su tela centinata,
412 × 232 cm
Perugia, duomo di
San Lorenzo, cappella
di San Bernardino
(cappella della Mercanzia)

Bibliografia
Borghini 1584, p. 569; Scannelli 1657, p. 197; Bellori [1672] 1976, pp. 185-187; Bombe 1909; Olsen 1962, pp. 152-153; *Federico Barocci* 1975, pp. 78-81, n. 50; *The Graphic Art of Federico Barocci* 1978, pp. 47-50; Emiliani 2008, I, pp. 191-217; *Federico Barocci* 2009, pp. 267-269; *Federico Barocci* 2010; *Federico Barocci* 2012, pp. 90-107.

La commissione e l'esecuzione della pala sono ben note grazie ai documenti di allogagione e pagamento e al preciso resoconto steso dall'architetto e matematico perugino Raffaello Sozi (1529-1589), che un anno dopo la messa in opera della *Deposizione* attestava la permanenza dell'artista a Perugia per il tempo necessario alla realizzazione del dipinto (Perugia, Biblioteca Augusta, ms. E 70, f. 162r).

I documenti attestano che Barocci era stato raggiunto a Urbino il 22 novembre 1567 dal cavaliere Ranieri Consoli, membro del Collegio della Mercanzia; egli aveva condotto a Perugia l'artista, al quale già era stato versato un acconto per l'opera dal priore Fabio Ansidei (Bombe 1909, pp. 17-18). Entro qualche settimana il Collegio ufficializzò la commissione (*Federico Barocci* 2010, p. 37) e da quel momento i pagamenti all'artista si susseguirono per tutto l'anno successivo fino al 24 dicembre 1569, quando la tela fu posta sull'altare realizzato da Lodovico Scalza e Giovanni di Domenico da Firenze (Bombe 1909). Il dipinto pose fin da subito difficoltà tecniche per la sua messa in opera, e proprio in questa occasione fu applicata sul retro una foderatura lignea che ha causato alcuni problemi conservativi (Castellano 2010).

La mole di disegni preparatori a noi pervenuta dimostra che questo primo impegno pubblico autonomo per una destinazione fuori dai confini del ducato assorbì l'artista in una lunga e complessa progettazione.

Prima di giungere alla versione definitiva e di studiare gli effetti di luce nel bozzetto degli Uffizi (Gabinetto dei Disegni e delle Stampe, inv. 822 E), Barocci attraversò alcune fasi ideative intermedie, una delle quali è delineata nel foglio delle National Galleries of Scotland (inv. D 725): inizialmente Federico aveva pensato di raffigurare Cristo con il braccio sinistro sollevato e il corpo completamente accasciato tra le braccia delle tre figure impegnate a reggerne il peso. Questa stessa soluzione è indagata in un grande disegno oggi a Capodimonte (inv. GDS 251), rimasto ai margini degli studi a causa delle cattive condizioni conservative e della difficoltà di definirne lo statuto, ma certamente utile testimone di uno degli stadi creativi della *Deposizione*. Nella redazione finale Barocci scelse di rappresentare l'istante immediatamente precedente la pietosa operazione, invertendo l'orientamento della figura di Cristo, il cui braccio sollevato e ancora inchiodato alla croce è ora il destro.

La pala per il duomo di Perugia raccoglie in sé una *summa* dei riferimenti visivi assimilati dall'artista e che si innestavano sulla sua conoscenza delle opere marchigiane di Tiziano, dagli affreschi di Taddeo Zuccari studiati a Roma al *Trasporto di Cristo al sepolcro* di Raffaello allora a Perugia (Galleria Borghese), fonte d'ispirazione per la grandiosa figura di spalle sulla scala, con la schiena inarcata nello sforzo di sostenere il peso del corpo esangue di Cristo (Lingo 2008, pp. 96-97).

L'opera registra gli esiti di un intenso confronto di Barocci con Correggio, maturato a seguito di un viaggio compiuto a Parma, ricordato in primis da Gaspare Celio (si veda qui Agosti, p. 53). Alla pia donna di destra avvolta in uno spettacolare manto che trasmuta dal giallo oro al rosa fragola, rielaborazione della Maddalena nella *Madonna col Bambino e i santi Girolamo e Maddalena* di Correggio, Barocci dedicò non a caso diversi studi, tanto per la postura (Berlino, Staatliche Museen, inv. KdZ 20469; Firenze, Gallerie degli Uffizi, Gabinetto dei Disegni e delle Stampe, inv. 11341 F; Lille, Musée des Beaux-Arts, inv. W. 4502r) quanto per il volto. Il disegno di Besançon (inv. D1516) per quest'ultimo dettaglio è un capolavoro assoluto nel quale matita, pastello e pennello si fondono tra loro su una carta grigio-azzurra dando corpo a una materica tridimensionalità. Il grande conoscitore inglese Jonathan Richardson junior ricordava (Richardson 1722, p. 331) che il proprio omonimo padre possedeva un disegno a matita di mano di Barocci tratto proprio dalla testa della Maddalena nella pala di Correggio.

La *Deposizione*, incisa da Villamena nel 1606, e in anni più tardi da Pieter Nolpe, subì un incauto restauro che causò, secondo Baldassarre Orsini (1784, p. 110), la perdita delle velature. Nell'ultima decade del Settecento l'allestimento scultoreo dell'altare venne demolito e la tela di Barocci ebbe una collocazione provvisoria in cattedrale; fu requisita da Jacques Pierre Tinet il 24 febbraio 1797, esposta al Louvre, nuovamente restaurata e rifoderata. Rientrò a Perugia nel 1817. L'opera è stata recentemente restaurata (*Federico Barocci* 2010).

Camilla Colzani

I.N.R.I.

II.3 Visitazione della Vergine a santa Elisabetta

1583-1586
Olio su tela, 300 × 196 cm
Roma, Santa Maria
in Vallicella, cappella
Pizzamiglio

Bibliografia
Scannelli 1657, p. 196; Bellori [1672] 1976, pp. 195-196; Olsen 1962, pp. 190-192; *Federico Barocci* 1975, pp. 146-149, n. 162; Emiliani 2008, II, pp. 37-57; *Federico Barocci* 2009, p. 282; *Federico Barocci* 2012, pp. 196-211; Verstegen 2015, pp. 69-80.

La *Visitazione* è la prima opera eseguita da Barocci per i padri della congregazione fondata da Filippo Neri, allora impegnati nella decorazione degli altari della nuova chiesa di Santa Maria in Vallicella. Il 7 giugno 1582 gli Oratoriani decidevano di affidare a Barocci la pala dell'altare patrocinato dal sarto veneziano Francesco Pizzamiglio, incaricando l'orefice Antonio Gentili da Faenza, attivo nella stessa chiesa (Barbieri, Barchiesi, Ferrara 1995, p. 204, nota 544) e per il cardinale Alessandro Farnese (Bonadonna Russo 1968, p. 151, nota 1), di farsi tramite con il pittore urbinate.

Anche questa pala avrebbe dovuto seguire il programma iconografico previsto per l'intera chiesa e illustrare dunque un episodio dei misteri della vita della Vergine, come riferiva una lettera dell'ambasciatore urbinate a Roma Baldo Falcucci al duca Francesco Maria (Gronau [1936] 2011, p. 156. n. CCII). La commissione ufficiale arrivò l'anno successivo: il 19 giugno 1583 (Ponnelle, Bordet 1928, p. 367; *Federico Barocci* 2012, p. 197), e non del 1584 come asserito da parte della critica (*Federico Barocci* 1975, p. 147; Emiliani 2008, II, p. 37; Barbieri, Barchiesi, Ferrara 1995, p. 204, nota 545; *Federico Barocci* 2009, p. 282). Barocci era allora reduce dalla trasferta a Ravenna dove aveva consegnato la grande pala per la basilica di San Vitale ordinata tre anni prima, e proprio in quella fase emergono i primi segnali dei contatti dell'artista con la pittura e l'ambiente artistico veneziano (Eiche 1982; si veda qui Agosti, p. 53).

Nell'agosto del 1584 i padri oratoriani sollecitavano la consegna dell'opera, che si trovava allora "in assai buon termine" (Gronau [1936] 2011, pp. 156-157, n. CCIII, e pp. 156-157, nota 2). Il 9 marzo dell'anno successivo il cardinal Angelo Cesi si lamentava della lentezza di Barocci (Verstegen 2015, p. 73, nota 32), e infatti l'opera fu pronta solo il 24 maggio 1586, quando l'oratoriano Giovan Francesco Bordini informava il confratello Francesco Maria Tarugi a Napoli che la *Visitazione* era conclusa e ci si adoperava per la sua spedizione da Urbino a Roma (Cistellini 1989, I, p. 451, nota 143, senza trascrizione; Archivio Congregazione Oratoriana Napoli, X.2, ff. 117-118). A condurre a destinazione l'opera sarebbe stato un "creato di Federigo", incaricato di posizionare la tela sull'altare.

L'opera fu subito apprezzata enormemente, tanto che "se gli è fatta per tre giorni continui la processione a vederla" (Gronau [1936] 2011, p. 157, n. CCIV), e prima di Bellori è registrata con lode nelle biografie dedicate a Barocci da Gaspare Celio e Giovanni Baglione. Furono le novità stilistiche messe in campo dalla *Visitazione* a incuriosire gli artisti e il pubblico romani, messi di fronte a un linguaggio pittorico radicalmente diverso da quello del tardo manierismo capitolino (si veda qui Agosti, p. 53). Nel foglio preparatorio delle National Galleries of Scotland (inv. RSA 216) si coglie in particolare una nuova concezione unitaria della luce – che, riunendole, lambisce le figure sulla scena –, profondamente diversa rispetto al modo in cui Barocci frammentava i punti di luce nei suoi disegni della seconda metà degli anni sessanta (ad esempio nel noto bozzetto per I lumi per la *Deposizione* di Perugia, Gallerie degli Uffizi, Gabinetto dei Disegni e delle Stampe, inv. 822 E).

Dalla medesima lettera del luglio 1586 si apprende anche che la sistemazione dell'opera all'interno della cappella Pizzamiglio non era troppo felice, avendola i padri "posta de diametro incontro a un lume che gli leva tutto" (Gronau [1936] 2011, p. 157, n. CCIV); l'insoddisfazione era stata espressa da Barocci stesso, il quale menzionava il dipinto anni dopo come esempio di collocazione non adeguata in rapporto alle condizioni di luce (Sangiorgi 1982, pp. 17-18, n. II).

La pala andò incontro a una notevole e immediata fortuna, testimoniata dalle copie e dalle stampe che ne furono tratte: fu incisa nel 1588, nel 1589 e nel 1594 da Gijsbert van Veen, da Philips Galle nel 1589, da Philippe Thomassin nel 1594. Tra le più precoci manifestazioni dell'interesse suscitato dalla pala nell'ambiente artistico romano c'è l'affresco di Morazzone con il medesimo soggetto in San Silvestro in Capite (Stoppa 2003, pp. 24-25).

La tela, restaurata nel 1975, è stata sottoposta in occasione di questa mostra a un intervento conservativo di Fabiola Jatta e Laura Cibrario volto a riequilibrare i ritocchi alterati, a sostituire le stuccature non idonee e a migliorare la presentazione estetica grazie a una nuova verniciatura.

Camilla Colzani

II.4 Madonna della gatta

1588-1592
Olio su tela, 233 × 179 cm
Firenze, Gallerie degli Uffizi, Palazzo Pitti, Galleria Palatina, inv. 1890 n. 5375

Bibliografia
Bellori 1672, pp. 193-194; Gronau 1936, pp. 70-71; Olsen 1962, pp. 188-190, cat. 45; Meloni Trkulja, in *Gli Uffizi* 1979, p. 143, cat. P124; *Federico Barocci* 2003; Emiliani 2008, II, pp. 138-149, cat. 54; Zezza 2009, pp. 264-265; Morselli 2015, p. 332.

La stanza nella quale avviene l'incontro tra le due famiglie parenti si affaccia su una veduta del Palazzo Ducale di Urbino. Da quel ducato proviene il quadro registrato nell'*Inventario* della Guardaroba dei duchi Della Rovere nel 1623, arrivato a Firenze in seguito alla devoluzione del 1631. In quello stesso inventario si aggiunge che l'opera "fu fatta per la Cappella di Papa Clemente quando passò" (Biblioteca Oliveriana, Pesaro, *Inventario di Guardaroba*, 460, f. 43v; Gronau 1936, p. 70) riferendosi alla visita del papa nel ducato di Urbino avvenuta nel 1598 in occasione della devoluzione di Ferrara. Già Olsen però anticipava l'esecuzione del dipinto identificandolo con il "quadro della Madonna" per il quale i pagamenti del duca iniziarono dal 1588 per proseguire fino al 1592, con la cornice realizzata nel 1594, e quando nel 1596 Francesco Maria si rammaricava di possedere una sola pittura di Barocci, "la quale tengo molto cara" (Gronau 1936, p. 194), sembrerebbe proprio riferirsi a questa. La laboriosa metodologia di lavoro dell'artista bisognava del tempo necessario per la realizzazione di un'opera così complessa, semmai questa, ormai pronta, poté essere utilizzata per l'allestimento della cappella temporanea in occasione del passaggio dell'Aldobrandini (Morselli 2015). Dopo essere stata data per persa in un incendio della Galleria nel 1762 e poi rintracciata "nera come un tizzone" da Di Pietro nel 1913, la tela è tornata a nuova vita nel 2003 grazie a un sofisticato lavoro di restauro (*Federico Barocci* 2003, pp. 23, 141-157).

Emiliani suggeriva la visione di una via urbinate, forse quella stessa via oggi intitolata a Barocci, come se quel portone si aprisse in una delle case sul lato opposto a quella dell'artista e lasciasse intravedere dalla finestra sul retro la veduta sul Palazzo Ducale. San Giovannino, con la gestualità e con lo sguardo diretto all'osservatore, invita a varcare la soglia e a entrare nello spazio sacro della scena svelata da san Giuseppe che sorregge la pesante tenda. Maria, assorta nella lettura, accoccolata di fianco alla culla del Figlio dormiente, si volta, e il suo sguardo carico di consapevolezza è diretto a Giovanni che indica "l'agnello di Dio". Sulle vesti rosate della Vergine, posta al centro della scena, una gatta acciambellata allatta i suoi cuccioli. Sembra un inno alla vita, alla "nascita" che potrebbe essere anche letta in chiave escatologica come "rinascita" alla vita eterna grazie all'agnello sacrificale, il Figlio di Dio fattosi uomo. Barocci studia dettagliatamente l'inquadratura della scena riuscendo a giostrare abilmente lo scambio tra esterno e interno dei vari piani raffigurati, quasi come una zoomata che dal primo piano della strada, caratterizzata da una bocca di lupo con grata, dove l'anziano falegname ha abbandonato a terra, in mezzo ai trucioli di legno arricciati, gli oggetti del vivere quotidiano – un'ascia, un compasso –, passa all'interno, dove è raffigurato umanamente l'evento sacro, per poi uscire dall'apertura sul retro che inquadra i tetti di Valbona e il Palazzo Ducale. Come se lo sguardo dell'artista abbracciasse quegli spazi familiari presentandoli come luoghi del cuore e dell'anima, in intima affinità con il suo duca il quale "nelle opere destinate alla sua domestica osservazione, sceglieva il suo palazzo come marchio e identità di luogo e di èpos, e Barocci lo assecondava legando se stesso allo spazio che lo vedeva presente: la sua casa e il territorio cui apparteneva" (Morselli 2015).

L'opera, "molto cara" a Francesco Maria e a sua nipote Vittoria, che la teneva nelle sue stanze private (Archivio di Stato, Firenze, 674, f. 272; Gronau 1936, p. 70), riscosse molto successo tanto che fu riprodotta in più copie (Olsen 1962, p. 189; Emiliani 2008, II, p. 389, cat. 106.12; o quella descritta nel Noviziato dei Gesuiti di Roma da Bellori 1672, pp. 193-194, e, ancora in loco, la replica di bottega nella chiesa di Sant'Agostino a Mondolfo in provincia di Pesaro e Urbino) e tradotta anche in arazzo dal francese Pietro Fevère tra il 1663 e il 1664 (Palazzo Pitti, Appartamenti Reali, inv. MPP 1911/13637). Numerosi sono i disegni per lo studio e la preparazione del dipinto, tra i quali mi piace qui ricordare lo studio per la santa Elisabetta conservato nella Galleria Nazionale delle Marche (Arcangeli 2012, pp. 28, 50 cat. 4).

Maria Maddalena Paolini

II.5 Istituzione dell'Eucarestia

1603-1608
Olio su tela, 290 × 177 cm
Roma, Santa Maria sopra Minerva, cappella Aldobrandini

Bibliografia
Bellori 1672, pp. 186-187; Olsen 1962, pp. 209-211, cat. 65; Tomasi Velli 1997, pp. 157-167, fig. 3; Verstegen 2003b, pp. 79-83; Emiliani 2008, I, p. 35, II, pp. 296-310, cat. 81; Mann 2012b, pp. 288-301, cat. 18; Baroni 2015, p. 86; Pierguidi 2015, pp. 47-49, fig. 3; Baroni, in *L'eterno e il tempo* 2018, p. 399, cat. 119.

La storia di questa opera inizia nel 1598, quando il duca di Urbino donò al papa Clemente VIII una lamina d'oro dipinta da Barocci raffigurante un *Bambin Gesù benedicente sulle nubi*. Il pontefice ne rimase così colpito che desiderò una pala d'altare per la sua cappella di famiglia (Bellori 1672, p. 186), anche se egli doveva già conoscere le doti artistiche dell'urbinate, avendo potuto ammirare a Roma nella Chiesa Nuova la *Visitazione* (cat. II.3), posizionata sull'altare nel 1586, e il suo passaggio a Pesaro nel 1598 fu forse anche l'occasione per incontrare di persona il pittore, in quel momento acclamato tanto a Roma quanto a Milano (Verstegen 2003b, p. 75).

Il processo di realizzazione del dipinto, che un restauro recente (2019) ha restituito in tutta la sua potenza, è documentato dal carteggio conservatosi (Gronau 1936, pp. 176-186), il quale rivela una trattativa complessa e dettagliata tra il duca di Urbino, l'artista e il committente. Iniziata nell'agosto del 1603, pochi mesi dopo che Barocci aveva consegnato la *Presentazione al Tempio* alla Chiesa Nuova (cat. VI.8), la commissione vide il coinvolgimento del papa stesso, che richiese fin da subito una "Cena", nonostante fosse consapevole delle difficoltà di farla rientrare in uno spazio ristretto e verticale. A novembre due disegni erano già pronti e furono presentati al papa che dimostrò di apprezzarli volendo inviare all'artista "una collana d'oro di molto valore" (Bellori 1672, p. 188). A seguito dei commenti del committente nel febbraio successivo, che richiedeva modifiche alla composizione (il gesto di Cristo che doveva essere enfatizzato e l'aggiunta di luci per indicare che l'evento avvenne di notte), il duca si preoccupò di far accettare le volontà del papa a Barocci (Gronau 1936, p. 183). Nell'agosto del 1604 egli si recò nello studio del pittore trovandolo "molto abattuto" per la febbre e il quadro non era ancora finito quando a marzo del 1605 morì Clemente VIII, evento annotato da Francesco Maria nel suo *Diario* (1989, p. 139). Nel luglio del 1608 il dipinto, pagato interamente dal duca, era finalmente terminato e fu inviato alla fine di dicembre del 1609 a Olimpia Aldobrandini, sorella del pontefice (Gronau 1936, pp. 185-186), ma la cappella fu consacrata solo nel marzo del 1611 (Olsen 1962, p. 210).

Nel carteggio non si trova menzione del rifiuto del papa di una delle prime due proposte compositive, a causa della presenza di Satana accanto a Giuda intento a ricevere la comunione da Cristo (Bellori 1672, p. 188). Entrambi i disegni sono stati identificati: quello scartato a causa della presenza demoniaca si trova a Chatsworth (cat. IV.23), mentre quello accettato è conservato al Fitzwilliam Museum di Cambridge (cat. IV.24; per entrambi, Emiliani 2008; Mann 2012b). Molti altri schizzi e disegni preparatori testimoniano il lavoro dell'artista. Nella progettazione della pala, Barocci aveva in mente il suo illustre compatriota Raffaello, citato nella figura malinconica dell'apostolo che evoca il Michelangelo/Eraclito della *Scuola di Atene*. Verstegen (2003a) identificava questa figura con Giuda, raffigurato volutamente negli abiti dell'artista toscano, forse come condanna per apostasia in quel contesto clementino, in cui si discuteva addirittura della demolizione del *Giudizio universale* alla Sistina. O forse, più semplicemente, Barocci ha voluto rendere omaggio a Raffaello attraverso una nuova lettura degli affreschi romani studiati durante i suoi soggiorni nella capitale (Bellori 1672, pp. 171-172). È infatti evidente la provenienza dalla *Scuola di Atene* anche della figura sugli scalini della prima idea compositiva, oggi a Chatsworth, per la quale si riprende la stessa posa di Bramante/Euclide.

Barocci ha dedicato particolare attenzione alla resa luministica dell'opera, creando un'atmosfera "fra la luce caliginosa e notturna in lontananza" (Bellori 1672, p. 187) dove il bagliore delle torce e delle candele accende i colori delle figure, che brillano come gioielli su un velluto nero nell'oscurità della cappella Aldobrandini (Shearman 1976, p. 50). Questo luminismo inedito nella produzione di Barocci dimostra la sua continua sperimentazione e rielaborazione stilistica, in cui mantiene una propria autonomia su una strada parallela rispetto alle novità di Caravaggio, col quale lo stesso Bellori lo fa dialogare, a distanza, sottolineandone le diversità (Pierguidi 2015).

Maria Maddalena Paolini

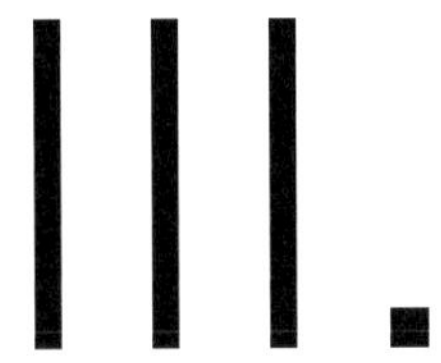

La *pittura degli affetti*. Natura ed emozione nelle opere di devozione privata

III.1 **Madonna col Bambino e san Giovanni Evangelista** detta **Madonna di san Giovanni**
Urbino, Galleria Nazionale delle Marche

III.2 **Riposo durante la fuga in Egitto**
Città del Vaticano, Musei Vaticani

III.3 **Sacra Famiglia con san Giovannino e un gatto** detta **Madonna del gatto**
Londra, The National Gallery

III.4 **Noli me tangere**
Firenze, Gallerie degli Uffizi

III.5 **Natività**
Madrid, Museo Nacional del Prado

III.6 **San Girolamo**
Roma, Galleria Borghese

III.7 **San Francesco nella grotta**
New York, The Metropolitan Museum of Art

Barocci e il paesaggio

III.8 **Studio d'alberi**
Parigi, Fondation Custodia, Collection Frits Lugt

III.9 **Studio di tre alberi coperti dalle loro foglie**
Parigi, Musée du Louvre, Département des Arts graphiques

III.10 **Studio di roccia**
Firenze, Gallerie degli Uffizi, Gabinetto dei Disegni e delle Stampe

III.11 **Studio di arbusti**
Londra, The British Museum

III.12 **Le stigmate di san Francesco**
Fossombrone, Pinacoteca Civica "A. Vernarecci"

III.13 **Studio di uomo che si riposa nel sottobosco**
Parigi, Musée du Louvre, Département des Arts graphiques

III.14 **Studio di gatto per l'Annunciazione**
Firenze, Gallerie degli Uffizi, Gabinetto dei Disegni e delle Stampe

III.15 **Studio di testa di asino per il Riposo durante la fuga in Egitto**
Firenze, Gallerie degli Uffizi, Gabinetto dei Disegni e delle Stampe

III.16 **Studio per il falcone a sinistra nel San Francesco riceve le stigmate**
Berlino, Staatliche Museen, Kupferstichkabinett

III.17 **Paesaggio**
Urbino, Galleria Nazionale delle Marche

LA *PITTURA DEGLI AFFETTI*

NATURA ED EMOZIONE NELLE OPERE DI DEVOZIONE PRIVATA

Luigi Gallo

Nel catalogo della pionieristica mostra bolognese del 1975, Andrea Emiliani definisce la pittura di Barocci come "un'amorosa visione del mondo". Con la sua prosa icastica, il grande storico dell'arte, cui va il merito di avere rilanciato gli studi italiani sull'urbinate, sintetizza il senso di quieta intimità dei suoi dipinti, particolarmente leggibile nelle opere di piccole dimensioni, molto richieste per la devozione privata: i così detti "quadri da stanza". Artista religioso per eccellenza, Barocci vi offre una lettura dei temi sacri estremamente personale, dove immagini di serenità domestica, in cui regna una luminosa felicità evangelica, si alternano a inquiete visioni esegetiche che cristallizzano i tormenti dell'età controriformata. La sua pittura esplicita un'analisi dei sentimenti volta a individuare i moti interiori dell'anima, quella *pittura degli affetti* derivata da Leonardo da Vinci per tramite di Raffaello e Correggio, che enfatizza la capacità dell'arte di suscitare, comunicare e trasmettere emozioni e stati d'animo, creando un legame viscerale tra opera e osservatore. Senza alcuna affettazione di maniera, Barocci lascia fluire l'umanità dei personaggi che entrano in risonanza fra loro e con quanto li circonda: la natura che accoglie e riverbera gli eventi sacri nelle atmosfere irradianti delle albe e dei tramonti, nei pensosi notturni illuminati dal chiarore ultraterreno, negli animali, la cui candida innocenza rivela la presenza del divino, e nell'evocazione del Palazzo Ducale e del borgo, teatro vivente di ogni evento. I protagonisti sorridono o languiscono, riflettendo le emozioni umane davanti all'epifania del sacro secondo i valori di un cattolicesimo "minore" che rimanda alle posizioni espresse dalla Chiesa post-tridentina, vicina a figure come Carlo Borromeo e Filippo Neri. Sono figure prese dal vero in lunghe sedute svolte nel privato dell'atelier, documentate da centinaia di fogli di studio, alcuni esposti in mostra. L'osservazione diretta dei modelli permette al pittore di realizzare composizioni dotate di una grazia spontanea, scevra da ogni artificio, nonostante la complessa elaborazione prospettica operata nel solco della tradizione urbinate. A tale proposito, va sottolineato il continuo contatto con la sua famiglia, composta da scienziati e costruttori di ricercati strumenti di misurazione, automi e orologi, che permette a Barocci di realizzare opere di grande lirismo e al contempo di assoluta precisione matematica e ottica. Perfettamente equilibrati da un sapiente utilizzo della luce, i colori contribuiscono a creare un impianto scenografico articolato su differenti piani prospettici; sono pigmenti pregiati, stesi a olio e tempera, arricchiti da lacche e, talvolta, da polvere di vetro per aumentare gli effetti di luminescenza.

Se nelle grandi pale d'altare la sfida di Barocci è popolare la composizione con una moltitudine di figure che animano le sequenze prospettiche, senza cadere nelle forzature tipiche dei suoi contemporanei, nei quadri da stanza il pittore si cimenta con inquadrature ravvicinate, spesso in primo piano e prive di *repoussoirs*. Siamo invitati ad assistere alla rappresentazione del sacro come se avvenisse accanto a noi, in un campo assolato, nel buio di una grotta, nel privato di una stalla o negli aulici spazi ducali. La poesia dei quadri da stanza di Barocci si rivela nelle opere esposte in mostra, realizzate nel corso della sua lunga carriera, che permettono una lettura diacronica della sua produzione. Si tratta di alcuni dei più celebri capolavori dell'artista, dai quali si evince la profonda riflessione sui maestri della generazione precedente, come Leonardo, Raffaello, Michelangelo, Lotto, Tiziano, Correggio, presenti nelle collezioni dei Della Rovere o visti nel corso dei suoi sporadici spostamenti, evidenziando al contempo il dialogo ideale con la generazione dei Carracci, di Caravaggio e di Rubens.

Il tema mariano è caro al pittore che lo tratta a più riprese, partendo dalla giovanile *Madonna col Bambino e san Giovanni Evangelista* (cat. III.1), realizzata intorno al 1565 dopo il definitivo rientro da Roma per la chiesa dei Cappuccini di Crocicchia, sulle colline tra Urbino e Fermignano, come ringraziamento per essere scampato a un avvelenamento, testimoniato dalla coppa ai piedi di san Giovanni. Nella composizione si rileva la vicinanza con la raffaellesca *Madonna di Orléans*, conservata al Musée Condé di Chantilly e un tempo nella collezione ducale, da cui riprende il gesto della Vergine che tiene in mano il piede del Bimbo. Tutta l'immagine è pervasa da una soffusa spiritualità che si riflette nel paesaggio, uno dei primi realizzati da Barocci, in cui s'intravede il profilo di un borgo inquadrato da una pergola, forse una evocazione di Urbino. Rimonta al 1570 circa l'atmosferico *Riposo durante la fuga in Egitto* (cat. III.2), che omaggia Correggio, capolavoro della prima maturità in cui Federico approfondisce lo studio delle emozioni delle tre figure, cinte da un'ardita diagonale prospettica e immerse nei colori dell'aureo tramonto. I frutti primaverili offerti da Giuseppe provocano il sorriso del bimbo, evocando la caducità della felicità terrena, mentre un asino osserva partecipe, quasi preconizzando il tragico destino con la sua saggezza animale. Di poco successiva, la *Madonna del gatto* (cat. III.3), realizzata per il conte Brancaleoni di Piobbico intorno al 1575, esplicita i rimandi a Raffaello nella grazia episodica della narrazione – il gioco di san Giovannino che incita il gatto tenendo un cardellino in mano – ma rafforza il carattere dei personaggi, sorridenti nell'intimità della stanza in cui si riconosce il Palazzo Ducale di Urbino. Rigorosa è la costruzione in diagonale della scatola prospettica, realizzata verosimilmente grazie all'uso di uno strumento ottico, con un primo piano sapientemente giostrato, in cui spicca la natura morta della cesta, e la doppia illuminazione dalla finestra sullo sfondo che rischiara il crocifisso. L'equilibrio cromatico e la resa atmosferica del paesaggio che accoglie l'epifania divina caratterizza il più tardo *Noli me tangere* (cat. III.4), realizzato intorno al 1590, in cui un muscolare Cristo appare alla Maddalena sontuosamente abbigliata, colta dallo stupore che le fa portare la mano al viso inginocchiandosi a terra. La scena, immersa in una dorata luce vespertina, si svolge sotto un arco in pietra alle cui spalle si apre un ampio, meraviglioso paesaggio con la veduta del Palazzo Ducale.

Un gruppo di straordinari notturni testimonia il tenebrismo della tarda maturità di Barocci che si spinge verso effetti cromatici e luministici di grande intensità, lasciando intuire la conoscenza dell'opera di Tintoretto, Bassano e forse del giovane Caravaggio. La *Natività* (cat. III.5) dipinta per il duca Della Rovere è fra i suoi più alti raggiungimenti, con l'evocazione della Sacra Famiglia in una stalla e i pastori che guardano dalla porta socchiusa, sottolineando l'aspetto familiare dell'evento. Assistiti dai dolcissimi sguardi del bue e dell'asino, la Vergine e il Bambino sono avvolti dalla luce divina emanata da Gesù: l'ambiente infatti non presenta né un'illuminazione naturale né una artificiale. Tale naturalismo intriso di misticismo si riflette anche nel *San Girolamo* (cat. III.6) e nel *San Francesco* (cat. III.7), databili al 1600 circa. In questi dipinti, dove il linguaggio poetico e intimista si accompagna a un colorismo di grande suggestione, Barocci si concentra sulla descrizione dei moti spirituali delle due figure, immerse in inquieti paesaggi che ne riflettono le emozioni: l'oscurità della notte, appena rischiarata da un quarto di luna e da una lanterna che irradia Girolamo, con la pietra per battersi il petto, in preghiera davanti al crocifisso in controluce, e il livido tramonto che accoglie l'estasi di Francesco stigmatizzato davanti all'immagine di Cristo. Il tema francescano è ripreso più volte da Barocci, in particolare nelle intense composizioni dedicate alla stigmatizzazione di Urbino e Fossombrone (cat. III.12 e cat. VII.6) dove si esalta il rapporto fra il santo e l'universo vivente che accoglie e riverbera la sacralità del divino.

Nei suoi quadri di devozione privata, Federico Barocci definisce un rapporto dialettico fra naturalismo e ispirazione religiosa, offrendo una visione umana e sentimentale della pittura sacra che gli vale il ruolo di grande riformatore dell'arte a cavallo XVI e XVII secolo.

III.1 Madonna col Bambino e san Giovanni Evangelista detta Madonna di san Giovanni

1564-1565 circa
Olio su tela, 127 × 111 cm
Urbino, Galleria Nazionale delle Marche, inv. D 88

Bibliografia
Borghini 1584, p. 101; Bellori 1672, p. 174; Turner 2000, pp. 34-36; Paolini, in *Arte conquistata* 2003, cat. 6, pp. 196-197; Emiliani 2008, I, cat. 16 (schede sui disegni preparatori 16.2-16.8), pp. 150-154, con ampia bibliografia precedente; Zezza 2009, p. 264; Bernardini 2017, pp. 131, 158.

Secondo la testimonianza delle fonti (Borghini, Bellori) il dipinto fu eseguito dal pittore come ex voto alla Madonna per la guarigione dal "malanno", seguito a un avvelenamento messo in atto da colleghi invidiosi e che aveva spinto l'artista, attorno all'estate del 1563, a lasciare Roma per rientrare nella sua Urbino. Un'opera che segna dunque un periodo molto difficile della vita e della carriera artistica di Barocci, che le fonti vogliono inoperoso per quattro anni a causa del male. Ma, mentre si può confermare che l'opera fu donata quale ex voto ai padri cappuccini della Crocicchia a Urbino, non se ne può accogliere la cronologia, che si assesterebbe attorno al 1567, quando Barocci ha probabilmente già realizzato pale innovative come la *Madonna di san Simone* (cat. II.1), ormai pienamente neocorreggesca. L'opera, al contrario, è per impianto molto vicina alla *Sacra Famiglia* affrescata dall'artista nel casino di Pio IV a Roma e mostra un rinnovato studio delle opere presenti in quel tempo presso la corte urbinate, come si vede dal gesto della Vergine che tiene con la mano il piede del Bambino, derivato dalla *Madonna d'Orléans* di Raffaello.

La composizione è tutta giocata sulla diagonale che parte dal piede sinistro di san Giovanni e giunge fino al volto della Vergine: tale dislocazione delle figure nello spazio vivacizza l'impianto della scena, costruita su modi volutamente arcaici, e intensifica l'espressività dei gesti dei personaggi. I colori dominanti sono il rosso e il rosa chiaro: il primo sulle guance vive dei personaggi, nel tendaggio e nell'abito della Vergine; il secondo sulla veste dell'evangelista e nella rosa che Gesù offre al santo. Arcaica è anche l'atmosfera immobile che avvolge i protagonisti, con la figura di san Giovanni inginocchiato come davanti a un'edicola votiva: solo il gesto del Bambino sorridente con il movimento del braccio proteso in avanti spezza questa immutabilità, che comunque non diminuisce il senso di tenerezza restituito dal dipinto.

Testimoniano la genesi dell'opera pochi disegni, che mostrano comunque le prime riflessioni sullo "sfumato" correggesco (Turner 2000, p. 34). Di particolare intensità coi suoi tratteggi scuri, lo studio di collezione privata newyorkese (Emiliani 2008, I, p. 152), e lo *Studio per Gesù bambino* dell'Art Institute di Chicago (inv. 1990.512.1; Emiliani 2008, I, p. 154). Giunto con i frati alla fine del Seicento nel convento di Sant'Antonio Abate (poi chiamato di San Francesco), sul cui altare maggiore campeggia il *San Francesco riceve le stigmate* (cat. VII.6), nel 1811 il dipinto fu asportato e trasferito a Milano dai commissari napoleonici, ma tornò a Urbino nel 1817 per opera del delegato pontificio (Bernardini 2017, pp. 131 e 158). Intorno agli anni sessanta del XIX secolo passò all'Istituto di Belle Arti, primo nucleo della futura Galleria Nazionale delle Marche (Paolini, in *Arte conquistata* 2003, p. 196).

L'opera si presenta in buone condizioni conservative ed è stata restaurata una prima volta negli anni trenta e una seconda alla fine degli anni sessanta del XX secolo.

Valentina Catalucci

III.2 Riposo durante la fuga in Egitto

1570-1573
Olio su tela, 133 × 110 cm
Città del Vaticano, Musei Vaticani, inv. 40377

Bibliografia
Olsen 1962, pp. 154-156, cat. 22 (III); *Federico Barocci* 1975, pp. 83-87; Emiliani 2008, I, p. 226; *Federico Barocci* 2009, p. 389; *Federico Barocci* 2012, pp. 108-119; Gandolfi 2021, p. 295.

La versione vaticana del *Riposo durante la fuga in Egitto* si trova per la prima volta menzionata nelle fonti a stampa all'interno delle *Vite* di Gaspare Celio, il quale ricorda la tela in possesso dei Gesuiti di Perugia. Alla Compagnia di Gesù l'opera venne lasciata nel 1602 da Simonetto Anastagi, collezionista perugino che l'aveva commissionata a Barocci nel 1570. Da qui venne trasferita al palazzo del Quirinale dove è ricordata negli anni ottanta del Settecento (Ramdohr 1787, II, p. 197; Bombe 1912, pp. 191-192) e da dove poi raggiunse nel 1790 la Pinacoteca Vaticana, dove si trova tuttora.

Il quadro per Anastagi replicava una composizione appena messa in opera su richiesta di Guidubaldo della Rovere, come dono a Lucrezia d'Este (1535-1598) in occasione del matrimonio con Francesco Maria della Rovere avvenuto il 18 febbraio 1570 (Borghini 1584, p. 569). Questa versione, menzionata nell'inventario della collezione Aldobrandini redatto da Giovan Battista Agucchi nel 1603 (D'Onofrio 1964, p. 20), è oggi perduta ed è nota grazie all'incisione settecentesca di Antonio Capellan. Nello stesso febbraio del 1570 Anastagi versava un primo acconto per la tela con il medesimo soggetto tramite Pietropaolo di Berardino pittore (Sapori 1983, pp. 79-80; Archivum Romanum Societatis Iesu [d'ora in poi ARSI], Fondo Gesuitico, 1490, f. 310v). La sincronia delle due redazioni è ulteriore prova della stretta amicizia che legava Barocci e Anastagi, divenuto evidentemente suo punto di riferimento durante il periodo trascorso a Perugia per la realizzazione della *Deposizione* (cat. II.2).

Realizzata in Urbino, l'opera fu consegnata a Perugia il 2 ottobre 1573 da Lattanzio vetturale, il quale si preoccupò anche di recuperare la cassa nella quale fu spedita: "e sino adi detto scudi 1, soldi 25 pagati a Lattantio vetturale, per la valuta della cassa, nella quale fu portato il quadro di m. Federigo – scudi 1.25; E sino adi detto soldi 75 a Lattantio sopradetto per aver recato il quadro di M. Federigo da Urbino à Perugia – soldi 75" (ARSI, Fondo Gesuitico, 1490, libro turchino, f. 258v).

Il quadro fu accompagnato da una lettera di Federico per Simonetto (Bombe 1912, p. 191) nella quale l'artista si dichiarava insoddisfatto dell'opera, eseguita in cattive condizioni di salute. L'elemento che destava maggior rammarico era il manto rosso di san Giuseppe, realizzato con una vernice che non aveva sortito l'effetto desiderato e che aveva procurato alcune macchie. Federico rassicurava però Simonetto che, avendo in programma un viaggio a Roma (non sappiamo se effettivamente avvenuto: ma si veda Agosti 2021), sarebbe in quell'occasione passato a Perugia per sistemare il dipinto. Il 23 ottobre 1573 Simonetto versò un saldo di altri 15 scudi che, sommati all'acconto e ad altre spese occorse per il trasporto dell'opera, formavano un totale di 34 scudi (ARSI, Fondo Gesuitico, 1490, f. 311r).

Il soggetto si ispira al vangelo apocrifo dello pseudo-Matteo (XX, 1-2; *I Vangeli apocrifi* 1990, pp. 85-86), dove viene esplicitamente raccontato il momento in cui Gesù, nel mezzo del deserto, fa piegare una palma per raccoglierne i frutti e fa sgorgare acqua dalle sue radici (*Federico Barocci* 2012, pp. 110-111). Come è stato notato dalla critica Barocci modella qui una composizione che riprende la *Madonna della scodella* di Correggio, tanto nella postura della Vergine con il braccio destro allungato, quanto nel moto del san Giuseppe che con una mano è aggrappato al ramo di un ciliegio e con l'altra si protende verso il Bambino a cui offre un rametto con i frutti.

L'enorme successo dell'invenzione è attestato dal gran numero di derivazioni antiche note, tra cui: una versione già nella collezione di Pompeo Leoni, il quale aveva fatto da intermediario con il duca di Urbino nel 1590-1591 per ottenere un'opera di Federico per il conte di Chinchon (Del Saltillo 1934, p. 108); una conservata nel duomo di Senigallia, già segnalata da Lanzi ([1783] 2003, p. 21); una "miniatura" in casa Diotajuti a Osimo (Lanzi [1783] 2003, p. 21); una a Roma in collezione Salviati (Silos 1673, pp. 134-135); una di piccolo formato, su rame, in collezione Oddi (Orsini 1784, p. 247); una nella galleria dei duchi di Orléans (Dubois de Saint-Gelais 1727, p. 158).

L'inventario dei beni lasciati dall'artista nel suo studio registrava "un'altra stampa di legno di chiaro oscuro della Madonna di Egitto" (Calzini 1913b, p. 82), secondo parte della critica tratta da un disegno oggi a Würzburg (cfr. *The Graphic Art of Federico Barocci* 1978, p. 109, n. 80; Karpinski 1984, p. 36; Ruhwinkel 2010, pp. 222-223; *The Chiaroscuro Woodcut* 2018, pp. 215-216).

Camilla Colzani

III.3 Sacra Famiglia con san Giovannino e un gatto detta Madonna del gatto

1575-1576
Olio su tela, 112,7 × 92,7 cm
Londra, The National Gallery, inv. NG29

Bibliografia
Bellori [1672] 1976, p. 203; Olsen 1962, pp. 61-62, 157-159, cat. 26; *A Touch of the Divine* 2006, pp. 106-107, n. 28; Emiliani 2008, I, pp. 248-263, cat. 33; Plazzotta 2012, n. 7; Plazzotta 2018, pp. 19-32.

È ancora una volta Bellori ([1672] 1976, p. 203) a informarci che questa incantevole scena domestica venne realizzata da Federico Barocci su richiesta del conte Antonio Brancaleoni di Piobbico (1532/1533-1598), già committente della versione del *Riposo durante la fuga in Egitto* destinata per la locale Pieve di Santo Stefano. La pur sommaria descrizione individua il motivo intorno al quale si organizza la composizione, vale a dire la presenza del cardellino (scambiato dal biografo per una rondinella) che san Giovannino stringe nella mano destra sollevata per provocare la reazione del gatto, coinvolgendo così tutta la Sacra Famiglia. Secondo Bellori, a legare entrambi i dipinti per Brancaleoni è la modalità interpretativa dello "scherzo", a cui Barocci intona la rappresentazione dei due soggetti sacri, innovando liberamente la tradizione iconografica.

Qui il cardellino sembra perdere il suo significato simbolico di anticipazione del sacrificio di Cristo per diventare occasione di intrattenimento familiare, una sorta di idillio domestico (nel *Riposo* l'idillio è campestre). La composizione, che ha nel gruppo centrale il suo fulcro visivo, si definisce lungo una traiettoria diagonale alle cui estremità si collocano a sinistra in basso l'animale domestico, eretto sulle zampe posteriori, e all'opposto, in alto a destra, san Giuseppe colto mentre si affaccia sul proscenio, secondo un punto di vista rialzato. Altri elementi di vita familiare trovano posto nello spazio residuo: la cesta di vimini (con il cuscino da ricamo e un libro) e la culla posta in tralice sul lato sinistro. Il quadrante in alto serve a individuare la porzione in luce del vano successivo con l'ampia finestra aperta sul cielo e il sedile di pietra sostenuto da una colonnina angolare, espliciti richiami agli ambienti lauraneschi nel Palazzo Ducale di Urbino. Secondo Carol Plazzotta (2012; 2018) il riferimento può essere ampliato includendo le analoghe soluzioni architettoniche realizzate all'interno delle stanze del piano nobile nella residenza dei Brancaleoni, dopo la conclusione dei lavori di ammodernamento della dimora avita di Piobbico (intorno o poco oltre la metà degli anni settanta), incentivati in seguito al riavvicinamento di Antonio e della consorte Laura Cappello a corte voluto dal duca Francesco Maria II. Questi dati portano la studiosa a ritenere che la tela in esame sia stata eseguita alla fine del 1575 o anche all'inizio dell'anno successivo (Plazzotta 2012, p. 147), posticipando leggermente la datazione (1574 circa) già indicata da Olsen (1962, p. 157, n. 26).

L'idea di sviluppare un'immagine sacra dai toni intimi e quotidiani (derivata nel *Riposo* dalla correggesca *Madonna della scodella*) e in grado di coinvolgere emotivamente l'osservatore arriva a traguardi sorprendenti nella *Madonna del gatto*. Qui infatti il frutto studiatissimo del complesso equilibrio compositivo e stilistico, perfetta sintesi di colore e luce, reca traccia delle soluzioni sul tema della Sacra Famiglia sviluppate in ambito fiorentino degli inizi del Cinquecento (Aliventi 2015, p. 211), a cui Barocci guarda con rinnovato interesse lavorando per sottrazione sul versante dell'aspetto monumentale e del forte rilievo plastico.

Un precoce viaggio fiorentino di Barocci è stato dimostrato da Jeffrey Fontana (1997, pp. 471-476) sulla base di disegni degli Uffizi che al verso recano studi per la *Madonna del gatto* e, poiché risulta che nel 1575 il pittore fu ad Arezzo per firmare il contratto della *Madonna del popolo*, è possibile che un contatto con Firenze sia avvenuto in quella circostanza.

I disegni che sviluppano i primi pensieri e poi definiscono la composizione affrontano le figure, le pose e i dettagli anatomici (mani, braccia, teste), alternando studi dal vero e studi di immaginazione (Faietti 2015, in particolare pp. 124-125), che presentano procedimenti tecnici assai diversi tra loro; sono meno di una quarantina gli esemplari (Plazzotta 2012), in prevalenza conservati a Firenze (Gallerie degli Uffizi), a Berlino (Staatliche Museen, Kupferstichkabinett) e alla Galleria Nazionale delle Marche (Arcangeli 2012, pp. 19-20, 69-70).

Entrambi i dipinti realizzati per il conte Antonio Brancaleoni sono stati incisi da Cornelius Cort, d'intesa con lo stesso Barocci (Marini, in *Federico Barocci* 2009, pp. 387-389, n. 113; pp. 389-390, n. 115), quando il pittore tra la fine del 1573 e l'inizio del 1574 potrebbe essere stato presente di nuovo nell'Urbe (Agosti 2021). La stampa della *Madonna del gatto*, datata 1577, riproduce in controparte il dipinto di Londra, sulla base di un disegno realizzato a pietra rossa e nera, quadrettato a stilo (Londra, British Museum, inv. 1994-05-14-55; *A Touch of the Divine* 2006, pp. 108-109, n. 29, con bibliografia precedente), in precedenza ritenuto una copia per il suo aspetto molto finito, compatibile con la sua precisa finalità.

Alle copie segnalate da Olsen (1962, pp. 157-158), ne aggiungo almeno due meritevoli di menzione per motivi diversi: la prima di collezione privata a Urbino, eseguita per la chiesa locale di Santa Margherita (Vastano, in *Pittura baroccesca* 2008, pp. 252-253, n. 255); la seconda conservata nella Galleria Estense di Modena, attribuita al Malosso da Ghidiglia Quintavalle (in Ghidiglia Quintavalle, Quintavalle 1960, pp. 98-99) e poi da Tanzi (1991, p. 74) indirizzata verso Andrea Scutellari di Viadana. Ancora oggi, comunque, solo l'esemplare del Musée Condé di Chantilly ha i requisiti per essere uscito dalla bottega del maestro a cui era stato inizialmente riferito per la sua indubbia qualità esecutiva.

Marina Cellini

III.4 Noli me tangere

1590 circa
Olio su tela, 122 × 91 cm
Firenze, Gallerie degli Uffizi,
inv. 1890 n. 798

Bibliografia
Bellori 1672, p. 194; Olsen 1962, p. 183; Borea, in *Gli Uffizi* 1979, p. 143, cat. P123; Turner 2000, p. 92; Emiliani 2008, II, p. 71, cat. 47/B; Mann 2012a, p. 16.

Ricordato come "A smaller autograph replica" da Olsen, il dipinto rappresenta un importante documento dell'invenzione oggi conservata a Monaco, Alte Pinakothek, datata 1590 e firmata da Barocci, per Giuliano della Rovere, cugino di Francesco Maria II, ricordata da Bellori e che una fonte anonima (1590 circa) già collocava a Pesaro nella casa del monsignore (Zezza 2009, p. 264). Una seconda versione, databile in base a un trascurato pagamento, al 1609 (Lucarini 2000, p. 128; si veda qui Ekserdjian, p. 78) per la famiglia Buonvisi di Lucca (Bellori 1672, p. 184), è purtroppo ridotta a un illeggibile brandello presso la collezione Allendale a Bywell Hall.

Nello stesso 1609 Luca Ciamberlano realizzò la stampa che ci permette di conoscere il soggetto, che viene riprodotto più tardi anche in una stampa del 1815 di Raffaello Morghen (Tschudi Madsen 1959). In pessime condizioni conservative, molto ridipinta, è purtroppo anche la pala oggi a Monaco, dove giunse da Firenze (Baldinucci [1681-1728] 1974-1975, p. 339) nel corso del Settecento (Olsen 1962, p. 183, cat. 41). La bella invenzione, forse anche per le condizioni, è stata fin troppo considerata una derivazione dal modello della *Chiamata di sant'Andrea* (Bruxelles, Musée des Beaux-Arts; Turner 2000, p. 92) mentre la tela degli Uffizi consente di apprezzare la forza e l'autonomia del soggetto (Mann 2012a, p. 16). Il ruolo di "bozzetto per i colori" (Turner 2000, pp. 92-93) si dovrà eventualmente limitare alla versione corrispondente, vale a dire quella oggi a Monaco.

La tarda versione Buonvisi è diversa, connotata da una profusione di particolari che rimandano a un giardino, con gli attrezzi necessari alla coltivazione delle piante, tanto da giustificare la descrizione di Bellori, del Cristo che appare "in forma di Hortolano"; la scena per il Della Rovere, in relazione con la tela fiorentina, che permette una lettura piena di ogni raffinato particolare, cerca una maggior semplificazione e intensità. Oltre un arco si scorge la facciata dei torricini di Palazzo Ducale avvolta dalla luce soffusa del tramonto, sulla destra il Golgota sul cui fianco sembra di scorgere un volto, secondo Emiliani una perenne "immedesimazione cristologica" (Emiliani 2008, II, p. 72) nel paesaggio.

Ben diversa, infine, nell'invenzione Buonvisi, l'idea stessa del momento in atto, con l'incontro di Maddalena con il Cristo risorto che si ritrae di fronte alla santa che si protende verso di lui con impeto, mentre nella versione di Monaco e degli Uffizi si instaura fra loro un sommesso dialogo ed è il Cristo a tendere la mano alla santa sorpresa e commossa. Il ricordo del Correggio (Madrid, Prado) e quello di Tiziano (Londra, National Gallery) sostengono un risultato nuovo e personale.

Già Emiliani (2008) esclude l'identificazione con un'opera di analoghe misure ma non finita, ricordata da Giovanni Battista Staccoli nel 1658 presso Ambrogio Barocci, nipote di Federico, che avrebbe terminato la Maddalena. Secondo Pillsbury (1976, p. 59), si tratta di quella finita da Ambrogio. Il soggetto è infine in una lettera del marchese di Pescara al duca, nel 1608: avrebbe accettato anche un allievo pur di avere il quadro troppo atteso dal maestro (Gronau 1936, p. 190). Gli inventari rovereschi ne ricordano uno di Ventura Mazza (*Documenti urbinati* 1976, pp. 67-68, 159) che pare azzardato, sia per ragioni di qualità, che per lo stato delle conoscenze, riconoscere in quello in esame.

Valentina Catalucci

III.5 Natività

1597-1604 circa
Olio su tela, 134 × 105 cm
Madrid, Museo Nacional
del Prado, inv. P000018

Bibliografia
Bellori [1672] 1976, p. 204; Olsen 1962, pp. 196-198; *Federico Barocci* 1975, pp. 191-193; Mojana 1998; *Federico Barocci* 2012, pp. 262-271; Verstegen 2015, pp. 86-91.

Il primo pagamento per un dipinto raffigurante una *Natività* è registrato nella nota spese del duca di Urbino il 16 agosto 1597 (Krommes 1912, p. 82). Non sappiamo se fin da subito il dipinto fosse destinato alla corte di Spagna, cui il duca lo spedì nel 1604, e dove peraltro Barocci aveva già inviato nel luglio 1588 la seconda versione della *Vocazione di sant'Andrea* per Filippo II.

Un dipinto con questo soggetto torna a essere citato nella corrispondenza del duca di Urbino con Bernardo Maschi, suo agente presso il nuovo re di Spagna Filippo III. Nel 1604, Francesco Maria, quasi come se non ci fossero stati previ accordi, proponeva di mandare alla corona spagnola un'opera di Barocci già esistente e non da realizzare ex novo, dato che il pittore non poteva affrontare ulteriori impegni sia per lo stato di salute molto precario, sia perché era allora concentrato sulla realizzazione dell'*Istituzione dell'Eucarestia* per la cappella di papa Clemente VIII in Santa Maria sopra Minerva (cat. II.5; si veda qui Ambrosini Massari, p. 49) (Gronau [1936] 2011, p. 173, n. CCXXXII). Il quadro già disponibile per l'invio partì da Urbino e nel marzo del 1605 raggiunse Venezia, dove venne privato della sua cornice (Gronau [1936] 2011, p. 174, n. CCXXXIV): il duca di Urbino si scusava per questo inconveniente, sperando che non avrebbe compromesso l'impatto del dipinto, a suo parere di altissima qualità. L'11 giugno, via mare, la *Natività* era giunta a destinazione e riceveva le prime lodi di Margherita d'Austria e del consorte Filippo III (Gronau [1936] 2011, p. 174, n. CCXXXV), che trasmisero subito il proprio apprezzamento al duca di Urbino (Gronau [1936] 2011, p. 176, n. CCXXXVII).

La richiesta della *Natività* da parte del duca Francesco Maria era stata preceduta di qualche mese dalla commissione di un'opera di medesimo soggetto pervenuta dalla Fabbrica del Duomo di Milano. Il 17 marzo 1597, dunque qualche mese prima del primo pagamento per il quadro destinato al duca, il capitolo della Fabbrica aveva inviato tramite Giovan Battista Talento Fiorenza l'acconto a Barocci per un "*Presepe*". Un'opera di tale soggetto per il duomo milanese, com'è noto, non venne realizzata, ma a partire dal dicembre del 1598 sono puntualmente registrate le tappe di realizzazione della *Natività* oggi all'Ambrosiana, consegnata al cardinale Federico Borromeo nell'agosto del 1599.

La redazione eseguita per il cardinal Federico, considerata stabilmente dalla critica moderna una copia dell'originale mandato alla corte di Spagna, alla luce di nuovi documenti (si veda qui Colzani pp. 53, 56) potrebbe essere invece una variante autografa, e altra cosa rispetto alla copia pagata ad Alessandro Vitali nel 1598 (Olsen 1962, p. 196; Semenza 2005b, p. 48, nota 85). I Richardson (Richardson 1722, p. 27), molto attenti nel distinguere tra originali e copie di Barocci, giudicavano peraltro il quadro dell'Ambrosiana "exquisite".

I due dipinti si differenziano principalmente per una più incisiva conduzione luministica dell'esemplare milanese rispetto a quello madrileno, e da entrambi risalta il rinnovato corpo a corpo di Barocci con la pittura veneziana (Tintoretto, Bassano) nel corso degli anni novanta (si veda qui Agosti, pp. 50-53).

D'altra parte è ormai ben dimostrata la disponibilità di Barocci a replicare alcune opere in più versioni, anche entro un ristretto arco temporale, come nel caso del *Riposo durante la fuga in Egitto* (cat. III.2).

Anche questa invenzione di Barocci ebbe notevole fortuna: per esempio, Lanzi ([1783] 2003, p. 17) ne vedeva più versioni in case private a Cortona, e un esemplare su rame di piccolo formato tutt'oggi al Kunsthistorisches Museum di Vienna (inv. 133) era riferito al maestro nella tradizione settecentesca (*Catalogue des tableaux* 1784, p. 37, n. 29).

La tormentata progettazione di questa composizione, la quale ebbe una delle sue tappe intermedie nella nota *Natività*, incompiuta, certamente autografa, già in collezione Rasini a Milano, è testimoniata da molti disegni, tra cui è fondamentale quello degli Uffizi (GDSU, inv. 11432 F). Si tratta di un foglio di grandi dimensioni che mostra una composizione molto vicina al dipinto milanese dove è ancora presente l'uomo che, sulla sinistra, si piega in avanti per raccogliere un oggetto non più presente nei quasi identici esemplari del Prado e dell'Ambrosiana. Nel foglio degli Uffizi la postura della Vergine, china sulla culla del bambino, si avvicina anch'essa al quadro già Rasini, il cui restauro ha mantenuto traccia visibile della doppia posizione del volto della Madonna. Nell'esemplare in collezione privata, probabilmente realizzato prima delle due opere del Prado e dell'Ambrosiana, la Vergine nella sua postura così diversa riprende, tanto nel braccio steso quanto nella cromia del panneggio e nella direzione dello sguardo puntato verso il basso, il *Riposo* per Simonetto Anastagi (cat. III.2).

Camilla Colzani

637.

III.6 San Girolamo

1600 circa
Olio su tela, 97 × 67 cm
Roma, Galleria Borghese, inv. 403
Iscrizione: "FED. BAROCIUS URB[IN]AS PING[EB]AT"

Bibliografia
Olsen 1962, p. 192; *Disegni di Federico Barocci* 1975, p. 79; *Federico Barocci* 1975, pp. 184-185, n. 221; Emiliani 2008, II, pp. 168-169, cat. 58; *Federico Barocci* 2009, pp. 301-302; si veda anche la scheda di Pier Ludovico Puddu sul sito web della Galleria Borghese (https://www.collezionegalleriaborghese.it/opere/san-girolamo-in-preghiera).

Il dipinto, firmato, è attestato in collezione Borghese a partire dall'inventario del 1693 ("f. 202 407. Sotto al cornicione tra le due finestre sopra lo specchio un quadro di 4 palmi in tela con un S. Girolamo con un Christo in croce del No 407. Cornice dorata del Barocci" in Della Pergola 1964, p. 223). La sua esecuzione è certamente anteriore al 1600, quando Francesco Villamena tradusse la tela in incisione, decretandone la fortuna (Kühn-Hattenhauer 1979, p. 174).

Una datazione dell'opera vicina al 1600 è suggerita, come già notato dalla critica (*Federico Barocci* 1975, p. 185), dal fatto che il pittore riutilizzò in controparte la testa di san Girolamo nel foglio di Windsor adoperato per la testa di Anchise (cat. IV.7) nella *Fuga di Enea da Troia* (di cui la seconda versione è del 1598) e ripropose la figura del santo inginocchiato in un'altra opera: nel vescovo sulla sinistra del *Compianto su Cristo morto* oggi nei Musei Civici di Bologna, pala per la quale il primo acconto fu versato dalla Fabbrica del Duomo di Milano nel 1600 ma la cui lavorazione, mai conclusa, si protrasse a lungo. Ancora, in una lettera del 1602 il prototipo di Barocci, dal quale si intendeva trarre una copia, veniva indicato come realizzato "alcuni anni sono" (Wazbinski 1994, II, p. 529).

Per la preparazione del dipinto si conservano alcuni disegni, per lo più agli Uffizi: nel foglio 11302 F Barocci studia più volte la posa del santo, prima nel verso e poi nel recto, individuando sempre più precisamente, a partire da un modello vestito, anche l'andamento del mantello avviluppato alla figura. L'attenzione di Federico si concentra sul volto e sul braccio destro del santo in altri due fogli (inv. 11637 F; inv. 11628 F); studia anche il pugno sinistro, stretto intorno al crocifisso nel foglio inv. 11589 F. Un disegno più problematico, considerato da Olsen (1962, p. 196) una prima idea per il *San Girolamo*, è conservato a Berlino (KdZ 20345) e raffigura un santo che tiene in mano una croce, ma in tutt'altra postura.

Le fonti ricordano almeno due copie dell'opera ordinate alla bottega dell'artista quando egli era ancora in vita. La prima, di mano di Giovanni Andrea Urbani, era attesa a Milano, come emerge dalla lettera del 27 dicembre 1601 inviata da Ludovico Vincenzi al fratello Guidubaldo (Sangiorgi 1982, pp. 36-37, n. XXI): "il suddetto messer Giovanni Andrea dice che vi manderà una copia d'un San Geronimo bellissimo che viene dal suddetto signor Barocci e crede che restarete sodisfatto".

Una seconda copia fu inviata nel giugno del 1602 in dono da Guidubaldo del Monte (1545-1607), scienziato pesarese e marchese di Montebaroccio, al granduca Ferdinando de' Medici, come risulta dalla missiva del 1602 citata sopra (Firenze, Archivio di Stato, Mediceo 909, f. 449; Wazbinski 1994, II, p. 529). Tra le possibili derivazioni menzionate nelle fonti sette-ottocentesche si ricordano quella a Perugia in palazzo Cesarei (Siepi 1822, p. 383) e nella collezione Fagnani un "S. Girolamo in piccolo, del Baroccio" (Loevinson 1910, p. 135); a Roma, nella Galleria Doria Pamphili era ricordato a fine Ottocento un *San Girolamo* della scuola di Barocci (Mariotti 1892, pp. 111-125); un'ultima copia si trova in collezione privata a Pesaro. Una tela di analogo soggetto dove la postura del santo ricorda l'originale era attribuita a Lorenzo Lotto e si trovava in collezione Redaelli a Milano (*L'arte* 1942, tavola fuori testo VI-VII). Il dipinto fu restaurato nel 1933 e nel 1948, mentre la cornice negli anni novanta del secolo scorso.

Camilla Colzani

AROCIVS
PING

III.7 San Francesco nella grotta

1597-1599 circa
Olio su tela, 89,9 × 78,4 cm
New York, The Metropolitan Museum of Art, inv. 2003.281

Bibliografia
Christiansen 2005, pp. 723-728; Emiliani 2008, I, pp. 222-224, cat. 25; *Federico Barocci* 2012, pp. 20, 22, 282-287, 340.

Durante l'ultimo decennio del Cinquecento – più plausibilmente, verso il 1597-1599 circa – Barocci esegue quattro dipinti di piccolo formato raffiguranti santi a mezzobusto e destinati al collezionismo privato. Due di questi, un *San Sebastiano* e una *Santa Caterina* (collocazione attualmente sconosciuta e Chambéry, Musée des Beaux-Arts, inv. 94), commissionati dal conte Francesco Maria Mamiani di Pesaro, sono probabilmente eseguiti assieme all'allievo Alessandro Vitali. Gli altri, di dimensioni simili e interamente autografi, sono un *San Girolamo* nel deserto (cat. III.6), attestato per la prima volta alla fine del Seicento presso la collezione Borghese di Roma (inv. 403), e questo *San Francesco nella grotta*, riemerso sul mercato antiquario alla fine degli anni ottanta del Novecento e acquistato dal Metropolitan Museum of Art nel 2003.

È la quarta opera dedicata da Barocci al santo francescano, dopo la piccola tela con *Le stigmate di san Francesco* (cat. III.12) della Pinacoteca Civica di Fossombrone (1575 circa, poi trasformata da Barocci in una suggestiva acquaforte) e le grandi pale d'altare del *Perdono di Assisi* (cat. VII.3), eseguita per la chiesa francescana di Urbino nel 1574-1580, e del *San Francesco riceve le stigmate* (cat. VII.6), dipinto per la chiesa urbinate dei Cappuccini nel 1594-1595. Nonostante la differenza di scala, i punti di tangenza tra il nostro dipinto e il *San Francesco* non sono trascurabili: il santo è rappresentato inginocchiato, le braccia levate a mostrare i chiodi e le ferite delle stigmate, in adorazione del crocifisso e con il volto leggermente ruotato verso l'osservatore (alcuni anni dopo, la stessa figura verrà nuovamente ripresa da Barocci e dai suoi allievi nel *Congedo di Cristo dalla madre* dello Château Chantilly, inv. PE 57). Mentre però la scena del *San Francesco* è una composizione corale, il nostro dipinto gioca sull'ambientazione naturalistica e sulla minuziosa rappresentazione dei dettagli, di gusto quasi fiammingo (i caratteri stampati del libro, il fogliame nell'angolo superiore, la resa minuziosa dei capelli, la spaccatura nella roccia), per evocare un senso di intimità e pace. L'osservatore è immediatamente attirato dallo sguardo pieno di pathos del santo; in un secondo momento, l'attenzione si sposta sul Cristo crocifisso, trasformato dal colore in corpo vivo, per perdersi infine nella vallata che si apre sullo sfondo. Sul profilo della collina fanno capolino, esattamente come nel *Trasporto di Cristo* (cat. V.1) della chiesa della Croce di Senigallia (1582), le croci del Calvario; più sotto, una chiesetta, plausibilmente la Verna, è illuminata da un fugace raggio di luce serale che traspare al di sotto della coltre nuvolosa.

Il paesaggio descritto da Barocci, uno dei più suggestivi e lirici della sua produzione, è direttamente paragonabile a quello che si apre alle spalle del *Cristo spirante* del Prado (1602-1604), ed è basato su un gruppo di disegni naturalistici e studi dal vero a cui si è aggiunto uno schizzo a olio (cat. III.17), che condivide con il *San Francesco* del Metropolitan la palette tendente al grigio e il tema della grotta aperta sul fianco della montagna.

Le circostanze esecutive del *San Francesco*, per cui sono noti solo due piccoli appunti preparatori relativi alla figura del santo (Würzburg, Martin von Wagner Museum, inv. Hz 7177, e Pesaro, Biblioteca Oliveriana, inv. 431), sono ignote. L'esistenza di alcune copie antiche eseguite nella bottega di Barocci, come quella di Cherbourg-Octeville (Musée Thomas Henry, inv. 835.4) e quella in collezione privata italiana (riferibile alla mano di Claudio Ridolfi), ne sottolinea l'ampio successo commerciale. La prima attestazione nota del dipinto è nei primi anni dell'Ottocento a Parigi, presso il mercante Jean-Baptiste-Pierre Le Brun; passa in seguito a Napoli, presso la collezione dei marchesi Santangelo, dove resta fino alla metà del Novecento prima di entrare nel mercato antiquario internazionale.

Luca Baroni

BAROCCI E IL PAESAGGIO

Luigi Gallo

Nell'inventario *post mortem* dello studio di Barocci sono elencati centosettanta disegni di paesaggio divisi in tre gruppi: circa venti "paesi coloriti a guazzo di colori, acquarelle ritratti dal naturale", un centinaio di "altri paesi disegnati di chiaro oscuro, di acquarella, di lapis, tutti visti dal vero", e cinquanta "pezzi di paesi schizzati visti dal naturale" (cfr. Ekserdjian 2018, in particolare p. 155). A questi si aggiungono ventotto "pezzi di carte colorite a olio" con paesaggi, frutti, animali "et altre bagatelle". Dei trentaquattro fogli conservati nessuno è preparatorio per un dipinto finito, ma corrispondono piuttosto a una indagine diretta sulla natura in cui si circostanzia il legame dell'artista con l'universo vivente (Bohn 2012b). Sono studi di grande libertà esecutiva e restituiscono il flusso dei pensieri di Barocci che assomma prassi disegnativa e pittorica. Osservando i disegni, infatti, si comprende bene come l'esecuzione dal vero, riportata anche da Bellori, risulti indispensabile per l'elaborazione fatta nel privato dello studio, dove l'analisi sul motivo diviene fonte d'ispirazione per opere in cui l'artista esprime la sua sensibile ricerca atmosferica. Per dipingere l'universo vivente, simbolo della creazione divina, il pittore deve conoscere la natura in ogni suo elemento tramite lo studio dal vero, secondo una teoria codificata da Leonardo da Vinci alla fine del XV secolo (Gallo 2017, in particolare sull'origine degli studi dal vero, pp. 118-162): è suo il primo paesaggio puro dell'arte moderna occidentale, una veduta della valle dell'Arno svincolata da ogni evento narrativo e datata "Addì 5 daghosto 1473" (Gallerie degli Uffizi, Gabinetto dei Disegni e delle Stampe, inv. 8 P). Gli schizzi divengono poi, nell'ambito privato dell'atelier, altrettanti frammenti del reale, utili per la creazione di un insieme pienamente finito. Tale pratica è documentata nell'opera di artisti nordici, come Dürer, Van Heemskeck e Bruegel, ed è largamente diffusa in ambito veneto, dove l'opera di Bellini, Giorgione e Tiziano rivoluziona la percezione del paesaggio. Lo sviluppo del genere è attestato nel corso del Cinquecento, ad esempio, da Federico Zuccari, anche lui originario del Montefeltro, che in uno splendido foglio, realizzato nell'agosto 1576, come scrive in basso, si raffigura con il fratello Taddeo mentre disegna nella foresta di Vallombrosa (Vienna, Graphische Sammlung Albertina, inv. 13329r-v; cfr. Prosperi Valenti Rodinò 2004; Bolzoni in corso di stampa). Lui stesso nel trattato *Idea de' pittori, scultori et architetti*, edito nel 1607, scrive: "il pittore, scultore et architetto [...] deve necessariamente avere per primo modello essa natura e la forma esteriore naturale [...], delle pietre, sterpi, monti, colli, campagne, prati, valli, caverne, fonti, rivi, torrenti [...]" (cfr. Gallo 2017, pp. 122-123, nota 101). Si conservano tuttavia poche testimonianze di tale lavoro sul motivo e anche per questo, oltre alla sua indiscutibile qualità, l'opera di Barocci acquista un valore imprescindibile.

Il lirismo della sua visione si esplicita nei fogli presentati in mostra, in cui l'autore utilizza una grande varietà di mezzi, combinando matita, gessetti, carboncino, biacca, inchiostro acquarellato e in un caso l'olio, strumenti espressivi innovativi che diventato una pratica standard per gli artisti di paesaggio nei secoli successivi.

Negli studi di rocce e alberi Barocci si concentra sulla resa del dato naturale, restituendo con straordinaria capacità i vividi effetti luministici e atmosferici, come si evince nei fogli della Fondation Custodia (cat. III.8), del Louvre (cat. III.9) e degli Uffizi (cat. III.10) la cui immediatezza rivela l'esecuzione *en plein air*. Capolavoro di sintesi e spontaneità, il disegno di Londra (cat. III.11), con iscrizione autografa, può aver ispirato il paesaggio sullo sfondo del *Trasporto* di Senigallia (cat. V.1) e delle *Stigmate di san Francesco* di Fossombrone (cat. III.12). Proveniente dalla soppressa Congregazione dei Padri dell'Oratorio, quest'ultimo è una peculiare bozza a tempera, purtroppo molto alterata, forse preparatoria all'incisione conservata al Gabinetto Disegni e Stampe della Pinacoteca Nazionale di Bologna. Nell'opera Barocci trasla l'esperienza del disegno dal vero in una pittura leggerissima e immediata, dove si esalta il contrasto fra il santo, in estatica contemplazione del luminoso serafino, e l'inquieto paesaggio roccioso, mentre, quasi accennato, fra Leone si allontana sul fondo. Rimarcabile per dimensioni e complessità esecutiva è il magnifico disegno conservato al Louvre (cat. III.13), proveniente dalla collezione settecentesca di Pierre-Jean Mariette, che rappresenta un uomo disteso lungo un sentiero immerso nell'ombra di una foresta. Appena evocata in questo maestoso ambiente vegetale, la figura sembra contemplare i riflessi della luce sul fogliame, godendo della frescura del sottobosco e dei fruscii che l'artista suggerisce con il movimento degli alberi, riprodotti grazie a una tecnica grafica molto elaborata, utilizzando il carboncino, l'inchiostro acquarellato ed energici rialzi a biacca su carta preparata. Questo personaggio non è il protagonista della composizione, ma un osservatore catturato dallo spettacolo grandioso della natura.

Tale visione sacra dell'universo vivente si riverbera negli animali che animano le composizioni di Barocci, restituendo nel loro candore l'immanenza divina. I disegni degli Uffizi e di Berlino, gli unici della sezione realmente preparatori per le opere finite, rappresentano delle sublimi prove di introspezione psicologica con la descrizione dei tre animali posti al cospetto del racconto sacro: la gatta che dorme ignara dell'angelo annunciante (cat. III.14), l'asino che con il suo sguardo dolcissimo osserva la Sacra Famiglia durante la fuga in Egitto (cat. III.15), il falco accecato dalla luce proveniente dal serafino che stigmatizza san Francesco (cat. III.16). Sono animali in cui vive la stessa divinità che infonde la natura, ritratti dall'artista in disegni che testimoniano il lavoro quotidiano nella confidenzialità domestica della sua tormentata esistenza.

Nei suoi paesaggi Barocci elabora una geografia sentimentale che trasforma Urbino e i dintorni in un teatro vivente, animato dell'evocazione del sacro. Che siano le ambientazioni idilliache di celestiali primavere cristologiche o i lividi crepuscoli che trasfigurano la collina prospiciente il borgo in un dolente Golgota, il pittore restituisce una visione emozionata della natura, riprodotta anche nei rapidi studi a olio su carta repertoriati nell'inventario *post mortem*. L'inedito foglio di Urbino (cat. III.17), l'unico della serie al momento noto, recentemente restaurato, è una testimonianza precocissima di una tecnica che si impone nel corso dei secoli successivi, da Poussin a Lorrain, da Dughet a Vernet e Valenciennes, per fermare le luci instabili del giorno e fissare l'istante nel suo continuo variare. Seguendo le indicazioni leonardesche della prospettiva aerea, Barocci sceglie il mezzo dell'olio, liquido e sfumato, steso in rapide pennellate sulla superficie liscia e poco assorbente della carta. Come avvolto nell'incertezza della nebbia, lo straordinario studio atmosferico, eseguito forse in parte dal vero, unisce la suggestione del dato reale di Urbino (il campanile di San Francesco e la grotta in primo piano che ricorda le Volte del Riscolo, le sostrutture martiniane di Valbona) a edifici ideali (la facciata classica e il tempio circolare). Il foglio, caratterizzato da una voluta indefinitezza, si apparenta ai coevi paesaggi fantastici di ascendenza fiamminga, ben noti alla corte dei Della Rovere, dove circolavano incisioni di genere e Francesco Maria II stipendiava il pittore di paesaggio Jan Schepers, detto Giovanni Fiammingo (Giannotti 2018, in particolare p. 62).

Con la sua opera, Barocci si annovera fra gli interpreti principali nel percorso di definizione di un nuovo rapporto dell'uomo con la natura, che porta alla nascita della pittura di paesaggio come genere autonomo, che costituirà uno degli aspetti principali nella cultura artistica europea fra XVII e XVIII secolo.

III.8 Studio d'alberi

Gessetto nero, inchiostro bruno a pennello, acquarello bruno, e lumeggiature di biacca, 405 × 268 mm
Parigi, Fondation Custodia, Collection Frits Lugt, inv. 7216
Iscrizione a matita sulla vecchia montatura di mano di Skippe: "Poussin"

Bibliografia
Emiliani 2008, I, pp. 284-291, in particolare p. 288, cat. 35.4; Bohn 2012b, p. 253, n. 14.1.

III.9 Studio di tre alberi coperti dalle loro foglie

Gessetto nero, acquarello marrone, lumeggiature di biacca su carta marrone, 369 × 231 mm
Parigi, Musée du Louvre, Département des Arts graphiques, inv. 2916
Iscrizioni in basso a destra a inchiostro nero: "Federic. Baroch" e "n 100"

Bibliografia
Emiliani 2008, II, p. 407, cat. 114.9.

III.10 Studio di roccia

Carboncino, inchiostro bruno a pennello, lumeggiature di biacca su carta vergata tinteggiata color crema-rosato (a causa dell'ossidazione la colorazione del foglio potrebbe non corrispondere a quella originaria), 423 × 277 mm
Firenze, Gallerie degli Uffizi, Gabinetto dei Disegni e delle Stampe, inv. 418 P.

Bibliografia
Emiliani 2008, I, pp. 284-291, in particolare p. 286, cat. 35.2.

III.11 Studio di arbusti

Acquarello, ritoccato con gesso nero, matita nera, 393 × 249 mm
Londra, The British Museum, inv. Pp,3.202 recto
Iscrizione in basso a sinistra, a inchiostro: "federicus Barotius Vrbinas fecit"

Bibliografia
Bohn 2012b, p. 253, n. 14.3.

III.12 Le stigmate di san Francesco

post 1576
Tempera su tela, 146 × 115 cm
Fossombrone, Pinacoteca Civica "A. Vernarecci"

Bibliografia
Emiliani 2008, I, pp. 292-293, cat. 36;
Mann, in *Federico Barocci* 2012, pp. 238-251, cat. 13, in particolare pp. 241-246.

III.13 Studio di uomo che si riposa nel sottobosco

Inchiostro bruno, lavaggio marrone, carta blu, gessetto nero, lumeggiature a biacca, penna, 605 × 464 mm
Parigi, Musée du Louvre, Département des Arts graphiques, inv. 2890 recto
Iscrizioni: a penna e inchiostro nero sulla montatura "FEDERICI DE BAROCIIS. / Fuit D. Crozat, nunc P. J. Mariette"; in basso a sinistra sulla fascia bianca di mano di Saint-Morys: "Federico Baroche"; in basso a destra: "Ecole Romaine"; su entrambi i lati il cartiglio, a penna e inchiostro nero: "Ecole / Romaine"

Bibliografia
Emiliani 2008, II, p. 407, cat. 114.7;
Bohn 2012b, p. 253, n. 14.4.

III.14 Studio di gatto per l'Annunciazione

Pietra rossa e nera su carta
bianca vergata, 115 × 146 mm
Firenze, Gallerie degli Uffizi,
Gabinetto dei Disegni
e delle Stampe, inv. 913 O

Bibliografia
Emiliani 2008, II, pp. 19-32, cat. 42,
in particolare, p. 29, cat. 42.28.

III.15 Studio di testa di asino per il Riposo durante la fuga in Egitto

Pietra rossa e nera su carta bianca vergata, 151 × 88 mm
Firenze, Gallerie degli Uffizi, Gabinetto dei Disegni e delle Stampe, inv. 924 O

Bibliografia
Emiliani 2008, I, pp. 226-239, cat. 26, in particolare p. 239, cat. 26.27.

III.16 Studio per il falcone a sinistra nel San Francesco riceve le stigmate

Carboncino, gessetto nero e rosso, con pastello giallo e bruno, su carta color camoscio, 320 × 255 mm
Berlino, Staatliche Museen, Kupferstichkabinett, inv. KdZ 20350

Bibliografia
Emiliani 2008, II, pp. 156-167, cat. 57, in particolare p. 161, cat. 57.5.

III.17 **Paesaggio**

Tempera grassa a olio magro
su carta controfondata,
256 × 380 mm
Urbino, Galleria Nazionale
delle Marche, inv. DIS 231
recto

Bibliografia
Inedito.

IV. L’officina del disegno

Studi di teste

IV.1 **Studio per la Madonna di san Simone (Giuda Taddeo)**
Roma, Galleria Doria Pamphili

IV.2 **Studio per il Trasporto di Cristo (Maddalena)**
Bayonne, Musée Bonnat-Helleu

IV.3 **Studio per la Visitazione (Santa Elisabetta)**
New York, The Metropolitan Museum of Art

IV.4 **Studio per il Trasporto di Cristo (Nicodemo)**
New York, The Metropolitan Museum of Art

IV.5 **Studio per il Trasporto di Cristo (Uomo barbuto)**
Parigi, Fondation Custodia, Collection Frits Lugt

IV.6 **Studio per la Visitazione (San Giuseppe)**
Parigi, Musée du Louvre, Département des Arts graphiques

IV.7 **Studio per La fuga di Enea da Troia (Anchise)**
Windsor Castle, Royal Collection

IV.8 **Frammento del cartone preparatorio per la Madonna del popolo**
Milano, Castello Sforzesco, Gabinetto dei Disegni

Studi di corpi

IV.9 **Studio per l’Immacolata Concezione (torso della Vergine)**
Roma, Istituto Centrale per la Grafica

IV.10 **Studio per la Crocifissione Bonarelli (testa e busto di Cristo)**
Berlino, Staatliche Museen, Kupferstichkabinett

IV.11 **Studio per la Deposizione (torso di Cristo)**
Berlino, Staatliche Museen, Kupferstichkabinett

IV.12 **Studio per l’Annunciazione (mani della Vergine)**
Berlino, Staatliche Museen, Kupferstichkabinett

IV.13 **Studio per il Martirio di san Vitale (torso e braccio di san Vitale)**
Berlino, Staatliche Museen, Kupferstichkabinett

IV.14 **Studi per il Noli me tangere (Cristo)**
Berlino, Staatliche Museen, Kupferstichkabinett

IV.15 **Studio per l’Immacolata Concezione (figura e testa della Vergine)**
Firenze, Gallerie degli Uffizi, Gabinetto dei Disegni e delle Stampe

IV.16 **Studio per l’Ecce Homo**
Berlino, Staatliche Museen, Kupferstichkabinett

Bozzetti per composizioni

IV.17 **Bozzetto per un’Adorazione dei pastori**
Parigi, Musée du Louvre, Département des Arts graphiques

IV.18 **Bozzetto per un’Adorazione dei Magi**
Amsterdam, Rijksmuseum

IV.19 **Bozzetto per La verga di Mosè si tramuta in serpente**
Parigi, Musée du Louvre, Département des Arts graphiques

IV.20 **Bozzetto per la Crocifissione e dolenti**
Firenze, Gallerie degli Uffizi, Gabinetto dei Disegni e delle Stampe

IV.21 **Bozzetto per il Martirio di san Vitale**
Parigi, Musée du Louvre, Département des Arts graphiques

IV.22 **Bozzetto per l’Ultima cena**
Firenze, Gallerie degli Uffizi, Gabinetto dei Disegni e delle Stampe

IV.23 **Bozzetto per l’Istituzione dell’Eucarestia**
Chatsworth, The Devonshire Collections

IV.24 **Bozzetto per l’Istituzione dell’Eucarestia**
Cambridge, The Fitzwilliam Museum

L'OFFICINA DEL DISEGNO

Luca Baroni

Nell'autunno del 1612, raggiunto dalla notizia della morte del proprio maestro Federico Barocci, l'artista perugino Felice Pellegrini si reca a Urbino presso il nipote ed erede del pittore, Ambrogio, per aiutarlo a sistemare i materiali che sono rimasti in casa[1]. È in questa circostanza che redige, per agevolare la successione dei beni, uno dei testi più importanti per lo studio del disegno nel Cinquecento: un minuzioso inventario dei contenuti della bottega, oggi noto come *Minuta dello studio del Signor Baroccio*[2]. In un commovente tentativo di preservare la memoria del suo mentore, Pellegrini inframezza l'elenco con un secondo testo, forse l'avvio di uno scritto rimasto poi incompiuto: un memorandum intitolato *Modo di dissegnare che usava il Signor Barocci per condurre l'opre sue a ottimo fine*, nel quale ne descrive le pratiche disegnative. Verso la metà del Seicento una trascrizione di questo testo perviene allo storico Giovan Pietro Bellori, che se ne serve per illustrare le tecniche di Barocci nelle sue celebri *Vite de' pittori, scultori et architetti moderni*, pubblicate a Roma nel 1672.

Pellegrini, modesto pittore e insegnante di disegno, interpreta i disegni di Barocci in senso strumentale: essi servono a raggiungere l'"ottimo fine" delle "opere" pittoriche, ossia la correttezza formale e la verosimiglianza dell'immagine dipinta. Si tratta di una lettura parziale, che non include disegni indipendenti quali, ad esempio, gli studi di paesaggio. Le parole dell'artista perugino hanno però il merito di individuare una delle caratteristiche pregnanti del disegno baroccesco: l'essere quasi sempre parte di una catena, un lungo percorso di messa a fuoco che, partendo dai più semplici schizzi a penna, costruisce progressivamente la composizione, gli atteggiamenti dei personaggi, il chiaroscuro, i colori, fino a quella sintesi del processo grafico che è il cartone preparatorio.

L'importanza del disegno nel percorso creativo di Barocci è enfatizzata da una deposizione rilasciata dallo stesso artista presso il tribunale di Pesaro nel 1591, quando, nel contesto di un procedimento da lui stesso intentato, diventa uno dei primi pittori della storia ad avviare una causa legale per ottenere la restituzione di un singolo disegno preparatorio. "Il Signor Federico Baroccio dice [...] Che un pittore prima che si ponga a formare la [...] pittura [...] forma il suo disegno in un cartone che è il primo essemplare delle figure, che vuol poi formare, et in tal essemplare, dissegno et cartone pone tutta la sua industria, il suo giudizio con tutt'i suoi tratti lineamenti, et con tutta quella bellezza et perfettione che rapresenti, et mostri la natura istessa, et in ciò consuma molto, e molto tempo, et mostra in somma qual egli si sia; Che da tale essemplare forma dopo l'essempio et pittura che dà fuori a chi l'ha richiesto, nel che li si esce poi facile il formare quel che di già ha concetto nella mente, et spiegarlo in tal cartone et dissegno; [...] Che a giudizio d'ogni persona pratica nella pittura [...] giudica et stima il cartone, et essemplari d'una cosa di tale valore di scudi 150 d'oro in oro, et anco più secondo l'istima soddisfattione et pensiero del proprio pittore poiché sono cose che vagliono tanto quanto si istimano et hanno in pregio et a caro da proprij padroni, inventori et fabricatori e più della metà dell'opera perfetta"[3].

Il testo, tra le più belle dichiarazioni del valore del disegno nel Cinquecento, è una mescolanza di orgoglio e gelosia per la propria opera, autocertificazione di virtuosismo tecnico e istinto commerciale. L'esigenza di conservare i propri disegni, così da poterli costantemente rivedere, aggiornare e perfezionare, porta Federico a raccogliere nel suo studio un vero e proprio archivio grafico. Ai fogli di piccolo e medio formato, accuratamente preservati in libri e album, si aggiungono i grandi cartoni preparatori, ricordi in scala naturale delle principali realizzazioni dell'artista[4]. Alla morte di Barocci, nel 1612, questi materiali sono esposti lungo la navata nella chiesa urbinate di San Francesco, dove si tengono le esequie del pittore: una sorta di mostra personale *ante litteram* che omaggia il virtuosismo grafico del maestro, oltre all'importanza delle sue commissioni internazionali[5].

Per Barocci il disegno non è solo creazione, ma ricordo. A differenza di Michelangelo, che lascia detto agli allievi di bruciare dopo la sua morte tutti i suoi disegni così da cancellare le tracce della fatica inventiva e preparatoria[6], Federico è un accumulatore seriale di materiali cartacei, accuratamente archiviati in libri e cartelle nel suo studio urbinate. Non si tratta di un'inclinazione sentimentale: nelle parole dello stesso pittore i disegni e, soprattutto, i cartoni permettono di eseguire a distanza di anni repliche degli originali, moltiplicando varie volte il rientro economico e commerciale di una singola commissione. Nello stesso procedimento pesarese del 1591, egli dichiara che "i pittori sublimi et ecellentissimi conservano e sono soliti di conservare tali cartoni, dissegni et essemplari appresso sè et ai posteri loro sì per memoria delle fatture loro, sì anche per loro soddisfazione, et honore, et per potere nell'occasioni con minor lor fattica, sudore et briga, minor spesa e tempo, formare simili pitture, con mercede et benefitio loro, et a servigio e soddisfazione d'altri che volessero figure, et pitture tali". Il disegno è caro all'artista addirittura di più della pittura, "per la mettà et più dell'opera perfetta [il dipinto]. Sì che [i pittori eccellenti] tengono cari tali cartoni et essemplari, come quali l'istesso esempio, tavola et cunio perfetto, che danno fuori in pubblico a chi fa farli et vogliano per la mittà dell'opera perfetta et più"[7].

È grazie a questa cura ossessiva per il disegno, estesa non solo ai fogli finiti, ma anche agli appunti, agli abbozzi, perfino ai taccuini di schizzi giovanili, che alla morte del maestro, nel 1612, l'allievo Felice Pellegrini trova nella bottega oltre seicento fogli di prima qualità, egualmente divisi tra cartoni preparatori, teste a pastello e a olio, paesaggi a colori, ai quali si aggiungono quattordici ulteriori libri di disegni rilegati. Non mancano accenni a una collezione d'artista: oltre a un libretto "di mano di Raffaello", vi sono "cento altri pezzi di dissegni di diversi valenthuomini, tutti ben fatti in diverse maniere" che attestano l'attenzione della ricerca grafica di Barocci, tanto avanzata da estendersi allo studio del lavoro di altri maestri[8]. Di questi materiali, oggi sopravvivono oltre millecinquecento esemplari, uno dei maggiori corpus grafici del Cinquecento italiano e insostituibile strumento e termine di confronto per gli studi di storia del disegno.

I disegni raccolti in questa sezione della mostra, intitolata *L'officina del disegno*, ricostruiscono per casi eccellenti oltre cinquant'anni dell'attività di Barocci, attraversando tutti i soggetti (il nudo maschile e femminile, il paesaggio, la composizione, il dettaglio anatomico e lo studio dei volti) e le tecniche (dalla penna al pastello, passando per l'olio su carta, l'acquarello, la pietra nera e rossa). Si ricrea così quella straordinaria *Wunderkammer* di idee, progetti, soluzioni espressive e ricordi svelatasi agli occhi di Felice Pellegrini nel novembre del 1612 e nella quale oggi riconosciamo, a oltre quattrocento anni di distanza, uno dei maggiori e più personali contributi di Federico Barocci alla storia dell'arte occidentale, "memoria delle fatture sue, sì anche per sua soddisfazione, et honore".

Note

1 Baroni 2023a, con bibliografia precedente.
2 Cfr. Calzini 1898.
3 Cleri 1993-2000, pp. 165-171. Per l'interpretazione del passo cfr. da ultimo, Baroni 2022b, con bibliografia precedente.
4 Marciari, Verstegen 2008.
5 Bellori [1672] 2009, p. 190; Baroni 2015.
6 Vasari [1568] 1966-1987, VI, p. 108.
7 Cleri 1993-2000, pp. 165-171.
8 Cfr. Calzini 1898.

STUDI DI TESTE

Luca Baroni

"Arie di teste": con questa poetica espressione, ripresa dalle *Vite* di Giorgio Vasari, Giovanni Pietro Bellori descrive, nelle *Vite de' pittori* (1672), gli studi di teste maschili, femminili e infantili che costituiscono uno dei punti più alti e apprezzati della produzione grafica di Barocci (Bellori 1672, p. 196). Oltre che dal soggetto, queste opere sono accomunate dall'uso di un supporto cartaceo, dalla frequente presenza del colore, applicato sia a pastello (cat. IV.7) che a gesso e pietra rossa (cat. IV.5), a olio e a tempera (catt. IV.1-IV.4), e dall'adozione di una scala al vero. Ogni "testa", inoltre, corrisponde al dettaglio di un dipinto, instaurando con esso un rapporto di preparazione o, in alternativa, replica e moltiplicazione dell'immagine.

Una lunga tradizione critica si è interrogata sulla natura di questi volti: ritratti di persone vere o piuttosto, secondo un modello operativo consacrato dalla lettera di Raffaello a Baldassarre Castiglione, composizione ideale di spunti reali (*Raffaello* 2001, p. 50)? Bellori, intento a presentare Barocci come un campione del disegno dal vero, non ha dubbi: "egli operando ricorreva sempre al naturale, né permetteva un minimo segno, senza vederlo; del che rende argomento la gran copia de' disegni, che lasciò nel suo studio. Sempre ch'egli si trovava in piazza, ò per istrada, e respirava dal male, andava osservando le fattezze, e l'effigie delle persone, e se vi ritrovava qualche parte riguardevole, procurava di accomodarsene in casa, facendone scelta, e servendosene all'occasione; e se havesse veduto una bella alzata di occhi, un bel profilo di naso, overo una bella bocca, ne formava le sue bellissime arie di teste" (Bellori 1672, pp. 194-195).

La predisposizione di Barocci a creare dei tipi fisiognomici idealizzati ma, al tempo stesso, basati sull'osservazione della natura viene precocemente registrata dall'artista e scrittore d'arte belga naturalizzato olandese Karel van Mander (1548-1606), presente in Italia tra il 1574 e il 1577. Nel suo *Schilder-Boeck* ("Libro della pittura"), pubblicato a Haarlem nel 1604 e che contiene uno dei più precoci apprezzamenti internazionali dell'arte di Barocci, egli segnala come l'urbinate "ha sempre rappresentato avvenimenti lieti della vita [...], scene e attività storiche, molte immagini di Maria con colori a olio utilizzando come modello il volto della propria moglie, con il bimbo seduto in grembo dai tratti estremamente delicati. Egli fu uno dei primi a dipingere volti naturali e sorridenti di bimbi, donne o anziani uomini rispettabili. È un aspetto, questo, che lo contraddistingue e che lo rese particolare nel suo genere" (Van Mander 1604, pp. 186v, 187r). Anche se la testimonianza di Van Mander viene contraddetta dalla notizia che Barocci non si sposò mai – problema poi aggirato da Roger De Piles (1635-1709), che, in *Abrégé de la vie des peintres*, edito nel 1699, trasferì il ruolo di modelle alla sorella e alla nipotina del pittore (De Piles 1699, p. 235) – le sue osservazioni colgono nel segno nell'identificare in Barocci un attento studioso del volto umano, sia giovanile (catt. IV.1, IV.2, IV.8) che maturo (cat. IV.5) e anziano (catt. IV.4, IV.6, IV.7), all'insegna di un'indagine di introspezione emotiva che porta l'osservatore a immedesimarsi con le scene dipinte: "e diceva che si come la melodia delle voci diletta l'udito, così ancora la vista si ricrea dalla consonanza de' colori accompagnata dall'harmonia de' lineamenti" (Bellori 1672, p. 195).

L'inclinazione di Barocci per lo studio della fisionomia umana si riflette nell'inventario dei contenuti dello studio, compilato dopo la sua morte, nell'autunno del 1612, dall'allievo Felice Pellegrini (Calzini 1898; per l'identificazione dell'autore del documento, cfr. Baroni 2023a). Assieme ai dipinti e ai cartoni, il documento ricorda "quattordeci teste colorite a olio di mano del S.or Baroccio, di vecchi, di donne, di giovani", a cui si aggiungono: "Teste di pastelli finite numero cento, tra quali ven' è d'ogni età, d'ogni sesso. Altre teste di pastelli non ben finite numero ottanta in circa. Teste abozzate grosso modo, ove sono capelli finiti e non altro, orecchie, gole, barbe, fronti lassate cosi che altro non li serviva, numero novanta". La fonte costituisce una preziosa testimonianza operativa, dal momento che stabilisce una distinzione tra teste "non ben finite", in cui Barocci approfondisce solo un dettaglio anatomico (la barba o le orecchie, la fronte o la gola ecc.) e che vengono utilizzate come materiali di studio da varie generazioni di allievi, e teste "finite" e cioè pronte per essere immesse sul mercato (sulle origini di Barocci come pastellista cfr. Baroni 2024a). Sin dalla fine del Cinquecento, queste ultime sono assai ricercate dai collezionisti, che le espongono sottovetro assieme ai propri dipinti ovviando così alla difficoltà di procurarsi opere di piccolo formato di Barocci. Sappiamo, ad esempio, che il nobile perugino Simonetto Anastagi (morto nel 1602), amico di Barocci e committente del *Riposo durante la fuga in Egitto* oggi in Vaticano (cat. III.2), possiede anche due grandi teste a pastello dell'urbinate (Sapori 1983; Galassi 2014b), mentre il collezionista romano Antonio Tronsarelli, morto nel 1601, è proprietario di: "Un quadretto in carta sopra la tela de una testa di un vecchio che ride de pastelli de mano del Barosio con una cornicetta di legno tinta di nero" (Lafranconi 1998; l'opera è stata tentativamente identificata da Lafranconi con un pastello in collezione privata di collocazione attuale sconosciuta; un altro valido candidato potrebbe essere il foglio di analogo soggetto oggi a Sacramento, Crocker Art Museum, inv. 1871.234). In quest'ultimo caso, l'individuazione fisiognomica ("vecchio che ride") è cruciale per comprendere il valore dell'opera come studio autonomo di espressione: una forma di gusto che resta ancora da approfondire e che anticipa di diversi anni la moda olandese e fiamminga dei *tronies* o "teste di carattere" (cfr. *Turning Heads* 2023).

Una terza destinazione d'uso delle teste a pastello baroccesche, cruciale per comprendere l'atteggiamento di Barocci verso questa tipologia grafica, è evocata dalla descrizione lasciata da Pellegrini di: "Un cartone di chiaro oscuro in carta bianca con dentro un Cristo portato al Sepolcro, con la Madre, et altre figure come quello che è in stampa, ma le teste son tutte di pastelli". Sul cartone preparatorio a dimensione naturale, eseguito a pietra nera su carta bianca, Barocci applica, come in un collage, le teste a pastello, eseguite su fogli più piccoli e probabilmente in carta azzurra (supporto scuro che permette di studiare i colpi di luce tramite l'applicazione di gesso; Baroni 2024b). La concordanza dimensionale delle opere è garantita dal fatto che i fogli a pastello sono stati eseguiti tracciando il cartone preparatorio finito, di cui mantengono le medesime proporzioni (Marciari, Verstegen 2008): così che il pastello diventa il *trait d'union* tra disegno e pittura, garanzia di quella "consonanza de' colori" e "armonia de' lineamenti" su cui l'artista impernia gran parte della propria raffinata ricerca estetica (Sanminiatelli 1955; Freeman Bauer 1978; Pillsbury 1978; Weston-Lewis 2005; Wivel 2019).

Naturale completamento delle indagini fisiognomiche condotte attraverso il pastello è infine la produzione, altrettanto significativa, di teste a olio o tempera su carta, pratica introdotta verso la metà del Cinquecento da artisti come Lorenzo Lotto e Domenico Beccafumi e verso cui Barocci dimostra una speciale inclinazione. Ancora più che nei pastelli, la combinazione del pigmento oleoso con un supporto cartaceo colloca queste opere a metà strada tra disegno e pittura, tra studio preparatorio e dipinto finito. Se lo schizzo giovanile per il volto di san Giuda Taddeo nella *Madonna di san Simone* della Galleria Nazionale delle Marche (cat. IV.1), oggi presso la Galleria Doria Pamphili, e la splendida testa della Maddalena per il *Trasporto* di Senigallia di Bayonne (cat. IV.2) sono quasi certamente dei bozzetti finalizzati alla preparazione dei rispettivi dipinti (catt. II.1 e V.1), il livello di finitura dei due studi oggi al Metropolitan Museum of Art (catt. IV.3, IV.4), connessi a due figure rispettivamente inserite nella *Visitazione* della Chiesa Nuova (cat. II.3) e nel *Trasporto di Cristo* di Senigallia (cat. V.1) porta a interpretarli come repliche *d'après*, eseguite dall'artista per il mercato privato così da "formare simili pitture, con mercede et benefitio loro, et a servigio e soddisfazione d'altri che volessero figure, et pitture tali" (Cleri 1993-2000; per l'interpretazione del passo cfr. da ultimo, Baroni 2022b, con bibliografia precedente).

IV.1

Studio per la Madonna di san Simone (Giuda Taddeo)

Tempera su carta applicata su tela, 405 × 274 mm
Roma, Galleria Doria Pamphili, inv. FC 247

Bibliografia
Olsen 1962, p. 150, cat. 16; Turner 2000, p. 44; Emiliani 2008, I, pp. 276-277, cat. 20.1; Bohn 2012a, p. 51.

IV.2 Studio per il Trasporto di Cristo (Maddalena)

Olio su carta applicata su tela, 860 × 580 mm
Bayonne, Musée Bonnat-Helleu, in deposito dal Musée du Louvre, inv. RF-1997-3-01

Bibliografia
Olsen 1962, p. 227, cat. 76; Emiliani 2008, I, p. 371, cat. 39.37; Bohn, Mann, in *Federico Barocci* 2012, pp. 158-181, cat. 8.12.

IV.3 **Studio per la Visitazione (Santa Elisabetta)**

Olio su carta, 391 × 275 mm
New York, The Metropolitan Museum of Art, Harry G. Sperling Fund, inv. 1976.87.2

Bibliografia
Turner 2000, p. 105; Emiliani 2008, II, pp. 49-50, cat. 45.24; Bohn, in *Federico Barocci* 2012, pp. 196-211, cat. 10.6.

IV.4 Studio per il Trasporto di Cristo (Nicodemo)

Olio su carta, 387 × 273 mm
New York, The Metropolitan Museum of Art, Harry G. Sperling Fund, inv. 1976.87.1

Bibliografia
Turner 2000, p. 84; Emiliani 2008, I, p. 363, cat. 39.13; Bohn, Mann, in *Federico Barocci* 2012, pp. 158-181, cat. 8.9.

IV.5 Studio per il Trasporto di Cristo (Uomo barbuto)

Pietra nera, rossa e bianca
su carta, 407 × 269 mm
Parigi, Fondation Custodia,
Collection Frits Lugt, inv. 472

Bibliografia
Olsen 1962, p. 172, cat. 33; Turner 2000, p. 123;
Emiliani 2008, II, p. 229, cat. 66.32.

IV.6 Studio per la Visitazione (San Giuseppe)

Matita bianca, pastello, pietra nera e sanguigna su carta blu-verdastra, 391 × 251 mm
Parigi, Musée du Louvre, Département des Arts graphiques, inv. 2884 recto

Bibliografia
Olsen 1962, p. 180, cat. 39;
Emiliani 2008, II, p. 55, cat. 45.32.

IV.7 Studio per La fuga di Enea da Troia (Anchise)

Pietra nera, rossa e bianca, pastello rosa e giallo su carta azzurra, 380 × 260 mm
Windsor Castle, Royal Collection, inv. RCIN 905233

Bibliografia
Olsen 1962, p. 132, cat. 39; Turner 2000, p. 111; Emiliani 2008, II, p. 68, cat. 46.15; Bohn, in *Federico Barocci* 2012, pp. 272-281, cat. 16-2; Baroni 2020c.

IV.8 **Frammento del cartone preparatorio per la Madonna del popolo**

Pietra nera e bianca,
quadrettato a pietra
nera con i contorni incisi,
357 × 206 mm
Milano, Castello Sforzesco,
Gabinetto dei Disegni,
inv. Au D 29-1

Bibliografia
Baroni 2022b; Mariano,
in *I disegni del Principe* 2022, pp. 92-93, cat. XII.

STUDI DI CORPI

Luca Baroni

Per un artista cresciuto a Urbino, città già scrigno del Rinascimento tra Quattro e Cinquecento ma quasi priva di produzione artistica interna verso il 1550, lo studio del nudo, strumento fondamentale per ogni pittore, deve costituire un notevole problema. La provincia marchigiana del Cinquecento non offre molti spunti al giovane Barocci; i suoi biografi, Bellori in testa, ricordano le notti in cui egli si affatica a "disegnare gessi, e rilievi, al quale studio egli si diede con amore, & assiduità, tanto che la notte sopragiungeva in camera e lo trovava ancor desto al lume della lucerna fino al giorno, come suole avvenire à quelli, che sentono grandissimo piacere d'imparare". Disegnare oggetti nottetempo alla luce di una candela permette, si noti, di studiare meglio il chiaroscuro e le ombre, modificando la fonte luminosa e adattandola alle proprie esigenze; così che, oltre che dal "grandissimo piacere di imparare", Federico sembra guidato anche dall'ambizione di sopperire autonomamente alla mancanza di un vero tirocinio artistico. Roma, l'antico e le accademie di nudo sono ancora lontane, ma crescere in provincia aguzza l'ingegno. Non va forse sottovalutata, a questo proposito, la testimonianza del pittore faentino Giovanni Battista Armenini che, nel volume *De' veri precetti della pittura* (1587), riferisce di avere visto "a Pesaro, a Urbino [...] & in altre minor città [...] camere piene [...]" di gessi tratti dalle sculture antiche, usate dagli studenti per studiare il nudo e "alle quali riguardando mi pareva che fossero proprio quelle di Roma" (Armenini 1587, p. 63).

Poco o nulla rimane delle fatiche giovanili di Barocci, artista caratterizzato da un periodo di gestazione sorprendentemente lungo. Avviato al disegno attorno al 1546, all'età di circa tredici anni, si reca a Roma a vent'anni compiuti, nel 1553, e riceve la prima commissione nota di un certo rilievo all'età di ventidue anni, nel 1555-1556. L'avvio dell'attività pittorica coincide, tuttavia, con la presa di coscienza dell'inadeguatezza dei propri strumenti espressivi, specie per quanto riguarda la rappresentazione del corpo umano. Il primo dipinto noto, la *Santa Cecilia* eseguita per il duomo di Urbino (cat. VIII.1), è una sterile derivazione da prototipi raffaelleschi e manieristi, con figure che sembrano ritagliate dalle stampe di traduzione adottate dagli artisti della maiolica urbinate per ornare piatti e coppe (Baroni 2020b). Questo rende tanto più straordinario l'apprezzabile salto di qualità che si riscontra nel di poco successivo *Martirio di san Sebastiano* (cat. VIII.2), sempre per il duomo di Urbino, eseguito tra il 1557 e il 1558. Il corpo nudo del santo, sebbene ispirato a prototipi michelangioleschi (il profeta Haman della volta Sistina), e, ancora di più, il bel torso dell'aguzzino sulla destra, mostrano un'approfondita conoscenza dell'anatomia, sostenuta da una magistrale competenza nella descrizione di ombre e riflessi degli incarnati.

A partire da questo momento, Barocci avvia un percorso di studio del corpo umano che, nei cinquant'anni successivi, lo porta a diventare uno dei più straordinari interpreti del nudo nel secondo Cinquecento. Un torso femminile oggi custodito presso l'Istituto Centrale per la Grafica di Roma (cat. IV.9) e databile attorno al 1567, connesso alla figura della Vergine nella pala urbinate dell'*Immacolata Concezione* (cat. VII.5), rivela l'importanza rivestita per lui dallo studio della scultura classica, approfondito in occasione del viaggio giovanile a Roma del 1553 e ripreso durante la permanenza nell'Urbe del 1560-1563 (Forlani Tempesti 1995; Baroni 2018). Lo schizzo, a pietra nera su carta azzurra, evoca l'interesse di Barocci per la plasticità dei corpi e la sua abilità nel sintetizzare i tagli luminosi, conferendo movimento e dramma all'epidermide.

Risalgono a uno e due anni dopo due disegni analoghi per tecnica e soggetto ma radicalmente diversi, per impegno ed efficacia estetica, dagli echi classici del torso. Il primo foglio, oggi a Berlino (cat. IV.10), è preparatorio per il busto e la testa di Cristo per la *Crocifissione* della Galleria Nazionale delle Marche (cat. VII.1), commissionata dal conte Pietro Bonarelli per la chiesa del Crocifisso a Urbino e ultimata entro il 1567. Dal foglio emerge con potenza, nella magistrale applicazione del gesso bianco e della pietra rossa, lo studio dal vero dal modello virile nudo. Tanto lo studio di figura femminile era statico e monumentale, quanto il corpo raffigurato nel foglio berlinese è palpitante di vita, con continue correzioni di forma e sottili tratti di pietra rossa che animano i profili delle areole, del petto e della trachea. Persino più impressionante, per l'economia tecnica e segnica con cui è realizzato, è lo studio di torso virile preparatorio per il corpo morente di Cristo nella *Deposizione* di Perugia del 1569 (sempre a Berlino, cat. IV.11), parte di una nutrita serie di disegni divisi tra Berlino e Firenze in cui Barocci definisce meticolosamente gli atteggiamenti e l'aspetto delle figure che animano la composizione.

I due disegni berlinesi confermano l'impressione, già registrata da Bellori, per cui Barocci ponga particolare cura nella disposizione dei personaggi dei suoi dipinti, curandone la resa plastica e, soprattutto, studiandone dal vero la posizione tramite l'aiuto di modelli vivi disposti nello studio: "Prima concepiva l'attione da rappresentarsi, & avanti di formarne lo schizzo, poneva al modello i suoi giovini, e li faceva gestire conforme la sua imaginatione, e chiedeva loro se in quel gesto sentivano sforzo alcuno; e se col volgersi più, o meno, trovavano requie migliore; da ciò sperimentava li moti più naturali, senza affettazione, e ne formava gli schizzi" (Bellori 1672, p. 195). L'esigenza di sopprimere ogni "affettazione", cioè ogni artificio, si estende al minuzioso studio delle parti anatomiche, approfondite individualmente e, possiamo immaginare, quasi sempre dal vero. Pochi dettagli come il gesto della mano levata della Vergine possono esprimere la sorpresa silenziosa del manifestarsi del messo divino nella scena dell'*Annunciazione* (cat. V.4): non sorprende, quindi, che Barocci dedichi al soggetto diversi studi tra cui spicca, per qualità e modernità, quello di Berlino (cat. IV.12), prima abbozzato a pietra nera e poi ripetuto altre due volte mescolando pastello e pietra bianca e rossa.

Nel corso degli anni ottanta del Cinquecento, la padronanza della rappresentazione dei corpi permette a Federico di forzare le proprie convinzioni sulla naturalezza dei soggetti e concepire figure che, pur essendo strettamente basate sull'osservazione del naturale, si dispongono in pose ardite e difficili da rappresentare. È il caso del torso proteso del santo nel *Martirio di san Vitale* del 1583 (fig. 5 p. 55), studiato in un altro disegno berlinese (cat. IV.13) e poi audacemente ruotato di 90° nella versione pittorica per evocare la violenza della lapidazione e l'accanita crudeltà dei carnefici. Più leggero è il passo di danza condotto dalla figura monumentale di Cristo che, travestito da giardiniere, appare alla Maddalena nella grande tela oggi perduta del *Noli me tangere*, studiata in un disegno di singolare forza pure a Berlino (cat. IV.14; sulla genesi ed esecuzione del dipinto, normalmente datato ai primi anni novanta ma, in realtà, da posticipare al 1601-1609, cfr. Baroni 2024b). Il Salvatore, sorpreso dalla donna, fa un passo indietro, imprimendo al corpo una torsione che ricorda gli eroismi virili dell'*Incendio di Borgo* di Raffaello ma che, al tempo stesso, si stempera in una monumentalità che anticipa i gesti misurati del classicismo seicentesco.

Negli ultimi anni della sua carriera, superati i settant'anni, l'approccio al nudo di Barocci cambia ancora una volta, spostandosi verso una rarefatta economia di segno e materia cromatica. Prova estrema di questa fase è il cartonetto preparatorio dell'*Ecce Homo* (cat. IV.16), dipinto lasciato incompiuto per la morte dell'artista e oggi custodito alla Galleria Nazionale delle Marche (cat. VIII.7). La sintesi quasi geometrica del corpo di Cristo, individuato da pochi, precisi colpi di pietra nera puntualmente incisi per il trasferimento dei contorni, evoca un Barocci ormai talmente padrone dei propri mezzi espressivi da riuscire a costruire le figure sulla carta, senza più bisogno di guardarle dal vero e saldando definitivamente, a oltre quarant'anni di distanza, il debito verso l'arte classica contratto ai tempi del torso dell'Istituto Centrale per la Grafica (cat. IV.9).

IV.9 Studio per l'Immacolata Concezione (torso della Vergine)

Carboncino/matita nera/gessetto bianco
su carta cerulea tinta in pasta, 267 × 202 mm
Roma, Istituto Centrale per la Grafica,
inv. D-FC125566 recto
Proprietà Accademia Nazionale dei Lincei

Bibliografia
Forlani Tempesti 1995, pp. 57-67.

IV.10 Studio per la Crocifissione Bonarelli (testa e busto di Cristo)

Pietra nera, pietra rossa e gesso su carta azzurra, 266 × 409 mm
Berlino, Staatliche Museen, Kupferstichkabinett, inv. KdZ 20264

Bibliografia
Olsen 1962, p. 48; Emiliani 2008, I, p. 170, cat. 19.21.

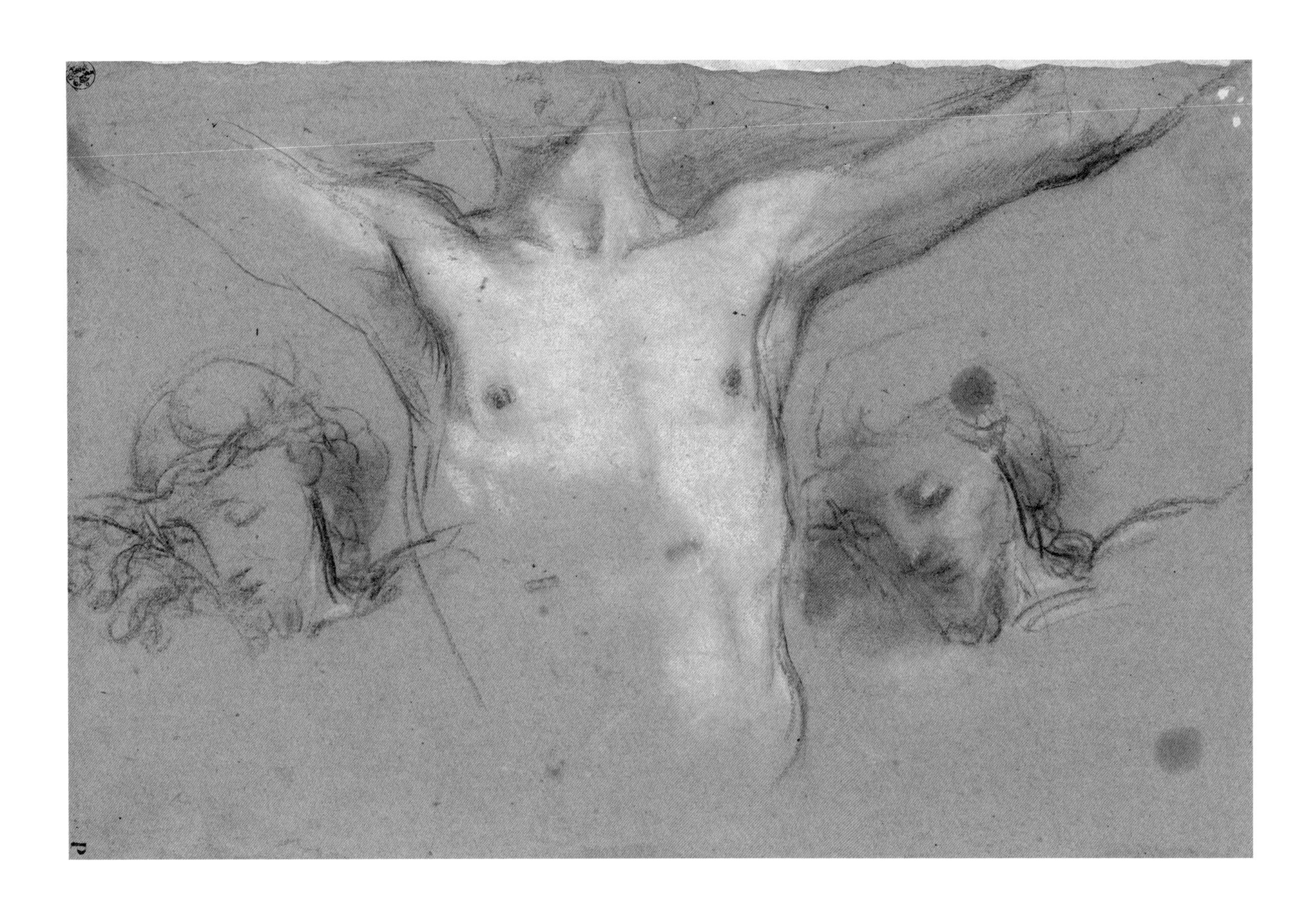

IV.11 Studio per la Deposizione (torso di Cristo)

Pietra nera e gesso su carta azzurra, 420 × 268 mm
Berlino, Staatliche Museen, Kupferstichkabinett, inv. KdZ 20466

Bibliografia
Emiliani 2008, I, pp. 2016-217, cat. 22.46;
Bohn, in *Federico Barocci* 2012, pp. 90-107, cat. 3.3.

IV.12 **Studio per l’Annunciazione (mani della Vergine)**

Pietra nera, pietra rossa e gesso su carta azzurra, 270 × 390 mm
Berlino, Staatliche Museen, Kupferstichkabinett, inv. KdZ 20453

Bibliografia
Emiliani 2008, II, p. 26, cat. 42.17;
Bohn, in *Federico Barocci* 2012, pp. 182-195, cat. 9.5.

IV.13 **Studio per il Martirio di san Vitale (torso e braccio di san Vitale)**

Pietra nera, pietra rossa e gesso su carta azzurra, 419 × 282 mm
Berlino, Staatliche Museen, Kupferstichkabinett, inv. KdZ 20239

Bibliografia
Emiliani 2008, I, p. 384, cat. 40.8.

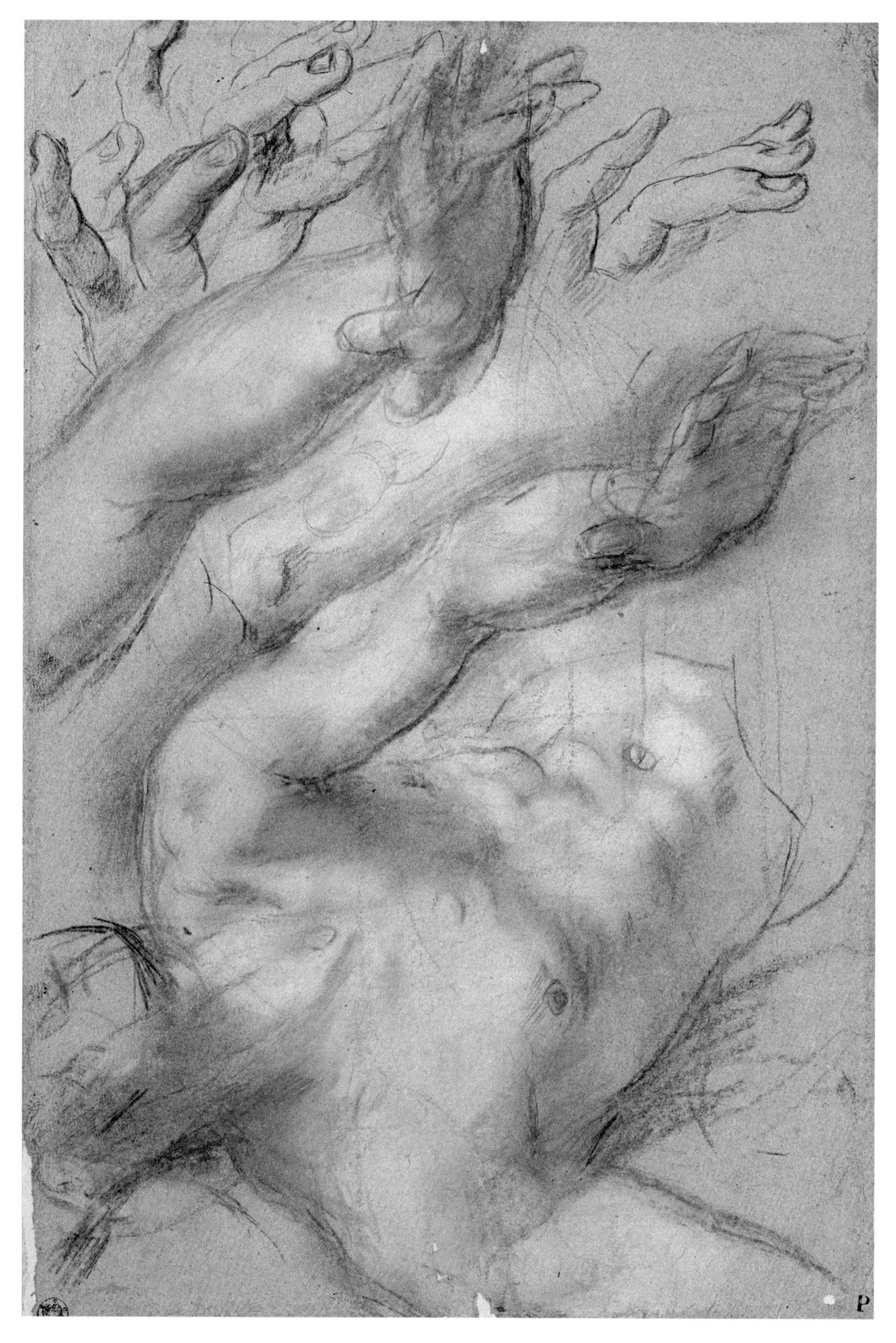

IV.14 Studi per il Noli me tangere (Cristo)

Pietra nera e gesso, pietra rossa e tracce di pastello rosa su carta preparata bruna, 395 × 266 mm
Berlino, Staatliche Museen, Kupferstichkabinett, inv. KdZ 20388

Bibliografia
Olsen 1962, p. 184; Emiliani 2008, II, pp. 80-81, cat. 47/C.7; Wilson 2020; Baroni 2024b.

IV.15 Studio per l'Immacolata Concezione (figura e testa della Vergine)

Pietra nera, rossa e bianca, 392 × 363 mm
Firenze, Gallerie degli Uffizi, Gabinetto dei Disegni e delle Stampe, inv. 11339 F

Bibliografia
Olsen 1962, p. 162, cat. 30; Emiliani 2008, I, pp. 300-301, cat. 37.2; Bohn, in *Federico Barocci* 2012, pp. 134-143, cat. 6.5; Aliventi 2022, p. 104, fig. 2.

IV.16 Studio per l'Ecce Homo

Pietra nera e bianca su carta azzurra, 386 × 251 mm
Berlino, Staatliche Museen, Kupferstichkabinett, inv. KdZ 20447

Bibliografia
Olsen 1962, p. 220, cat. 73;
Emiliani 2008, II, p. 362, cat. 88.1.

BOZZETTI PER COMPOSIZIONI

Luca Baroni

A differenza dell'autore specializzato in ritratti o nature morte, scene storiche o piccoli dipinti devozionali, l'artista cinquecentesco che, come Barocci, si dedica principalmente alla rappresentazione di grandi scene sacre deve sottostare a una serie di regole precise. Nel 1563 la conclusione del Concilio di Trento, risposta cattolica allo scisma protestante, induce una maggiore attenzione e controllo verso la figurazione dei soggetti sacri, presto normati da specifici trattati storici e iconografici come il *Discorso intorno alle immagini sacre e profane* del cardinal Gabriele Paleotti, del 1582, e gli *Annales Ecclesiastici* avviati dal cardinal Cesare Baronio (editi tra il 1588 e il 1607; Prodi 2014, con bibliografia precedente, su cui cfr., per lo specifico caso di Barocci, Baroni 2022a). Le nuove immagini sacre devono conformarsi a una serie di principi generali che includono l'unità e l'intuitività della rappresentazione, la naturalezza degli atteggiamenti e dei gesti e l'omissione di quei dettagli (grottesche, ornamenti preziosi ecc.) che potrebbero distogliere l'attenzione dello spettatore. Principale strumento grafico di studio, ma anche di discussione e validazione della proposta creativa del pittore, è il disegno preparatorio finito dell'intera composizione (anche noto, in inglese, come *presentation drawing*). Questo oggetto può essere sia destinato a un confronto esterno (ad esempio con il committente o l'autorità ecclesiastica), che essere conservato all'interno dello studio del pittore come documentazione e fonte d'ispirazione per successive composizioni.

Tra i più antichi bozzetti per composizioni conservati di Barocci vanno annoverati tre studi di piccole dimensioni, accomunati tanto dal supporto in carta azzurra e dalla tecnica esecutiva (pietra nera, penna e inchiostro bruno e finitura a biacca), che dall'alto livello di finitura. Solo uno dei tre, raffigurante Mosè che trasforma il suo bastone in serpente e custodito presso il museo del Louvre a Parigi (cat. IV.19), è connesso a una pittura effettivamente realizzata, un affresco presso il palazzo del Belvedere in Vaticano eseguito nella primavera-estate del 1563. Il fatto che quest'ultimo sia però in controparte rispetto al foglio suggerisce che il disegno potrebbe essere stato eseguito con finalità differenti rispetto a quelle preparatorie, forse come ricordo o, come suggerito dall'accurata lumeggiatura a biacca del panneggio, per essere consegnato a un incisore così da trarne una stampa di traduzione (sui rapporti tra Barocci e gli incisori di traduzione del suo tempo cfr. Baroni, Toccacieli 2020, pp. 52-59). Ben più liberi, e probabilmente destinati a restare tra gli appunti privati dell'artista, sono due disegni leggermente antecedenti (1560 circa) eseguiti da Barocci per composizioni non altrimenti note, un'*Adorazione dei pastori* sempre al Louvre (cat. IV.17), e un'*Adorazione dei Magi* al Rijksmuseum di Amsterdam (cat. IV.18; sull'origine di questi tre disegni cfr. il saggio di chi scrive, *Federico Barocci e il disegno*, pp. 88-97).

Un bozzetto di composizione successivo di pochi anni, oggi custodito presso le Gallerie degli Uffizi (cat. IV.20), mostra lo straordinario e rapidissimo sviluppo della grafica baroccesca e la crescente capacità dell'artista di gestire mentalmente gruppi coerenti di più figure, trasferendoli con rapidità sul foglio di carta. Il disegno raffigura una *Crocifissione con i dolenti* ed è connesso alla grande pala della *Crocifissione* del 1567 (oggi Urbino, Galleria Nazionale delle Marche, cat. VII.1) commissionata per la propria cappella nella chiesa del Crocifisso a Urbino dal potente conte urbinate Pietro Bonarelli. L'importanza della commissione non va sottovalutata: Barocci, già attivo all'inizio degli anni sessanta a Roma nei cantieri vaticani, si è da poco ripreso da una lunga malattia che gli ha impedito di operare per quasi due anni. La *Crocifissione* Bonarelli è il primo grande dipinto pubblico commissionatogli per Urbino dopo il suo rientro, e il secondo eseguito dopo la *Madonna di san Giovanni* (cat. III.1), ex voto offerto alla Vergine come ringraziamento per lo scampato pericolo. Uno schizzo a pietra rossa per quest'ultima composizione fa infatti capolino al di sotto del foglio della Bonarelli, attestando la prossimità cronologica dei due progetti e l'abitudine di Barocci di riutilizzare i fogli di carta presenti all'interno dello studio. Rispetto al disegno, la tela della *Crocifissione* include numerose differenze, plausibilmente concordate con il committente e fissate in un ulteriore schizzo compositivo non altrimenti noto.

Nel corso degli anni settanta-ottanta, giunto ormai alla maturità artistica, Barocci consolida la pratica di realizzare bozzetti finiti per composizioni, uniformandone la tecnica e impiegandoli nello studio sia per memoria che per utilizzarli a fini didattici e commerciali. Appare paradigmatico, sotto questo punto di vista, il caso del bozzetto per il *Martirio di san Vitale* (Parigi, Louvre, cat. IV.21), grande pala d'altare oggi a Brera commissionata dai padri cassinesi di Ravenna e conclusa nel 1583. Il disegno, rifinito a chiaroscuro e biacca e privo di pentimenti, è con ogni probabilità il primo bozzetto finito sottoposto alla committenza, che impose numerose varianti riscontrabili nella versione finale del dipinto. L'esistenza di un secondo bozzetto preparatorio, analogo a quello qui considerato ma corrispondente alla tela e non altrimenti noto, è suggerito dalla presenza di ben quattro copie grafiche eseguite dagli allievi all'interno della bottega (Baroni 2023b). Benché scartata, la composizione qui discussa, custodita all'interno dello studio, conosce una sua fortuna, venendo rielaborata da un allievo di Barocci, Antonio Cimatori, per costruire un bozzetto indipendente oggi agli Uffizi (Gabinetto dei Disegni e delle Stampe, inv. 11423 F).

Negli anni maturi, consapevole del proprio ruolo di caposcuola e della sua posizione di forza nei confronti della committenza (verso la quale mantiene un atteggiamento di orgogliosa autonomia), Barocci trasforma alcuni dei suoi bozzetti di composizione in capolavori autonomi, apprezzabili come opere d'arte finite e arricchiti dalla presenza della pittura a olio applicata a chiaroscuro. Vertice estremo di questa produzione è lo studio per l'*Ultima cena* del duomo di Urbino (cat. IV.22), databile agli anni novanta del Cinquecento ed eseguito con una peculiare mescolanza di toni grigi e arancioni destinata a rimanere una cifra costante della scuola baroccesca (Baroni 2023c). La stessa tecnica si ritrova in uno dei due bozzetti compositivi per l'*Istituzione dell'Eucarestia* (catt. IV.23, IV.24), commissionata da papa Clemente VIII Aldobrandini nei primi anni del Seicento e compiuta nel 1607. L'importanza della commissione ha preservato preziose informazioni relative alle modalità di impiego del bozzetto di composizione nelle contrattazioni tra artista e cliente (cfr. i documenti riportati da Gronau 1936, pp. 176-186, da cui provengono le successive situazioni). Stando alle lettere scambiate tra l'ambasciatore urbinate a Roma e il duca di Urbino, a sua volta referente per il progetto per conto di Barocci, l'artista invia al papa nel novembre del 1603 due disegni con ipotesi relative alla composizione. Il pontefice, coinvolto in prima persona, suggerisce correzioni e migliorie, arrivando al punto di far eseguire a un suo "giovane" uno schizzo poi inviato al pittore "per meglio dichiarare il senso suo". Questa intromissione nell'autorità creativa di Barocci viene accuratamente smussata dal duca, che pure non riesce a evitare le ire del suscettibile artista, padrone del proprio mestiere al punto tale da poter trattare pressoché alla pari in questioni iconografiche con la guida suprema della cristianità ("e se bene s'è procurato d'insinuarglielo molto destramente senza mandargli il disegno che ci inviaste, rimettendo ogni cosa al suo giudizio, con tutto ciò ha mostrato di pigliar la cosa con qualche alterazione [...]").

IV.17

Bozzetto per un'Adorazione dei pastori

Penna e inchiostro bruno, inchiostro bruno diluito e biacca su carta azzurra, 124 × 228 mm
Parigi, Musée du Louvre, Département des Arts graphiques, inv. RF 2844 recto p.f.

Bibliografia
Olsen 1962, pp. 146-147, cat. 12;
Emiliani 2008, I, pp. 158-159, cat. 18.6.

IV.18 Bozzetto per un'Adorazione dei Magi

Pietra nera, penna e inchiostro bruno, inchiostro bruno diluito e biacca su carta azzurra, 293 × 209 mm
Amsterdam, Rijksmuseum, I.Q. van Regteren Altena Bequest, inv. RP-T-1981-28

Bibliografia
Olsen 1962, p. 147, cat. 13;
Emiliani 2008, I, p. 107, cat. 4.2.

IV.19 Bozzetto per La verga di Mosè si tramuta in serpente

Penna e inchiostro bruno, inchiostro bruno diluito, pietra rossa e nera su carta azzurra, 357 × 238 mm
Parigi, Musée du Louvre, Département des Arts graphiques, inv. RF 2841 recto

Bibliografia
Olsen 1962, p. 145, cat. 9; Turner 2000, p. 29; Emiliani 2008, I, p. 144, cat. 13.1.

IV.20 **Bozzetto per la Crocifissione e dolenti**

Penna e inchiostro bruno, inchiostro bruno diluito, pietra nera, pietra rossa, biacca e possibili tracce di pastello giallo, 374 × 232 mm
Firenze, Gallerie degli Uffizi, Gabinetto dei Disegni e delle Stampe, inv. 11416 F

Bibliografia
Olsen 1962, p. 146, cat. 11; Emiliani 2008, I, p. 163, cat. 19.1; Lingo 2008, p. 26, fig. 13; Mann, in *Federico Barocci* 2012, pp. 76-89, fig. 45.

IV.21

Bozzetto per il Martirio di san Vitale

Penna e inchiostro bruno, inchiostro bruno diluito e biacca su carta preparata bruna, 337 × 224 mm
Parigi, Musée du Louvre, Département des Arts graphiques, inv. RF 2858 recto

Bibliografia
Olsen 1962, p. 175, cat. 34; Turner 2000, p. 86; Emiliani 2008, I, p. 381, cat. 40.2; Lingo 2008, p. 173, fig. 145; Bohn 2012a, p. 58; Lingo 2021, p. 285.

IV.22 **Bozzetto per l'Ultima cena**

Olio e tempera, rialzato
a biacca, 110 × 106 cm
Firenze, Gallerie degli Uffizi,
Gabinetto dei Disegni
e delle Stampe, inv. 819 E

Bibliografia
Olsen 1962, p. 202, cat. 55; Emiliani 2008, II, pp. 216-217,
cat. 66.3; Lingo 2008, p. 174, fig. 146;
Mann, in *Federico Barocci* 2012, pp. 224-237, fig. 73.

IV.23 **Bozzetto per l'Istituzione dell'Eucarestia**

Penna e inchiostro bruno, inchiostro bruno diluito e biacca su una base di pietra nera, parzialmente quadrettato, 480 × 343 cm
Chatsworth, The Devonshire Collections, inv. OMD 361

Bibliografia
Olsen 1962, p. 211, cat. 65; Turner 2000, p. 130;
Scrase, in *A Touch of the Divine* 2006, pp. 200-201, cat. 74;
Emiliani 2008, II, p. 300, cat. 81.1; Lingo 2008, p. 157, fig. 135;
Mann, in *Federico Barocci* 2012, pp. 288-301, cat. 18.1;
Lingo 2021, p. 293.

IV.24 **Bozzetto per l'Istituzione dell'Eucarestia**

Penna e inchiostro bruno, inchiostro bruno diluito, pietra nera, tempera bianca e grigia, 515 × 355 mm
Cambridge, The Fitzwilliam Museum, inv. PD.1-2002

Bibliografia

Olsen 1963, p. 211; Turner 2000, p. 131; Scrase, in *A Touch of the Divine* 2006, pp. 204-205, cat. 75; Emiliani 2008, II, p. 301, cat. 81.2; Lingo 2008, p. 183, fig. 157; Mann, in *Federico Barocci* 2012, pp. 288-301, cat. 18.2.

Idea e prassi nel percorso creativo di Federico Barocci

Trasporto di Cristo

V.1 **Trasporto di Cristo**
Senigallia, confraternita del Santissimo Sacramento e Croce

V.2 **Bozzetto per il Trasporto di Cristo**
Amsterdam, Rijksmuseum

V.3 **Trasporto di Cristo**
Urbino, Galleria Nazionale delle Marche

Annunciazione

V.4 **Annunciazione**
Città del Vaticano, Musei Vaticani

V.5 **Bozzetto per l'Annunciazione**
Firenze, Gallerie degli Uffizi, Gabinetto dei Disegni e delle Stampe

V.6 **Studio per l'Annunciazione**
Firenze, Gallerie degli Uffizi, Gabinetto dei Disegni e delle Stampe

V.7 **Studio per il volto della Vergine nell'Annunciazione**
Windsor Castle, Royal Collection

V.8 **Bozzetto per la stampa dell'Annunciazione**
Budapest, Szépművészeti Múzeum

V.9 **Lastra per la stampa dell'Annunciazione**
Roma, Istituto Centrale per la Grafica

V.10 **Annunciazione**
Londra, The British Museum

V.11 **Annunciazione**
Chatsworth, The Devonshire Collections

Fuga di Enea da Troia

V.12 **La fuga di Enea da Troia**
Roma, Galleria Borghese

V.13 **La fuga di Enea da Troia**
Parigi, Musée du Louvre, Département des Arts graphiques

IDEA E PRASSI NEL PERCORSO CREATIVO DI FEDERICO BAROCCI

Anna Maria Ambrosini Massari

Il *Trasporto di Cristo* al sepolcro per la chiesa di Santa Croce a Senigallia (cat. V.1) e l'*Annunciazione* di poco successiva, per la cappella ducale nella basilica di Loreto (cat. V.4), sono due casi esemplari per capire i metodi di lavoro di Barocci e apprezzare l'altissima qualità e varietà tecnica della sua produzione grafica. *La fuga di Enea da Troia* (cat. V.12) è altrettanto importante, per la presenza del cartone del Louvre (cat. V.13) e per il soggetto profano, un *unicum* nella carriera di Barocci, in stimolante raffronto con due tra le sue pale più spiritualmente ispirate.

Una valutazione lucida dell'attività disegnativa è stata resa possibile solo dagli studi dell'ultimo quarto del Novecento[1]. La comprensione di questo aspetto essenziale della cultura dell'artista, infatti, è stata per secoli ipotecata dal valore normativo attribuito alla pagina dove Bellori[2], il cui fine classicista è soprattutto di allontanare Barocci dal Manierismo, espone la prassi dell'artista nel disegno, indefessamente rivolta all'esercizio sul "naturale". L'autorevole storiografo romano vi delinea un iter in cui si susseguono schizzi dai modelli messi in posa, "il disegno compito" elaborato sulla base degli schizzi, la verifica di figure e panneggi su modelletti plastici per eliminare "ogn'ombra d'affettazione", l'esecuzione di "cartoncini" per la definizione dei chiaroscuri, fino alla preparazione del cartone in scala uno a uno a gesso nero o a pastelli per il trasferimento sul supporto, operazione dopo la quale il pittore realizza cartonetti "in cui compartiva le qualità de' colori con le loro proporzioni". Oggi Bellori è stato chiarito dalla critica[3], ed è ipotizzabile che quella pagina sia il risultato della dimestichezza con i disegni di Barocci nelle collezioni romane, unita alla conoscenza dell'inventario *post mortem* dello studio del pittore[4], documento che doveva essere parte delle "memorie" della sua vita trasmesse a Bellori dall'urbinate Pompilio Bruni, tanto sembra di sentirne il contenuto nella *Vita di Barocci*, se pur rimontato nella successione di un rigido processo operativo, con forte carattere accademico e idealista[5].

La sequenza descritta da Bellori, lungamente assurta a schema di lettura dell'opera grafica di Barocci, è contraddetta in primis dalle pratiche disegnative degli artisti del Cinquecento, da Raffaello in avanti, nonché da molti casi di studio relativi a Federico[6], tra cui appunto le opere in esame.

Già Shearman sottolineava l'importanza di uno studio della progettazione baroccesca in una "anti-Bellorian sequence"[7], perché non è realistico che un grande artista proceda sempre allo stesso modo. Nel concreto si potranno cogliere alcune ricorrenze, per esempio le figure nude, più volte girate prima di giungere alla soluzione definitiva, poiché non necessariamente il naturale è punto di partenza per Barocci, ma senz'altro lo è il suo obiettivo e lo dimostra anche l'uso di modelletti in creta, non solo per effetti naturalistici ma anche tridimensionali, come fanno gli scultori[8].

Quanto sia importante liberare lo studio della grafica baroccesca dal condizionamento belloriano, anche per correggere certe conclusioni attributive[9], lo dimostra il caso del *Trasporto*, come rilevato già da Pillsbury[10]. Il bozzetto a olio su tela della Galleria Nazionale delle Marche (cat. V.3) non è l'ultima tappa del processo ideativo, come vorrebbe Bellori, in quanto esso precede il modelletto su carta del J. Paul Getty Museum (inv. 85. GG.26), finalizzato a precisare i valori tonali, quindi più approssimato alla redazione finale. Lo spiega il dettaglio delle mani giunte della Maddalena: mentre nel bozzetto su tela queste si trovano entro il profilo del costone roccioso alle sue spalle, nel modelletto del Getty, così come nella pala, lo travalicano. Per questo particolare e per l'identica scala proporzionale, al medesimo stadio di elaborazione attestato dal bozzetto urbinate fa capo anche il cartonetto del Rijksmuseum (cat. V.2), qui opportunamente messogli accanto, che non può più essere identificato, come si credeva in passato, con il cartone per il *Trasporto* documentato nell'atelier di Barocci alla sua scomparsa, in ragione della divergenza dei caratteri tecnici[11].

Questa tipologia di cartoni di dimensioni ridotte, testimoniata anche nel caso dell'*Ultima cena* (cat. VIII.3), va con ogni probabilità intesa con funzioni di cartone ausiliario e di promemoria, da conservare nell'archivio di bottega: la dimensione in cui si svolge il lavoro di Barocci, a quest'epoca già coadiuvato dai collaboratori più fidati.

Uno sguardo privilegiato sull'officina creativa del pittore è offerto anche dall'*Annunciazione* (cat. V.4), che ci consente di seguire, con una selezione mirata, il denso percorso dal disegno al dipinto, all'acquaforte. La modernità di Barocci anche in quest'ultimo campo è impressionante: il suo florilegio di quattro raffinatissime prove segna "l'inizio di una incalzante riappropriazione della pratica incisoria da parte di pittori di primo piano"[12] e comprende il vertice di quella dedicata all'*Annunciazione* (cat. V.4). L'artista è ora responsabile primo della circolazione pubblica delle proprie invenzioni, e può al contempo promuovere la propria fama delegando stampe a specialisti di fiducia, a cominciare da Cornelis Cort, forse conosciuto a Roma nel 1574[13].

Tra i disegni superstiti per la progettazione di quest'opera destinata alla committenza ducale e a una collocazione come la basilica lauretana, insieme eminente e cara al devotissimo Federico, spicca l'emozionante foglio degli Uffizi 11391 F (cat. V.5), unico suo studio noto per l'intera composizione, tracciato con tale libertà di mezzi tecnici e di tratto e con tale effetto di pittoricità, esperito lavorando sulla carta cilestrina con gesso nero e rosso, colpi di pastello colorato e tocchi di biacca, forse per dare al duca un'idea della composizione prevista e comunque in una fase ancora *in fieri* del progetto.

Diversamente dalla sequenza indicata da Bellori, alla fissazione dello schema compositivo seguivano gli studi di figura e di dettaglio, questi sì condotti partendo dal "naturale". Il foglio degli Uffizi inv. 11293 F v. (cat. V.6) è esemplare per lo studio dal vero su un modello maschile, con una progressiva definizione della Vergine, e così per la sua testa nel meraviglioso foglio delle collezioni reali inglesi (cat. V.7), dove la sinfonia tecnica si compone tenendo conto dell'illuminazione prevista per la pala d'altare.

Come ha spiegato Michael Bury[14], nell'atelier di Barocci dovette esistere un cartonetto promemoria per l'*Annunciazione*, da cui fu ricavato il modelletto di Budapest (cat. V.8), che presenta contorni incisi con lo stilo e riproduce la composizione con la medesima scala della stampa eseguita da Barocci (cat. V.9); si tratta quindi di un foglio preparatorio non per la pala ma per la stampa, eseguita probabilmente a ridosso del compimento del dipinto.

L'*Annunciazione* lauretana e la *Visitazione* consegnata alla Chiesa Nuova a Roma (cat. II.3) impressero un colpo d'ala alla rinomanza di Barocci, tanto da attrarre l'attenzione di un committente sofisticato e aggiornatissimo come l'imperatore Rodolfo II a Praga, personalità cruciale nelle strategie diplomatiche e politiche del ducato. La richiesta imperiale specificava che a corte non si volevano "opere di devotione ma di altro gusto", da accordare ai seducenti capolavori mitologici di Bartholomaeus Spranger o alle bizzarrie di Arcimboldo o alle profanità delle più virtuosistiche arti decorative. La tela consegnata a Praga nel 1589, perduta e nota dalla stampa di Agostino Carracci del 1595, metteva in scena il soggetto virgiliano della fuga di Enea da Troia, unico caso in cui Barocci deroga al suo impegno nel campo dell'arte sacra, a eccezione del genere del ritratto. A testimoniare l'enorme sforzo inventivo profuso nell'ideazione della grande tela per Rodolfo II è qui il cartone del Louvre (cat. V.13). La vibrante replica (cat. V.12) in mostra fu eseguita nel 1598 per monsignor Giuliano della Rovere (cat. I.7). Un'incursione nel mondo classico per Barocci, educato allo studio dell'antico[15], che utilizza piegandolo alle sue esigenze espressive, come nel gruppo di Enea e Anchise, probabilmente ispirato a un Ercole e Anteo.

Note

1 Si veda qui il saggio di Luca Baroni.
2 Bellori [1672] 1976, pp. 205-206.
3 *L'idea del Bello* 2000; Montanari 2009b.
4 Calzini 1913b, pp. 75-82; Ekserdjian 2018, pp. 154-173.
5 Agosti, Ambrosini Massari in corso di stampa.
6 Aliventi 2022, pp. 101-110, con densa bibliografia sul tema.
7 Shearman 1976, p. 54.
8 Pizzorusso 2009, p. 61; Faietti 2015, p. 125.
9 Bohn, Mann 2018, pp. 2-4.
10 *The Graphic Art of Federico Barocci* 1978, p. 63, n. 40.
11 Si veda qui la scheda alle pp. 230-231.
12 Borea 2009a, I, p. 173.
13 Agosti 2021.
14 Bury 2001, pp. 69-70.
15 Si veda qui il mio saggio.

TRASPORTO DI CRISTO

Eliana Monaca

L'opera "in cui si vede Christo portato al sepolcro, lavorata con tanta diligenza, e con tanta gratia colorita, che è una maraviglia a vederla", menzionata per la prima volta da Vincenzo Borghini nel suo *Il Riposo* (Borghini 1584, p. 569), era "nella città di Senegalia in una picciola chiesa, ch'è nel borgo pria di giungere alla piazza" (Scannelli 1657, p. 197).

Il *Trasporto di Cristo* fu infatti commissionato a Barocci dalla confraternita della Croce e del Santissimo Sacramento di Senigallia, come si evince dalla documentazione rinvenuta, a partire dal 3 febbraio 1578, quando "si abbozzò la prima idea dalla quale doveva poi derivare il possesso della pregevolissima tela del Barocci" (Vecchioni 1926-1927, p. 498). In quest'opera della fase matura, dipinta a Urbino (Emiliani 2008, I, p. 350) e consegnata alla confraternita "nell'aprile o forse nel maggio del 1582" (Vecchioni 1926-1927, p. 499), Barocci espresse "la fatica e la gravezza del peso" di san Giovanni che tiene "il lenzuolo a' piedi di Cristo" e "volgendosi avanti, piega in dietro il petto e le braccia, e sparge i crini al vento" (Bellori 1672, p. 185), mostrando inoltre il suo sforzo grazie al movimento esasperato del panneggio delle vesti. La morte di Cristo è così dolce, che in "un pietoso languore funesto s'abbandona la guancia su la spalla, cadono i capelli, e si chiudono gli occhi divini quasi in placido sonno" (Bellori 1672, p. 185). La tragicità dell'evento traspare poi dal comportamento del gruppo più arretrato con la Vergine tenuta da una delle Marie e "l'altra col velo sotto gli occhi in ambedue le mani [che] raccoglie le lacrime" (Bellori 1672, p. 185). In primo piano, nella parte sinistra, si vede una natura morta composta dagli strumenti della Passione di Cristo; la parte destra è invece dominata dalla figura della Maddalena in ginocchio che "diffonde il suo dolore con i capelli disciolti, e con le mani incrocicchiate verso il maestro" e vicino "una figura sotto una rupe a pulire il sepolcro" (Bellori 1672, pp. 185-186).

Barocci affida pertanto alla Vergine e alla Maddalena la rappresentazione della poetica degli affetti, mostrando il loro dolore, che sembra ricordare quello della Maddalena nel *Compianto sul Cristo morto* di Correggio, che l'urbinate doveva aver visto nella chiesa di San Giovanni Evangelista a Parma. Emergono, inoltre, evidenti elementi tratti dalla *Deposizione* di Raffaello, che aveva potuto vedere a Perugia nella chiesa di San Francesco, prima che fosse sottratta nel 1608 da Scipione Borghese. Nuova luce sulla lunga fase di elaborazione di questo quadro, si deve al foglio inv. 1822F del Gabinetto dei Disegni e delle Stampe degli Uffizi, poiché sul recto vi sono schizzi ricondotti alla preparazione della pala di Senigallia (Emiliani 2008, I, p. 358, cat. 39.7) e sul verso sono invece presenti alcuni appunti scritti frettolosamente con una calligrafia plausibilmente ritenuta di Barocci. Le note del verso sembrano essere precedenti agli schizzi per la pala di Senigallia e si riferiscono chiaramente ai soggetti di alcuni affreschi del ciclo della Sala Regia in Vaticano. Barbara Agosti ha pertanto avanzato l'ipotesi che nella pala di Senigallia ci sia anche un ricordo del *Ferimento dell'ammiraglio Gaspard de Coligny*, dipinto da Giorgio Vasari e aiuti nel 1573, e che Barocci avrebbe potuto vedere solamente in occasione di un terzo soggiorno romano compiuto dopo tale data (Agosti 2021).

La pala, magistrale rappresentazione del pathos e del dramma legato all'evento cristologico, ha sofferto del suo stesso successo (Freeman Bauer 1986, pp. 356-357): per la sua bellezza "mentre veniva copiata continuamente, ebbe quasi a perdersi per la temerità di uno, che nel lucidarla penetrò il colore, e li dintorni, e la guastò tutta; e così rimase per alcuni anni finché, a richiesta del Duca d'Urbino, il Barocci se la fece riportare a casa, e tirate dallo studio le sue prime fatiche, di nuovo la rifece, quasi negli ultimi anni della sua vita" (Bellori 1672, p. 186), ovvero tra la fine del 1606 e i primi mesi del 1608 (Vecchioni 1926-1927; Olsen 1962, p. 170). L'intervento di Barocci, ovvero "il colore [...] 'ripassato', le carni arrossate e le luci rialzate" (Emiliani 2008, I, p. 350), è risultato ben visibile nella campagna di restauro effettuata in occasione della mostra bolognese del 1975 (Bizzotto Abdalla, in *Restauri nelle Marche* 1973, pp. 420-428).

La grande fama della tela è testimoniata dalle numerose stampe a partire da quella realizzata da Philippe Thomassin nel 1589 e dedicata all'ambasciatore francese Francesco di Lussemburgo duca de Piney (Cerboni Baiardi 2005, p. 85).

Tra le testimonianze grafiche pervenute spiccano un cartoncino ausiliario (cat. V.2) e un abbozzo "per i colori". Il primo, il cartoncino del Rijksmuseum di Amsterdam (Olsen 1962, p. 172; Meijer, in *Maestri dell'invenzione* 1995, p. 108), per le sue dimensioni, risulta difficile poterlo riconoscere con quello oggetto di contenzioso tra Federico Barocci e il mercante in Fiandra Giovanni Paoletti. L'urbinate aveva infatti consegnato un cartone al mercante per farne realizzare un "intaglio in rame dall'eccellente intagliatore il sig. Giovanni Stradano" (Cleri 1993-2000, p. 174). Paoletti si impegnò a renderglielo "intatto e illeso", ma dopo tre anni di silenzio, Barocci decise di intraprendere un'azione legale per riavere il cartone, perché "i pittori sublimi et eccellentissimi conservano e sono soliti di conservare tali cartoni, dissegni et essemplari appresso sé et ai posteri loro sì per memoria delle fatture loro, sì anche per loro soddisfattione, et honore" (Cleri 1993-2000, p. 174). Il cartoncino di Amsterdam, molto rovinato perché probabilmente utilizzato come memoria, ha delle dimensioni infatti troppo grandi per servire come modello per la riproduzione a stampa (113 × 90,4 cm), misure invece quasi sovrapponibili a quelle del bozzetto urbinate (125 × 100 cm, cat. V.3). Quest'ultimo infatti è privo degli strumenti di tortura, la pennellata è ampia e sommaria, ma nonostante abbia sofferto notevoli manomissioni, mantiene la sua tenuta stilistica. Il cartoncino olandese e il bozzetto della Galleria sono due tappe della fase di studio per la messa a punto della composizione in vista dell'opera finale. Il foglio di Amsterdam, vero e proprio cartone ausiliario, secondo la prassi operativa di Raffaello, rientra nelle ultime fasi della preparazione grafica della pala di Senigallia: grandi assenti, oltre al colore, sono infatti gli elementi che caratterizzano lo sfondo, da una parte con il "Calvario con alcune Figurine, che levano le scale della Croce" (Bellori 1672, p. 186), dall'altra la facciata del Palazzo Ducale di Urbino con i torricini (Meijer, in *Maestri dell'invenzione* 1995, p. 109). Tradizionalmente la critica ha riconosciuto il foglio olandese nel "cartone di chiaro oscuro in carta bianca con dentro un Cristo portato al Sepolcro, con la Madre, et altre figure come quello che è in stampa, ma le teste son tutte di pastelli" menzionato nella *Minuta dello Studio del S.or Baroccio*, sebbene sia evidente la variazione di colore non più bianco ma marroncino (Calzini 1913b, p. 78; Meijer, in *Maestri dell'invenzione* 1995, p. 108; Emiliani 2008, I, p. 357). La descrizione delle "teste [...] tutte di pastelli" sembrerebbe evocare però un altro momento di studio, che potrebbe essere riconosciuto nel piccolo foglio (47,8 × 35,6 cm, inv. 85.GG.26) del Getty Museum di Los Angeles (Emiliani 2008, I, p. 375, cat. 39.43). In questa successione di studi il bellissimo esemplare americano è da collocare in una fase posteriore allo studio olandese per la maggiore finitura, nonostante l'abbozzo veloce alle mani della Maddalena in preghiera, e non viceversa (Bohn, Mann, in *Federico Barocci* 2012, p. 167).

Il cartoncino di Amsterdam e il bozzetto di Urbino si inseriscono nella prassi comprovata di studio di Barocci, soprattutto se si considera l'ausiliarietà del cartoncino in vista di altri studi e bozzetti per la pala. È possibile pertanto superare i recenti dubbi avanzati sull'autografia del foglio olandese (Bohn, Mann 2018, p. 10), e del bozzetto per i colori della galleria (Bohn, Mann, in *Federico Barocci* 2012, pp. 169-172, cat. 8), già riconosciuta (Meijer, in *Maestri dell'invenzione* 1995; Emiliani 2008, I, p. 352), non solo perché rientrano nella serie di studi caratterizzata, ma anche per la velocità esecutiva tipica di una fase ancora di studio per la realizzazione finale della pala. La presenza infatti dei numerosi fogli giunti fino a noi (Emiliani 2008, I, pp. 352-376) trova perfetta spiegazione in una lunga e dettagliata fase preparatoria che aveva portato Barocci alla realizzazione della pala di Senigallia.

Più difficile risulta, invece, trovare casi in cui Barocci abbia eseguito un dipinto tanto finito come quello in collezione privata ritenuto autografo (Bohn, Mann, in *Federico Barocci* 2012, cat. 8.15), che dimostra oltretutto una distribuzione dei colori e delle ombre e delle luci fin troppo diligente.

V.1 Trasporto di Cristo

1579-1582
Olio su tela, 295 × 187 cm
Senigallia, confraternita del Santissimo Sacramento e Croce

Bibliografia
Borghini 1584, p. 569; Anonimo 1590, in Zezza 2009, p. 264; Scannelli 1657, p. 197; Bellori 1672, p. 185; Vecchioni 1926-1927, pp. 498-500; Emiliani 2008, I, pp. 350-376; Bohn, Mann, in *Federico Barocci* 2012, pp. 158-181, cat. 8; Agosti 2021.

V.2 Bozzetto per il Trasporto di Cristo

1579 circa
Carboncino, con gesso bianco, su carta marrone; quadrettato per trasferimento in gesso nero, 1130 × 904 mm
Amsterdam, Rijksmuseum, inv. RP-T-1977-138

Bibliografia
Borghini 1584, p. 569; Anonimo 1590, in Zezza 2009, p. 264; Scannelli 1657, p. 197; Bellori 1672, p. 185; Vecchioni 1926-1927, pp. 498-500; Emiliani 2008, I, pp. 350-376; Bohn, Mann, in *Federico Barocci* 2012, pp. 158-181, cat. 8; Agosti 2021.

V.3 **Trasporto di Cristo**

1579 circa
Olio su tela, 125 × 100 cm
Urbino, Galleria Nazionale
delle Marche, inv. DE 187

Bibliografia
Borghini 1584, p. 569; Anonimo 1590, in Zezza 2009, p. 264; Scannelli 1657, p. 197; Bellori 1672, p. 185; Vecchioni 1926-1927, pp. 498-500; Emiliani 2008, I, pp. 350-376; Bohn, Mann, in *Federico Barocci* 2012, pp. 158-181, cat. 8; Agosti 2021.

ANNUNCIAZIONE

Luca Baroni

Nella seconda metà del Cinquecento, la realizzazione di una grande pala d'altare è tra gli impegni più importanti e complessi in cui possa cimentarsi un artista. Il Concilio di Trento, concluso nel 1563, stabilisce nuove regole per la rappresentazione del sacro, imponendo più alti livelli di decoro e controllo da parte delle istituzioni ecclesiastiche. Illustrare passi della Bibbia o del Vangelo richiede una profonda conoscenza della dottrina, dei testi, delle interpretazioni. Il talento degli artisti viene messo alla prova da una serie di limitazioni e imposizioni che, se pure tendono a uniformare la produzione dei maestri di minor livello, stimolano i grandi a escogitare nuove, influenti soluzioni espressive.

Barocci sente in modo particolarmente vivo il proprio impegno di pittore sacro. Stando alle memorie sulla sua vita raccolte dall'amico Vittorio Venturelli nel testo della sua *Orazione funebre*, Federico ritiene di essere scampato alla morte, nel corso della malattia che lo colpisce tra il 1563 e il 1564 circa, grazie all'intervento miracoloso della Vergine, alla quale dedica come ex voto la tela raffigurante la *Madonna di san Giovanni*, patrono degli avvelenati (Urbino, Galleria Nazionale delle Marche, cat. III.1). Da quel momento, il suo pennello sarà al servizio della dottrina cristiana: "alla perfine dopo l'avere alcuni anni con somme lodi esercitata la pazienza, la fortezza, e la costanza fece divoto riccorso a Dio, che rimirandolo con occhio di pietà celeste prestò pietoso alegiamento al suo male; poiche ricuperò se non intieramente la salute, almeno in modo ch'egli potè compire tanti nobilissimi quadri, che per le più famose città d'Europa s'ammirano" (Baroni 2015, p. 82).

L'occasione di celebrare nuovamente la Vergine e, al tempo stesso, consacrare il ruolo di primo pittore dello stato di Urbino arriva all'inizio degli anni ottanta, quando il duca Francesco Maria II, risolti i problemi finanziari che hanno caratterizzato la prima parte del suo regno, si concentra sul mecenatismo artistico e il consolidamento del prestigio internazionale del ducato. Tra le diverse imprese avviate, la più prestigiosa è il rinnovamento della cappella dei Duchi di Urbino presso la basilica di Loreto, affidata a Federico Zuccari per gli affreschi e il progetto decorativo e a Barocci per la realizzazione di una grande pala raffigurante l'*Annunciazione* (cat. V.4). Sin dalle prime fasi progettuali, Barocci rileva le difficoltà insite nell'illuminazione della cappella (che proviene da una lunetta sulla parete di fondo e, quindi, non interessa il dipinto): così che la concezione dell'immagine diventa un rompicapo creativo in cui si mescolano suggestioni spirituali, compositive e di costruzione dei piani luminosi.

L'impegno profuso da Barocci nella realizzazione dell'*Annunciazione* è evidenziato dall'ampio numero di studi preparatori superstiti. Viste le problematiche di illuminazione della tela, Federico semplifica al massimo la composizione, incentrandola su due grandi figure monumentali – quella della Vergine e quella dell'arcangelo – i cui profili si stagliano contro una finestra aperta sul paesaggio, controparte pittorica della peculiare condizione luministica della cappella. Tra gli studi più precoci, un foglio su carta azzurra conservato agli Uffizi (inv. 11293; cat. V.6) trasforma il corpo di un modello virile nudo nella figura della Vergine Annunciata. La progressiva evoluzione del corpo e del viso del soggetto da maschile a femminile segna il passaggio tra rappresentazione naturale e ideale, tra studio dal vero e invenzione: come elegantemente chiosato da Giovan Pietro Bellori nella biografia di Barocci inserita nelle *Vite* del 1672: "Prima concepiva l'attione da rappresentarsi, & avanti di formarne lo schizzo, poneva al modello i suoi giovini, e li faceva gestire conforme la sua imaginatione" (Bellori 1672, p. 195).

Una volta individuato l'atteggiamento della figura mariana, Barocci lavora con particolare attenzione alla resa del volto. Lo studio a pietra nera degli Uffizi evolve in un pastello a grandezza naturale, custodito presso le collezioni reali inglesi a Windsor (cat. V.7), in cui le fattezze della Vergine, stagliate su un fitto chiaroscuro sempre a pietra nera, prendono vita grazie all'aggiunta della luce e del colore, evocati dal gesso bianco, dalla pietra rossa e dal pastello: "Disegnava di chiaro scuro, usando uno stecco di legno abbronzato, e frequentemente ancora si valeva de' pastelli, nelli quali riuscì unico, sfumandoli con pochi tratti" (Bellori 1672, p. 195). Sempre le sfumature colorate del pastello permettono a Barocci di realizzare un suggestivo studio per l'intera composizione dell'*Annunciazione*: il disegno, custodito agli Uffizi (cat. V.5), progetta le cromie della tela, risolvendo il problema dell'illuminazione svantaggiata inasprendo i contrasti tra i colori vivi delle vesti e il chiaroscuro dello sfondo, squarciato dall'apertura della finestra.

Se per la maggior parte degli artisti il lavoro preparatorio connesso all'esecuzione di una grande pala d'altare si conclude con la redazione pittorica, per Barocci, attento imprenditore e promotore del proprio lavoro, esiste un'ulteriore fase creativa: quella della resa dell'immagine in stampa di traduzione. Virtuoso incisore e pioniere della tecnica dell'acquaforte, Federico è tra i primissimi grandi maestri italiani a intagliare in prima persona le proprie composizioni, controllando direttamente tutte le fasi dell'invenzione, produzione e riproduzione di un'immagine. Ciò garantisce, ovviamente, degli utili economici; ma gli permette anche di trasferire al meglio le caratteristiche stilistiche della sua pittura nel linguaggio in bianco e nero dell'acquaforte.

L'*Annunciazione*, come si è detto, è una delle immagini più importanti della produzione baroccesca, affermazione del prestigio artistico e politico del ducato di Urbino nel prestigioso contesto internazionale della basilica di Loreto. Non appena ultimato il dipinto, attorno al 1584, Barocci si dedica alla realizzazione dell'incisione di traduzione, una grande acquaforte (cat. V.10) databile al 1585 circa che condensa le sue ricerche sulle morsure ripetute (tecnica che permette di evocare le sfumature e la profondità dei piani) e sul puntinato, che esalta la morbidezza dei volti (le vicende cronologiche, tecniche ed esecutive della stampa sono ricostruite in Baroni, Toccacieli 2020). La lastra, oggi custodita presso l'Istituto Centrale per la Grafica di Roma (cat. V.9), è studiata in un disegno preparatorio a Budapest (cat. V.8) in cui l'artista indaga l'incidenza dei chiari e degli scuri applicando sul disegno a penna delle figure un sottile strato di biacca.

L'ossessione con cui Barocci controlla la produzione dell'immagine incisoria, estremo prolungamento dell'invenzione grafica e pittorica, si estende a tutte le fasi della produzione dell'opera e include anche la tiratura, eseguita nell'officina di casa Barocci a Urbino con il torchio installato all'inizio degli anni settanta dallo stampatore veneziano Domenico Frisolino. Un'unica, eccezionale tiratura su seta verde (cat. V.11), materiale che esalta i delicati passaggi tonali dell'incisione, attesta lo sperimentalismo dell'artista e l'eccezionalità di un'opera destinata a influenzare generazioni di incisori, da Agostino Carracci a Jacques Bellange a Rembrandt (Baroni 2016a).

V.4 Annunciazione

1582-1584
Olio su tavola trasportato su tela, 248 × 170 cm
Città del Vaticano,
Musei Vaticani, inv. 40376

Bibliografia
Turner 2000, p. 91; Emiliani 2008, II, p. 23, cat. 42.2; Bohn, in *Federico Barocci* 2012, pp. 182-195, cat. 9.1; Aliventi 2022, p. 110, fig. 10.

V.5 Bozzetto per l'Annunciazione

Pietra nera, pietra rossa, gesso e pastello su carta azzurra, 370 × 262 mm
Firenze, Gallerie degli Uffizi, Gabinetto dei Disegni e delle Stampe, inv. 11391 F recto

Bibliografia
Turner 2000, p. 91; Emiliani 2008, II, p. 23, cat. 42.2; Bohn, in *Federico Barocci* 2012, pp. 182-195, cat. 9.1; Aliventi 2022, p. 110, fig. 10.

V.6 Studio per l’Annunciazione

Pietra nera e gesso su carta azzurra, 272 × 427 mm
Firenze, Gallerie degli Uffizi, Gabinetto dei Disegni e delle Stampe, inv. 11293 F

Bibliografia
Olsen 1962, p. 178, cat. 37; Emiliani 2008, II, p. 24, cat. 42.7; Bohn, in *Federico Barocci* 2012, pp. 182-195, cat. 9.3.

V.7 **Studio per il volto della Vergine nell'Annunciazione**

Pietra nera, pietra rossa, gesso e polvere di gesso mista a polvere di pietra rossa, pastello rosa e arancione, 299 × 230 mm
Windsor Castle, Royal Collection, inv. RCIN 905231

Bibliografia
Olsen 1962, p. 179, cat. 37; Turner 2000, p. 92; Scrase, in *A Touch of the Divine* 2006, pp. 158-159, cat. 6; Emiliani 2008, II, p. 26, cat. 42.19; Bohn, in *Federico Barocci* 2012, pp. 182-195, cat. 9.6.

V.8
Bozzetto per la stampa dell'Annunciazione

Penna e inchiostro bruno, inchiostro bruno diluito, rialzato con biacca, 430 × 298 mm
Budapest, Szépművészeti Múzeum, inv. 2013

Bibliografia
Turner 2000, p. 147; Bohn, in *Federico Barocci* 2012, pp. 182-195, cat. 9.7; Baroni, Toccacieli 2020, pp. 63-141.

V.9 Lastra per la stampa dell'Annunciazione

Matrice in rame (cromata), acquaforte con ritocchi a bulino e puntasecca
449 × 320 mm
Roma, Istituto Centrale per la Grafica, inv. M-83

Bibliografia
Baroni, Toccacieli 2020, pp. 14-19, 86-119.

V.10 **Annunciazione**

Acquaforte,
437 × 316 mm
Londra, The British Museum,
inv. V,8.151

Bibliografia
Bohn, in *Federico Barocci* 2012, pp. 182-195, cat. 9.8;
Baroni, Toccacieli 2020, pp. 15-16.

V.11 Annunciazione

Incisione su seta,
510 × 630 mm
Chatsworth, The Devonshire Collections, inv. V.112

Bibliografia
Bury 2001, p. 54; Bohn, in *Federico Barocci* 2012, pp. 182-195, cat. 9.10; Scrase, in *A Touch of the Divine* 2006, pp. 162-163, cat. 56; Baroni, Toccacieli 2020, p. 19.

FUGA DI ENEA DA TROIA

Marina Cellini

Il dipinto, firmato e datato 1598, venne realizzato per monsignor Giuliano della Rovere (1559-1621), cugino del duca Francesco Maria II. Come attestano fonti e documenti (Bellori [1672] 1976, pp. 115, 192-193), la tela è replica autografa del dipinto che Barocci, su richiesta di Francesco Maria (1586), aveva eseguito oltre una decina di anni prima per Rodolfo II d'Asburgo e giunto a Praga nel luglio del 1589; in quella occasione era stata esplicita la richiesta di un soggetto profano e in linea con il rutilante e sofisticato gusto collezionistico dell'imperatore (Gronau 1936, pp. 163-164, 197). Questa prima tela, tornata a Roma dopo il Sacco di Praga (1648) nelle raccolte della regina Cristina di Svezia, passata in palazzo Odescalchi a Bracciano, quindi in Francia e in Inghilterra, è perduta. La versione in esame fu probabilmente donata dallo stesso Giuliano della Rovere al cardinale Scipione Borghese, nella cui collezione è attestata dal 1613 (Della Pergola 1959, II, pp. 68-69, n. 99).

Con la commissione della seconda redazione della *Fuga di Enea* monsignor Della Rovere suggella lo speciale rapporto intrattenuto con Barocci, al quale in precedenza aveva richiesto il proprio ritratto (Vienna, Kunsthistorisches Museum, Gemäldegalerie, cat. I.7), eseguito intorno alla metà del nono decennio, e *Cristo che appare a Maddalena* (Monaco, Staatliche Gemäldegalerie), firmato e datato 1590. D'altro canto Scipione Borghese, cardinale nipote e segretario dello zio Paolo V, entra in possesso di un'opera associabile a un prestigioso pedigree, specie dopo la sua nomina, *sine die*, da parte di Rodolfo II a protettore di Germania ufficializzata nel 1611 (Faber 2018).

Come la critica ha da sempre rilevato, si tratta dell'unico dipinto di argomento profano eseguito dall'artista, dedito esclusivamente a soggetti sacri. Dell'episodio virgiliano Barocci rappresenta il momento in cui i fuggiaschi sono ancora all'interno della città avvolta nelle fiamme che squarciano il cielo notturno e attraverso una finestra laterale si estendono all'edificio dove si trovano i protagonisti. Il gruppo sembra provenire dall'ingresso porticato, per dirigersi verso la scala la cui balaustra in ripido scorcio si intravede nell'ombra sulla sinistra, appena lambita dai bagliori delle fiamme.

Barocci prende le distanze dalla tradizione iconografica che – come nell'*Incendio di Borgo* di Raffaello – rappresentava solitamente il momento subito successivo della narrazione epica, quando Enea e la sua famiglia erano già usciti dalle mura di Troia. Qui la scena è imperniata invece sul virtuosismo dell'ambientazione all'interno di un'architettura all'antica rischiarata dal fuoco crepitante che arde la città nella notte (*urbs incensa*). Diverge dalla tradizione iconografica anche il modo in cui Enea, avanzando a fatica tra le macerie, trasporta il vecchio padre, qui stretto in un abbraccio che lo sostiene sotto le anche, mentre impugna saldamente gli dèi penati (Atena e Poseidone). Nel cumulo di macerie, trofei e armi, sulla destra si scorge una cortina verde appoggiata a un'asta, ornata dal motivo dorato "a cerquate", un modulo ornamentale ricorrente derivato dall'intreccio di rami frondosi di quercia, emblema della famiglia ducale, qui riconosciuto per la prima volta.

Nel 1595 Agostino Carracci dava alle stampe, in un grande formato, *La fuga di Enea da Troia*, ricevendone dal pittore una mortificante stroncatura (Malvasia [1678] 1841, I, p. 293). Già lo Zani (Parma, Biblioteca Palatina, ms. Parm. 3641, fasc. I, n. 200) riferiva che il bolognese non avrebbe ricavato l'incisione da nessuna delle due versioni, ma da un disegno di Barocci, poi passato nelle raccolte del pittore Lorenzo Pasinelli e puntualmente descritto nel suo inventario *post mortem* (1707) come "Anchise famoso che và alle stampe intag[liat] d'Agost.[in]o chiaro e scuro del Baroccio" (Morselli 1998, pp. 372-378; per l'incisione: Cristofori, in *Agostino, Annibale e Ludovico Carracci* 2005, pp. 240-242, con bibliografia precedente). Il modelletto è stato identificato in quello conservato al castello di Windsor, già ritenuto dello stesso Carracci e restituito a Barocci da Scrase (*A Touch of the Divine* 2006, pp. 168-172) o piuttosto dovuto, secondo Weston-Lewis (2006, p. 236), a un suo talentuoso collaboratore. La composizione è infatti congrua alla versione Borghese (probabilmente già in lavorazione), ma non vi è certezza di come fosse quella realizzata per l'imperatore.

Il ricco corredo grafico superstite legato al tema epico (ma anche l'assenza di determinate tipologie di disegni, che potrebbero comunque essere perdute) pone una sorta di discrimine riguardo all'evoluzione del contesto urbano in cui è inserito il corteo dei fuggiaschi. La composizione del set architettonico nella seconda versione è ricca di memorie romane antiche e moderne: la colonna celebrativa sul fondo è derivata dalle tavole del terzo libro dell'architettura di Sebastiano Serlio, come il Tempietto di Bramante di San Pietro in Montorio studiato in un magnifico foglio degli Uffizi (inv. 135 A) ricondotto alla mano di Barocci da Günther (1969, pp. 239-246) e Malmstrom (1968-1969; Aliventi 2015, p. 212 e n. II. 29, p. 248), anche la *mise en place* della scala ha un preciso riferimento alla balaustra della gradinata a due rampe della facciata del Palazzo Senatorio a Roma ideata da Michelangelo e messa in opera nei primi anni sessanta (Malmstrom 1968-1969). A rappresentare il processo creativo dell'invenzione è il bel cartone del Louvre (cat. V.13; pubblicato da Bacou in *Cartons d'artistes* 1974, p. 19, cat. 14) rimasto nello studio dell'artista alla sua morte, dove era inventariato come "Cartone del incendio, alquanto differente dall'opra, fatto di chiaro oscuro in carta azurra, grande quanto l'opra" (Calzini 1913b, p. 80; Ekserdjian 2018, p. 169). L'esemplare parigino non può invece essere identificato, come spesso ripetuto dalla critica, nel cartone per *La fuga di Enea* documentato nella collezione Crozat dal catalogo stilato da Pierre-Jean Mariette (1741, n. 248), che era eseguito con diversa tecnica, "à huile en blanc et noir" (cfr Bacou, in *Cartons d'artistes* 1974, p. 19, cat. 14; Emiliani 2008, II, p. 60). Rispetto alla redazione pittorica Borghese, il contesto urbano evidenziato nel cartone del Louvre individua emergenze architettoniche non altrettanto eclatanti, come si vede in dettaglio anche nel disegno degli Uffizi (*Schizzo prospettico con casamenti sullo sfondo*, Gabinetto dei Disegni e delle Stampe, inv. 11296 Fr). Un punto di svolta in tal senso si riconosce nel disegno compositivo di Cleveland (The Cleveland Museum of Art, inv. n. 60.26; Richards 1961), nel quale si armonizza il rapporto tra figure e contesto, che viene sempre più efficacemente valorizzato e precisato, come si è detto, per sottolineare la continuità tra l'architettura classica antica e quella moderna. Alcune invenzioni e parte del cospicuo materiale grafico approntato per *La fuga di Enea da Troia* furono reimpiegati da Barocci in opere successive: per esempio, lo *Studio per la testa di Anchise* (Windsor Castle, Royal Collection, cat. IV.7) lo si ritrova in controparte nel *San Girolamo* (Roma, Galleria Borghese; cat. III.6) e nel più tardo *Lamento sul Cristo morto* (Bologna, Musei Civici d'Arte Antica, Collezioni Comunali d'Arte). Così pure lo *Studio di testa femminile* di Besançon (Musée des Beaux-Arts et d'Archeologie, inv. D 1516), per la figura dolente di Creusa, viene riproposto da Barocci in diverse occasioni anche a distanza di molto tempo (Bohn, in *Federico Barocci* 2012, pp. 272-281; Bohn 2018, pp. 92-94).

La fama del dipinto giunto alla corte imperiale di Rodolfo II è precocemente attestata da un componimento poetico del letterato Bernardino Baldi (*Rime*..., Venezia 1590, trascritto in Olsen 1962, p. 250), dall'orazione funebre di Barocci composta dall'amico Vittorio Venturelli, teologo e grecista dell'entourage di Francesco Maria II (Baroni 2015, pp. 62-90), e dalla menzione di Bellori, che ricorda anche la replica in collezione Borghese ([1672]1976, pp. 202-203), mentre lo Scannelli (1657) nomina soltanto la versione Borghese.

V.12 **La fuga di Enea da Troia**

1598
Olio su tela, 179 × 235 cm
Roma, Galleria Borghese, inv. 68
Iscrizione: "FED.BAR.VRB. / FAC. MDXCVIII"

Bibliografia
Gronau 1936, pp. 163-164, 197; Della Pergola 1959, II, pp. 68-69; Olsen 1962, pp. 77, 180-182; Emiliani 2008, II, pp. 58-70, cat. 46; Lingo 2008, pp. 178-180; Gillgren 2011, pp. 162-167, 263-264; Bohn, in *Federico Barocci* 2012, pp. 272-280, cat. 16; Bohn 2018, pp. 89-111, in particolare pp. 93-94 (con bibliografia precedente); Lindenlaub-Sauer 2021.

V.13 La fuga di Enea da Troia

ante 1595
Pietra nera, gessetto bianco su fogli di carta azzurra, 1480 × 1900 mm
Parigi, Musée du Louvre, Département des Arts graphiques, inv. 35774r

Bibliografia
Bacou, in *Cartons d'artistes* 1974, p. 194; Larsen 1994, p. 82; Emiliani 2008, II, pp. 58-60; Loisel, in *Federico Barocci* 2009, p. 343, n. 72; Bohn 2012b, pp. 272-280 con bibliografia precedente.

VI. Senza limiti e confini: verso il sentire barocco

Madonna del Rosario

VI.1 **Madonna del Rosario**
Senigallia, Museo Diocesano

VI.2 **Bozzetto per la Madonna del Rosario**
Oxford, The Ashmolean Museum

VI.3 **Studio per la Madonna della cintola**
Berlino, Staatliche Museen, Kupferstichkabinett

VI.4 **Beata Michelina**
Città del Vaticano, Musei Vaticani

Assunzione della Vergine

VI.5 **Assunzione della Vergine**
Urbino, Galleria Nazionale delle Marche

VI.6 **Studio di figure per l'Assunzione della Vergine**
Firenze, Gallerie degli Uffizi, Gabinetto dei Disegni e delle Stampe

VI.7 **Bozzetto per l'Assunzione della Vergine**
Chatsworth, The Devonshire Collections

VI.8 **Presentazione della Vergine al Tempio**
Roma, Santa Maria in Vallicella

SENZA LIMITI E CONFINI: VERSO IL SENTIRE BAROCCO

Anna Maria Ambrosini Massari

La sezione schiera quattro apici raggiunti da Barocci nella rappresentazione di soggetti sacri caratterizzati da una potente spiritualità e da un intenso, visionario misticismo: vi vediamo aprirsi il cielo degli orizzonti barocchi, delle epifanie teatrali, di un sentire fremente e sensitivo.

Sei anni dopo l'arrivo a Senigallia della strepitosa tela con il *Trasporto di Cristo* (cat. V.1) nella chiesa di Santa Croce, la confraternita del Rosario della cittadina commissionò a Barocci la pala della *Madonna del Rosario* (cat. VI.1). I disegni preparatori permettono di capire che inizialmente l'artista si concentrò sul tema della cosiddetta Madonna della cintola, una formula iconografica che andò poi evolvendo in quella della Madonna in gloria che consegna il rosario a san Domenico, un culto mariano molto incentivato all'indomani della battaglia di Lepanto e che era stato istituzionalizzato da Gregorio XIII nel 1573. Lanzi nel 1783[1] riferiva che la pala era accompagnata tutt'intorno dalla rappresentazione dei Misteri del Rosario, oggi perduti, che la storiografia novecentesca assegna alla mano di Antonio Viviani. La contiguità creativa tra le due invenzioni si evince guardando lo studio compositivo dell'Ashmolean Museum (cat. VI.2), nel quale è assestata la riformulazione dell'episodio che comportò, come tipico di Barocci, l'avvio di un'ulteriore campagna disegnativa: prevedendo inizialmente una scena più affollata e nella quale la Madonna col Bambino appariva in trono, collocata nella stessa dimensione terrena degli astanti e di san Domenico, per poi scarnificare la composizione, ridotta al vortice della gloria angelica da cui la Vergine con il Bambino plana dal cielo verso il santo in estasi. La contaminazione degli schemi iconografici confondeva il pubblico seicentesco: Bellori (o la sua fonte) menziona la pala di Senigallia come una *Apparizione della Madonna a san Giacinto*[2], pure domenicano, sovrapponendone quindi l'argomento a quello affrontato da Lavinia Fontana nella pala della cappella Bernieri (1599-1600 circa) in Santa Sabina a Roma. Con quanta forza d'urto l'interpretazione del tema della Madonna del Rosario fornita da Barocci si distaccasse dalla tradizione coinvolgendo lo spettatore nella spazialità turbinosa e prebarocca della pala, lo fa capire chiaramente il confronto da un lato con la statica tavola installata nel 1570 da Vasari in Santa Maria Novella, e dall'altro con il più recente dipinto di medesimo soggetto, pur frammentario, di Ludovico Carracci (Bologna, Pinacoteca Nazionale, 1586-1587 circa), intonato a una diversissima, tangibile tenerezza. Le potenzialità espressive della figura presa in ripido scorcio dal basso a braccia spalancate erano state sondate da Federico a partire dalla sua prima produzione, trattata nel presente catalogo (*Crocifissione* Bonarelli, cat. VII.1; *Deposizione*, cat. II.2; Pala di Fossombrone, cat. VII.2; *Il Perdono di Assisi*, cat. VII.3; *San Francesco riceve le stigmate*, cat. VII.6), fino a raggiungere nell'ultimo decennio del secolo un massimo grado di disincarnazione delle forme, dissolte nella stessa lieve consistenza dei panni che le avvolgono.

Si colloca molto coerentemente in questa fase la *Beata Michelina* (cat. VI.4), in passato ritenuta prova molto tarda in quanto collegata a un documento secondo cui era stata commissionata da Alessandro Barignani per la chiesa di San Francesco a Pesaro nel 1606; questa data segna però soltanto l'arrivo a destinazione della pala, che un anonimo ma assai ben informato biografo di Barocci attestava come già in lavorazione intorno al 1590[3]. La terziaria francescana perduta nella contemplazione divina è infatti una gemella del san Domenico in estasi nella tela di Senigallia, diversamente orientata ma forse studiata persino su un medesimo modelletto plastico. Torna in basso a destra il brano di natura morta composta da oggetti evocativi di una domestica ferialità – come il cappello di paglia più volte ripreso dall'autore – ma qui la composizione è prosciugata isolando l'umile e al contempo monumentale figura della beata, tutta giocata su toni di bruno e di grigio come il cielo nubiloso che la sovrasta, mentre è rapita in un'estasi che anticipa quelle del Seicento barocco, da Bernini a Lanfranco. La posa della beata, i panneggi svolazzanti e increspati rimandano al correggesco *Martirio dei quattro santi* della cappella Del Bono in San Giovanni Evangelista a Parma, oggi alla Pinacoteca Nazionale.

L'invenzione della *Beata Michelina* è alla base di un nucleo di dipinti usciti dalla bottega di Barocci, quali la *Santa Caterina d'Alessandria in estasi* nel santuario di Santa Margherita a Cortona, 1610, segnalata dalle fonti seicentesche come opera del maestro[4], o la *Sant'Agata in carcere* di Alessandro Vitali (cat. VIII.5) oggi nella

Galleria Nazionale delle Marche. E ben si comprende perché la pala pesarese potesse essere straordinariamente significativa ancora per un pittore come Simone Cantarini, nato giusto nell'anno in cui Barocci era scomparso, il quale la riteneva paragonabile soltanto all'*Annunciazione* di Fano del proprio maestro Guido Reni, "la più bella tavola del mondo"[5], e lodava in particolare l''umore acqueo e cristallino degli occhi', ottenuto con l'uso sapiente delle velature, che rende la materia sempre più mobile ed evocativa e apre al progressivo sfaldamento materico.

Un'ideazione ancora dentro gli anni novanta va prospettata anche per l'incompiuta pala con l'*Assunzione della Vergine* (cat. VI.5). La Madonna che ascende impetuosamente verso lo splendore celeste contemplata dall'apostolo inginocchiato di spalle in primo piano, panneggiato di rosso e arancio, sviluppa e rivisita la soluzione messa a punto per la *Madonna del Rosario*, così come l'apostolo solo abbozzato che al di là del sarcofago in tralice si scherma gli occhi dall'abbaglio dello splendore sovrannaturale ripropone il gesto del fra Rufino nella tela eseguita alla metà degli anni novanta per la chiesa dei Cappuccini a Urbino (cat. VII.6).

Nella primavera del 1600, quando i responsabili della chiesa di San Paolo Converso a Milano cercavano di ottenere da Barocci una pala in grado di sostenere il confronto con la decorazione della spettacolare volta eseguita (1586-1589) da Antonio e Vincenzo Campi, accomodandosi poi anche sull'eventualità di una copia tratta da autografi del maestro, il ben informato Guidubaldo Vincenzi rammentava loro l'esistenza a Urbino di "una Madonna Assunta" di sua mano. Benché non ultimata, rimasta nell'atelier del maestro alla sua morte e passata quindi in proprietà del nipote Ambrogio Barocci, l'opera veniva lodata dal cappuccino fra Giovanni Maria da Fossombrone in una lettera del 1628 al cardinale Federico Borromeo per la sua efficacia devozionale, essendo composta di modo che tutti i dodici apostoli "si vedano et uno non impedisce l'altro"[6].

Se la *Beata Michelina* richiese oltre un quindicennio di lavorazione ma riuscì a essere terminata, altre opere commesse al maestro nell'ultimo decennio del secolo non lo furono, e a causa del moltiplicarsi di impegni tutti concomitanti poterono essere soltanto avviate e in qualche caso condotte a un certo stadio di esecuzione. Come per l'*Assunzione*, ciò avvenne anche per il *Congedo di Cristo dalla madre* (fig. 6 p. 57), registrato come quadro solo "sbozzato" nell'inventario *post mortem* dello studio di Barocci, e riconnesso[7] a una commissione avanzata intorno al 1590 da Isabella della Rovere, sorella del duca Francesco Maria.

Gli anni novanta vedono infine la realizzazione, nell'arco di un decennio, 1593-1603, anche della magnifica *Presentazione della Vergine* (cat. VI.8), seconda opera inviata agli Oratoriani romani dopo la *Visitazione*. L'addensarsi delle velature, il gusto del lume di notte tremolante, la costruzione dei volti con una preparazione blu, da cui affiora l'incarnato come avviene nel disegno sulla carta azzurra, così amata da Barocci, rendono questa sublime opera, dove molte sono le riprese di figure già usate, davvero emblematica di questa fase di presentimenti seicenteschi, pur sempre nell'aggraziato registro baroccesco. Il restauro eseguito in occasione della mostra ha restituito i magistrali accordi cromatici in cui si esaltano la costruzione prospettica delle architetture e la resa espressiva delle figure umane e animali, in cui si legge in filigrana l'aggiornamento del maestro alle novità della pittura romana, offrendo una lettura nuova di un capolavoro della sua maturità artistica.

Note

1 Lanzi [1783] 2003, p. 244.
2 Bellori [1672] 1976, p. 200.
3 Zezza 2009.
4 *Dipinti e sculture* 1979, pp. 74-76.
5 Malvasia [1678] 1841, III, p. 382. Sul tema Ambrosini Massari 2020a.
6 *Il Duomo di Milano* 1973, II, p. 230, nota 34; Sangiorgi 1982, pp. 61-62.
7 Olsen 2002, p. 200.

MADONNA DEL ROSARIO

Camilla Colzani

La *Madonna del Rosario*, oggi conservata al Museo Diocesano di Senigallia, era segnalata per la prima volta nelle *Vite* di Giovan Pietro Bellori, tuttavia con un errore nell'indicazione del soggetto, come la critica ha rilevato fino al primo Novecento (Anselmi 1905b, pp. 141-142): identificava infatti il santo a cui la Vergine porge il rosario con san Giacinto invece che con san Domenico. L'opera, menzionata con la sua corretta iconografia negli appunti di Luigi Lanzi ([1783] 2003, pp. 21-22), raffigura uno degli episodi centrali della devozione domenicana, ossia il momento in cui la Vergine consegna a san Domenico la corona del rosario: un'iconografia che incoraggiò questa pratica popolare di preghiera e che ebbe molta fortuna in particolare dopo la vittoria della Lega Santa sui nemici ottomani nella battaglia di Lepanto (Camara 2002, pp. 104-110). Barocci costruisce una composizione bipartita dove la dimensione celeste, abitata dalla Vergine con il Bambino e dai cherubini, si connette a quella terrena attraverso il gesto della Madonna stessa. Inizialmente l'opera prevedeva un maggiore numero di personaggi sulla scena, come dimostra un disegno degli Uffizi (Gabinetto dei Disegni e delle Stampe, d'ora in poi GDSU, inv. 11470 F). Questa prima idea venne poi modificata diminuendo il numero delle figure, non sappiamo se per ragioni iconografiche (Quattrini 1993) oppure per una decisione dell'artista, intenzionato a ridurre il proprio impegno, dato che le progressive difficoltà economiche sembravano non consentire alla confraternita di onorare i patti stabiliti (Emiliani 2008, II, p. 107).

Dai documenti conservati nell'archivio della confraternita del Rosario si apprende che a Barocci il 5 marzo 1588 veniva versato un primo acconto di 200 scudi (Anselmi 1905b, p. 143); in quest'occasione, al pari di quanto avverrà per il *Crocifisso* realizzato per l'oratorio della Morte (cat. VIII.4), gli fu chiesto anche un disegno per l'"adornamento di legname", ossia per la cornice lignea del dipinto. Qualche mese dopo, a inizio settembre, la confraternita deliberava di inviare a Urbino Ottavio Genga per stipulare il contratto con Barocci; venne così pattuito un compenso di 500 scudi, da pagare al pittore in tre rate: 200 subito, 150 a metà del lavoro e 150 al suo compimento.

Salvo che per l'acconto, correttamente versato, il restante esborso dei pagamenti non avvenne come prospettato: il 22 dicembre 1591, dopo aver raccolto nell'autunno di quell'anno tutte le risorse disponibili (Anselmi 1905b, pp. 143-144), la confraternita decideva di versare all'artista 200 scudi, mentre il saldo non è attestato.

Sappiamo però che il 12 agosto del 1592 l'opera era ancora in lavorazione, e che il suo compimento fu dunque successivo a questa data. Infatti, secondo il resoconto fatto dal duca di Urbino ad Angelo Cesi, il quale aveva chiesto ragguagli sulla realizzazione della *Visitazione* (cat. II.3) attesa alla Vallicella a Roma (Gronau [1936] 2011, pp. 157-158, n. CCV), Barocci era allora preso da altre opere già cominciate, tra le quali c'era anche questa pala per Senigallia.

Quanto alla cornice lignea, alcuni mutamenti occorsero tra il progetto iniziale, che prevedeva una carpenteria su disegno di Barocci, e il 1597, quando nel libro della confraternita si comincia a parlare di "far fare i misterij" e a immaginare, quindi, una cornice ben diversa, che avrebbe dovuto raffigurare in più riquadri i Misteri del Rosario. Nel gennaio del 1598 fu versata una caparra ad Antonio Viviani per i quadretti con i Misteri del Rosario, che gli furono saldati il 22 aprile 1599 (Anselmi 1905a, pp. 513-514).

Un cartone parziale per l'opera con le figure a grandezza naturale è ricordato dalla *Minuta* degli oggetti presenti nello studio di Barocci (Calzini 1913b, p. 78): "un altro mezzo cartone di carta bianca alumato di biacca, dentrovi una Madonna col putto alzata sopra le nuvole, portata dagl'angeli parte nudi, e parte vestiti, fatta per un Rosario, figure del naturale". Nonostante questo cartone per il registro superiore non sia pervenuto, resta comunque il mirabile modelletto conservato all'Ashmolean Museum di Oxford (cat. VI.2). Qui, grazie al grado di maggior finitezza della Vergine con il Bambino e del san Domenico su cui la mano dell'artista insiste maggiormente e con molteplici mezzi grafici rispetto agli angeli e al paesaggio, emerge ancor più che nel dipinto l'intenso dialogo tra i due protagonisti principali. Ancora da chiarire è la funzione dei disegni di Barocci come questo, di grandi dimensioni e *en grisaille*, spesso noti in riproduzioni di bottega (Baroni 2023c). Una copia del modelletto di Oxford, arricchita con qualche dettaglio in più che non esclude un rapporto diretto con l'opera compiuta, è conservata al Museo Poldi Pezzoli di Milano (inv. 1997. 4941).

I disegni per la *Madonna del Rosario* mostrano come tale composizione fosse strettamente legata per soggetto e cronologia a un'altra idea attestata dai disegni ma non menzionata dalle fonti né dai documenti: la *Madonna della cintola.* Tanto il foglio degli Uffizi (GDSU, inv. 11470 F), relativo a una precoce fase ideativa della *Madonna* di Senigallia, quanto un disegno di Vienna (Albertina, inv. 545) mostrano una simultaneità delle due composizioni, molto simili tra loro: la Vergine, in entrambe le occasioni avvolta in un turbinoso panneggio, si differenzia solamente per la postura delle mani che reggono i due diversi oggetti. Anche un disegno degli Uffizi (GDSU, inv. 11327) mostra la contemporaneità delle due composizioni: un modello maschile, sulla sinistra del foglio, studia la postura della *Madonna della cintola*, mentre nella parte destra si trovano alcune progressive messe a punto della mano che sostiene il panneggio del san Domenico della *Madonna del Rosario.* La sincronia tra le due opere sembra trovare un ennesimo riscontro nel bozzetto preparatorio di Vienna, trovandosi sul verso due studi per la *Presentazione* della Vallicella (cat. VII.8), principiata nei primi anni novanta del Cinquecento (*Federico Barocci* 2012, p. 218). Viene dunque da chiedersi, in mancanza di un supporto documentale, se i disegni per la cosiddetta *Madonna della cintola*, non ricordata dalle fonti, non possano appartenere a una prima fase ideativa e si configurino dunque come una progressiva messa a punto del soggetto, approdata nella *Madonna del Rosario*. Ventura Mazza trasse dalla composizione del maestro la pala della Fondazione Cassa di Risparmio di Fano in San Domenico a Fano: di dimensioni leggermente inferiori, è una rielaborazione degli spunti grafici di Federico.

Uno stupendo foglio di Berlino (cat. VI.3) studia il panneggio per la *Madonna della cintola*: nell'immediatezza e rapidità del tratto e nel moto turbinoso impresso dal mantello intorno al braccio destro della Vergine si coglie tutta l'incisività espressiva della mano dell'artista: un vortice di pieghe e punti di luce calibratissimi che rende efficacemente la levatura altissima del Barocci disegnatore.

Il restauro dell'opera di Senigallia, avvenuto al principio degli anni settanta a cura dell'Istituto Centrale del Restauro (*Restauri nelle Marche* 1973, pp. 431-433), ha in parte risarcito l'opera dello stato precario in cui si trovava: varie lacune erano dovute alla posizione arrotolata e piegata in cui era stata incautamente conservata la tela, che per un certo periodo era stata inoltre montata su un telaio troppo fragile. Nel corso di questa operazione di restauro sono emerse le tre lettere "Bar" lungo il bordo inferiore, a sinistra.

VI.1 Madonna del Rosario

1588-1592 circa
Olio su tela, 286,5 × 193 cm
Senigallia, Museo Diocesano
Iscrizione: "BAR [...]"

Bibliografia
Bellori [1672] 1976, p. 189; Anselmi 1905b; Olsen 1962, pp. 186-188; *Federico Barocci* 1975, pp. 168-170, n. 198; Emiliani 2008, II, pp. 107-117; Turner 2000, p. 99, fig. 88; *Federico Barocci* 2012, pp. 213-223.

VI.2 **Bozzetto per la Madonna del Rosario**

Matita nera, penna e inchiostro bruno, pennello e olio, biacca, incisioni a stilo, 545 × 385 mm
Oxford, The Ashmolean Museum, inv. WA1944.100

Bibliografia
Bellori [1672] 1976, p. 189; Anselmi 1905b; Olsen 1962, pp. 186-188; *Federico Barocci* 1975, pp. 168-170, n. 198; Emiliani 2008, II, pp. 107-117; Turner 2000, p. 99, fig. 88; *Federico Barocci* 2012, pp. 213-223.

VI.3 **Studio per la Madonna della cintola**

Matita nera, pastello bianco su carta cerulea, 416 × 276 mm
Berlino, Staatliche Museen, Kupferstichkabinett, inv. KdZ 15225

Bibliografia
Bellori [1672] 1976, p. 189; Anselmi 1905b; Olsen 1962, pp. 186-188; *Federico Barocci* 1975, pp. 168-170, n. 198; Turner 2000, p. 99, fig. 88; Emiliani 2008, II, pp. 107-117; *Federico Barocci* 2012, pp. 213-223.

VI.4 Beata Michelina

1590 circa-1606
Olio su tela, 283 × 201 cm
Città del Vaticano, Musei Vaticani, inv. 40378

Bibliografia
Anonimo 1590, in Zezza 2009, p. 264;
Scannelli 1657, p. 197; Bellori 1672, p. 188;
Clough 1982; Emiliani 2008, II, pp. 284-291, cat. 78.

La prima menzione della *Beata Michelina* si trova in un attendibile documento compilato da un anonimo personaggio e conservato nella Biblioteca Ambrosiana: la *Notizia delle opere di Federico Barocci*, in cui sono descritte le opere dell'artista dagli esordi fino al 1590 circa. Si legge che Barocci "lavora parimente un quadro che c'havera da porre in S. Francesco di Pesaro, dov'è una beata Michelina della detta città, che è in contemplatione et è per riuscire parimente bellissima" (Zezza 2009, p. 264). Iniziata dunque nel 1590 circa, Barocci la consegnò al committente Alessandro Barignani solamente nel 1606, dopo un lungo processo creativo, come si evince dalla lettera di accompagnamento dell'opera inviata il 5 novembre dallo stesso Barocci al pesarese, il cui testo è noto dalla trascrizione che ne fece Marcello Oretti nel 1777 dall'originale dell'erede Paolo Barignani (Clough 1982, p. 83; Zezza, in *Federico Barocci* 2009, p. 354).

Prima della scoperta della *Notizia* ambrosiana, la data della commissione era stata individuata proprio nel 1606 poiché riportata in un documento rinvenuto nella Biblioteca Oliveriana di Pesaro: "il quadro della Beata Michelina che esisteva in S. Francesco nella Cappella [...] fu fatto fare dal Sig. Alessandro Barignani nell'anno 1606" (Krommes 1912, p. 128). Il documento inerente la canonizzazione della beata Michelina che si stava discutendo a Roma nel 1736-1737, oggi non più rintracciabile, sembrerebbe però essere stato redatto in un periodo successivo al 1797. A seguito delle requisizioni napoleoniche, l'opera lasciò la chiesa pesarese per raggiungere le sale del Louvre, dove rimase fino al 1820, quando entrò a far parte della collezione della Pinacoteca Vaticana (Clough 1982, p. 81).

La pala è il modello, con alcune varianti, della *Santa Caterina d'Alessandria* tuttora nella chiesa di Santa Margherita a Cortona, da cui deriva anche la *Sant'Agata in carcere* (cat. VIII.5) ideata da Barocci ma realizzata da Alessandro Vitali (Negroni 1979, p. 89-90; Verstegen 2005-2006, pp. 108, 110). La *Beata Michelina* rappresenta la giovane donna "ginocchione sul monte Calvario con le braccia aperte, rapita alla contemplazione della morte del Signore: posa il bordone in terra, e'l cappello di peregrina; e là sopra il monte si sparge il mantello al vento, giacendo la città di Gerusalemme in veduta" (Bellori 1672, p. 188).

Il quadro è dominato dalla figura isolata della beata e il fedele non assiste alla visione, ma ne diventa partecipe attraverso l'estasi della donna. Il tema sacro è qui infatti rappresentato senza mostrare la visione di Dio Padre che parlò alla giovane Michelina sul monte Calvario durante il suo viaggio in Terrasanta. L'ambientazione di questo notturno è però a Urbino, come si può notare dalla presenza del Palazzo Ducale nella parte destra dello sfondo e delle "casette di Valbona" che "hanno camini che fumano e dicono che è sera e che dentro le abitazioni la gente non avverte l'evento che il pittore inscrive, letteralmente, nello spazio crepuscolare della propria finestra" (Emiliani 2008, II, pp. 284-286).

La luce divina sul volto disteso e sulle mani, il turbinio della veste e le pennellate di colore ricche e pastose sui toni del grigio, marrone e bianco trasmettono allo spettatore la forza e la concitazione dell'esperienza interiore vissuta da Michelina. Uno squarcio di giallo irrompe nelle nubi, da cui fuoriescono tre testine di angioletti, due delle quali velocemente abbozzate, che assistono come spettatori privilegiati alla visione di Dio.

Eliana Monaca

ASSUNZIONE DELLA VERGINE

Eliana Monaca

Della maestosa pala con la "Madonna in aria salendo al Cielo, portata dagl'Angeli, parte nudi, e parte vestiti, quasi mezzo fatti" con "tutti li Apostoli attorno il sepolcro" si ha notizia per la prima volta nella *Minuta dello Studio del S.or Baroccio*, rinvenuta tra le carte dell'archivio Benamati di Gubbio (Calzini 1913b, p. 75; Ekserdjian 2018). Conservata nella Galleria dal 1980, è riconducibile al periodo più maturo di Federico Barocci. È rimasta allo stato di abbozzo tra i beni lasciati dall'artista nel suo studio al momento della morte: non sono noti infatti né il nome del committente né le circostanze della sua realizzazione. L'ipotesi formulata da Andrea Emiliani su un legame con la committenza della Chiesa Nuova di Roma, per la quale Barocci aveva realizzato la *Visitazione* (1583-1586; cat. II.2) e la *Presentazione della Vergine al Tempio* (1593-1603; cat. VII.8), a oggi non ha trovato riscontro documentario. Evidente risulta però la somiglianza dell'apostolo gettato a terra a destra con il discepolo nella stessa posizione nell'*Istituzione dell'Eucarestia* (cat. II.5) per la cappella Aldobrandini in Santa Maria sopra Minerva del 1603-1607 (Emiliani 2008, II, p. 330). La presenza nella lettera che Guidubaldo Vincenzi invia al fratello Ludovico il 7 giugno 1600 di "una Madonna Assunta" tra le opere del Barocci "che si possi copiare" (Sangiorgi 1982, pp. 30-31, n. XVI) lascerebbe ipotizzare una lunga elaborazione della pala iniziata intorno al 1600.

È noto, grazie alla lettera che fra Francesco Maria cappuccino scrisse il 9 settembre 1628 al cardinal Federico Borromeo da Loreto, che l'opera si trovasse a Urbino presso il nipote Ambrogio Barocci insieme a "tutti li disegni del Baroccio", e che venisse apprezzata come un'opera fatta "con tanto studio che tutti" gli apostoli "si vedano et uno non impedisce l'altro" (la lettera è riportata in Beltrami 1909, pp. X-XI e *Il Duomo di Milano* 1973, p. 230, nota 34). Il quadro era presente nell'importante lascito del nipote Ambrogio fino al 1658, come si evince dalla corrispondenza intercorsa tra Leopoldo de' Medici e l'arcidiacono Giovanni Battista Staccoli, suo agente a Urbino. In particolare, Staccoli, in una lettera del 1° settembre, dopo aver visto il dipinto, spese parole di apprezzamento scrivendo che gli apostoli "sono finiti in tutto" e la "Vergine è uno splendore" (Baldinucci [1681] 1974-1975, VI, p. 7; *Il cardinal Leopoldo* 1993, pp. 320-321).

Successivamente, l'opera fu acquistata dalla "nobilissima Famiglia" Albani, come menzionato da Filippo Baldinucci (Baldinucci 1681-1728, V, p. 116) e da Luigi Lanzi, che nella sua edizione del 1809 della *Storia Pittorica della Italia*, ricordava di aver visto, presso la famiglia Albani di Roma, il quadro raffigurante "una Nostra Donna fra vari Santi [...] che l'autore, credo occupato da morte, non finì di colorire" (Lanzi [1809] 1968-1974, III, p. 149). L'opera rimase infatti nella collezione della famiglia marchigiana fino al 1852, per poi passare tra i beni del principe Carlo di Castelbarco, marito di donna Maria Antonietta Albani Litta (Olsen 1962, pp. 212-213, cat. 66).

Lo stato di abbozzo mostra il procedimento tecnico e compositivo dell'artista: su una preparazione di fondo bruna, trasferito il disegno dal cartone usando uno stilo, Barocci ha delineato con uno studio minuzioso ed equilibrato le zone di luce e di ombra, abbozzando a chiaroscuro le figure e i panneggi con tonalità grigie e ocra. Ampie campiture sono rese con colori vivi come il giallo aranciato, il rosso e il verde salvia (Arcangeli 1980, p. 65; Emiliani 2008, II, p. 330 e Caldari, in *Federico Barocci* 2009, p. 337). Risaltano in particolare la luce divina abbagliante che avvolge la Vergine e gli angeli nel registro superiore, e il panneggio rosso svolazzante, due elementi che coinvolgono il fedele emotivamente e spiritualmente.

La notevole quantità di materiale grafico, circa trenta disegni riferiti al dipinto, testimonia l'importante lavoro che Barocci dedicò a questa grande impresa. Come è noto, infatti, l'artista "lasciò nel suo studio" una "gran copia de' disegni" (Bellori 1672, p. 203) e molti di questi giunsero "nel Palazzo del Serenis. Gran Duca, raccolti dalla G.M. di Leopoldo Cardinale di Toscana" (Baldinucci 1681-1728, V, p. 118), confluendo poi nella collezione del Gabinetto dei Disegni e delle Stampe delle Gallerie degli Uffizi (Pittaluga 1975, p. 51).

Ne fanno parte il superbo bozzetto conservato nella collezione Devonshire di Chatsworth (cat. VI.7) e il disegno con *Studi di figure* agli Uffizi (cat. VI.6).

Il primo, in particolare, varia dalla tela solamente nel numero degli angeli che sorreggono in trionfo la Vergine. Il secondo invece, il recto del disegno fiorentino, mostra alcuni studi per il registro inferiore dell'opera dove, a differenza della tela, compare un quarto apostolo abbozzato che col braccio sinistro allungato indica all'uomo alla sua destra la Vergine tra le nubi.

La tela è stata sottoposta in occasione di questa mostra a un intervento conservativo di Daphne De Luca e Petra Farioli che svela l'emozionante maniera dell'ultimo Barocci in cui emergono elementi di una nuova pittura smaterializzata che caratterizzerà il Barocco.

VI.5 Assunzione della Vergine

1600-1612
Olio su tela, 241,5 × 171,5 cm
Urbino, Galleria Nazionale delle Marche, inv. D 83

Bibliografia
Schmarsow 1914, p. 41, III B; Olsen 1962, pp. 212-213, cat. 66; *Disegni di Federico Barocci* 1975, p. 90, n. 103; Sangiorgi 1982, pp. 30-31, n. XVI; Emiliani 2008, II, pp. 328-341.

VI.6 Studio di figure per l'Assunzione della Vergine

Carboncino e pietra nera, inchiostro bruno, pietra rossa e biacca applicata a pennello su carta cerulea vergata, 414 × 286 mm
Firenze, Gallerie degli Uffizi, Gabinetto dei Disegni e delle Stampe, inv. 11395 F

Bibliografia
Schmarsow 1914, p. 41, III B; Olsen 1962, pp. 212-213, cat. 66; *Disegni di Federico Barocci* 1975, p. 90, n. 103; Sangiorgi 1982, pp. 30-31, n. XVI; Emiliani 2008, II, pp. 328-341.

VI.7 Bozzetto per l'Assunzione della Vergine

Penna e inchiostro bruno, acquarello scuro, rilevato in bianco su di un disegno preventivo in gessetto nero; quadrettato per trasferimento, 733 × 555 mm
Chatsworth, The Devonshire Collections, inv. OMD 364

Bibliografia
Schmarsow 1914, p. 41, III B; Olsen 1962, pp. 212-213, cat. 66; *Disegni di Federico Barocci* 1975, p. 90, n. 103; Sangiorgi 1982, pp. 30-31, n. XVI; Emiliani 2008, II, pp. 328-341.

VI.8 Presentazione della Vergine al Tempio

1593-1603
Olio su tela, 381 × 248 cm
Roma, Santa Maria in Vallicella, cappella Cesi
Iscrizione: "FEDERICUS BAROCIUS URBINAS FACIEBAT ANNO DOM. MDCIII"

Bibliografia
Scannelli 1657, p. 196; Bellori [1672] 1976, p. 190; Olsen 1962, pp. 179-180; *Federico Barocci* 1975, pp. 203-209, n. 255; Emiliani 2008, II, pp. 249-267; Verstegen 2015, pp. 80-86; Gandolfi 2021, p. 295.

È questa la seconda opera eseguita da Barocci per la Chiesa Nuova a Roma. La *Presentazione* per la cappella Cesi fu commissionata prima del 20 dicembre 1590. In questa data il padre oratoriano Germanico Fedeli infatti scriveva allora a Napoli a padre Antonio Talpa che, se l'opera fosse stata a buon punto, si sarebbe potuta chiedere a Barocci anche la pala della cappella Glorieri, ubicata nel lato opposto del transetto (Verstegen 2015, p. 81, nota 57; Archivio Congregazione Oratoriana Napoli, d'ora in poi ACON, XI.1, ff. 174-175). L'esecuzione della Pala Cesi era però ancora in alto mare e un anno dopo i padri per sollecitarne il compimento provarono a inviare del denaro a Barocci, il quale tuttavia non volle accettarlo a causa dei troppi impegni in sospeso (ACON, XI.1, ff. 336-337). Del resto la fama di Federico si era accresciuta notevolmente dalla consegna della prima opera per la Chiesa Nuova, la *Visitazione* (cat. II.3), e i padri oratoriani ne erano al corrente: una lettera del 1° agosto 1592, oltre ad attestare il compimento dei lavori strutturali all'interno della cappella Cesi, definiva infatti Barocci "pittore hoggidì in Italia forse il primo" (Cistellini 1989, II, p. 802, nota 117; ACON, XI. 2, 151).

Dopo un ulteriore sollecito inoltrato dal committente attraverso il duca di Urbino (Gronau 1936, pp. 157-158), l'8 marzo 1593 finalmente Barocci accettò un pagamento da Angelo Cesi (Olsen 1962, p. 190) e probabilmente diede principio all'esecuzione dell'opera, che si protrasse fino al 1603. Nell'aprile di quell'anno i padri di Santa Maria in Vallicella ringraziavano Angelo Cesi per il dipinto, giunto "con incredibile applauso et sodisfazione non solo nostra ma di tutta Roma". In quest'occasione venivano rilevati anche alcuni problemi legati alla messa in opera della tela, leggermente più grande di quanto poteva contenere la cornice di marmo giallo che era stata predisposta e che era quindi stato necessario rimuovere. Come nel caso della *Visitazione* (cat. II.3), la tela fu accompagnata a Roma da un "giovane del Baroccio", il quale aveva riferito ai padri la proposta dell'artista di realizzare una terza opera per la chiesa: la pala per l'altare maggiore, che secondo Barocci avrebbe potuto coerentemente rappresentare una Natività, ma che fu in seguito, e con un differente soggetto, affidata a Peter Paul Rubens.

La tela fu preparata, come di consueto per l'artista, attraverso una lunga fase di progettazione grafica che riguardò sia la scena nel suo insieme (Gallerie degli Uffizi, Gabinetto dei Disegni e delle Stampe, inv. 11434 F), sia alcuni gruppi di figure. La *Vergine* inginocchiata è studiata in un nucleo di fogli conservati a Berlino (Staatliche Museen, invv. KdZ 20490v, 20488, 20477) che mostrano come l'artista modellò la figura dal vero riprendendo dettagli di essenziale naturalismo come la capigliatura e i fianchi arrotondati della giovane. Due studi per gli astanti sulla sinistra, a metà della scalinata (Berlino, Staatliche Museen, inv. KdZ 30489 e Firenze, Gallerie degli Uffizi, Gabinetto dei Disegni e delle Stampe, inv. 11417F) permettono di entrare nel vivo del processo creativo, mostrando lo studio del modello nudo nella sua correttezza anatomica, affiancato dal modello vestito. Una particolare cura fu dedicata da Barocci all'ideazione della figura del pastore in primo piano che tiene vicino a sé la pecora, figura mutuata dalla precedente *Circoncisione* del Louvre (Musée du Louvre, inv. MI 315, fig. 4 p. 74). Riproposte di precedenti invenzioni sono qui per esempio anche il giovane sulla destra, dal suonatore di ghironda della *Madonna del popolo* (fig. 2 p. 84), o il putto in perpendicolare in alto al centro, dalla *Natività* già Rasini.

La consegna della *Presentazione* fu occasione per tentare di proseguire la collaborazione tra gli Oratoriani e Barocci: tuttavia la pala della cappella Glorieri per la quale si era pensato a lui fu poi affidata al Cavalier d'Arpino, mentre la pala per l'altare maggiore, dopo un primo assenso sul coinvolgimento del maestro urbinate da parte di Federico Borromeo, il quale si era inizialmente offerto di finanziare il completamento dell'area presbiterale, ebbe tutt'altro destino (Bianco 2020).

La tela, restaurata nel 1975, è stata sottoposta in occasione della mostra a un intervento conservativo di Laura Cibrario e Fabiola Jatta, con l'obiettivo di migliorarne la presentazione estetica riequilibrando i ritocchi alterati, rifacendo le stuccature non idonee e applicando una nuova verniciatura.

Camilla Colzani

VII.

Barocci e la riforma francescana a Urbino

VII.1 **Crocifissione con i dolenti**
Urbino, Galleria Nazionale delle Marche

VII.2 **Madonna col Bambino in gloria con i santi Giovanni Battista e Francesco**
Urbino, Galleria Nazionale delle Marche, in deposito dalla Pinacoteca di Brera

VII.3 **Il Perdono di Assisi**
Urbino, chiesa di San Francesco

VII.4 **Il Perdono di Assisi**
Urbino, Galleria Nazionale delle Marche

VII.5 **Immacolata Concezione**
Urbino, Galleria Nazionale delle Marche

VII.6 **San Francesco riceve le stigmate**
Urbino, Galleria Nazionale delle Marche

BAROCCI E LA RIFORMA FRANCESCANA A URBINO

Giovanni Russo

La grande sala del secondo piano del Palazzo Ducale, dove fino al XIX secolo trionfavano gli stucchi di Federico Brandani con l'apoteosi della dinastia feltresco-roveresca negli anni di Guidubaldo II della Rovere, accoglie oggi le pale d'altare di Federico Barocci della Galleria Nazionale delle Marche, radunate sin dai tempi del Museo annesso all'Istituto di Belle Arti delle Marche. La raccolta in un unico ambiente lascia abbracciare con uno sguardo un ampio tratto della sua attività: dalla Pala di San Simone (cat. II.1) alla *Crocifissione* Bonarelli (cat. VII.1) alla pala dei Cappuccini di Fossombrone (cat. VII.2), fino ad anni recenti ritenuta dispersa, all'*Immacolata Concezione* (cat. VII.5) e infine, in posizione d'onore, al *San Francesco riceve le stigmate* (cat.VII.6). La serrata sequenza cronologica dei dipinti non impedisce la formazione di altri raggruppamenti, iconografici, di committenza o di provenienza dai contesti sacri originari.

Per questa sezione di mostra si considererà il rapporto di Barocci con gli ordini mendicanti e in particolare coi Francescani e con la riforma dei Cappuccini. Sono commissioni che raccontano della sincera partecipazione del maestro a quel clima di riforma della fede cattolica che si pose l'obiettivo di ritornare a un più diretto rapporto con il messaggio evangelico attraverso l'imitazione di Cristo nelle parole e nella vita quotidiana. Sgombrando il campo da una lunga quanto errata tradizione storiografica, va precisato che Barocci non fu mai un terziario, sebbene fosse intimamente (e professionalmente) vicino alla famiglia francescana sin dagli anni romani in casa del cardinale Giulio Feltrio della Rovere, successore di Carlo Borromeo nel protettorato di Conventuali, Osservanti e Cappuccini[1]. Davanti agli occhi abbiamo alcune composizioni cruciali per comprendere questo specifico aspetto della sua attività di primo pittore della chiesa controriformata di San Filippo Neri e del Borromeo, anche solo a scorrere le repliche che lungo tutto il Seicento furono richieste ai suoi diretti allievi e collaboratori e ai pittori che su quei testi si formarono dopo la morte del maestro nel territorio della legazione di Urbino[2]. Esse ci danno la misura di come tali scelte compositive abbiano definito un nuovo canone nella Chiesa che tentava la via del rinnovamento dopo il Concilio di Trento. A margine del tema trattato, giova ricordare che la *Crocifissione con i dolenti* (cat. VII.1), commissionata dal conte Pietro Bonarelli, ornava insieme al *Cristo condotto al sepolcro* di Federico Zuccari (Galleria Nazionale delle Marche, inv. D 166) la chiesa del Crocifisso dei padri filippini, demolita per far posto al Collegio Raffaello[3].

Un'ulteriore premessa riguarda l'ex voto della *Madonna di san Giovanni* (cat. III.1), una tela di sincera devozione verso la Vergine che fu donata da Barocci stesso ai Cappuccini di San Giovanni Battista di Crocicchia nelle colline poco fuori Urbino, località ancor oggi appena sfiorata dalla vita cittadina con cui il pittore aveva una certa consuetudine di famiglia, e in cui anche i frati da poco giunti in città avevano trovato riparo[4]. L'opera, con il passaggio dei religiosi nel più ampio convento che Barocci dipinse nello sfondo del *San Francesco riceve le stigmate*, fu trasferita nel coro della nuova chiesa, dove è documentata almeno dal 1658[5], e fu destinata alle orazioni dei religiosi di fatto essendo a lungo un dipinto di difficilissimo accesso.

Il *San Francesco riceve le stigmate* fu allestito all'altare maggiore dei Cappuccini tra il 1594 e il 1595: la commissione di Francesco Maria II della Rovere, se si considera il voto di assoluta povertà espresso dai frati, testimonia ancora una volta il sentimento religioso dell'anziano duca. Sebbene la carpenteria dell'altare odierno – rigorosamente lignea – non aiuti nella comprensione dell'ambientazione dell'opera, doveva essere certamente rispettata la tipologia d'altare sul divisorio tra navata e retrocoro dei religiosi, cui si accedeva da due porte ai lati dello stesso. L'architettura essenziale e la mancanza di qualsivoglia ornamento nell'edificio convogliavano l'attenzione dei frati e dei fedeli sulle figure di Francesco e Leone che, nel notturno immaginato da Barocci, si stagliano giganti di fronte all'apparizione del Cristo in forma di serafino.

San Giovanni Battista, eremita per eccellenza, e san Francesco in meditazione sul Crocifisso assistono all'apparizione della Madonna col Bambino nella pala per i Cappuccini di Fossombrone. Rientrata nelle Marche dalla Pinacoteca di Brera nel 2021 grazie al progetto nazionale *100 opere svelate. Dai depositi ai Musei*, pur nella sua diminuita qualità è tra i primi esempi delle formule che Barocci mise a punto per le nuove esigenze liturgiche. La lezione di Raffaello, alle radici anche della *Madonna di san Giovanni*, fu reinterpretata dal pittore per calibrare la composizione e per esaltare il rapporto tra la Madre e il Figlio, con una soluzione di larghissima fortuna esportata tramite una delle sue prime acqueforti[6].

Per la chiesa di San Francesco di Urbino, vero e proprio pantheon della città sin dalla sua fondazione, Barocci impegnò notevoli energie concentrando il maggior numero di suoi dipinti: la *Madonna di san Simone*, anch'essa licenziata pochi anni dopo il rientro in patria per l'altare dei Santi Simone e Giuda di Simone Bacchio[7], la pala dell'altar maggiore finanziata da Nicolò di Ventura (cat. VII.4) e l'*Immacolata Concezione* all'altare dell'omonima confraternita. L'*Immacolata* ci racconta una volta di più il successo di un'invenzione iconografica a pochi anni di distanza dal riconoscimento orale di papa Pio V nel 1569 della festa dell'Immacolata Concezione di Maria[8]. I fedeli in abisso partecipano dell'apparizione divina e, assieme all'osservatore, sono accolti sotto il mantello protettivo della Vergine, madre della Misericordia. I complessi risvolti iconografici e teologici dell'opera riverberarono a lungo: alla fine del Settecento davanti a quest'immagine l'università si riuniva per esercitarsi in dibattiti di teologia, filosofia e logica[9]. In quegli stessi anni l'artista era all'opera per la pala dell'altar maggiore, in cui una volta di più è messo al centro il tema dell'espiazione e dell'indulgenza attraverso il rinnovamento della fede portato avanti dai Francescani[10]. Sotto quest'immagine il feretro di Federico Barocci nel 1612 fu omaggiato dalla sua città, circondato dalla memoria delle sue più celebri pitture.

Note

1 All'origine del fraintendimento: Olsen 1955, p. 28, nota 5, in cui è travisato il documento dell'adesione alla confraternita urbinate di Sant'Antonio Abate, al pari di altri membri della famiglia Barocci (cfr. Scatassa 1901, p. 129). Si veda ora Duro 2022, p. 272, nota 31, anche per la discussione dei due testamenti del pittore del 1587 e del 1599.
2 Esempi della sterminata serie di repliche e varianti in *Pittura baroccesca* 2008.
3 La provenienza dell'opera da quest'eremo si rintraccia nella relazione di Brancaleone Fuschinio, Fuschinio [1597] 1933, p. 15: "Il terzo [insediamento francescano] è il convento di San Giovanni Evangelista nella località detta Crocicchio. Vi dimorano quattro frati cappuccini. Non è grande la chiesa ma abbastanza comoda, vi si gode la vista di un altro bel dipinto del predetto Barocci". Si veda anche Lazzari 1801, pp. 94-95.
4 Per i terreni del Barocci nella villa di Salsola: Duro 2022, p. 266.
5 Emilani 2008, I, p. 150.
6 Emiliani 2008, I, p. 186; Baroni, Toccacieli 2020, pp. 26-28, 65-70 e p. 27 fig. 5.
7 L'imprecisa committenza in Negroni 2005, p. 161, è stata sanata da Duro 2022, p. 265 e ivi nota 7.
8 Verstegen 2008.
9 Emiliani 2008, I, p. 298, cat. 37.
10 Emilani 2008, I, p. 266.

VII.1 Crocifissione con i dolenti

1566-1567
Olio su tela, 288 × 161 cm
Urbino, Galleria Nazionale
delle Marche, inv. D 85

Bibliografia
Borghini 1584, p. 568; Anonimo 1590, in Zezza 2009, p. 264; Bellori 1672, p. 203; Emiliani 2008, I, pp. 160-173; Mann, in *Federico Barocci* 2012, pp. 76-89.

La *Crocifissione con i dolenti*, entrata a far parte della collezione della Galleria Nazionale delle Marche nel 1861 a seguito della soppressione dei conventi avvenuta dopo l'Unità d'Italia (si veda qui Russo, p. 272), fu realizzata "per una cappella del Conte Pietro Bonarelli", cortigiano e ministro di Guidubaldo II della Rovere, "nella Chiesa del Crocifisso miracoloso d'Urbino" (Bellori 1672, p. 203).

Il foglio inv. 2851 del Louvre permette di datare l'opera al 1567 circa, in quanto mostra sul recto lo studio dello svenimento della Vergine per la *Deposizione* di Perugia (cat. II.2) e sul verso lo studio di tre angeli in volo per la *Crocifissione* Bonarelli: la *Crocifissione* era dunque ancora in fase di lavorazione durante i primi studi per la composizione perugina avviati alla fine del 1567 (Scrase 1992, p. 86; Fontana 2007, p. 175, nota 41; si veda qui Ambrosini Massari, p. 43).

Su uno sfondo blu intenso, la luce divina esplode nel cielo con il bianco e il giallo brillante, illuminando la croce al centro che svetta con sopra ancora il corpo esanime di Cristo. Si vedono "due Angeli in aria" (Bellori 1672, p. 203), intenti a raccogliere il sangue di Gesù, che però non fuoriesce dal corpo, perché è già morto, come si evince anche dalla testa coronata di spine inclinata verso il basso. Ai piedi della croce ci sono a "sinistra, la Madre, a mani giunte, vestita di rosso e turchino" e a destra "Giovanni, in viola ed arancione" (Serra 1930, p. 115). La gestualità del santo è fortemente enfatizzata, estremamente comunicativa e potente: il rigonfiamento del mantello forma una curva dietro la schiena e la veste aderisce al ginocchio come se fosse attaccata. Alle spalle della Madonna si vedono tre apostoli, due con una folta barba canuta e un terzo ancora più indietro con i capelli e la barba scura (Serra 1930, p. 115; Mann, in *Federico Barocci* 2012, p. 76). Il primo riconoscibile in san Pietro dalle chiavi nella mano destra, e gli altri due probabilmente in Nicodemo e Giuseppe d'Arimatea. La raffigurazione di san Pietro potrebbe essere un tributo che Barocci fece al committente Pietro Bonarelli.

L'importanza di questa pala è dovuta anche dalla presenza, per la prima volta, della prospettiva scorciata con il paesaggio urbinate e in particolare della vista che Barocci aveva dal suo studio in via San Giovanni, come si può intravedere oltre la croce (Emiliani 2008, I, p. 48; Emiliani, in *Federico Barocci* 2016, pp. 24, 29). Si riconoscono infatti il primo bastione della città, la Data e la strada che la circonda. Omaggio simbolico all'urbinate Donato Bramante è l'inserimento del tempio circolare di San Pietro in Montorio a Roma.

La pastosità veneta, la forte emozione luministica e cromatica, desunti dallo studio delle opere di Tiziano nella collezione Della Rovere e dalla grande *Crocifissione* del 1558 vista nella chiesa di San Domenico in occasione del soggiorno anconetano del 1566 circa (Fontana 2007, p. 172), nella città natale del Bonarelli (Angelini Frajese 1969; Natalucci 1969), sono evidenti nella figura di Cristo, così come nei due angeli in volo, realizzati, per citare Lanzi, "non tanto d'impasto, quanto colpeggiando o di tocco" (Lanzi [1809] 1968-1974, III, p. 69). Così come palese è il riflesso dell'esperienza romana e di un primo, timido interesse alla maniera di Correggio.

Eliana Monaca

INRI

VII.2 Madonna col Bambino in gloria con i santi Giovanni Battista e Francesco

1567 circa
Olio su tela, 257,8 × 163 cm
Urbino, Galleria Nazionale delle Marche, in deposito dalla Pinacoteca di Brera (2021), reg. con. Brera 6104

Bibliografia
Bellori 1672, p. 189; Krommes 1912, pp. 77-78; Di Pietro 1913, pp. 59-61; Popham 1966, pp. 149-150; Papi 2002; Emiliani 2008, I, pp. 185-190, cat. 21.

In "Fossombrone nella Chiesa de' medesimi Padri" si vede "il quadro della Vergine sopra una nube, e sotto San Giovanni Battista e San Francesco ginocchioni, le quali figure parte a guazzo sono colorite" (Bellori 1672, p. 189): così Giovan Pietro Bellori descriveva nelle sue *Vite* la pala baroccesca collocata sull'altare maggiore della chiesa di san Giovanni Battista nell'eremo dei Cappuccini sul cosiddetto "Colle dei santi" a Fossombrone. Il dipinto, a seguito delle razzie napoleoniche perpetrate da Eugenio di Beauharnais e coordinate da Andrea Appiani (Emiliani 2008, II, p. 185), giunse a Milano nel 1806 (Olsen 1962). Dopo aver "sofferto in più luoghi" (Papi, in *Pinacoteca di Brera* 1992, p. 101) ed essere stato trasferito nel 1836 nella stanza dei restauri della Pinacoteca di Brera, nel 1847 fu spostato nella chiesa di Lentate sul Seveso (Papi 2002, p. 105), dove nel 1912 Rudolf H. Krommes lo vide e lo avvicinò all'incisione della *Madonna sulle nuvole* (Krommes 1912, pp. 77-78). Nel 1910 l'opera rientrò nella Pinacoteca di Brera e Filippo Di Pietro lo riconobbe nei "magazzini della R. Pinacoteca di Brera a Milano" (Di Pietro 1913, p. 59) come il dipinto con la *Madonna col Bambino in gloria con i santi Giovanni Battista e Francesco* menzionata da Bellori. Ritenuto inspiegabilmente perso, il quadro è rimasto dai primi del Novecento nei depositi della Pinacoteca, fino alla campagna di catalogazione del 1992, quando Gianni Papi lo ha identificato con l'opera menzionata da Krommes e da Di Pietro, associandolo inoltre al bellissimo disegno preparatorio del British Museum (*The Graphic Art of Federico Barocci* 1978, pp. 40-41, n. 12; Gere, Pouncey 1983, I, p. 40, n. 46; Papi 2002, p. 106).

Dal restauro promosso, a seguito della catalogazione del 1992, è emerso il forte degrado della Madonna, dovuto alle ridipinture ottocentesche che hanno reso la pittura autografa di difficile lettura. La pulitura dello spesso strato di sporcizia ha fatto sì che le figure dei due santi e il paesaggio emergessero, confermando così l'autografia di Barocci.

Il dipinto, purtroppo non in perfetto stato conservativo, dimostra nella composizione una vicinanza alla *Madonna di Foligno* di Raffaello e alla *Visione di san Girolamo* di Parmigianino. La datazione proposta da alcuni studiosi, tra la metà e la fine degli anni sessanta del Cinquecento, è riconducibile al soggiorno perugino di Barocci del 1567-1569. In occasione della lavorazione per la pala della *Deposizione* (cat. II.2), Barocci si recò nella vicina Foligno per riammirare la *Madonna di Foligno*, che aveva visto precedentemente, quando era nella chiesa di Santa Maria in Aracoeli a Roma, e che era stata trasferita poi nel 1565 nella chiesa di Sant'Anna di Foligno. Tra i suoi spostamenti si portò anche a Città di Castello, dove dal 1558 nella cappella Bufalini in Sant'Agostino era stata spostata la *Visione di san Girolamo*: evidente modello per la figura di san Giovanni Battista nella Pala di Fossombrone (Popham 1966; Fontana 2001; si veda qui il saggio di Anna Maria Ambrosini Massari).

La Pala di Fossombrone sembra rappresentare "un dipinto-manifesto di riforma cattolica" (Emiliani 2008, II, p. 185), attraverso la quale Barocci intendeva "far conoscere meglio questa riformata dimensione del sacro" (Emiliani 2008, II, p. 186). Probabilmente per rispondere a un'esigenza divulgativa del modello, poiché le opere di Barocci si trovavano "in luoghi poco frequentati dagli artisti dell'epoca, e in verità non facilmente raggiungibili da Roma" (Borea 2009a, I, p. 231), l'urbinate stesso eseguì, intorno agli anni settanta, un'incisione della *Madonna sulle nuvole*, non menzionata da Bellori (1672, p. 205) forse per la sua natura "sperimentale" e rappresentante, seppur con interessanti differenze, proprio il registro superiore della Pala di Fossombrone (Borea 2009a, I, pp. 173, 214; Cerboni Baiardi 2016, pp. 86-87; qui Anna Maria Ambrosini Massari, p. 45).

Eliana Monaca

ECC AGNVS DEI

VII.3 Il Perdono di Assisi

1571-1576
Olio su tela e su tassello di carta, 427 × 236 cm
Urbino, chiesa di San Francesco, altare maggiore
(Urbino, Galleria Nazionale delle Marche, inv. D 254)

Bibliografia
Borghini 1584, p. 568; Venturelli 1612, in Baroni 2015, p. 76; Bellori [1672] 1976, pp. 187-188; Olsen 1962, pp. 159-160; *Federico Barocci* 1975, pp. 96-99, n. 75; Emiliani 1985, I, pp. 104-117; Aronberg Lavin 2006; *Federico Barocci* 2012, pp. 120-133.

Il Perdono è forse una delle opere più straordinariamente all'avanguardia nella cultura artistica italiana dell'ultimo quarto del Cinquecento, per il senso di accelerazione spaziale e dinamismo della luce con cui il dipinto è orchestrato. La tela fu commissionata a Barocci da Nicola Ventura l'11 ottobre 1571 per l'altare maggiore della chiesa di San Francesco a Urbino (Aronberg Lavin 2006, pp. 35-37), dove ancora si conserva benché in un assetto molto mutato e che ne altera la percezione. L'esecuzione si protrasse fino alla primavera del 1576 (Gualandi 1844-1856, I, pp. 157-158, n. 74), sovrapponendosi alle prime battute della commissione e dell'ideazione della *Madonna del popolo* per Arezzo (fig. 2 p. 84).

I frati vollero ben presto vedere l'opera di Barocci valorizzata da una cornice adeguata. Per finanziarne il compimento sollecitarono le donazioni dei fedeli e il lavoro di Giulio Giordano, il quale aveva "posto l'oro all'altare maggiore", fu saldato nel settembre del 1580 (Aronberg Lavin 2006, p. 27; Ricotti 1954, pp. 28-29).

L'episodio dell'invocazione da parte di san Francesco di un'indulgenza plenaria per tutti coloro che si fossero recati in pellegrinaggio presso la Porziuncola ad Assisi è inscenato dal pittore distaccandosi con un colpo d'ala dalla precedente tradizione iconografica (cfr. Olsen 1965).

Barocci costruisce infatti una composizione nettamente bipartita tra la dimensione terrena – l'interno della chiesa di cui vediamo la balaustra popolata da oggetti, che sarebbe piaciuta a Lorenzo Lotto – e la celeste. Cristo appare trionfante, mentre incede tra la Madonna e san Nicola di Bari, a san Francesco inginocchiato sui gradini di accesso della chiesetta assisiate: ed è la figura del santo, in ripidissimo scorcio, a farsi intermediaria tra la sfera umana e quella divina.

Il valore annesso da Barocci a questa sua invenzione è comprovato dalla stampa che egli stesso volle incidere e per la quale ottenne il privilegio pontificio nel 1581; fu riedita nel 1594 (Aronberg Lavin 2006, p. 44); copiata da Villamena nel 1588; incisa da Boetius Adams Bolswert in data non nota.

La pala fu messa a punto attraverso una serrata campagna disegnativa; in particolare, nel bellissimo studio dei piedi e delle gambe del Cristo in scorcio (Berlino, Staatliche Museen, inv. KdZ 20221), la critica ha visto i segni di una riflessione sull'analoga figura nella *Resurrezione* di Tiziano oggi a Palazzo Ducale e allora nella chiesa del Corpus Domini di Urbino (*Federico Barocci* 1975, p. 97).

Ad assorbire le maggiori energie nella fase esecutiva fu il volto del san Francesco, che l'artista decise infine di dipingere su carta perché, come ha osservato per primo Lanzi, "questa e niun altra in tela lo sodisfece" (Lanzi [1783] 2003, p. 23). Dell'opera si conserva una versione di formato ridotto presso la Galleria Nazionale delle Marche, tradizionalmente attribuita al Barocci con l'intervento di aiuti, che presenta santa Chiara in sostituzione di san Nicola (cat. VII.4).

La pala è stata restaurata nel 1965-1966 dall'Istituto Centrale per il Restauro di Roma.

Camilla Colzani

VII.4 **Il Perdono di Assisi**

1580-1583 circa
Olio su tela, 110 × 71 cm
Urbino, Galleria Nazionale delle Marche, inv. D 78

Bibliografia
Aronberg Lavin 2006, p. 22; Emiliani 2008, I, pp. 268-269, cat. 34.2; Bohn, in *Federico Barocci* 2012, pp. 121-129, cat. 5; Falcioni, Droghini 2012.

Il piccolo dipinto, di forma rettangolare, è stato a lungo interpretato come un bozzetto per la pala con *Il Perdono di Assisi* realizzata dal pittore per la chiesa di San Francesco di Urbino su commissione di Nicolò Ventura detto il Fattore, amministratore finanziario del convento francescano. Come recenti ricerche archivistiche hanno dimostrato (Aronberg Lavin 2006; Falcioni, Droghini 2012), gli accordi per la pala d'altare furono presi già dal 1571, ma l'esecuzione dovette avvenire solo dopo la morte del committente (5 dicembre 1574) e concludersi entro il 1580.

La tela in oggetto, come la pala, presenta la figura del giovane santo, che non mostra ancora segni di stigmate, mentre assiste in ginocchio all'apparizione di Cristo benedicente, affiancato a sinistra dalla Madonna, che intercede per san Francesco presentandolo con il gesto della mano sinistra, e a destra da santa Chiara (san Nicola nella pala). La coltre di nuvole su cui stanno le figure divine separa nettamente la sfera terrena da quella celeste, che rifulge in un tripudio di nubi dorate. In basso, alle spalle di san Francesco, divisa da una balaustra su gradini, si scorge la chiesetta assisiate della Porziuncola, dove il santo ebbe l'apparizione che portò alla concessione dell'indulgenza plenaria ai pellegrini in visita al luogo sacro (Aronberg Lavin 2006, pp. 12-14).

Sia per il bozzetto che per la pala, la fonte principale è la *Resurrezione di Cristo* dello standardo di Tiziano nella Galleria Nazionale delle Marche (allora nella chiesa del Corpus Domini a Urbino, 1542-1544), da cui Barocci deriva la figura del Redentore stante, in aria, al centro nella parte superiore.

L'opera della Galleria non presenta la centina nella parte superiore e differisce rispetto alla pala per la presenza, alla destra del Redentore, di santa Chiara al posto di san Nicola. Essendo quest'ultimo esplicitamente richiesto dal committente fin dagli accordi iniziali con i padri del convento francescano (Falcioni, Droghini 2012, p. 102), il dipinto della Galleria è pertanto da interpretarsi come una replica successiva, di dimensioni più piccole, espressamente eseguita per il convento di Santa Chiara (Falcioni, Droghini, 2012, p. 104). Inoltre, non esistono studi per la santa Chiara, mentre numerosi sono quelli per il san Nicola; ci sono tracce di incisione in varie zone dell'opera, servite per il trasferimento dal disegno, e si notano alcune differenze nei dettagli, in direzione di una semplificazione dell'insieme, per esempio la mancanza degli oggetti in prospettiva sulla balaustra. Sembra quindi che possa trattarsi di un "ricordo" della composizione principale, da datare in un periodo successivo al completamento della tela per la chiesa di San Francesco.

Si tratta di una modalità frequente e caratterizzante nel lavoro del maestro e del suo atelier, in un risultato di qualità: "un'indagine di straordinaria, lirica descrizione cromatica" (Emiliani 2008, I, p. 266).

Valentina Catalucci

VII.5 Immacolata Concezione

1575 circa
Olio su tela, 243 × 171,3 cm
Urbino, Galleria Nazionale
delle Marche, inv. D 86

Bibliografia
Anonimo 1590, in Zezza 2009, p. 264; Bellori 1672, p. 196; Olsen 1962, pp. 161-162; Bizzotto Abdalla, in *Restauri nelle Marche* 1973, pp. 413-414, n. 102; Emiliani 2008, I, pp. 298-309, cat. 37.

L'*Immacolata Concezione*, commissionata dalla Compagnia della Concezione e proveniente dalla propria cappella nella chiesa di San Francesco a Urbino, rappresenta la "Vergine in piedi sopra la Luna con le braccia aperte, e sotto raccoglie uomini e donne della Compagnia in divozione" (Bellori 1672, p. 196). Le "bellissime teste, elette e fervide" (Serra 1930, p. 115) dei devoti, identificati forse in alcuni membri della famiglia Ambrosi (Lazzari 1801, p. 107; Olsen 1962, p. 161), sono di "grande verità ed evidenza" (Calzini 1901, p. 389).

L'opera avrebbe dovuto rappresentare una Madonna della Misericordia con il tradizionale gesto del mantello che ricopre i fedeli, come si evince dal disegno inv. 11446 degli Uffizi di Firenze (Emiliani 2008, I, pp. 303-304, cat. 37.6). Subisce poi, come si può notare dal disegno Inv. n. 2855 conservato al Cabinet des Dessins del Louvre di Parigi (Emiliani 2008, I, pp. 302-303, cat. 37.5), un'importante variazione con la Vergine Immacolata – e non più della Misericordia – al centro della composizione stante sulla luna crescente. Il tema dell'accoglienza del fedele si riflette però nell'abbraccio della donna a destra, che a differenza degli altri devoti non rivolge lo sguardo verso la Madonna in alto, bensì in basso verso la figlioletta, esortandola alla preghiera. Lo studio fatto da Barocci sulla statuaria antica si evince nell'eleganza dei gesti e delle movenze, che evidenziano la dolcezza della Vergine (Lingo 2018, pp. 67, 72). Si veda per questi aspetti il bellissimo disegno qui esposto, *Studio per l'Immacolata Concezione*, Firenze, Gabinetto dei Disegni e delle Stampe degli Uffizi (cat. IV.15). La pala della Concezione è una delle opere di Barocci che più ha sofferto già dai primissimi anni dal punto di vista conservativo: "era questo quadro dipinto a guazzo; ma perché andava male, il Barocci lo ridipinse a olio negli estremi anni di sua vita" (Bellori 1672). Anche Andrea Lazzari nel suo *Delle chiese d'Urbino* del 1801 ricordava che "per essere stata da bel principio posta in luogo umido, abbia di molto patito" (Lazzari 1801, p. 108). Tracce di queste ridipinture, probabilmente opera dello stesso Barocci, si vedono nel panneggio della Vergine (Emiliani 2008, I, p. 298).

Utili ai fini della datazione, in mancanza di documenti ufficiali, sono i registri di pagamento da parte dei frati di San Francesco nel 1575 per una stanza presso l'oratorio di Sant'Antonio Abate in Urbino, a uso proprio di Barocci "p. un anno da cominciarsi a di detto [7 maggio] e finir come seguita sin adì p.° Maggio 1576, quale nolo" (Scatassa 1901, p. 129); e il disegno degli Uffizi inv. 11668 F (Emiliani 2008, I, p. 306, cat. 37.11), dal quale si evince la mescolanza dei temi della *Madonna del gatto* (cat. III.3) con altri studi per l'*Immacolata*, consentendo di avvicinare cronologicamente le due opere. Tuttavia, la corrispondenza intrattenuta tra Barocci e la confraternita di Arezzo (Gualandi 1844-1856, I, pp. 133-192), che aveva commissionato la *Madonna del popolo* alla fine del 1574, lascia intendere che l'artista avesse già iniziato un lavoro preliminare sull'*Immacolata Concezione* (Gualandi 1844-1856, I, pp. 135-138; Bohn, in *Federico Barocci* 2012, pp. 134, cat. 8, 141 nota 14).

Nella prima traduzione a stampa dell'*Immacolata Concezione*, del 1591, a opera del francese Philippe Thomassin, l'incisore scelse di rappresentare solo la Madonna, aggiungendo sul capo la corona e sostituendo il gruppo di devoti nel registro inferiore con l'inserimento di alcuni attributi mariani. Thomassin trasformò inoltre l'arco composto dalle sette teste di cherubini in tantissimi piccoli volti adoranti inseriti tra i raggi luminosi (Cerboni Baiardi 2005, p. 86).

Recentemente la pala è stata esposta alla mostra *Arte liberata 1937-1947. Capolavori salvati dalla guerra*, poiché tra le opere che il soprintendente alle Gallerie e alle Opere d'Arte delle Marche, Pasquale Rotondi, considerò "di minore importanza", lasciandola così a Palazzo Ducale e non trasferendola insieme alle centinaia di opere che avevano trovato riparo nelle stanze della quattrocentesca Rocca di Sassocorvaro (Gallo 2022, p. 26).

Eliana Monaca

VII.6 San Francesco riceve le stigmate

1594-1595
Olio su tela, 353 × 248 cm
Urbino, Galleria Nazionale delle Marche, inv. D 81

Bibliografia
Bellori 1672, p. 188; Emiliani 2008, II, pp. 156-167; Mann, in *Federico Barocci* 2012, pp. 238-251; Baroni 2015, p. 77; Ambrosini Massari 2017, pp. 102-103; Bernardini 2017, pp. 131, 154 doc. XCII, 157 docc. CXIII-CXIV, 158 doc. CXVI; Procaccini, in *Capriccio e natura* 2017, pp. 182-183, n. 34.

L'opera, capolavoro della fase matura di Barocci, è stata realizzata su commissione di Francesco Maria II della Rovere per l'altare maggiore della chiesa urbinate dei Cappuccini che appare sullo sfondo. Viene datata al 1594-1595 per i pagamenti effettuati in quegli anni, come registra lo stesso duca nella sua *Nota di spese* (Procaccini, in *Capriccio e natura* 2017, p. 182, con bibliografia precedente).

Il dipinto venne requisito dai commissari napoleonici nel 1811 per essere esposto nella Pinacoteca di Brera a Milano. Nel 1817 rientra a Urbino (Bernardini 2017, pp. 131, 154 doc. XCII, 157 docc. CXIII-CXIV, 158 doc. CXVI, con bibliografia precedente), nella stessa chiesa dei Cappuccini, grazie alla richiesta ufficiale di restituzione dei beni confiscati inviata dallo Stato Pontificio al Regno Lombardo-Veneto. Con l'Unità d'Italia, a seguito della soppressione delle corporazioni religiose, giunge nel Museo dell'Istituto di Belle Arti delle Marche istituito a Urbino, primitivo nucleo della futura Galleria Nazionale, e nel 1867 è descritto nella prima guida del museo (Gherardi 1867, p. 38).

La pala raffigura il momento in cui il santo, in preghiera sul monte della Verna, in una notte estiva del 1224, riceve in dono le stigmate dall'ardente serafino apparso in cielo nelle sembianze di Cristo crocifisso. In primo piano a sinistra fra Leone, la cui figura è resa con un'evidente e teatrale torsione manierista, copre lo sguardo a causa del forte bagliore che illumina sullo sfondo anche il gruppo di pastori e mulattieri che si svegliano all'improvviso, colpiti dall'apparizione fiammeggiante del serafino, secondo un preciso punto dei *Fioretti* (Shearman 1976, p. 53), diversamente da quanto ritenuto da Emiliani (2008, II, p. 156) che vi leggeva l'omicidio di un pastore in riferimento all'assassinio di Abele.

Il pittore, oltre ad aderire pienamente alle fonti agiografiche, quali la *Vita di san Francesco* di Bonaventura da Bagnoregio e i *Fioretti* dell'inizio del Trecento, riflette profondamente anche sul movimento francescano, che negli anni di Pio V aveva trovato una nuova fioritura (Procaccini, in *Capriccio e natura* 2017, p. 182).

La composizione ricorda le opere precedenti di uguale iconografia, come quella che Vasari dipinse nel 1548 per il Tempio malatestiano di Rimini o quella più recente realizzata a Roma da Muziano, ma, allo stesso tempo, "è decisamente nuova rispetto a quelle e [...] riflette nuove informazioni culturali" (Emiliani 2008, II, p. 156). Dopo le sperimentazioni eseguite per *Il Perdono di Assisi* (cat. VII.3) e prima di dipingere la nostra tela, Barocci raffigurò l'iconografia delle stigmate in un'acquaforte e nella tela del Museo Civico di Fossombrone (cat. III.12) superando già le proposte dei due artisti sopra citati e approdando a quella retorica riformata acquisita nel suo periodo romano (Procaccini, in *Capriccio e natura* 2017, p. 182, con bibliografia precedente), anche se Barocci, oltre a interpretare i dettami della controriforma, esprime tutta la sua personale e tormentata religiosità.

La tela, tradotta in un bulino da Francesco Villamena nel 1597, è considerata da Emiliani (2008, II, p. 156) "un notturno di sentimentale emotività" in cui la luce investe ogni particolare naturalistico, compreso lo splendido e abbagliato falcone, fissato ai suoi artigli su un ramo in alto a sinistra, e origina "una sorta di immoto brivido che diviene argento sulle cortecce dei faggi e scopre il silenzio immobile delle foglie".

Ambrosini Massari (2017, pp. 102-103) vede nel dipinto "il capolavoro assoluto, che si apre a un sentimento moderno di compenetrazione neoromantica dell'uomo con il paesaggio come veicolo della dimensione spirituale". E in generale il paesaggio di Barocci occupa una posizione basilare "nel percorso per il rinnovamento che prepara la più coerente avanguardia naturalista e realista del Seicento".

Il dipinto, da sempre protagonista nelle sale che la Galleria ha dedicato al maestro, dal 2022 ha acquistato una nuova illuminazione e una nuova disposizione nella prima sala dell'appartamento roveresco che lo accoglie da circa un quarantennio. Nel contesto del nuovo percorso espositivo, che coinvolge tutto il secondo piano di Palazzo Ducale, il visitatore è rapito, già salendo lo scalone, dall'epifania di uno tra i più suggestivi notturni dell'arte italiana.

Andrea Bernardini

Barocci e gli allievi per Urbino

VIII.1 **Santa Cecilia e santi**
Urbino, cattedrale
di Santa Maria Assunta

VIII.2 **Martirio di san Sebastiano**
Urbino, cattedrale
di Santa Maria Assunta

VIII.3 **Ultima cena**
Urbino, cattedrale di Santa
Maria Assunta

VIII.4 **Crocifisso con la Madonna,
san Giovanni e la Maddalena**
Urbino, oratorio della Morte

VIII.5 Alessandro Vitali
Sant'Agata in carcere
Urbino, Galleria Nazionale
delle Marche

VIII.6 Alessandro Vitali
Annunciazione
Urbino, Galleria Nazionale
delle Marche

VIII.7 Federico Barocci
Ventura Mazza
Ecce Homo
Urbino, Galleria Nazionale
delle Marche, in deposito
dalla Pinacoteca di Brera

VIII.8 Antonio Viviani detto il Sordo
Santa Rosa da Viterbo
Urbino, Galleria Nazionale
delle Marche

BAROCCI E GLI ALLIEVI PER URBINO

Giovanni Russo

"Parrà certamente incredibile l'udire tante opere pubbliche, senza le private che sono in maggior numero, fatte da questo maestro con l'ultima diligenza e col mezzo de gli studi maggiori nelle più vive osservazioni e proprietà naturali, quando non gli era permesso dal male suo incurabile di poter lavorare, se non solo un'ora il mattino ed un'ora la sera [...]. E s'egli avesse, come spesso faceva, insegnato a' suoi giovini, tutto il tempo che dava loro, toglieva a se stesso in quell'ora che solo gli era permesso di operare [...]"[1]. Dalle parole di Giovanni Pietro Bellori, pur nell'incerta punteggiatura, possiamo immaginare la precisione che Federico Barocci teneva nell'organizzazione e nel controllo del lavoro della bottega, in cui i collaboratori erano costantemente all'opera sulle commissioni ricevute, tra nuove invenzioni, repliche e derivazioni. Quel procedimento fatto di estenuanti studi grafici sui soggetti doveva essere parte del loro apprendimento assieme al lavoro sulla tavolozza e sugli accordi cromatici[2].

Nel duomo di Urbino si conservano ben tre opere di Federico Barocci nel loro contesto originario: la *Santa Cecilia e santi* (cat. VIII.1), il *Martirio di san Sebastiano* (cat. VIII.2) e l'*Ultima cena* (cat. VIII.3). Queste pale d'altare, insieme al *Crocifisso con la Madonna, san Giovanni e la Maddalena* (cat. VIII.4) del vicino oratorio della Morte, testimoniano ancora oggi del profondo legame tra la sua pittura e i contesti sacri per cui furono realizzate. D'altrocanto, la Galleria Nazionale delle Marche conserva nelle sue collezioni, in sala e nei depositi, un cospicuo numero di opere di allievi e seguaci del Barocci, tolte da Urbino o provenienti dal territorio marchigiano, e acquisite sul mercato antiquario sin dalla sua fondazione nel 1913. Gli approfondimenti recenti sul patrimonio artistico non esposto nel normale percorso di visita hanno permesso di riportare l'attenzione su artisti come Filippo Bellini, Antonio Cimatori, Antonio Viviani, Giovanni Andrea Urbani[3]. Sono invece esposte nella seconda sala del cosiddetto appartamento "roveresco" due tra le migliori tele di Alessandro Vitali, una del Viviani e l'*Ecce Homo* (cat. VIII.7) di Federico Barocci con Ventura Mazza, depositato nel 2021 dalla Pinacoteca di Brera all'interno del progetto nazionale *100 opere svelate. Dai depositi ai Musei*.

Questi dipinti, seppur in numero assai contenuto, permettono di valutare l'aderenza ai modi del maestro di alcuni tra i suoi più stretti collaboratori che, sia a Urbino e nel ducato roveresco sia fuori dai suoi confini, riproposero lo stile che rese grande Barocci sul finire del Cinquecento. La consapevolezza della loro discendenza dal più desiderato pittore d'Italia era certamente alla base di un "tariffario" non proprio economico, come si ricava dalla ben nota lettera del 1615 a monsignor Ottavio Orsino di Francesco Maria II della Rovere, il quale non faceva mistero dell'insofferenza per compensi ritenuti eccessivamente elevati[4]. Eppure il duca ne richiedeva i servigi per la propria corte tanto quanto per gli alti esponenti della politica internazionale con cui era in rapporti: è così che Filippo Bellini è stipendiato tra il 1580 e il 1582, prima di trasferirsi a Roma e quindi nel cantiere della Santa Casa di Loreto[5]; ma si pensi anche al Cimatori, su cui pure si investì notevolmente inviandolo per un lungo soggiorno di studio e di perfezionamento a Roma nel 1582-1583 per poi impiegarlo nella realizzazione di copie di opere della collezione ducale, da Raffaello a Tiziano[6]. Possiamo immaginare che il maestro non fosse estraneo a questa selezione dei migliori talenti della sua bottega: nel corso degli anni novanta – sono le precise note di spesa del duca a documentarlo ancora una volta – emergono le figure di Ventura Mazza, di cui va ricordata la lunga fedeltà al Barocci per trentacinque anni e più, e di Alessandro Vitali, altro fedelissimo impiegato tra l'altro secondo Bellori nell'esecuzione della pala d'altare per l'oratorio della Morte di Urbino (cat. VIII.4) e spesso convocato a palazzo anche per i ritratti dell'erede Federico Ubaldo, sia per il costo contenuto delle sue prestazioni che per l'aiuto che notoriamente Barocci gli prestava[7].

Per guidare il visitatore dalla mostra alle sale del museo è forse più utile una schematica suddivisione tra gli allievi che un elenco della folta schiera di pittori urbinati e dei dintorni legati alle certezze figurative desunte dal Barocci[8]. A ragionare per generazioni, Viviani "il Sordo" e Mazza sono coetanei e vivono appieno il momento delle grandi commissioni degli anni settanta e ottanta – loro nati nel 1560; Cimatori li precede seppur di poco – è del 1550 – mentre Alessandro Vitali, l'ultimo allievo e forse il più benvoluto, se consideriamo le valutazioni opportunistiche di Francesco Maria II della Rovere nella speranza che l'anziano maestro "ingentilisse" le sue tele con qualche pennellata[9], nasce intorno al 1580. Insieme

a Ventura porterà avanti il lavoro nella tarda attività del maestro e si farà carico, dopo la sua morte, di concludere alcune tele, oltre a proseguire nella copia dei suoi dipinti più celebrati. Diversamente da Vitali e Mazza, gli altri si distaccarono ben prima, negli anni a cavallo del 1600, a seguito della durissima selezione per la decorazione della cappella del Sacramento del duomo di Urbino. Il giudizio insindacabile di Barocci cadde allora sul Viviani e di fatto Cimatori e Bellini preferirono allontanarsi dalla città[10]. Il primo, a Pesaro e quindi a Rimini dal 1612, il secondo a far rientro in patria solo dopo la morte del maestro e subito all'opera nella *Santa Rosa* per Santa Lucia (cat. VIII.8). In questa tela della tarda maturità si coglie ancora l'esperienza di un artista che fu tra i primi a riflettere sulla lezione di Barocci e che ebbe modo di misurarla con altri apporti, soprattutto romani, per la partecipazione ai cantieri della Scala Santa e del Palazzo Lateranense sotto Sisto V sullo scorcio degli anni ottanta del Cinquecento, di fatto portando a maturazione un linguaggio complesso ed elegante in cui la lezione tardomanierista si accorda col portato di Barocci appunto, degli Zuccari e del Pomarancio.
La *Sant'Agata in carcere* (cat. VIII.5) e l'*Annunciazione* (cat. VIII.6) di Vitali raccontano di un pittore capace, se ben governato, di esiti discreti, tanto da guadagnarsi a Urbino due commissioni di rilievo quali l'altar maggiore di Sant'Agata in Pian di Mercato e quello della chiesa dei Carmelitani. A differenza del Mazza, che ancora tra anni venti e anni tenta poteva contrattare commissioni di livello nel contesto milanese, in Vitali sembra progressivamente affievolirsi la meticolosità nella riproposizione dei modelli del maestro. Ventura, di cui l'*Ecce Homo* sulla scorta della lettura del Bellori pone ancora oggi problemi di comprensione del suo valore quale primo collaboratore di Barocci, chiude idealmente la selezione e lascia in qualche modo aperti problemi legati all'uso, al riuso e alla copia dei materiali di bottega.

Note

1 Bellori [1672] 1976, p. 199.
2 Per un inquadramento generale del tema: Ambrosini Massari 2005a, e per la parte grafica il saggio di Luca Baroni in catalogo.
3 Si vedano le schede di Andrea Bernardini sul Bellini e il Cimatori, di Valentina Catalucci sul Viviani e del sottoscritto sull'Urbani in *L'altra collezione* 2023.
4 Gronau 1936, p. 210, n. CCCVIII.
5 Semenza 2005b, p. 40.
6 Semenza 2005b, p. 40.
7 Semenza 2005b, pp. 41-42, 44.
8 Sulla diffusione del linguaggio baroccesco nella provincia di Pesaro-Urbino si rimanda alle biografie degli artisti citati in *Nel segno di Barocci* 2005 e in *Pittura baroccesca* 2008, oltre che alla raccolta di saggi in *Barocci in bottega* 2013.
9 Gronau 1936, p. 172, nota 1, e qui la scheda dell'*Ultima cena* (cat. VIII.3).
10 Valazzi 2005, p. 117.

VIII.1 Santa Cecilia e santi

1550-1552/1555-1556
Olio su tela, 200 × 145 cm
Urbino, cattedrale
di Santa Maria Assunta

Bibliografia
Olsen 1962, pp. 138-139, cat. 2; Emiliani 2008, II, pp. 98-103, cat. 2; *Federico Barocci* 2012, pp. 2, 6, 38, 74, 75 nota 7.

L'assenza di informazioni documentarie sulla commissione del dipinto è sopperita dalle antiche biografie manoscritte di Barocci, che permettono di collocarlo tra l'esecuzione della perduta *Santa Margherita in carcere* per l'oratorio di Santa Margherita di Urbino (opera d'esordio di Barocci, saldata nel novembre 1556) e il *Martirio di san Sebastiano* (cat. VIII.2) per il duomo di Urbino (commissionato nel novembre 1557). Santa Cecilia è patrona dei musicisti: è quindi possibile che la tela sia stata commissionata a Federico da una delle più antiche istituzioni della cattedrale, la Cappella Musicale del Santissimo Sacramento. Va inoltre ricordato che l'8 agosto 1553 don Antonino Barocci, zio paterno del pittore, veniva nominato organista del duomo, circostanza che l'avrebbe messo in buona posizione per raccomandare l'impiego del nipote.

Il modello della composizione deriva dal noto prototipo eseguito verso il 1513 da Raffaello per la chiesa di San Giovanni in Monte a Bologna, probabilmente tramite la mediazione dell'incisione di traduzione trattane da Marcantonio Raimondi o di una delle sue innumerevoli copie cinquecentesche. A questo si può inoltre aggiungere la raffaellesca Galatea della Villa Farnesina a Roma, che fornisce a Barocci (tramite il ricordo di alcuni schizzi giovanili oggi divisi tra Cambridge e Firenze) lo spunto per il volto tondo e pieno di Cecilia.

Il modello raffaellesco, forse imposto da una committenza desiderosa di delimitare l'operato di un artista ventunenne e poco più che esordiente, si limita alla sola iconografia. La pittura, applicata con larghe pennellate su tela grossa, è esplicitamente influenzata dalla tradizione veneta, in particolare quella di Battista Franco, evocato nelle cangianze acide delle stoffe e presente nel duomo di Urbino con gli affreschi oggi perduti dell'abside e la pala della *Madonna con Bambino e i santi Pietro e Paolo* (1545 circa, oggi a Urbino, Museo Diocesano Albani), e dall'imprescindibile Tiziano, evocato dall'innegabile parentela che si istituisce tra il barbuto san Paolo baroccesco e l'apostolo che appare sul margine destro dello stendardo del Corpus Domini di Urbino raffigurante l'*Ultima cena* (1544, Urbino, Galleria Nazionale delle Marche, inv. DE 239). Le flessuosità dei corpi e dei panneggi rimandano ai modelli manieristi di Raffaellino del Colle (il ciclo di affreschi della Villa Imperiale) e Francesco Menzocchi (il *Trittico della Deposizione* del 1544, già a Urbino e oggi a Milano, Pinacoteca di Brera, inv. Nap. 546); mentre il brano più personale del dipinto, la gloria d'angeli, diretta anticipazione delle figurine di puro colore che animano lo sfondo di tante tele baroccesche, risulta purtroppo molto compromesso da un cattivo stato di conservazione.

Il confronto con il disegno preparatorio del dipinto, conservato a Stoccarda e non unanimemente accolto come autografo di Barocci, rivela lo sforzo fatto dall'artista per integrare tra loro le figure dei santi, animando la composizione e, al tempo stesso, rendendola spazialmente credibile. La soluzione adottata è quella del contrapposto: alle tre figure sullo sfondo, assorte in meditazione, si alternano i profili quasi danzanti delle sante Maddalena e Caterina, con le vesti che paiono un sipario aperto sui volti fissi dei personaggi (quello della Maddalena è, in particolare, il diretto antenato di quello del bambino ritratto l'anno successivo ai piedi della pala del *Martirio di san Sebastiano*).

Sembra lecito chiedersi, osservando il profilo classico di Caterina e le cangianze vivacissime dei panneggi, quale abbia potuto essere nella genesi dell'opera la parte di Taddeo Zuccari: non tanto come pittore, ma come intermediario, attraverso i celebri disegni per i piatti, di un'antichità danzante resa viva dai colori scintillanti della maiolica.

Luca Baroni

VIII.2 **Martirio di san Sebastiano**

1557-1558
Olio su tela, 405 × 225 cm
Urbino, cattedrale
di Santa Maria Assunta

Bibliografia
Olsen 1962, p. 140, cat. 5; Emiliani 2008, I, pp. 110-115, cat. 7; *Barocci ritrovato* 2020, con bibliografia precedente.

Se si dovessero scegliere cinque dipinti per rappresentare, per sommi estratti, l'attività pittorica di Federico Barocci, la pala del *Martirio di san Sebastiano*, eseguita nel 1557-1558 per un altare laterale del duomo di Urbino, dove si trova tutt'oggi, sarebbe senz'altro il primo della lista. Non solo perché condensa, per la prima volta in forma di compiuta espressione stilistica, tutte le influenze e le suggestioni fatte proprie dall'artista nel corso della sua giovinezza; ma perché costituisce, attraverso l'intelligenza sensibilissima del suo autore, un concreto *vademecum* per mappare gli influssi pittorici che attraversano il ducato di Urbino sullo scorcio del 1560 circa.

La tela, destinata alla cappella di San Sebastiano nel duomo di Urbino, è commissionata il 9 novembre 1557 a un Barocci ventiquattrenne dalla potente famiglia urbinate dei Bonaventura, come adempimento di un lascito risalente a due generazioni prima. L'atto di commissione, tra i più antichi documenti superstiti relativi all'attività di Federico, lascia l'artista libero di gestire a proprio gusto la composizione. Un'occasione che egli sfrutta brillantemente, realizzando la sua prima opera pienamente autonoma e che costituisce un vero salto in avanti rispetto ai moduli di stretta osservanza raffaellesca della di poco precedente pala della *Santa Cecilia e santi* (cat. VIII.1).

Gli spunti iconografici, elaborati in seguito al primo soggiorno romano del 1553, sono molteplici: se la Vergine col Bambino guarda alla *Madonna di Foligno* di Raffaello e a un'incisione di Battista Franco, il corpo del Sebastiano è una libera citazione di quello del profeta Haman affrescato da Michelangelo sulla volta della Cappella Sistina. Le figure dei donatori "in abisso" (lungo il margine inferiore della composizione) sono probabilmente ispirate a quelle della pala di Battista Franco nel duomo di Urbino, che fornisce anche una potente suggestione per i cromatismi acidi dei colori.

Se le suggestioni figurative riflettono l'ecletticità dell'arte urbinate attorno alla metà del Cinquecento, l'esecuzione pittorica, liberamente applicata su una tela a spina di pesce di modello veneziano, guarda a un unico modello: Tiziano, conosciuto dal vero, oltre che attraverso i dipinti delle collezioni dei duchi di Urbino, anche attraverso lo stendardo della confraternita del Sacramento di Urbino (Urbino, Galleria Nazionale delle Marche) e all'anconetana Pala Gozzi (1520), espressamente citata nel dettaglio delle foglie di fico stagliate sul controluce aranciato del tramonto. Non è poi un caso, probabilmente, che proprio nel 1558, anno di esecuzione e possibile completamento del nostro dipinto, arrivi ad Ancona la *Crocifissione*, capolavoro del Tiziano maturo e modello imprescindibile per Barocci per tutto il corso della sua carriera.

La scena, ancora venata da suggestioni manieriste e, in particolare, dei personaggi all'antica propri dell'arte di Taddeo Zuccari, mescola la descrizione del martirio di san Sebastiano, al cospetto dell'imperatore Diocleziano, con un'apparizione miracolosa della Vergine con il Bambino, circondato da un allegro coro di putti mutuati da quelli immaginati da Raffaellino del Colle per decorare le sale della Villa Imperiale di Pesaro.

Nel 1983 il dipinto, rimasto *ab antiquo* nel terzo altare di destra della cattedrale di Urbino, viene mutilato da ignoti che asportano il ritratto del donatore nell'angolo inferiore sinistro, identificato da una leggenda popolare come l'autoritratto infantile dello stesso Barocci. Dopo decenni di ricerche, il frammento viene identificato nel maggio del 2017 da Giancarlo Ciaroni sul mercato antiquario nazionale e, grazie all'intervento del Nucleo di Tutela dei Carabinieri, restituito al legittimo proprietario, la Curia di Urbino. Un attento restauro eseguito nel 2018-2019, esteso all'intera pala e forte di accurate indagini diagnostiche, ha restituito la tela all'originario splendore, fornendo importanti informazioni circa le prassi lavorative del giovane Barocci.

Luca Baroni

VIII.3 **Ultima cena**

1592-1599
Olio su tela, 299 × 322 cm
Urbino, cattedrale di Santa Maria Assunta, cappella del Santissimo Sacramento

Bibliografia
Olsen 1962, pp. 199-203; Emiliani 2008, II, pp. 211-239, cat. 66; *Federico Barocci* 2012, pp. 224-237, cat. 12.

Per numero di figure, durata dell'esecuzione, qualità della pittura, genialità inventiva e, non da ultimo, importanza economica della commissione, si tratta dell'opera di maggiore impegno eseguita da Barocci nel corso della sua carriera: un'impresa che trova un parallelo solo nella precedente *Madonna del popolo* (1575-1579), animata da 41 figure contro le 31 del nostro dipinto.

L'esecuzione della tela si inserisce nel più vasto e complesso cantiere di decorazione pittorica e plastica della cappella del Santissimo Sacramento del duomo di Urbino. L'ambiente, collocato nella zona absidale sinistra del tempio, era ed è di pertinenza dell'ente della Cappella Musicale del Santissimo Sacramento, fondata dal secondo duca di Urbino, Guidubaldo da Montefeltro, il 7 agosto 1507, con lo scopo di istruire musicisti e cantori per il duomo. Sin dalla sua istituzione, la Cappella è amministrativamente ed economicamente autonoma, ricevendo larghi benefici dai duchi quali la donazione, nel 1534, della cartiera ducale di Fermignano.

Attorno al 1582, il Capitolo della Cappella conclude, anche grazie al generoso sostegno di Francesco Maria II, importanti lavori di recupero e riqualificazione architettonica dell'ambiente, che però rimane, a differenza degli spazi circostanti, privo di ornamenti. L'iniziale intenzione di commissionare al maestro vadese Federico Zuccari un ciclo decorativo monumentale è influenzata dalla decisione del duca di Urbino di affidare a quest'ultimo (in coppia con Barocci, che eseguirà la pala d'altare raffigurante l'*Annunciazione,* cat. V.4) le decorazioni a fresco della cappella dei duchi di Urbino presso la Santa Casa di Loreto. Con uno scatto di orgoglio civico, stimolato dal recente trasferimento di gran parte delle attività della corte ducale nella città di Pesaro, il Capitolo urbinate esorta il duca a investire parte delle proprie risorse anche nella sua vecchia capitale: come efficacemente riassunto nel novembre 1582 dall'arcivescovo Antonio Giannotti, si deplora "la negligenza di questa città [di Urbino], che havendo havuto sempre i primi Pittori del mondo [Raffaello, Federico Zuccari e Barocci], tanti altri luoghi si ornino delle opre loro, et qua, per modo di dire, non si veda pur una linea". Dopo lunghe trattative, nel 1592 si decide di assegnare a Barocci l'esecuzione di una tela monumentale raffigurante l'*Ultima cena* da collocarsi sulla parete a sinistra dell'ingresso; la tela antistante, una *Caduta della manna* intesa sempre per Barocci, viene esplicitamente richiesta per lettera da Federico Zuccari, desideroso di consolidare i legami con la patria natìa e, probabilmente, confrontarsi direttamente con l'opera del rivale. Se realizzata, tale commissione avrebbe probabilmente fatto della cappella del Sacramento uno dei momenti pittorici più alti e stimolanti della scuola urbinate; i buoni propositi dello Zuccari si scontrano però con la moderata stima dimostrata nei suoi confronti da parte del Capitolo (che gli propone un infamante compenso pari a metà di quello accordato a Barocci) e, probabilmente, con un'astuta operazione politica condotta dall'urbinate, che briga con successo per far assegnare la commissione al proprio allievo Alessandro Vitali.

L'*Ultima cena* di Barocci è l'indiscusso capolavoro del duomo urbinate, magistrale esercizio di costruzione prospettica, padronanza architettonica, descrizione materica (la splendida natura morta del cesto con le stoviglie in primo piano) e resa dei diversi atteggiamenti umani. Negli anni che, a Roma, segnano l'avvio delle fortune dei Carracci e di Caravaggio e l'anticipazione di quella che diventerà, attraverso Rubens, la grande arte barocca romana, la *Cena* costituisce una toccante dichiarazione di fede ai canoni dell'arte dell'alto Rinascimento, dalle geometrie di personaggi delle Stanze vaticane di Raffaello (*Scuola di Atene*) e alle lezioni prospettico-architettoniche di Piero della Francesca (Pala di San Bernardino, Milano, Pinacoteca di Brera, inv. 180).

Luca Baroni

VIII.4 Crocifisso con la Madonna, san Giovanni e la Maddalena

1597-1604
Olio su tela, 360 × 254 cm
Urbino, oratorio della Morte,
altare maggiore

Bibliografia
Venturelli [1612] 2015, pp. 87-88; Bellori [1672] 1976, p. 194; Scatassa 1900; Olsen 1962, pp. 206-207; *Federico Barocci* 1975, pp. 187-188; Emiliani 2008, II, pp. 268-269.

Il primo acconto per la realizzazione della *Crocifissione* fu versato a Barocci il 5 gennaio 1597 (Scatassa 1900, p. 78), quando il rettore della confraternita dell'oratorio della Morte di Urbino trattò con "messer Federigo Barotio della inventione dell'opera, come anco del prezo".

L'artista richiese un secondo pagamento nel marzo del 1599 e un terzo nel maggio dello stesso anno. Parte di quest'ultimo era destinato a compensare l'impegno di Federico per la progettazione dell'elaborata cornice dorata, per la quale gli era stato chiesto di "dare il disegno". Nel maggio del 1600 il quadro risultava condotto "a buon termine" ma non sappiamo con certezza se fosse consegnato di lì a poco, dato che, dopo altri due altri pagamenti evasi nel 1603, il saldo fu emesso solo il 2 aprile del 1604. Qualche mese dopo l'ultimo pagamento, nel 1605, Barocci entrò a far parte della Compagnia della Morte (Scatassa 1900, p. 79).

Bellori, sulla base delle sue fonti urbinati, riferiva di un intervento di Alessandro Vitali sul dipinto per "le figure di sotto" (Bellori [1672] 1976, p. 194), e benché il nome dell'allievo non compaia nella documentazione sull'opera la critica è concorde nel vederla come il frutto di una collaborazione tra Federico e il suo aiuto. Emiliani (2005, p. 15) proponeva di estendere la partecipazione di Vitali anche agli angeli nel registro superiore (sull'autografia del dipinto si veda qui Giancarli, p. 121).

Evidentemente il considerevole aumento delle commissioni che si registrò dopo la messa in opera della *Visitazione* della Vallicella (si veda qui Agosti, p. 53) innescò una partecipazione più consistente della bottega ai lavori di Barocci. Nel caso di questa *Crocifissione*, i pagamenti finora noti furono tutti indirizzati a Federico, diversamente da quanto accadde nel caso di un'altra opera allogata a Barocci e realizzata da Alessandro Vitali: il *Sant'Ambrogio e Teodosio* per il duomo di Milano. Dal 1601 Vitali risulta beneficiario diretto dei pagamenti (*Annali* 1877-1885, IV, p. 340; Bonomelli 1993, p. 22; Arslan 1960, p. 100), tranne per il saldo versato nel 1603 a Federico (*Annali* 1877-1885, V, p. 11; Bonomelli 1993, p. 22). Evidentemente nella lavorazione della pala per l'oratorio della Morte il grado di delega da parte del maestro fu assai più circoscritto rispetto al quadro per il duomo di Milano. Lanzi rilevava che "la testa è maravigliosa il corpo alquanto pingue e perciò men lodato" e segnalava "dietro un paese toccato assai bene" (Lanzi [1783] 2003, p. 23).

L'invenzione della *Crocifissione* urbinate è profondamente legata a quella eseguita per l'altare della cappella di San Sebastiano nella cattedrale di San Lorenzo a Genova (fig. 6 p. 68; si veda qui Ambrosini Massari, p. 49), commissionata da Matteo Senarega nel novembre del 1587 ma consegnata solo nell'ottobre del 1596. Nella pala urbinate, Barocci reimpiegò infatti, in controparte, il gruppo della Madonna e di san Giovanni e anche gli angeli in cielo intorno alla croce. Diverso invece il Cristo crocifisso, qui visto frontalmente e forse concepito, studiato e modellato in parallelo al *Cristo spirante* del Museo del Prado (inv. P007092), pure saldato nel 1604 (28 agosto, *Mostra dei cartoni* 1913, p. 47, nota 65), dal quale si differenzia soltanto per la posizione del capo. Quanto ai disegni riuniti intorno a queste composizioni, in particolare un foglio di Berlino (Staatliche Museen, inv. KdZ 20263) può essere riferito con più precisione alla tela urbinate, dal momento che l'incavo tra la spalle e il collo mostra un'inclinazione più vicina a quest'ultima versione del soggetto.

Poco considerato finora dalla critica, il dossale dorato che incornicia la pala è un'ulteriore testimonianza della partecipazione attiva di Barocci all'allestimento delle proprie opere in rapporto al contesto architettonico e ornamentale, come indicano i precedenti casi della *Madonna del popolo* ad Arezzo, del *Trasporto di Cristo* (cat. V.1) e della *Madonna del Rosario* a Senigallia (cat. VI.1).

Camilla Colzani

VIII.5 Alessandro Vitali
(Pesaro, 1580 circa – Urbino, 1630)

Sant'Agata in carcere

1598
Olio su tela, 253 × 178 cm
Urbino, Galleria Nazionale delle Marche, inv. D 350

Bibliografia
Dolci [1775] 1933, p. 300; Lazzari 1801, p. 93; Negroni 1979, pp. 89-90; Marchi 2005, p. 137; Verstegen 2005-2006, p. 110.

La pala con *Sant'Agata in carcere*, oggi alla Galleria Nazionale delle Marche, risale, in base ai documenti, al 1598 (Negroni 1979) e proviene dalla chiesa di Sant'Agata a Pian di Mercato a Urbino. Il dipinto entrò a far parte delle collezioni della Galleria in seguito alla secolarizzazione della chiesa nel 1889.

Citata dalle fonti (Dolci [1775] 1933, p. 300; Lazzari 1801, p. 93) come opera di Alessandro Vitali, si basa sugli studi che Federico Barocci stava realizzando per la composizione di una santa in estasi, di cui rimangono schizzi e bozzetti in varie collezioni: un'invenzione modulata sulla *Beata Michelina* (cat. VI.4), cui l'artista lavorava dai primi anni novanta (Zezza 2009, p. 264) fino alla sua consegna a Pesaro, nel 1606. Questo dato cronologico pone alla base delle successive varianti iconografiche il modello primario della *Beata Michelina.* Da qui dovette svilupparsi anche l'invenzione baroccesca di una *Santa Caterina d'Alessandria*, tuttora nella basilica di Santa Margherita a Cortona (*Dipinti e sculture* 1979, pp. 74-76; Pizzorusso 2003, p. 51), tema sul quale Barocci aveva eseguito anche una mezza figura perduta per il conte pesarese Francesco Maria Mamiani (Bellori 1672, p. 195), che ha certamente ispirato la tela di Vitali (per una diversa ipotesi, cfr. qui cat. III.7).

Il documento reso noto da Negroni (1979) dal registro stilato da padre Basilio Marsili, organista della cappella del Santissimo Sacramento nel duomo di Urbino, ricorda nel 1598 il pagamento della *Sant'Agata* "inventione di [...] Baroccio, e anche in parte dipinto da lui [Vitali]". Tale "inventione" si deve intendere come modello e cartone principale, di mano di Barocci, originato dalla *Beata Michelina* e che si nutre qui delle note più eleganti e profane della bella variante dell'estasi cortonese, un'opera peraltro distesa in più anni di redazione, se fu collocata nell'altare nel 1610 (Verstegen 2005-2006). Due disegni attribuiti a Vitali – uno nella collezione Antaldi della Biblioteca Oliveriana di Pesaro, inv. 244, e uno agli Uffizi, inv. 11301Fr – sono stati connessi alla *Santa Caterina d'Alessandria*, copia da Barocci alla Galleria Borghese, avvicinata alla mano di Vitali (Olsen 1962, p. 209).

Il dipinto rappresenta uno dei vertici dell'arte di Alessandro, che si nutre variamente delle sperimentazioni del maestro, come per il bozzetto a olio su carta di Barocci conservato agli Uffizi (inv. 19104; Arcangeli, in *Pittori nelle Marche* 1979, p. 16), da cui deriverebbe la posa della santa – a esclusione della variante della mano appoggiata sul seno – e l'ambientazione oscura della scena, con un'apertura di luce solo nello sfondo, che dà su un ambiente in cui si intravedono due pilastri e una porta.

Il meraviglioso panneggio della protagonista, tutto cangiante nelle modulazioni di rosso e oro, è stato attribuito alla mano di Barocci, che spesso interveniva nell'opera dell'allievo (Arcangeli, in *Pittori nelle Marche* 1979, p. 16): d'altra parte, tale "raggelamento delle superfici" è proprio una delle più sintomatiche caratteristiche dello stile di Vitali (Marchi 2005). La precisione del disegno e l'attenzione alla lucentezza metallica del fondale, della natura morta e in generale delle figure nel dipinto sono una firma dell'opera matura di Vitali, con una nota di poesia ombrosa, nell'ambiente "affiorante dall'oscurità" e nel soffermarsi sulle "notazioni luminose", che guarda già al Seicento (Arcangeli, in *Pittori nelle Marche* 1979, p. 16).

Valentina Catalucci

VIII.6 Alessandro Vitali
(Pesaro, 1580 circa – Urbino, 1630)

Annunciazione

entro il 1603
Olio su tela, 277 × 187 cm
Urbino, Galleria Nazionale delle Marche, inv. D 92

Bibliografia
Dolci [1775] 1933, p. 306; Lazzari 1801, pp. 139-140; Rotondi 1948, p. 142; Marchi 2005, p. 134; Negroni 2007.

La pala, ricordata sull'altare maggiore della chiesa dei Padri carmelitani scalzi da Michelangelo Dolci e da Andrea Lazzari, era considerata "una delle belle opere di Alessandro Vitali, scolaro del Barocci" (Dolci [1775] 1933, p. 306; Lazzari 1801, pp. 139-140). Studiato infatti il modello dell'*Annunciazione* del maestro per la basilica di Loreto (Città del Vaticano, Musei Vaticani, cat. V.4), Vitali "collocò la detta Vergine in una bellissima stanza con il semplice letticciuolo, ed una porticella aperta. In lontananza comparisce una spaziosa veduta di campagna; ai piedi della Gran Donna vi è espresso un gatto al naturale, che sembra vivo, giacendo accanto di una canestrella, nella quale evvi dentro un velo sottile, ago, e filo insieme lavoro della Vergine. Fuvvi che rilevò nella Tavola qualche neo. All'età del volto ridente, e giovanile della Vergine riconobbe le mani un po' pesanti; l'Angelo sebbene di bel proflo, mancante un po' nel colorito. Altri accrebbero pregio all'opera, col riconoscervi qualche pennellata del Barocci" (Lazzari 1801, pp. 139-140).

L'attribuzione a Vitali come copia della celebre pala di Loreto continua anche con Luigi Serra (1920, p. 75), per perdersi poi con Pasquale Rotondi che la riconduceva a "un anonimo discepolo, ricalcante i modi del maestro" Barocci (Rotondi 1948, p. 142).

Se Franca Bizzotto Abdalla (in *Restauri nelle Marche* 1973) e Luciano Arcangeli (in *Pittori nelle Marche* 1979, p. 17), ritenevano opportuno ricondurla alla mano di un pittore della cerchia baroccesca, si deve infine a Franco Negroni la restituzione definitiva ad Alessandro Vitali. Lo studioso ha infatti rinvenuto presso l'Archivio di Stato di Urbino un documento dal quale si evince che Vitali nel 1603 dipinse "a sue spese e fatiche un'ancona con l'immagine della SS. Annunziata chiesa dei Servi" (Negroni 2007, p. 111). In quest'opera emerge infatti lo stile di Vitali, caratterizzato dai toni freddi e "porcellanosi".

Eliana Monaca

VIII.7 Federico Barocci
(Urbino, 1533-1612)

Ventura Mazza
(Cantiano, 1560 circa – Urbino, 1638)

Ecce Homo

1612-1613
Olio su tela, 180 × 127 cm
Urbino, Galleria Nazionale delle Marche, in deposito dalla Pinacoteca di Brera, Milano, inv. Napoleonico 544; inv. Generale 552; Registro Cronologico 6095

Bibliografia
Bellori [1672] 1976, p. 191; Lazzari 1801, pp. 84-85; Ottino Della Chiesa, in *Dipinti della Pinacoteca* 1969, pp. 12-14; Bona Castellotti, in *Pinacoteca di Brera* 1992, pp. 103-106, con bibliografia precedente; Bianchi, in *Federico Barocci* 2009, pp. 297-298, con bibliografia precedente; Bernardini 2017, p. 154, doc. XCII, con bibliografia precedente.

Seguendo Olsen e senza alcun appiglio documentario, Ottino Della Chiesa (in *Dipinti della Pinacoteca* 1969, p. 13; Bona Castellotti, in *Pinacoteca di Brera* 1992, p. 106) ritiene che l'opera, dipinta per i Disciplinati dell'oratorio di Santa Croce di Urbino, arrivò in un primo tempo in Francia in seguito alla soppressione della confraternita, avvenuta nel 1799, sebbene Lazzari nel 1801 la descriva nell'oratorio urbinate senza menzionarne il trasferimento (Lazzari 1801, p. 84). L'opera venne prelevata a Urbino il 15 maggio 1811 (Bernardini 2017, p. 154, doc. XCII, con bibliografia precedente) per arrivare a Milano alla Pinacoteca di Brera il 10 giugno. Nel 1847 giunse in deposito nella chiesa dell'Assunta di Costa Masnaga (Como), rientrando a Brera nel 1991 (Bona Castellotti, in *Pinacoteca di Brera* 1992, p. 106, con bibliografia precedente). Nel 2021 fa ritorno a Urbino per essere esposta alla Galleria Nazionale delle Marche, assieme ad altre quattro opere del museo lombardo, grazie al progetto ministeriale *100 opere svelate. Dai depositi ai Musei*.

Nel 1672 Bellori afferma che Barocci morì nel periodo in cui "faceva il cartone d'un *Ecce Homo*, e terminava li piedi di Cristo". La documentazione della visita pastorale dell'arcivescovo Tommaso Marelli del 1731, resa nota da Ligi nel 1938, menziona il nome dell'allievo che portò a termine l'opera, facendo affermare allo stesso Ligi che "l'*Ecce Homo* è disegno di Federico Barocci, mentre è stato colorato da Ventura Mazza nel 1613. È stato pagato cinquanta scudi, oltre altri cinquanta dati per caparra al Barocci". Nel 1775 Dolci riferisce l'opera ad Alessandro Vitali, "ma con disegno e direzione del Barocci" (per i riferimenti bibliografici si veda Bona Castellotti, in *Pinacoteca di Brera* 1992, pp. 103-106).

Lazzari afferma che per alcuni il dipinto è di Ventura Mazza, pur ritenendolo del Vitali, e si sofferma su alcuni disegni che attribuisce al Vitali o allo stesso Barocci, che li realizzò "per giovare al suo prediletto Scolaro". Tra questi cita quello della famiglia urbinate Staccoli, raffigurante "quasi al naturale la figura di Cristo" (Lazzari 1801, pp. 84-85), da identificarsi, molto probabilmente, con il disegno inv. KdZ 20447 (cat. IV.16) conservato al Kupferstichkabinett degli Staatliche Museen di Berlino (Ottino Della Chiesa, in *Dipinti della Pinacoteca* 1969, p. 14), che la critica successiva ritiene autografo del Barocci.

Ottino Della Chiesa (in *Dipinti della Pinacoteca* 1969, p. 14), ricordando il restauro eseguito negli anni sessanta da Pinin Brambilla Barcilon, pensa "a un intervento del maestro esteso oltre l'esecuzione del cartone", per la vivace bellezza degli accordi cromatici presenti nelle vesti del paggio o di Pilato, di cui apprezza il "fortissimo ritratto", e negli "estenuati bluastri argenti" dell'epidermide di Cristo. Afferma anche che "la verità è, forse, che il Mazza, sensibile e fine artista che sappiamo essersi addossato il compito di portare a termine i dipinti del Barocci rimasti incompiuti alla morte [...] aderì all'arte del maestro così intensamente da rendere quasi inavvertibile la presenza della seconda mano".

Nel vedere il restauro in corso nel 2009, compiuto dallo Studio Luigi Parma di Milano sotto la direzione di Emanuela Daffra, anche Bianchi afferma che Barocci ha realizzato parte della stesura cromatica del dipinto. Lo proverebbero "l'accurata preparazione, la scelta e gli accostamenti dei pigmenti all'origine di effetti cangianti e la loro equilibrata distribuzione nel registro superiore della tela", tra cui rimangono esemplari i colpi di luce sugli elmi piumati dei soldati in secondo piano. Per Bianchi, Barocci, con l'aiuto di Mazza, arriva anche a un alto contenuto devozionale inventando "un primo piano di grande presa emotiva", che costringe il fedele a meditare sul contrasto che s'instaura tra la serenità di Gesù, che accetta la derisione del popolo, e l'espressione d'impotenza di Pilato, che non sarà capace di impedire la Passione di Cristo (Bianchi, in *Federico Barocci* 2009, pp. 297-298).

Andrea Bernardini

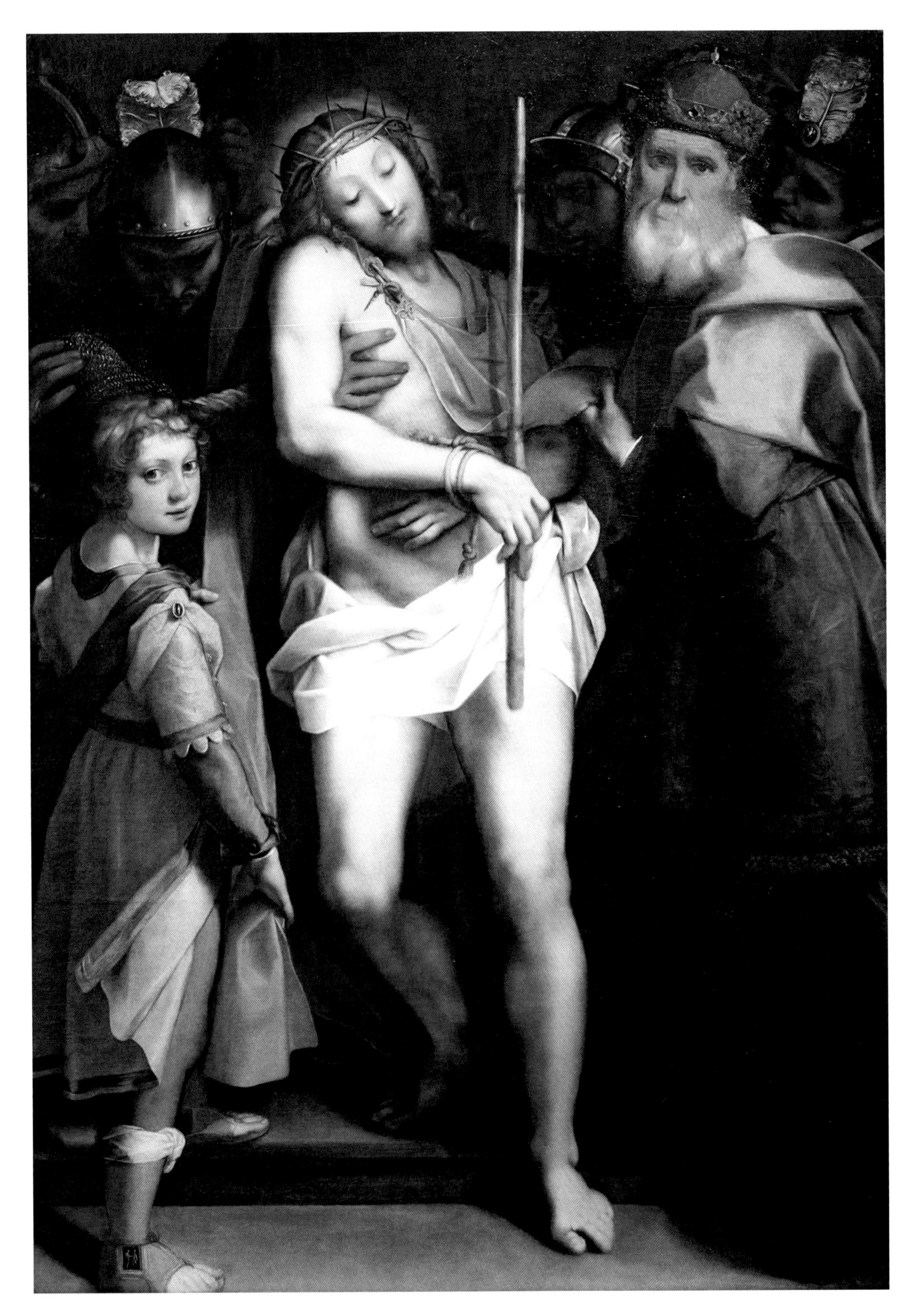

VIII.8 Antonio Viviani detto il Sordo

(Urbino, 1560-1620)

Santa Rosa da Viterbo

1613-1614
Olio su tela, 210 × 158 cm
Urbino, Galleria Nazionale delle Marche, inv. D 233

Bibliografia
Lazzari 1801, p. 125; Serra 1920, p. 75; Diamantini 2007; Fucili, Bartolucci 2011, p. 294; Paolini, in *Capriccio e natura* 2017, pp. 164-165, n. 25.

Nella periegetica storica locale (riguardo alla quale si rimanda a Diamantini 2007), l'opera è sempre riferita al baroccesco Antonio Viviani e viene indicata nella chiesa urbinate di Santa Lucia, annessa al monastero delle Clarisse. Nella sua prima guida della Galleria Nazionale delle Marche, databile al 1920 circa, Serra attribuisce l'opera alla "scuola del Barocci" e descrive la santa "in piedi, a grandezza più che normale, in saio giallognolo, con crocifisso nella destra ed un ramo di rose nell'altra mano. In alto un angelo con corona. Paese verdastro. A sinistra, in primo piano, una colonna su alto plinto e frammenti architettonici". Lo stesso Serra indica che è giunta nel museo grazie al "lascito" di Teresa Liera (Serra 1920, p. 75), sebbene nel 1862 la ritroviamo nella *Nota degli oggetti d'arte esistenti nell'ex monastero di S. Lucia* che venivano richiesti alla Cassa Ecclesiastica per il Museo annesso all'Istituto di Belle Arti delle Marche (Fucili, Bartolucci 2011, p. 294), futura Galleria Nazionale. Nell'inventario di opere presenti nella prima sede del museo, l'ex convento di San Benedetto, stilato forse da Pompeo Gherardi, probabilmente poco dopo il 1875, *Santa Rosa* non compare (*Inventari*, in *L'arte confiscata* 2011, pp. 366-369), mentre nel 1894 è indicata nella sala del Magnifico, senza alcun riferimento all'autore, nel "Verbale di consegna ed Inventario" degli oggetti collocati nel Palazzo Ducale di Urbino, con il quale Castracane Staccoli prendeva in consegna l'edificio e i suoi oggetti dal sottoprefetto (Archivio Centrale di Stato, Ministero Pubblica Istruzione, Direzione Generale Antichità e Belle Arti, Divisione I – 1908-1924 –, B. 509, f. 2197 - 6 Pesaro).

Nel 2007 Diamantini ha gettato nuova luce su quest'opera partendo dalla notizia pubblicata dal Lazzari (1801, p. 125) che il quadro realizzato dal Viviani venne "fatto fare a sue spese" dall'urbinate Giovanni Francesco Rosa. Notizia che appare per la prima volta nei manoscritti di padre Pier Girolamo Vernaccia (Diamantini 2007, p. 155, nota 12).

La studiosa, ritrovando il testamento di Rosa, redatto nel 1613 dal notaio Ottavio Pieri, scopre che il testatore è il canonico urbinate che è stato *gubernator* del monastero di Santa Lucia, il quale dichiara di voler essere sepolto nella tomba di famiglia collocata proprio nella chiesa del monastero. Nel primo atto notarile del 21 febbraio appare la volontà di Giovanni Francesco di edificare una cappella dedicata a santa Rosa Vergine, obbligando i suoi eredi ad assumersene gli oneri nell'eventualità del suo decesso. Il 14 aprile, giorno precedente la sua morte, il canonico sottoscrive un ulteriore codicillo in cui impone ai suoi familiari di realizzare una statua o un quadro in cui fosse raffigurata l'immagine della santa a cui era devoto (Diamantini 2007, p. 155), il cui nome, a evidenza, si identifica con il cognome della casata.

L'opera, quindi, venne realizzata dopo la morte di Rosa, presumibilmente nel 1614, anno in cui il Sordo torna definitivamente nella sua città natale, dopo un lungo periodo passato tra Urbino e Roma, aggiornandosi sulle contemporanee correnti figurative romane. Indicativa è la raffigurazione delle antichità classiche nella pala, nonché i filamenti di luce e i bagliori nel paesaggio che rinviano al fiammingo Paul Brill, conosciuto sicuramente a Roma (Diamantini 2007, p. 156).

La monumentalità compositiva del dipinto e il patetismo espressivo di santa Rosa rinviano per Diamantini (2007, p. 156) alle opere dell'ultima attività del Viviani, in cui gli imponenti personaggi in primo piano emergono su uno sfondo naturalistico, e il tutto è dato da "l'orchestrazione delle tinte dai toni delicati e tendenti a un colore giallognolo, quasi a sottolineare una luminosità mistica diffusa".

Allo stesso tempo il Sordo non dimentica il suo grande maestro, visto che *Santa Rosa* richiama nell'impostazione la Vergine dipinta da Barocci nell'*Immacolata Concezione* (cat. VII.5), anche se la parte inferiore del panneggio delle due figure, con un ginocchio lievemente avanzato, appare speculare.

Andrea Bernardini

Bibliografia

1568

G. Vasari, *Le vite de' più eccellenti pittori, scultori e architettori nelle redazioni del 1550 e 1568*, testo a cura di R. Bettarini, commento secolare a cura di P. Barocchi, 8 voll., Sansoni-SPES, Firenze 1966-1987.

1584

R. Borghini, *Il riposo, in cui della pittura, e della scultura si favella, de' piu illustri pittori, e scultori, a delle piu famose opere loro si fa mentione, e le cose principali appartenenti a dette arti s'insegnano*, Giorgio Marescotti, Fiorenza 1584.

G.P. Lomazzo, *Trattato dell'arte della pittura, scoltura et architettura* [1584], in Id., *Scritti sulle arti*, a cura di R.P. Ciardi, 2 voll., 1973-1974.

1587

G.B. Armenini, *De' veri precetti della pittura*, Francesco Tebaldini, Ravenna 1587.

G.P. Lomazzo, *Rime di Gio. Paolo Lomazzi milanese pittore, diuise in sette libri. Nelle quali ad imitatione de i Grotteschi vsati da' pittori, ha cantato le lodi di Dio, & de le cose sacre, di Prencipi, di Signori, & huomini letterati, di pittori, scoltori, & architetti*, Paolo Gottardo Pontio, Milano 1587.

1589

G.P. Lomazzo, *Rabisch* [1589], a cura di D. Isella, Einaudi, Torino 1993.

1590

G.P. Lomazzo, *Idea del tempio della pittura* [1590], in Id., *Scritti sulle arti*, a cura di R.P. Ciardi, 2 voll., 1973-1974, I, pp. 241-373.

1597

O. Civalli, *Visita triennale di F. Orazio Civalli maceratese*, in G. Colucci, *Delle Antichità Picene*, XXV [1597], Giuseppe Agostino Paccaroni, Fermo 1796, pp. 5-215.

Relazione della città e diocesi di Urbino fatta dal R.D. Brancaleone Fuschinio nell'anno 1597, trascrizione di B. Ligi, in "Urbinum", VII, 5-6, 1933, pp. 1-19.

1604

K. van Mander, *Het Schilder-Boeck waer in Voor eerst de leerlustighe lueght den grondt der Edel Vry Schilderconst in Verscheyden deelen Wort Voorghedraghen*, Paschier van Wesbuch, Haerlem 1604.

1622

G.P. Bacci, *Vita del B. Filippo Neri Fiorentino, fondatore della Congregazione dell'oratorio raccolta da' processi fatti per la sua canonizatione*, Andrea Brugiotti, Roma 1622.

1642

G. Baglione, *Le vite de' pittori, scultori et architetti* [1642], a cura di B. Agosti e P. Tosini, 2 voll., Officina Libraria, Roma 2023.

1657

F. Scannelli, *Il Microcosmo della Pittura*, Neri, Cesena 1657.

1672

G.P. Bellori, *Le vite de' pittori, scultori et architetti moderni*, Mascardi, Roma 1672.

G.P. Bellori, *Le vite de' pittori, scultori e architetti moderni* [1672], a cura di E. Borea, introduzione di G. Previtali, Einaudi, Torino 1976.

G.P. Bellori, *The Lives of the Modern Painters, Sculptors and Architects. A New Translation and Critical Edition* [1672], trad. di A. Sedgwick Wohl, note di H.E. Wohl, introduzione di T. Montanari, Cambridge University Press, Cambridge 2005.

G.P. Bellori, *Le vite de' pittori, scultori e architetti moderni* [1672], a cura di E. Borea, introduzione di G. Previtali, postfazione di T. Montanari, 2 voll., Einaudi, Torino 2009.

1673

G.M. Silos, *Pinacotheca, sive Romana pictura et sculptura, libri duo. In quibus excellentes quaedam, quà profane, quà sacrae, quae Romae extant, picturae, ac statuae, epigrammatis exornantur. Accessit odarum appendicula, ad lyrici carminis libamentum*, Ex officina Philippi Mariae Mancini, Roma 1673.

1674

R. Soprani, *Le Vite de pittori, scoltori, et architetti genovesi. E de' Forastieri, che in Genova operarono. Con alcuni Ritratti de gli stessi*, Bottaro & Tiboldi, Genova 1674.

1675

J. von Sandrart, *L'Academia Todesca della Architettura, Scultura & Pittura oder Teutsche Academie der Edlen Bau-, Bild- und Mahlerey-Künste*, 2 voll., Johann-Philipp Miltenberger, Nürnberg 1675.

1678

C.C. Malvasia, *Felsina Pittrice. Vite de' pittori bolognesi*, 2 voll., per l'erede di Domenico Barbieri, Bologna 1678.

C.C. Malvasia, *Felsina pittrice. Vite de' pittori bolognesi* [1678], 3 voll., Tipografia Guidi all'Ancora, Bologna 1841.

C.C. Malvasia, *Felsina pittrice* [1678], edizione a cura di L. Pericolo ed E. Cropper, CASVA, Washington 2019.

1681-1728

F. Baldinucci, *Notizie de' professori del disegno da Cimabue in qua* [...], 6 voll., Santi Franchi, Firenze 1681-1728.

F. Baldinucci, *Notizie de professori del disegno da Cimabue in qua* [1681-1728], a cura di F. Ranalli, appendice a cura di P. Barocchi, 7 voll., SPES, Firenze 1974-1975.

1693

G. Franchini, *Bibliosofia e memorie letterarie di scrittori francescani conventuali ch'hanno scritto dopo l'anno 1585*, per gli Eredi Soliani, Modena 1693.

1699

R. de Piles, *Abregé de la vie des peintres, Avec des reflexions sur leurs Ouvrages, Et un Traité du Peintre parfait, de la connoissance des Desseins, et de l'utilité des Estampes*, Françoise Muguet, Paris 1699.

1722

J. Richardson, *An Account of Some of the Statues, Bas-reliefs, Drawings and Pictures in Italy*, J. Knapton, London 1722.

1724

N. Pio, *Le vite di pittori, scultori et architetti [Cod. ms. Capponi 257]* [1724], a cura di C. e R. Engass, Biblioteca Apostolica Vaticana, Città del Vaticano 1977.

1727

L.F. Dubois de Saint-Gelais, *Description des tableaux du Palais Royal, avec la Vie des Peintres à la tête de leurs Ouvrages*, d'Houry, Paris 1972.

1775

M. Dolci, *Notizie delle pitture che si trovano nelle chiese e nei palazzi d'Urbino* [1775], a cura di L. Serra, in "Rassegna marchigiana per le arti e le bellezze naturali", XI, 8-9, 1933, pp. 282-367.

1775-1792

Catalogo delle pitture della R. Galleria compilato da Giuseppe Bencivenni già Pelli Direttore della medesima, 1775-1792 (consultabile all'indirizzo: https://www.memofonte.it/home/files/pdf/1775-1792.pdf; ultimo accesso i28/01/2024).

1776

F.S.P. Ciacca, *Memorie concernenti la vita di Francesco Maria Secondo della Rovere sesto ed ultimo duca d'Urbino scritte da se medesimo coll'aggiunta di Antonio Donato*, Nuova Raccolta d'opuscoli scientifici e filologici, Venezia 1776.

1783

L. Lanzi, *Viaggio del 1783 per la Toscana Superiore, per l'Umbria, per la Marca, per la Romagna, pittori veduti*, a cura di C. Costanzi, Marsilio, Venezia 2003.

1784

Catalogue des tableaux de la Galerie Impériale et Royale de Vienne, a cura di C. von Mechel, chez l'auteur, Basel 1784.

B. Orsini, *Guida al forestiere per l'Augusta città di Perugia. Al quale si pongono in vista le più eccellenti Pitture Sculture ed Architetture con alcune osservazioni*, Costantini, Perugia 1784.

1787

F.W.B. von Ramdohr, *Ueber Mahlerei und Bildhauerarbeit in Rom für Liebhaber des Schönen in der Kunst*, 3 voll., Weidmann, Liepzig 1787.

1792

L. Lanzi, *Storia pittorica della Italia. Dal Risorgimento delle belle arti fin presso al fine del XVIII secolo* [1792], a cura di P. Pastres, Einaudi, Torino 2022.

1796

G. Colucci, *Dizionario storico degli uomini illustri di Urbino*, in Id., *Delle antichità picene*, XXVI, Giuseppe Agostino Paccaroni, Fermo 1796, pp. 137-292.

A. Lazzari, *Dizionario storico degl'ilustri professori delle belle arti, e de' valenti mecanici d'Urbino*, in G. Colucci, *Delle Antichità Picene* [1796], Maroni, Ripatransone 1990, XXXI, pp. 1-56.

1800

A. Lazzari, *Memorie d'alcuni più celebri pittori di Urbino*, Giovanni Guerrini, Urbino 1800.

1801

A. Lazzari, *Delle chiese d'Urbino e delle pitture in esse esistenti*, Giovanni Guerrini, Urbino 1801.

1809

L. Lanzi, *Storia pittorica della Italia. Dal Risorgimento delle Belle Arti fin presso al fine del XVIII secolo*, 6 tomi, presso Giuseppe Remondini e figli, Bassano 1809.

L. Lanzi, *Storia pittorica della Italia dal Risorgimento delle Belle Arti fin presso al fine del XVIII secolo, ed. terza corretta ed accresciuta dall'autore* [1809], a cura di M. Cappucci, 3 voll., Sansoni, Firenze 1968-1974.

1819

C. Grossi, *Degli uomini illustri di Urbino. Comentario*, Vincenzo Guerrini, Urbino 1819.

C. Grossi, *Degli uomini illustri di Urbino. Comentario* [1819], G. Rondini, Urbino 1856.

J.M.W. Turner, *Sketches and Notes Relating to Paintings in the Galleria Borghese and the Palazzo Pallavicini-Rospigliosi*, Rome, 1819 (consultabile all'indirizzo: https://www.tate.org.uk/art/artworks/turner-sketches-and-notes-relating-to-paintings-in-the-galleria-borghese-and-the-palazzo-d16767).

1822

L. Pungileoni, *Elogio storico di Giovanni Santi*, Vincenzo Guerrini, Urbino 1822.

S. Siepi, *Descrizione tipologico-istorica della città di Perugia*, 3 voll., Tipografia Garbinesi e Santucci, Perugia 1822.

1822-1825

G.G. Bottari e S. Ticozzi, *Raccolta di lettere sulla pittura, scultura ed architettura scritte da' più celebri personaggi dei secoli XV, XVI, e XVII: pubblicata da Gio. Bottari e continuata fino ai nostri giorni da Stefano Ticozzi*, 8 voll., Giovanni Silvestri, Milano 1822-1825.

1838

E. Alberi, *Vita di Caterina de' Medici. Saggio storico*, Batelli, Firenze 1838.

1840

J.W. Gaye, *Carteggio inedito di artisti dei secoli XIV, XV, XVI*, Molini, Firenze 1840.

1840-1845

M. Gualandi, *Memorie originali italiane risguardanti le belle arti*, 6 voll., Jacopo Marsigli, Bologna 1840-1845.

1844-1856

M. Gualandi, *Nuova raccolta di lettere sulla pittura, scultura ed architettura scritte da piu celebri personaggi dei secoli XV a XIX*, 3 voll., Sassi, Bologna 1844-1856.

1846

G.B. Pericoli, *Passeggiata nella città di Urbino*, Giuseppe Rondini, Urbino 1846.

1851

J. Dennistoun, *Memoirs of the Dukes of Urbino Illustrating the Arms, Arts and Literature of Italy from 1440 to 1630*, 3 voll., Longman, London 1851.

1856

C. Grossi, *Degli uomini illustri di Urbino. Comentario, con aggiunte scritte dal conte Pompeo Gherardi*, Giuseppe Rondini, Urbino.

1861

A. Rufini, *Guida di Roma e suoi dintorni ornata della pianta e vedute della città*, Tipografia Forense, Roma 1861.

1867

P. Gherardi, *L'istituto di Belle Arti delle Marche in Urbino. Guida per i visitatori*, Tipografia del Metauro, Urbino 1867.

1870

X.B. De Montault, *Les musées et galeries de Rome: catalogue général de tous les objets d'art qui y sont exposés*, Imprimerie générale de Ch. Lahure, Paris 1870.

1875

F. Alizeri, *Guida illustrativa del cittadino e del forastiero per la città di Genova e sue adiacenze*, Luigi Sambolino, Genova 1875.

P. Gherardi, *Guida di Urbino*, Savinio Rocchetti, Urbino 1875.

1877-1885

Annali della Fabbrica del Duomo di Milano dall'origine fino al presente, pubblicati a cura della sua amministrazione, 9 voll., G. Brigola, Milano 1877-1885.

1892

F. Mariotti, *La legislazione delle belle arti*, Unione Cooperativa Editrice, Roma 1892.

1897

E. Calzini, *Urbino e i suoi monumenti*, Licinio Cappelli, Rocca di San Casciano 1897.

1898

E. Calzini, *Lo studio del Barocci. Documenti*, in "Rassegna bibliografica dell'arte italiana", I, 5-6, 1898, pp. 103-108.

1900

E. Scatassa, *Il Crocifisso dipinto dal Barocci per la Compagnia della Morte di Urbino*, in "Rassegna bibliografica dell'arte italiana", III, 1900, pp. 78-79.

1901

E. Calzini, *La galleria annessa all'Istituto di belle arti di Urbino*, in "L'arte", 4, 1901, pp. 361-390.

E. Scatassa, *Documenti*, in "Rassegna bibliografica dell'arte italiana", IV, 1901, pp. 129-136.

1904

E. Scatassa, *La compagnia del SS. Crocifisso detta "della Grotta", in Urbino*, in "Le Marche", IV, 1904, pp. 201-212.

1905

A. Anselmi, *Di un quadro del Rosario a Senigallia di Federico Barocci*, in "Il Rosario. Memorie domenicane", II, VII, 1905a, pp. 505-514.

A. Anselmi, *Un secondo quadro del Barocci a Senigallia*, in "Rassegna bibliografica dell'arte italiana", VIII, 1905b, pp. 140-145.

1909

A. Alippi, *Ricordo di opere d'arte estratti dal diario inedito di Francesco Maria della Rovere*, in "Rassegna bibliografica dell'arte italiana", XII, 4-6, 1909, pp. 72-73.

L. Beltrami, *Prefazione*, in F. Borromeo, *Il Museo del Cardinale Federico Borromeo, Arcivescovo di Milano*, Tipografia Umberto Allegretti, Milano 1909, pp. V-XIII.

W. Bombe, *Federico Barocci e un suo scolaro a Perugia*, Bartelli, Perugia 1909.

O.H. Giglioli, *R. Galleria Pitti*, in "Rivista d'arte", VI, pp. 150-155.

A. Schmarsow, *Federigo Barocci. Ein Begründer des Barockstils in der Malerei*, Teubner, Leipzig 1909.

A. Schmarsow, *Federico Barocci. Un capostipite della pittura barocca* [1909], Accademia Raffaello, Ancona 2010.

1910
E. Loevinson, *Quadri della famiglia Fagnani (Sec. XVIII)*, in "L'Arte", 1910, pp. 134-135.

1912
W. Bombe, *Federico Barocci a Perugia*, in "Rassegna d'arte", 12, 1912, pp. 189-195.
A. Calzini, *Per la biografia del Barocci*, in "Rassegna bibliografica italiana", XIV, 1912, pp. 107-115.
W. Friedlaender, *Das Kasino Pius des Vierten*, Hiersemann, Leipzig 1912.
F.H. Krommes, *Studien zu Federigo Barocci*, Seemann, Leipzig 1912.
S. Muratori, *Il* Martirio di San Vitale *del Barocci, notizie, documenti, aneddoti*, in "Felix Ravenna", 6, aprile 1912, pp. 244-259.

1913
E. Calzini, *La Madonna detta di San Simone di Federico Barocci*, in *Studi e notizie su Federico Barocci*, a cura della Brigata Urbinate degli Amici dei Monumenti, Istituto Micrografico Italiano, Firenze 1913a, pp. 33-35.
E. Calzini, *Lo "studio" del Barocci (Documenti)*, in *Studi e notizie su Federico Barocci*, a cura della Brigata Urbinate degli Amici dei Monumenti, Istituto Micrografico Italiano, Firenze 1913b, pp. 73-85.
E. Calzini, *Elenco delle opere di Federico Barocci*, in *Studi e notizie su Federico Barocci*, a cura della Brigata Urbinate degli Amici dei Monumenti, Istituto Micrografico Italiano, Firenze 1913c, pp. 165-180.
G. Cantalamessa, *Federico Barocci*, in *Studi e notizie su Federico Barocci*, a cura della Brigata Urbinate degli Amici dei Monumenti, Istituto Micrografico Italiano, Firenze 1913, pp. 23-32.
F. Di Pietro, *Disegni sconosciuti e disegni finora non identificati di Federigo Barocci negli Uffizi*, Istituto Micrografico Italiano, Firenze 1913.
*Mostra dei cartoni e dei disegni di Federigo Barocci*o, catalogo della mostra (Firenze, 1913), Istituto Italiano d'Arti Grafiche, Bergamo 1913.
O. Pollak, *Italienische Künstlerbriefe aus der Barockzeit*, in "Jahrbuch der Königlich Preußischen Kunstammlungen", XXIV, 4, 1913, pp. 1-77.
L. Renzetti, *Urbino. Il Palazzo ducale (guida)*, Tip. Melchiorre Arduini, Urbino 1913.
C. Ricci, *Federico Barocci*, in *Studi e notizie su Federico Barocci*, a cura della Brigata Urbinate degli Amici dei Monumenti, Istituto Micrografico Italiano, Firenze 1913, pp. VII-XXX.
A. Venturi, *Quale posto occupa Barocci nell'arte del suo tempo*, in *Studi e notizie su Federico Barocci*, a cura della Brigata Urbinate degli Amici dei Monumenti, Istituto Micrografico Italiano, Firenze 1913, pp. 20-21.
Studi e notizie su Federico Barocci, a cura della Brigata Urbinate degli Amici dei Monumenti, Istituto Micrografico Italiano, Firenze 1913.

1914
A. Schmarsow, *Federigo Baroccis Zeichnungen: eine kritische Studie. III. Die Zeichnungen in den Sammlungen ausserhalb Italiens. B, Östliche Hälfte Europas*, in "Abhandlungen der Philologisch-Historischen Klasse der Königlich-Sächsischen Gesellschaft der Wissenschaften", XXX, 1, 1914, pp. 1-44.

1915
R. Longhi, *Battistello* [1915], in Id., *Scritti giovanili 1912-1922* (Edizione delle opere complete di Roberto Longhi, I), 2 voll., Firenze 1961, I, pp. 177-211.

1920
L. Serra, *Il Palazzo Ducale di Urbino e la Galleria Nazionale delle Marche*, Editori Alfieri & Lacroix, Milano-Roma 1920.
H. Voss, *La pittura del tardo Rinascimento a Roma e a Firenze* [1920], Roma 1994.

1923
W. Friedlaender, *Barocci und Tintoretto*, in "Jahrbuch für Kunstgeschichte", I, 1923, pp. 259-262.

1923-1930
K. Frey, *Il carteggio di Giorgio Vasari / Der literarische Nachlass Giorgio Vasaris*, 2 voll., Georg Müller, München 1923-1930.

1926-1927
P.E. Vecchioni, *La chiesa della Croce e Sacramento in Senigallia e la Deposizione di Federico Barocci*, in "Rassegna marchigiana", 1926-1927, pp. 497-503.

1928
L. Ponnelle, L. Bordet, *Saint Philippe Néri et la société romaine de son temps (1515-1595)*, Bloud et Gay, Paris 1928.

1930
L. Serra, *Il Palazzo Ducale e la Galleria Nazionale di Urbino*, La Libreria dello Stato, Roma 1930.

1934
M.L. Del Saltillo, *La herencia de Pompeyo Leoni*, in "Boletín de la Sociedad Española des Excursiones", 42, 1934, pp. 95-121.

1936
G. Gronau, *Documenti artistici urbinati*, Sansoni, Firenze 1936.
G. Gronau, *Documenti artistici urbinati* [1936], ristampa a cura di G. Perini Folesani, Accademia Raffaello, Urbino 2011.

1937
A. Jahn Rusconi, *La R. Galleria Pitti in Firenze*, La Libreria dello Stato, Roma 1937.

1943-1945
K. Donahue, *"The Ingenious Bellori". A Biographic Study*, in "Marsyas", 3 1943-1945, pp. 107-138.

1947
A. Santangelo, *Museo di Palazzo Venezia. Catalogo. I dipinti*, Colombo, Roma 1947.

1948
P. Rotondi, *Guida del Palazzo Ducale di Urbino e della Galleria Nazionale delle Marche*, Istituto d'Arte per la Decorazione del Libro, Urbino 1948.

1951
P. Zampetti, *Il Palazzo Ducale di Urbino e la Galleria Nazionale delle Marche*, Libreria dello Stato, Roma 1951.

1953
Catalogo della Galleria Nazionale Palazzo Barberini Roma, a cura di N. Di Carpegna, Del Turco, Roma 1953.

1954
E. Ricotti, *Il convento e la chiesa di S. Francesco di Assisi in Urbino*, Tipografia della provincia patavina di S. Antonio dei frati minori conventuali, Padova 1954.

1955
H. Olsen, *Federico Barocci. A Critical Study in Italian Cinquecento Painting*, Almqvist & Wiskell, Stockholm 1955.
D. Sanminiatelli, *The Sketches of Domenico Beccafumi*, in "The Burlington Magazine", XCVII, 623, 1955, pp. 35-40.

1956
F. Arcangeli, *Sugli inizi dei Carracci*, in "Paragone. Arte", 7, 79, 1956, pp. 17-48.

1959
P. Della Pergola, *Galleria Borghese. I dipinti*, 2 voll., Ministero della Pubblica Istruzione, Roma 1959.
S. Tschudi Madsen, *Federco Barocci's "Noli me tangere" and Two Cartoons*, in "The Burlington Magazine", CI, 676-677, 1959, pp. 273-277.

1960
E. Arslan, *Le pitture del Duomo di Milano*, Ceschina, Milano 1960.
A. Ghidiglia Quintavalle e A.C. Quintavalle, *Arte in Emilia 1960-1961*, Soprintendenze alle Gallerie di Parma, Modena, Reggio, Parma 1960.

1961
R. Comandini, *Epigrafi, medaglie, stemmi e ritratti, riguardanti il Marchese Giacomo Malatesta (1530-1600)*, Stabilimento Grafico Fratelli Lega, Faenza 1961.
R. Linnenkamp, *Zwei unbekannte Selbstbildnisse von Federigo Barocci*, in "Pantheon", 19, 1961, pp. 46-50.
L.S. Richards, *Federico Barocci. A Study for* Aeneas' Flight from Troy, in "Bulletin of the Cleveland Museum of Art", IV, 48, 1961, pp. 63-65.

1962
H. Olsen, *Federico Barocci*, Munksgaard, Copenhagen 1962.

1963
I fioretti di S. Francesco e le considerazioni delle stimmate, Rizzoli, Milano 1963.
R. Wittkower, *Nati sotto saturno. La figura dell'artista dall'antichità alla Rivoluzione francese* [1963], Einaudi, Torino 1988.

1964
P. Della Pergola, *L'inventario Borghese del 1693*, in "Arte Antica e Moderna", 26, 1964, pp. 219-230.
C. D'Onofrio, *Inventario dei Dipinti del Cardinal Pietro Aldobrandini compilato da G.B. Agucchi nel 1603*, in "Palatino", 8, 1964, pp. 15-20, 158-162, 202-211.

1965
H. Olsen, *Letter to the Editor*, in "The Art Bulletin", 47, 4, 1965, p. 541.

1966
A.E. Popham, *An Unnoticed Drawing by Federico Barocci*, in "Master Drawings", 4, 2, 1966, pp. 149-150.

1967
D. Heikamp, *Federico Zuccari a Firenze, 1575-1579 I. La cupola del Duomo, il diario disegnato*, in "Paragone. Arte", 18, 205, 1967, pp. 44-68.

1968
M.T. Bonadonna Russo, *I Cesi e la Congregazione dell'Oratorio*, in "Archivio della Società Romana di Storia Patria", 91, 1968, pp. 101-155.

1968-1969
R.E. Malmstrom, *A Note on the Architectural Setting of Federico Barocci's* Aeneas' Flight from Troy, in "Marsyas", XIV, 1968-1969, pp. 43-47.

1969
F. Angelini Frajese, ad vocem *Bonarelli, Guidubaldo*, in *Dizionario Biografico degli Italiani*, XI, Treccani, Milano 1969.
Dipinti della Pinacoteca di Brera in deposito nelle chiese della Lombardia, a cura di A. Ottino Della Chiesa, Associazione Amici di Brera, Milano 1969.
J.A. Gere, *Taddeo Zaccaro. His Development Studied in his Drawings*, Faber and Faber, London 1969.
H. Günther, *Uffizien 135 A. Eine Studie Baroccis*, in "Mitteilungen des Kunsthistorischen Institutes in Florenz", XIV, 2, 1969, pp. 239-246.
M. Natalucci, ad vocem *Bonarelli, Pietro*, in *Dizionario Biografico degli Italiani*, XI, Treccani, Milano 1969.

1971
H. Olsen, *Urbino*, Gad, Copenhagen 1971.

1973
E. Castelnuovo, *Il significato del ritratto pittorico nella società*, Einaudi, Torino 1973.
Il Duomo di Milano, a cura di C. Ferrari da Passano, A.M. Romanini ed E. Brivio, 2 voll., Cassa di Risparmio delle Province Lombarde, Milano 1973.
Restauri nelle Marche. Testimonianze, acquisti e recuperi, catalogo della mostra (Urbino, 1973), Soprintendenza alle Gallerie e Opere d'Arte delle Marche, Urbino 1973.

1974
Cartons d'artistes du XVe au XIXe siècle, catalogo della mostra (Parigi, 1974), a cura di R. Bacou, Musées Nationaux, Paris 1974.

1975
A. Emiliani, *Saggio introduttivo*, in *Federico Barocci (Urbino, 1535-1612)*, catalogo della mostra (Bologna, 1975), a cura di A. Emiliani e G. Gaeta Bertelà, Alfa, Bologna 1975, pp. XXI-LXXII.
Disegni di Federico Barocci, catalogo della mostra (Firenze, 1975), a cura di G. Gaeta Bertelà, Leo S. Olschki editore, Firenze 1975.
Federico Barocci (Urbino, 1535-1612), catalogo della mostra (Bologna, 1975), a cura di A. Emiliani e G. Gaeta Bertelà, Alfa, Bologna 1975.
M. Pittaluga, *Disegni di Federigo Barocci agli Uffizi*, in "Antichità viva", XIV, 5, 1975, pp. 51-52.

1976
A. Bonito Oliva, *L'ideologia del traditore. Arte, maniera, manierismo* [1976], Electa, Milano 2012.
E. Borea, *La mostra di Federico Barocci, a cura di Andrea Emiliani, Bologna, Settembre-Novembre 1975*, in "Prospettiva", 4, 1976, pp. 55-61.
Documenti urbinati. Inventari del Palazzo Ducale (1582-1631), a cura di F. Sangiorgi, Accademia Raffaello, Urbino 1976.
E.P. Pillsbury, *Review: Barocci at Bologna and Florence*, in "Master Drawings", 14, 1, 1976, pp. 56-64, 101-107.
J. Shearman, *Barocci at Bologna and Florence*, in "The Burlington Magazine", CXVIII, 874, 1976, pp. 49-55.

1977
Palazzo Ducale di Urbino. Storia di un Museo, catalogo della mostra (Urbino, 1977), a cura di D. Bernini con L. Arcangeli, L. Mochi Onori, AGE, Urbino 1977.
G. Smith, *The Casino of Pius IV*, Princeton University Press, Princeton 1977.

1978
L. Freeman Bauer, *"Quanto si disegna si dipinge ancora". Some Observations on the Development of the Oil Sketch*, in "Storia dell'Arte", 32-34, 1978, pp. 45-57.
The Graphic Art of Federico Barocci. Selected Drawings and Prints, catalogo della mostra (Cleveland-New Heaven, 1978), a cura di E.P. Pillsbury e L.S. Richards, The Meridien Gravure Company, New Haven 1978.
E.P. Pillsbury, *The Oil Studies of Federico Barocci*, in "Apollo", CVIII, 1978, pp. 70-73.

1979
E. Castelnuovo e C. Ginzburg, *Centro e periferia nella storia dell'arte italiana* [1979], Officina Libraria, Milano 2019.
Dipinti e sculture restaurati dal XIII al XVIII secolo, a cura di A.M. Maetzke, Editrice Edam, Firenze 1979.
D. Kühn-Hattenhauer, *Das grafische Oeuvre des Francesco Villamena*, Freien Universität, Berlin 1979.
F. Negroni, *Appunti su A. Vitali, C. Ridolfi e G. Cialdieri*, in "Notizie da Palazzo Albani", VIII, 2, 1979, pp. 89-92.
Pittori nelle Marche tra '500 e '600. Aspetti dell'ultimo manierismo, catalogo della mostra (Urbino, 1979), AGE, Urbino 1979.
Gli Uffizi. Catalogo Generale, Centro Di, Firenze 1979.

1980
E. Allegri e A. Cecchi, *Palazzo Vecchio e i Medici*, SPES, Firenze 1980.
L. Arcangeli, *Federico Barocci*, in *Opere d'Arte restaurate a Urbino 1979/80*, catalogo della mostra (Urbino, 1980-1981), con un'appendice, coordinamento catalogo di A. Vastano, Centro Di, Firenze 1980, pp. 64-67.
Il Cardinale Alessandro Albani e la sua villa: documenti, Bulzoni, Roma 1980.
G. Magnanimi, *Inventari della collezione romana dei principi Corsini (II)*, in "Bollettino d'arte", LXV, 8, 1980, pp. 73-114.
G.G. Scorza, *Pesaro fine secolo XVI. Clemente VIII e Francesco Maria II della Rovere*, Marsilio, Venezia 1980.

1981
F. Haskell e N. Penny, *Taste and the Antique. The Lure of Classical Sculpture, 1500-1900*, Yale University, New Haven 1981.

1982
C. Clough, *An unknown letter of Federico Barocci concerning his* La Beata Michelina, in "Notizie da Palazzo Albani", 11, 1982, pp. 81-83.
S. Eiche, *Federico Zuccari and Federico Barocci at Loreto and Urbino*, in "Mitteilungen des Kunsthistorischen Institutes in Florenz", 26, 3, 1982, pp. 398-400.

M. Mercantini, *La Pieve di S. Maria ad Arezzo, tumultuose vicende di un restauro ottocentesco*, Società Tipografica Editrice, Arezzo 1982.
E. Raimondi, *Barocco moderno. Roberto Longhi e Carlo Emilio Gadda* [1982], Bruno Mondadori, Torino 2003.
F. Sangiorgi, *Committenze milanesi a Federico Barocci e alla sua scuola nel carteggio Vincenzi della Biblioteca Universitaria di Urbino*, Accademia Raffaello, Urbino 1982.

1983
A. Chastel, *Il sacco di Roma 1527*, Einaudi, Torino 1983.
J.A. Gere e P. Pouncey, *Italian Drawings in the Department of Prints and Drawings in the British Museum. Artists working in Rome: c. 1550 to c. 1640*, 2 voll., Trustees of the British Museum, London 1983.
G. Sapori, *Rapporto preliminare su Simonetto Anastagi*, in "Ricerche di storia dell'arte", 21, 1983, pp. 77-85.

1984
C. Karpinski, *Italian Chiaroscuro Woodcuts, The Illustrated Bartsch*, 48, Abaris Books, New York 1984.
C. Powell, *Turner on Classic Ground. His visits to Central and Southern Italy and Related Paintings and Drawings*, Ph.D. diss., Courtauld Institute of Art, 1984.

1985
A. Emiliani, *Federico Barocci (Urbino 1535-1612)*, 2 voll., Banca Popolare Pesarese, Pesaro 1985.

1986
L. Freeman Bauer, *A Letter by Barocci and the Tracing of Finished Paintings*, in "The Burlington Magazine", CXXVIII, 998, 1986, pp. 355-357.
J. Winkelman, *Lorenzo Sabatini, detto Lorenzino da Bologna*, in *Pittura bolognese del '500*, a cura di V. Fortunati Pierantonio, 2 voll., Grafis edizioni, Bologna 1986, II, pp. 595-630.

1987
M. Bury, *The Senarega Chapel in San Lorenzo, Genoa: New Documents about Barocci e Francavilla*, in "Mitteilungen des Kunsthistorischen Institutes in Florenz", XXXI, 2-3, 1987, pp. 327-356.
C. Powell, *Turner in the South. Rome, Naples, Florence*, Yale University Press, New Haven 1987.

1989
L'archivio della Fraternita dei Laici di Arezzo, introduzione storica e inventario a cura di A. Antoniella, La Nuova Italia, Scandicci 1989.
A. Cistellini, *San Filippo Neri. L'Oratorio e la Congregazione Oratoriana. Storia e spiritualità*, 3 voll., Morcelliana, Brescia 1989.
Diario di Francesco Maria II Della Rovere, a cura di F. Sangiorgi, QuattroVenti, Urbino 1989.

1990
L. Moranti, *La confraternita del Corpus Domini di Urbino*, Il Lavoro Editoriale, Ancona 1990.
I Vangeli apocrifi, a cura di M. Craveri, Einaudi, Torino 1990.

1991
S. Folds McCullagh, *Serendipinty in a Solander Box. A recently Discovered Pastel and Chalk Drawing by Federico Barocci*, in "Museum Studies", XVII, 1991, pp. 53-65.
Die Gemäldegalerie des Kunsthistorischen Museums in Wien. Verzeichnis der Gemälde, Edition Christian Brandstätter, Wien 1991.
M. Tanzi, *Malosso e "dintorni": dipinti e disegni*, in "Prospettiva", 61, 1991, pp. 67-74.
M. Warnke, *Artisti di corte: preistoria dell'artista moderno*, Istituto della Enciclopedia Italiana, Roma 1991.

1992
Le arti nelle Marche al tempo di Sisto V, catalogo della mostra (Ascoli, 1992), a cura di P. Dal Poggetto, Silvana Editoriale, Cinisello Balsamo 1992.
Una guida settecentesca d'Urbino e dei luoghi limitrofi stilata da Clemente XI, a cura di F. Sangiorgi, Accademia Raffaello, Urbino 1992.
Pinacoteca di Brera. Scuole dell'Italia centrale e meridionale, direzione scientifica di F. Zeri, Electa, Milano 1992.
D. Scrase, *Recent discoveries at the Fitzwilliam Museum, Cambridge*, in *Dal disegno all'opera compiuta*, atti del convegno internazionale (Torgiano, 1987), a cura di M. Di Giampaolo, Volumnia, Perugia 1992, pp. 85-87.

1993
P. Barocchi e G. Gaeta Bertelà, *Collezionismo mediceo. Cosimo I, Francesco I e il Cardinale Ferdinando*, Panini, Modena 1993.
A. Benvenuti, *"Ad procurationem caritatis et amoris et concordiae ad invicem". La Fraternita dei Laici di Arezzo tra sistema di solidarietà e solidarietà di sistema*, in "Annali Aretini", 1, 1993, pp. 79-104.
I. Biagianti, *La Fraternita dei Laici di Arezzo e la storia della città*, in "Annali Aretini", 1, 1993, pp. 51-67.
M. Bonomelli, *Federico Barocci e la committenza milanese della Fabbrica del Duomo*, in "Libri&Documenti", XIX, 1, 1993, pp. 18-25.
Il cardinal Leopoldo, II.I: *Rapporti con il mercato emiliano*, a cura di M. Fileti Mazza, Ricciardi, Milano-Napoli 1993.
C. Conforti, *Vasari architetto*, Electa, Milano 1993.
F. Negroni, *Il Duomo di Urbino*, Accademia Raffaello, Urbino 1993.
C. Quattrini, *Un'ipotesi iconografica per la "Madonna del Rosario" di Federico Barocci*, in *Studi per Pietro Zampetti*, a cura di R. Varese, Il Lavoro Editoriale, Ancona 1993, pp. 440-443.

1993-2000
B. Cleri, *Vertenze sul cartone del Trasporto di Cristo di Federico Barocci*, in "Notizie da Palazzo Albani", XXII-XXIX, 1993-2000, pp. 165-175.

1994
E. Larsen, *Ein unbekanntes Hauptwerk des Peter Paul Rubens aus seiner italienischen Zeit "Die Flucht des Äneas aus Troja"*, in "Pantheon", 52, 1994, pp. 79-85.
L. Mochi Onori, *La scuola di Claudio Ridolfi nelle Marche*, in *Claudio Ridolfi. Un pittore veneto nelle Marche del '600*, catalogo della mostra (Corinaldo, Arcevia, Mondolfo, Ostra e Pergola, 1994), a cura di C. Costanzi e M. Massa, Il Lavoro Editoriale, Ancona 1994, pp. 37-46.
Z. Wazbinski, *Il cardinale Francesco Maria del Monte 1549-1626. Il dossier di lavoro di un prelato*, 2 voll., Olschki, Firenze 1994.

1995
C. Barbieri, S. Barchiesi e D. Ferrara, *Santa Maria in Vallicella. Chiesa Nuova*, Fratelli Palombi Editori, Roma 1995.
G. Cucco e A.R. Nanni, *Oratori e confraternite di Urbino*, Arti Grafiche Stibu, Urbania 1995.
S. Eiche, *La villa di Monteberticchio di Francesco Maria II della Rovere a Casteldurante*, Biblioteca e Civico Museo di Urbania, Urbania 1995.
A. Forlani Tempesti, *Attorno al Barocci*, in *Disegni marchigiani dal Cinquecento al Settecento*, atti del convegno "Il disegno antico nelle Marche e dalle Marche" (Monte San Giusto, 1992), a cura di M. Di Giampaolo e G. Angelucci, Edizioni Medicea, Firenze 1995, pp. 57-67.
C. Leonardi, *Michelangelo. l'Urbino, il Taruga*, Petruzzi, Città di Castello 1995.
F.V. Lombardi, *Cataloghi settecenteschi inediti sulle pitture delle chiese d'Urbino*, in "Studia picena", LX, 1995, pp. 267-306.
Maestri dell'invenzione. Disegni italiani del Rijksmuseum, Amsterdam, catalogo della mostra (Firenze, 1995; Amsterdam, 1996), Centro Di, Firenze 1995.

1996
I. von zur Mühlen, *S. Maria in Vallicella: zur Geschichte des Hauptaltars*, in "Römische Jahrbuch der Bibliotheca Hertziana", 31, 1996, pp. 245-272.

1997
D. Ekserdjian, *Correggio*, Silvana Editoriale, Cinisello Balsamo 1997.
J. Fontana, *Evidence for an Early Florentine Trip by Federico Barocci*, in "The Burlington Magazine", CXXXIX, 1132, 1997, pp. 471-475.
P.M. Jones, *Federico Borromeo e l'Ambrosiana. Arte e riforma cattolica nel XVII secolo a Milano*, Vita e Pensiero, Milano 1997.
J. Katalan, *Federico Barocci (1535-1612) et la majolique*, in "Revue du Louvre", 47, 1, 1997, pp. 48-53.
E. Negro e N. Roio, *Pietro Faccini 1575/76 - 1602*, Artioli, Modena 1997.
S. Tomasi Velli, *Federico Barocci, Clemente VIII e la "comunione di Giuda"*, in "Prospettiva", 87-88, 1997, pp. 157-167.

1998
M. Lafranconi, *Antonio Tronsarelli. A Roman Collector of the Late Sixteenth Century*, in "The Burlington Magazine", CXL, 1145, 1998, pp. 537-550.
T.H. McGrath, *Federico Barocci and the History of "Pasteli" in Central Italy*, in "Apollo", CXLVIII, 441, 1998, pp. 3-9.
M. Mojana, *Tre lettere per un dipinto dal carteggio inedito del cardinale Federico Borromeo con il pittore Federico Barocci*, in "Studia Borromaica", 12, 1998, pp. 371-381.
R. Morselli, *Collezioni e quadrerie nella Bologna del Seicento. Inventari 1640-1707*, J. Paul Getty Information Institute, Los Angeles 1998.
E.D. Schmidt, *Giovanni Bandini tra Marche e Toscana*, in "Nuovi studi", III, 6, 1998, pp. 57-103.

1998-1999
C. Acidini Luchinat, *Taddeo e Federico Zuccari fratelli pittori del Cinquecento*, 2 voll., Jandi Sapi, Milano 1998-199.

1999
A. Giannotti, *Genesi e fortuna di un 'exemplum caritatis'. la Madonna del Popolo di Federico Barocci*, in *L'onestà dell'invenzione. Pittura della riforma cattolica agli Uffizi*, a cura di A. Natali, Silvana Editoriale, Cinisello Balsamo 1999, pp. 25-42.

2000
E. Borea, *Bellori 1645. Una lettera a Francesco Albani e la biografia di Caravaggio*, in "Prospettiva", C, 2000, pp. 57-69.
R. Carloni, *La collezione di dipinti di Maria Luisa di Borbone, duchessa di Lucca*, in "Paragone. Arte", serie 3, 31, 51, 2000, pp. 79-96.
L'idea del Bello. Viaggio per Roma nel Seicento con Giovan Pietro Bellori. Guida breve alla mostra, a cura di E. Borea e L. De Lachenal, De Luca, Roma 2000.
L. Lucarini, *La quadreria Buonvisi. Fonti e documenti per lo studio del collezionismo lucchese tra XVII e XIX secolo*, in "Polittico", 1, 2000, pp. 119-139.
A. Sutherland Harris, *Agostino Carracci*, in *L'idea del bello. Viaggio per Roma nel Seicento con Giovan Pietro Bellori*, catalogo della mostra (Roma, 2000), a cura di E. Borea e C. Gasparri, con la collaborazione di L. Arcangeli e A. Gramiccia, 2 tomi, De Luca, Roma 2000, II, pp. 212-228.
N. Turner, *Federico Barocci*, Vilo International-Adam Biro, Paris 2000.
Gli ultimi Della Rovere. Il crepuscolo del Ducato di Urbino (in occasione di due importanti acquisti), a cura di P. Dal Poggetto e B. Montevecchi, QuattroVenti, Urbino 2000.

2001
1950-2000. Cinquant'anni di pubblicazioni della Soprintendenza di Urbino, a cura di A. Marchi, QuattroVenti, Urbino 2001.
A. Boesten-Stengel, *Federico Barocci oder Agostino Carracci? Die Ölgrisaille del 'Flucht aus Troja' in Windsor Castle: Zuschreibung und Funktion*, in "Wallraf-Richartz-Jahrbuch. Jarbuch für Kunstgeschichte", LXII, 2001, pp. 223-260.
M. Bury, *The Print in Italy. 1550-1620*, British Museum Press, London 2001.
N. Lepri e A. Palesati, *La consegna della* Madonna del popolo *del Barocci alla confraternita di S. Maria della Misericordia*, in "Bollettino d'informazione. Brigata Aretina degli Amici dei Monumenti", 35, 2001, pp. 46-52.
Mercatello e i Bencivenni. Una terra di provincia e i maestri di legname itineranti, atti del convegno (Mercatello sul Metauro, 1987), a cura di C. Fratini, [s.e.], Sant'Angelo in Vado 2001.
F. Pedrocco, *Titian. The Complete Paintings*, Thames & Hudson, London 2001.
Raffaello. Grazia e bellezza, catalogo della mostra (Parigi, 2001-2002), Skira, Milano 2001.
G. Sapori, *Collezioni di centro, collezioni di periferia*, in *Geografia del collezionismo*, atti del convegno (Roma, 1996), a cura di O. Bonfait, M. Hochmann e G. Briganti, Roma 2001, pp. 41-59.
C. Whitfield, *Guido Reni. Self-Portrait*, Whitfield Fine Arts, London 2001.

2001-2008
J. Meyer zur Capellen, *Raphael. The Paintings*, 3 voll., Arcos Verlag, Landshut 2001-2009.

2002
E. Camara, *Pictures and Prayers: Madonna of the Rosary imagery in post-Tridentine Italy*, Ph.D. diss., Johns Hopkins University, 2002.
I Della Rovere nell'Italia delle corti, atti del convegno (Urbino, 1999), 1: *Storia del Ducato*, a cura di B. Cleri e S. Eiche, QuattroVenti, Urbino 2002.
I. Droandi, *Le insegne della Fraternita dei Laici nel XVI secolo da Bartolomeo della Gatta a Giorgio Vasari*, in "Annali Aretini", X, 2002, pp. 5-22.
L. Gallo, *Colore del sentimento e sentimento del colore: la riscoperta di Pierre-Henri de Valenciennes nell'opera di Lionello Venturi*, in *Lionello Venturi e i nuovi orizzonti di ricerca della Storia dell'Arte*, atti del convegno internazionale di studi, a cura di S. Valeri, in "Storia dell'Arte", nuova serie, 1 (101), 2002, pp. 118-129.
H. Olsen, *Relazioni tra Francesco Maria II Della Rovere e Federico Barocci*, in *I Della Rovere e l'Italia delle corti*, atti del convegno (Urbino, 1999), II: *Luoghi e opere d'arte*, a cura di B. Cleri e S. Eiche, QuattroVenti, Urbino 2002, pp. 195-204.
G. Papi, *Una pala d'altare di Federico Barocci nei depositi della Pinacoteca di Brera*, in "Arte cristiana", 809, 2002, pp. 105-114.
D.L. Sparti, *La formazione di Giovan Pietro Bellori, la nascita delle Vite e il loro scopo*, in "Studi di storia dell'arte", XIII, 2002, pp. 177-248.

2003
L'arte conquistata. Spoliazioni napoleoniche dalle chiese della legazione di Urbino e Pesaro, a cura di B. Cleri e C. Giardini, Artioli, Modena 2003.
L. Ceccarelli, *"Poi che la gente poverella crebbe…" La chiesa di San Francesco d'Assisi civico "Pantheon" degli Urbinati e il convento dei frati minori conventuali in Urbino*, Editrice Montefeltro, Urbino 2003.
B. Cleri, *Barocci & C. Le ragioni di una scelta*, in *L'arte conquistata. Spoliazioni napoleoniche dalle chiese della legazione di Urbino e Pesaro*, a cura di B. Cleri e C. Giardini, Artioli, Modena 2003, pp. 105-109.
P. Dal Poggetto, *La Galleria Nazionale delle Marche e le altre Collezioni nel Palazzo Ducale di Urbino*, Novamusa del Montefeltro-Istituto Poligrafico e Zecca dello Stato, Urbino-Roma 2003.
M. Fileti Mazza e B. Tomasello, *Galleria degli Uffizi 1775-1792. Un laboratorio culturale per Giuseppe Pelli Bencivenni*, Panini, Modena 2003.
L. Fornasari, *Il collezionismo ad Arezzo nel Seicento e nel Settecento. Le Collezioni Albergotti e Fossombroni*, in "Annali Aretini", XI, 2003, pp. 53-86.
La Galleria Palatina e gli appartamenti reali di Palazzo Pitti. Catalogo dei dipinti, a cura di M. Chiarini e S. Padovani, Centro Di, Firenze 2003.
C. Pizzorusso, *Album di considerazioni sulla pittura dal naturale nei contorni d'Arezzo*, in *Arte in terra d'Arezzo. Il Seicento*, a cura di L. Fornasari e A. Giannotti, Edifir, Firenze 2003, pp. 33-56.

J. Stoppa, *Il Morazzone*, 5 Continents Editions, Milano 2003.

I. Verstegen, *The Apostasy of Michelangelo in a Painting by Federico Barocci*, in "Notes in the History of Art", 22, 3, 2003a, pp. 27-34.

I. Verstegen, *Federico Barocci, Federico Borromeo, and the Oratorian Orbit*, in "Renaissance Quarterly", 56, 1, 2003b, pp. 56-87.

2004

I Della Rovere. Piero della Francesca, Raffaello, Tiziano, catalogo della mostra (Senigallia, Urbino, Pesaro, Urbania, 2004), a cura di P. Dal Poggetto, Electa, Milano 2004.

E. Fasano Guarini, *Lo stato regionale*, in *Storia della Toscana*, 1: *Dalle origini al Settecento*, a cura di E. Fasano Guarini, G. Petralia e P. Pezzino, Laterza, Bari 2004, pp. 147-166.

2005

Agostino, Annibale e Ludovico Carracci. Le stampe della Biblioteca Palatina di Parma, a cura di R. Cristofori, Editrice Compositori, Bologna 2005.

A.M. Ambrosini Massari, *"... e si davano intieramente all'incantesimo baroccesco". Note su allievi e seguaci di Federico Barocci*, in *Nel segno di Barocci. Allievi e seguaci tra Marche, Umbria, Siena*, a cura di A.M. Ambrosini Massari e M. Cellini, Federico Motta Editore, Milano 2005a, pp. 22-37.

A.M. Ambrosini Massari, *Per la fortuna critica della scuola baroccesca*, in *Nel segno di Barocci. Allievi e seguaci tra Marche, Umbria, Siena*, a cura di A.M. Ambrosini Massari e M. Cellini, Federico Motta Editore, Milano 2005b, pp. 414-425.

A.M. Ambrosini Massari e M.M. Paolini, *Repertorio. La scuola baroccesca nelle fonti*, in *Nel segno di Barocci. Allievi e seguaci tra Marche, Umbria, Siena*, a cura di A.M. Ambrosini Massari e M. Cellini, Federico Motta Editore, Milano 2005, pp. 426-440.

T. Biganti, *L'eredità dei Della Rovere. Inventari dei beni in Casteldurante (1631)*, Accademia Raffaello, Urbino 2005.

S. Blasio, *Ventura Mazza (Cantiano, 1560 circa-Urbino, 6 marzo 1638)*, in *Nel segno di Barocci. Allievi e seguaci tra Marche, Umbria, Siena*, a cura di A.M. Ambrosini Massari e M. Cellini, Federico Motta Editore, Milano 2005, pp. 106-113.

A. Cerboni Baiardi, *Federico Barocci e la calcografia*, in *Nel segno di Barocci. Allievi e seguaci tra Marche, Umbria, Siena*, a cura di A.M. Ambrosini Massari e M. Cellini, Federico Motta Editore, Milano 2005, pp. 76-92.

K. Christiansen, *Barocci, the Franciscans and a Possible Funerary Gift*, in "The Burlington Magazine", CXLVII, 1232, 2005, pp. 723-728.

A. Emiliani, *Federico Barocci, tecnica e sentimento: storie di allievi, copisti, ammiratori*, in *Nel segno di Barocci. Allievi e seguaci tra Marche, Umbria, Siena*, a cura di A.M. Ambrosini Massari e M. Cellini, Federico Motta Editore, Milano 2005, pp. 9-17.

R. Greco Grassilli, *Da Annibale e Ludovico Carracci a Lazzaro Casari, i pagamenti agli artisti della cappella Paleotti nella cattedrale di San Pietro in Bologna*, in "Atti e Memorie. Deputazione di Storia Patria per le Province di Romagna", 56, 2005, pp. 331-407.

A. Marchi, *Alessandro Vitali (Urbino, 1580- 4 luglio 1630)*, in *Nel segno di Barocci. Allievi e seguaci tra Marche, Umbria, Siena*, a cura di A.M. Ambrosini Massari e M. Cellini, Federico Motta Editore, Milano 2005, pp. 134-141.

F. Negroni, *Appunti su alcuni palazzi e case di Urbino*, Accademia Raffaello, Urbino 2005.

Nel segno di Barocci. Allievi e seguaci tra Marche, Umbria, Siena, a cura di A.M. Ambrosini Massari e M. Cellini, Federico Motta Editore, Milano 2005.

G. Perini, *Appunti sulla fortuna critica di Federico Barocci tra Cinque e Settecento*, in *Nel segno di Barocci. Allievi e seguaci tra Marche, Umbria, Siena*, a cura di A.M. Ambrosini Massari e M. Cellini, Federico Motta Editore, Milano 2005, pp. 394-405.

G. Semenza, *La quadreria roveresca da Casteldurante a Firenze. L'ultima dimora della collezione di Francesco Maria II*, in T. Biganti, *L'eredità dei Della Rovere. Inventari dei beni in Casteldurante (1631)*, Accademia Raffaello, Urbino 2005a, pp. 69-137.

G. Semenza, *La scuola baroccesca nelle note di spese di Francesco Maria II della Rovere*, in *Nel segno di Barocci. Allievi e seguaci tra Marche, Umbria, Siena*, a cura di A.M. Ambrosini Massari e M. Cellini, Federico Motta Editore, Milano 2005b, pp. 38-49.

M.R. Valazzi, *Antonio Viviani detto il Sordo di Urbino (Urbino, 1560-6 dicembre 1620)*, in *Nel segno di Barocci. Allievi e seguaci tra Marche, Umbria, Siena*, a cura di A.M. Ambrosini Massari e M. Cellini, Federico Motta Editore, Milano 2005, pp. 114-127.

R. Vitali, *Antonio Cimatori detto Visacci (Urbino, 1550 circa-Rimini, 1623)*, in *Nel segno di Barocci. Allievi e seguaci tra Marche, Umbria, Siena*, a cura di A.M. Ambrosini Massari e M. Cellini, Federico Motta Editore, Milano 2005, pp. 94-105.

A. Weston-Lewis, *A New Lotto Portrait in Berlin*, in "The Burlington Magazine", CXLVII, 1231, 2005, pp. 674-675.

2005-2006

I. Verstegen, *Barocci, cartoons, and the workshop: a mechanical means for satisfying demand*, in "Notizie da Palazzo Albani", XXXIV-XXXV, 2005-2006, pp. 101-123.

2006

M. Aronberg Lavin, *Images of a Miracle. Federico Barocci and the Porziuncola Indulgence*, in "Artibus et historiae, an art anthology", XXVII, 54, 2006, pp. 9-50.

M. Cinuzzi, *Il Prometeo del duca. La prima traduzione italiana del Prometeo di Eschilo (Vat. Urb. Lat. 789)*, introduzione, edizione critica e commento a cura di A. Blasina, in appendice M. Cinuzzi, *Canzone in lode del Duca di Urbino*, A.M. Hakkert, Amsterdam 2006.

D. Ekserdjian, *Parmigianino*, Yale University Press, New Haven-London 2006.

Pinacoteca Ambrosiana. II. Dipinti dalla metà del Cinquecento alla metà del Seicento, a cura di L. Caramel e S. Coppa, Electa, Milano 2006.

A Touch of the Divine. Drawings by Federico Barocci in British Collections, catalogo della mostra (Cambridge, 2006) a cura di D. Scrase, The Fitzwilliam Museum, Cambridge 2006.

A. Weston-Lewis, *A Touch of the Divine. Drawings by Federico Barocci in British Collection, exhibition catalogue by David Scrase*, in "Master Drawings", 44, 2, 2006, pp. 232-236.

2007

L. Diamantini, *Un dipinto ritrovato:* Santa Rosa da Viterbo *di Antonio Viviani*, in "Accademia Raffaello. Atti e Studi", nuova serie, 1, 2007, pp. 153-156.

D. Ekserdjian, *Alle origini della natura morta*, Electa, Milano 2007.

J. Fontana, *Duke Guidobaldo II della Rovere, Federico Barocci, and the Taste for Titian at the Court of Urbino*, in *Patronage and Dynasty. The Rise of the Della Rovere in Renaissance Italy*, a cura di I.F. Verstegen, Truman State University Press, Kirksville 2007, pp. 161-178.

S. Lingo, *Francesco Maria II della Rovere and Federico Barocci. Some Notes on Distinctive Strategies in Patronage and the Position of the Artist at Court*, in *The Della Rovere. The Creation and Maintenance of a Noble Identity*, a cura di I. Verstegen, Truman State University Press, Kirksville 2007, pp. 179-199.

A. Nave, *Un monumento a Raffaello. Le vicende di un progetto e l'opera di Luigi Belli per Urbino*, Accademia Raffaello, Urbino 2007.

F. Negroni, *Un dipinto baroccesco controverso restituito dai documenti ad Alessandro Vitali*, in "Accademia Raffaello. Atti e Studi", 2, 2007, pp. 109-113.

2008

I. Bianchi, *La politica delle immagini nell'età della Controriforma: Gabriele Paleotti teorico e committente*, Bologna 2008.

B. Cleri, *"Quella grande e famosa scola"*, in *Pittura baroccesca nella provincia di Pesaro e Urbino*, a cura di B. Cleri, 2008, pp. 7-28.

A. Emiliani, *Federico Barocci (1535-1612)*, 2 voll., Il Lavoro Editoriale-Ars Book, Ancona 2008.

S. Lingo, *Federico Barocci. Allure and Devotion in Late Renaissance Painting*, Yale University Press, New Haven 2008.

C. Loisel, *L'exemple de Bassano et Barocci et le premier pastel d'Annibale Carracci*, in "Mitteilungen des Kunsthistorischen Institutes in Florenz", 52, 2/3, 2008, pp. 205-213.

J. Marciari e I. Verstegen, *"Grande quanto l'opera": Size and Scale in Barocci's Drawings*, in "Master Drawings", XLVI, 3, 2008, pp. 291-321.

B. Nicastro, ad vocem *Mazzi, Ventura*, in *Dizionario Biografico degli Italiani*, LXXII, Treccani, Roma 2008.

Pittura baroccesca nella provincia di Pesaro e Urbino, a cura di B. Cleri, Società pesarese di Studi storici, Pesaro 2008.

P. Tosini, *Girolamo Muziano 1532-1592. Dalla Maniera alla Natura*, Ugo Bozzi Editore, Roma.

I. Verstegen, *Barocci's* Immacolata *within 'Franciscan' Umbria*, in "Kunstgeschichte", 2008, pp. 1-24.

2008-2009

G. Semenza, *Dalla corte roveresca alla Firenze medicea. Un panorama inedito del collezionismo artistico di Francesco Maria II Della Rovere*, tesi di dottorato, tutor Valter Curzi, Sapienza Università di Roma, XXII ciclo, a.a. 2008-2009.

2009

A.M. Ambrosini Massari, *Appunti su Barocci e Bologna, dai Carracci a Crespi*, in *Federico Barocci 1535-1612. L'incanto del colore. Una lezione per due secoli*, catalogo della mostra (Siena, 2009-2010), a cura di A. Giannotti e C. Pizzorusso, Silvana Editoriale, Cinisello Balsamo 2009, pp. 124-137.

E. Borea, *Lo specchio dell'arte italiana. Stampe in cinque secoli*, 4 voll., Edizioni della Normale, Pisa 2009a.

E. Borea, *Stampe dal Cinquecento all'Ottocento derivate da Barocci*, in *Federico Barocci 1535-1612. L'incanto del colore. Una lezione per due secoli*, catalogo della mostra (Siena, 2009-2010), a cura di A. Giannotti e C. Pizzorusso, Silvana Editoriale, Cinisello Balsamo 2009b, pp. 82-91.

Botticelli to Titian. Two Centuries of Italian Masterpieces, catalogo della mostra (Budapest, 2009), a cura di D. Sallay, V. Tátrai e A. Vécsey, Szépművészti Múzem, Budapest.

G. Capitelli, *Fiamminghi e nederlandesi a scuola da Barocci*, in *Federico Barocci 1535-1612. L'incanto del colore. Una lezione per due secoli*, catalogo della mostra (Siena, 2009-2010), a cura di A. Giannotti e C. Pizzorusso, Silvana Editoriale, Cinisello Balsamo 2009, pp. 204-215.

I. Droandi, *Le insegne della Fraternita dei Laici nel XVI secolo: da Bartolomeo della Gatta a Giorgio Vasari*, in "Annali Aretini", X, 2009, pp. 19-32.

A. Emiliani, *Prefazione. L'encomio della patria*, in *Federico Barocci 1535-1612. L'incanto del colore. Una lezione per due secoli*, catalogo della mostra (Siena, 2009-2010), a cura di A. Giannotti e C. Pizzorusso, Silvana Editoriale, Cinisello Balsamo 2009, pp. 14-23.

Federico Barocci 1535-1612. L'incanto del colore. Una lezione per due secoli, catalogo della mostra (Siena, 2009-2010), a cura di A. Giannotti e C. Pizzorusso, Silvana Editoriale, Cinisello Balsamo 2009.

A. Giannotti, *Con gli occhi di Bellori*, in *Federico Barocci 1535-1612. L'incanto del colore. Una lezione per due secoli*, catalogo della mostra (Siena, 2009-2010), a cura di A. Giannotti e C. Pizzorusso, Silvana Editoriale, Cinisello Balsamo 2009, pp. 24-35.

L. Magnani, *Barocci e Genova, tra fortuna e negazione*, in *Federico Barocci 1535-1612. L'incanto del colore. Una lezione per due secoli*, catalogo della mostra (Siena, 2009-2010), a cura di A. Giannotti e C. Pizzorusso, Silvana Editoriale, Cinisello Balsamo 2009, pp. 172-183.

T. Montanari, *Barocci in Barocco. Indizi di una persistenza*, in *Federico Barocci 1535-1612. L'incanto del colore. Una lezione per due secoli*, catalogo della mostra (Siena, 2009-2010), a cura di A. Giannotti e C. Pizzorusso, Silvana Editoriale, Cinisello Balsamo 2009a, pp. 216-225.

T. Montanari, *Postfazione. Bellori trent'anni dopo*, in G.P. Bellori, *Le vite de' pittori, scultori e architetti moderni* [1672], a cura di E. Borea, introduzione di G. Previtali, postfazione di T. Montanari, 2 voll., Einaudi, Torino 2009b, II, pp. 656-729.

R. Morselli, *L'ombra di barocci su Mantova*, in *Federico Barocci 1535-1612. L'incanto del colore. Una lezione per due secoli*, catalogo della mostra (Siena, 2009-2010), a cura di A. Giannotti e C. Pizzorusso, Silvana Editoriale, Cinisello Balsamo 2009, pp. 184-193.

C. Pizzorusso, *Federico Barocci e il paradosso dell'"ottimo scultore"*, in *Federico Barocci 1535-1612. L'incanto del colore. Una lezione per due secoli*, catalogo della mostra (Siena, 2009-2010), a cura di A. Giannotti e C. Pizzorusso, Silvana Editoriale, Cinisello Balsamo 2009, pp. 54-65.

G. Previtali, *Introduzione*, in G. Baglione, *Le vite de' pittori, scultori e architetti moderni* [1672], a cura di E. Borea, introduzione di G. Previtali, postfazione di T. Montanari, 2 voll., Torino 2009, pp. XLIV-L.

M. Sangalli, *Federico Barocci o delle controriforme: tra Filippo Neri, i cappuccini, Federico Borromeo. Roma Urbino Milano*, in *Federico Barocci 1535-1612. L'incanto del colore. Una lezione per due secoli*, catalogo della mostra (Siena, 2009-2010), a cura di A. Giannotti e C. Pizzorusso, Silvana Editoriale, Cinisello Balsamo 2009, pp. 156-165.

H.H. Schwedt, *Gli inquisitori generali di Siena 1560-1782*, in *Le lettere della Congregazione del Sant'Ufficio all'inquisitore di Siena 1581-1721*, a cura di O. Di Simplicio, EUT, Trieste 2009, pp. IX-LXXVI.

A. Zezza, *Una "notizia" cinquecentesca su Federico Barocci*, in *Federico Barocci 1535-1612. L'incanto del colore. Una lezione per due secoli*, catalogo della mostra (Siena, 2009-2010), a cura di A. Giannotti e C. Pizzorusso, Silvana Editoriale, Cinisello Balsamo 2009, pp. 263-265.

2010

A. Ballarin, *Per una galleria cinquecentesca del pastello: con una nota sul "Cardinale" di Raffaello a Budapest*, in Id., *Leonardo a Milano. Problemi di leonardismo milanese tra Quattrocento e Cinquecento. Giovanni Antonio Boltraffio prima della pala Casio*, tomo II,7, Edizioni dell'Aurora, Verona 2010, pp. 947-1000.

M.T. Castellano, *Il restauro. Studio, metodologia ed esecuzione*, in *Federico Barocci. "Il Deposto di Croce" alla cappella di San Bernardino nella cattedrale di Perugia. Il restauro. Studio e conservazione*, a cura di F. Abbozzo e M.T. Castellano, Il Lavoro Editoriale, Ancona 2010, pp. 54-74.

Digging and Dealing in Eighteenth-Century Rome, a cura di I. Bignamini e C. Hornsby, 2 voll., Yale University Press, New Haven 2010.

Federico Barocci. "Il Deposto di Croce" alla cappella di San Bernardino nella cattedrale di Perugia. Il restauro. Studio e conservazione, a cura di F. Abbozzo e M.T. Castellano, Il Lavoro Editoriale, Ancona 2010.

S. Ruhwinkel, *Die Zeichnungen Federico Baroccis im Martin-von-Wagner-Museum Würzburg*, VDG, Weimar 2010.

G. Semenza, *Dalle Marche a Firenze. Francesco Maria II Della Rovere e la sua collezione*, tesi di dottorato, Università di Roma "La Sapienza", 2010.

E. Spalletti, *La Galleria di Pietro Leopoldo. Gli Uffizi al tempo di Giuseppe Pelli Bencivenni*, Centro Di, Firenze 2010.

2011

L'arte confiscata. Acquisizione postunitaria del patrimonio storico-artistico degli enti religiosi soppressi nella provincia di Pesaro e Urbino (1861-1888), a cura di B. Cleri e C. Giardini, Il Lavoro Editoriale, Ancona 2011.

A. Fucili e S. Bartolucci, *Urbino*, in *L'arte confiscata. Acquisizione postunitaria del patrimonio storico-artistico degli enti religiosi soppressi nella provincia di Pesaro e Urbino (1861-1888)*, a cura di B. Cleri e C. Giardini, Il Lavoro Editoriale, Ancona 2011, pp. 288-312.

J. Fontana,*Federico Barocci's Emulation of Raphael in the Fossombrone "Madonna and Child with saints"*, in *Coming about… A Festschrift for John Shearman*, Harvard University Art Museums, Cambridge (Ma) 2001, pp. 183-190.

P. Gillgren, *Siting Federico Barocci and the Renaissance Aesthetic*, Ashgate, Burlington 2011.

Le opere di Giorgio Vasari in Arezzo e provincia, a cura di L. Fornasari, Skira, Milano 2011.

D. Prytz, *Two Unpublished Oil Studies by Federico Barocci in the Nationalmuseum, Stockholm*, in "The Burlington Magazine", CLIII, 1303, 2011, pp. 653-656.

2012

L. Arcangeli, *Federico Barocci. I disegni della Galleria Nazionale delle Marche*, Gebart, Roma 2012.

B. Bohn, *Drawing as Artistic Invention: Federico Barocci and the Art of Design*, in *Federico Barocci. Renaissance Master of Color and Line*, catalogo della mostra (Saint Louis, 2012-2013; Londra, 2013), a cura di J.W. Mann e B. Bohn, New Haven-London 2012a, pp. 33-71.

B. Bohn, *Landscape Drawings*, in *Federico Barocci. Renaissance Master of Color and Line*, catalogo della mostra (Saint Louis, 2012-2013; Londra, 2013), a cura di J.W. Mann e B. Bohn, New Haven-London 2012b, pp. 252-261.

A. Falcioni e M. Droghini, *Un documento "inedito" sul* Perdono di Assisi *di Federico Barocci*, in "Studi Pesaresi", 1, 2012, pp. 99-110.

Federico Barocci. Renaissance Master of Color and Line, catalogo della mostra (Saint Louis, 2012- 2013; Londra, 2013), a cura di J.W. Mann e B. Bohn, New Haven-London 2012.

J.W. Mann, *Innovation and Inspiration: An Introduction to Federico Barocci*, in *Federico Barocci. Renaissance Master of Color and Line*, catalogo della mostra (Saint Louis, 2012-2013; Londra, 2013), a cura di J.W. Mann e B. Bohn, New Haven-London 2012a, pp. 1-31.

J.W. Mann, *Portraits*, in *Federico Barocci. Renaissance Master of Color and Line*, catalogo della mostra (Saint Louis, 2012-2013; Londra, 2013), a cura di J.W. Mann e B. Bohn, New Haven-London 2012b, pp. 302-317, catt. 19-23.

C. Plazzotta, *La Madonna del gatto*, in *Federico Barocci. Renaissance Master of Color and Line*, catalogo della mostra (Saint Louis, 2012-2013; Londra, 2013), a cura di J.W. Mann e B. Bohn, New Haven-London 2012, pp. 144-157.

D.L. Sparti, *Bellori's biography of Rubens: an assessment of its reliability and sources*, in "Simiolus", XXXVI, 1/2, 2012, pp. 85-102.

2013

L'Archivio storico del convento di San Francesco di Urbino, a cura di A. Falcioni, Deputazione di Storia Patria per le Marche, Ancona 2013.

Barocci in bottega, atti della giornata di studi (Urbino, 2012), a cura di B. Cleri, Editoriale Umbra, Foligno 2013.

M. Bonifazi, *Inventario dell'Archivio storico del convento di San Francesco di Urbino*, in *L'Archivio storico del convento di San Francesco di Urbino*, a cura di A. Falcioni, Deputazione di Storia Patria per le Marche, Ancona 2013, pp. 73-598.

Francesco Vanni. Art in Late Renaissance Siena, catalogo della mostra (New Haven, 2013-2014), a cura di J. Marciari e S. Boorsch, Yale University Art Gallery, New Haven 2013.

M. Moretti, *La Madonna della neve attribuita a Federico Barocci. Copia o derivazione?*, in *Barocci in bottega*, atti della giornata di studi (Urbino, 2012), a cura di B. Cleri, Editoriale Umbra, Foligno 2013, pp. 181-217.

V. Mosconi, *La chiesa e il convento di San Francesco di Urbino da un manoscritto del 1735*, in *L'Archivio storico del convento di San Francesco di Urbino*, a cura di A. Falcioni, Deputazione di Storia Patria per le Marche, Ancona 2013, pp. 47-71.

2014

Begrifflichkeit, Konzepte, Definitionen: Schreiben über Kunst und ihre Medien in Giovan Pietro Belloris "Viten" und der Kunstliteratur der Frühen Neuzeit, atti del convegno (Roma, 2010), a cura di E. Oy-Marra, M. von Bernstorff e H. Keazor, Harrassowitz, Wiesbaden 2014.

M. Droghini, *La Santa Cecilia e santi di Federico Barocci della cattedrale di Urbino. Spunto per una riflessione "baroccesca"*, in "Arte marchigiana", 1, 2014, pp. 109-126.

C. Galassi, *Simonetto Anastagi accademico e collezionista: qualche considerazione*, in *L'Accademia riflette la sua storia*, a cura di F. Boco e A.C. Ponti, Futura, Perugia 2014a, pp. 151-172.

C. Galassi, *La casa museo di Simonetto Anastagi. Le stanze del collezionista*, in *Case museo, famiglie proprietarie e loro collezioni d'arte. Esperienze a confronto*, a cura di R. Ranieri, Edizioni Pendragon, Bologna 2014b, pp. 283-304.

R. Morselli, *In the Service of Francesco Maria II della Rovere in Pesaro and Urbino (1549–1631)*, in *The Court Artist in Seventeenth-Century Italy*, a cura di E. Fumagalli e R. Morselli, Viella, Roma 2014, pp. 49-93.

P. Prodi, *Arte e pietà nella chiesa tridentina*, il Mulino, Bologna 2014.

D.L. Sparti, *Le "Vite" di Bellori e il suo "modus operandi"*, in *Begrifflichkeit, Konzepte, Definitionen: Schreiben über Kunst und ihre Medien in Giovan Pietro Belloris "Viten" und der Kunstliteratur der Frühen Neuzeit*, atti del convegno (Roma, 2010), a cura di E. Oy-Marra, M. von Bernstorff e H. Keazor, Harrassowitz, Wiesbaden 2014, pp. 187-214.

2015

R. Aliventi, *Barocci sulle tracce di Raffaello. La molteplicità dei modelli*, in *Raffaello, Parmigianino, Barocci. Metafore dello sguardo*, catalogo della mostra (Roma, 2015-2016), a cura di M. Faietti, Palombi Editori, Roma 2015, pp. 209-215.

C. Bambach, *Barocci's Cartoon for the "Madonna del popolo"*, in "The Burlington Magazine", CLVII, 1344, 2015, pp. 161-168.

L. Baroni, *L'Orazione funebre per Federico Barocci di Vittorio Venturelli da Urbino: trascrizione e note preliminari*, in "Accademia Raffaello. Atti e Studi", 1-2, 2015, pp. 61-90.

M. Faietti, *L'armoniosa coesistenza degli opposti*, in *Raffaello, Parmigianino, Barocci. Metafore dello sguardo*, catalogo della mostra (Roma, 2015-2016), a cura di M. Faietti, Palombi Editori, Roma 2015, pp. 111-135.

S. Ginzburg, *I caratteri della scuola romana in Maratti e in Bellori*, in *Maratti e l'Europa*, a cura di L. Barroero, S. Prosperi Valenti Rodinò e S. Schütze, Campisano, Roma 2015, pp. 25-51.

R. Morselli, *Nove quadri per il duca. Quello che resta delle opere di Federico Barocci nella collezione di Francesco Maria II Della Rovere nel 1631*, in *Testi e contesti. Per Amedeo Quondam*, a cura di C. Continisio e M. Fantoni, Bulzoni Editore, Roma 2015, pp. 329-343.

S. Pierguidi, *Barocci e Caravaggio nelle* Vite *di Bellori*, in "Storia dell'arte", 142 (n.s. 42), 2015, pp. 43-51.

Raffaello, Parmigianino, Barocci. Metafore dello sguardo, catalogo della mostra (Roma, 2015-2016), a cura di M. Faietti, Palombi Editori, Roma 2015.

S. Scarpacci, *Lustro della patria: riscoperta e conservazione dei dipinti urbinati di Federico Barocci nel terzo centenario della morte*, in "Il Capitale Culturale. Studies on the Value of Cultural Heritage", XI, 2015, pp. 99-121.

I. Verstegen, *Federico Barocci and the Oratorians. Corporate Patronage and Style in the Counter-Reformation*, Penn State University Press, University Park 2015.

2016

A.M. Ambrosini Massari, *Per Federico Barocci pittore di ritratti (con un nuovo 'Autoritratto' di Claudio Ridolfi)*, in *Federico Barocci. Gloria e ideologia del colore*, a cura di A. Emiliani, Erreciemme, Roma 2016, pp. 51-81.

L. Baroni, *Rembrandt e Barocci sulle nuvole*, in *Rembrandt incisore*, catalogo della mostra (Urbino, 2016), a cura di U. Palestini, Baskerville, Bologna 2016a, pp. 41-58.

L. Baroni, *Il presunto ritratto di Ambrogio Barocci: storia di un equivoco*, in "Accademia Raffaello. Atti e Studi", 1-2, 2016b, pp. 96-106.

A. Cerboni Baiardi, *Per quattro volte. "Federigus Barocius Urbinas inventor incidebat"*, in *Federico Barocci. Gloria e ideologia del colore*, a cura di A. Emiliani, Erreciemme, Roma 2016, pp. 85-101.

B. Cleri, *Botteghe baroccesche*, in *Federico Barocci. Gloria e ideologia del colore*, a cura di A. Emiliani, Erreciemme, Roma 2016, pp. 105-125.

A. Cosma, *Appendice 1*, in *Storie di Palazzo Corsini. Protagonisti e vicende dell'Ottocento*, a cura di A. Cosma e S. Pedone, Campisano Editore, Roma 2016, pp. 175-218.

A. Emiliani, *La finestra di Federico Barocci. Per una visione cristologica del paesaggio urbano*, Carta Bianca Editore, Faenza 2016.

Federico Barocci. Gloria e ideologia del colore, a cura di A. Emiliani, Erreciemme, Roma 2016.

B. Furlotti, *Scipione Pulzone's "beatiful women": a portrait of Lavinia Della Rovere*, in "Rivista d'arte", 51, 6, 2016, pp. 131-151.

M. Grosso, *Su alcuni aspetti della biografia vasariana di Battista Franco "pittore viniziano"*, in "Saggi e memorie di storia dell'arte", 40, 2016, pp. 29-45.

L. Principi, *Giovanni Bandini's Bronze Crucifix and Candlesticks Made for Urbino Cathedral*, in "The Burlington Magazine", CLVIII, 1364, 2016, pp. 870-878.

2017

B. Agosti, *Sulla "telona grande" di Taddeo Zuccari per il duca di Urbino*, in *Capriccio e natura. Arte nelle Marche del secondo Cinquecento. Percorsi di rinascita*, catalogo della mostra (Macerata, 2017-2018), a cura di A.M. Ambrosini Massari e A. Delpriori, Silvana Editoriale, Cinisello Balsamo 2017, pp. 27-32.

A.M. Ambrosini Massari, *Capriccio e natura tra gli Zuccari e Barocci: alle radici del moderno nelle Marche del secondo Cinquecento*, in *Capriccio e natura. Arte nelle Marche del secondo Cinquecento. Percorsi di rinascita*, catalogo della mostra (Macerata, 2017-2018), a cura di A.M. Ambrosini Massari e A. Delpriori, Silvana Editoriale, Cinisello Balsamo 2017, pp. 92-111.

A. Bernardini, *Urbino al tempo delle spoliazioni napoleoniche. Regesto documentario*, in *Verso Milano. Le spoliazioni napoleoniche a Urbino*, a cura di A. Vastano, Casa Editrice Guerrino Leardini, Macerata Feltria 2017, pp. 130-159.

P. Bertoncini Sabatini, *Impronte classiciste e suggestioni medieval-umanistiche, sequenze, innesti e connubi nell'architettura di Santa Maria Novella tra Maniera e Decadentismo*, in *Santa Maria Novella. La basilica e il convento*, III: *Dalla ristrutturazione vasariana e granducale ad oggi*, a cura di R. Spinelli, Mandragora, Firenze 2017, pp. 27-71.

Capriccio e natura. Arte nelle Marche del secondo Cinquecento. Percorsi di rinascita, catalogo della mostra (Macerata, 2017-2018), a cura di A.M. Ambrosini Massari e A. Delpriori, Silvana Editoriale, Cinisello Balsamo 2017.

G. Cucco, *La confraternita del Corpus Domini di Urbino. Scrigno di arte, storia e umanità*, Accademia Raffaello, Urbino 2017.

L. Gallo, *Pierre-Henri de Valenciennes 1750-1819. L'artiste et le théoricien*, L'Erma di Bretschneider, Roma 2017.

Y. Primarosa, *Ottavio Leoni (1578-1630). Eccellente miniator di ritratti. Catalogo ragionato dei disegni e dei dipinti*, Ugo Bozzi editore, Roma 2017.

2018

A.M. Ambrosini Massari, *L'altra "strada per Roma". Percorso per Girolamo Genga pittore, con l'aiuto di Federico Zeri*, in *Girolamo Genga. Una via obliqua alla maniera moderna*, a cura di B. Agosti, A.M. Ambrosini Massari, M. Beltramini e S. Ginzburg, Fondazione Zeri, Bologna 2018, pp. 13-35.

L. Arcangeli, *Il ritratto di Ippolito Della Rovere di Federico Barocci. Il dipinto e la sua traccia documentaria*, in *Montefeltro-Della Rovere. Luci e ombre di una dinastia*, a cura di A. Vastano, Casa Editrice Guerrino Leardini, Macerata Feltria 2018, pp. 67-83.

L. Baroni, *Tre libri di disegni di Federico Barocci*, in *Libri e album di disegni 1550-1800. Nuove prospettive metodologiche e di esegesi storico-critica*, atti del convegno internazionale di studi (Roma, 2018), a cura di V. Segreto, De Luca Editori d'Arte, Roma 2018, pp. 23-32.

D. Benati, *Genga e il cantiere decorativo dell'Imperiale. Protagonisti e comparse*, in *Girolamo Genga. Una via obliqua alla maniera moderna*, a cura di B. Agosti, A.M. Ambrosini Massari, M. Beltramini e S. Ginzburg, Fondazione Zeri, Bologna 2018, pp. 237-252.

B. Bohn, *"Thought this be madness, yet there is method in it". Barocci's Design Process*, in *Federico Barocci. Inspiration and Innovation in Early Modern Italy*, a cura di J.W. Mann, Routledge, London-New York 2018, pp. 89-111.

The Chiaroscuro Woodcut in Renaissance Italy, a cura di N. Takahatake, Prestel, Münich 2018.

B. Bohn e J.W. Mann, *Introduction: New Insights into Federico Barocci's Senigallia Entombment and Suggestions on his Late Workshop Practice*, in *Federico Barocci. Inspiration and Innovation in Early Modern Italy*, a cura di J.W. Mann, Routledge, London-New York 2018, pp. 1-18.

D. Ekserdjian, *The Tip of the Iceberg: Barocci's post mortem Inventory and the Survival of Renaissance Drawings*, in *Federico Barocci. Inspiration and Innovation in Early Modern Italy*, a cura di J.W. Mann, Routledge, London-New York 2018, pp. 154-173.

L'eterno e il tempo tra Michelangelo e Caravaggio, catalogo della mostra (Forlì, 2018), a cura di A. Paolucci, A. Bacchi, D. Benati, P. Refice e U. Tramonti, Silvana Editoriale, Cinisello Balsamo 2018.

M. Faber, *Il cardinal Scipione Borghese protettore di Germania (1611-1633)*, in *Gli "angeli custodi" delle monarchie: i cardinali protettori delle nazioni*, a cura di M. Sanfilippo e P. Tusor, Edizioni Sette Città, Viterbo 2018, pp. 133-151.

A. Giannotti, *Barocci and the Legacy of the Artistic Tradition of his Homeland*, in *Federico Barocci. Inspiration and Innovation in Early Modern Italy*, a cura di J.W. Mann, Routledge, London-New York 2018, pp. 46-62.

S. Lingo, *Federico Barocci and the Corpus of High Renaissance Art*, in *Federico Barocci. Inspiration and Innovation in Early Modern Italy*, a cura di J.W. Mann, Routledge, London-New York 2018, pp. 63-88.

C. Pizzorusso, *Just What is it that Makes Barocci's Paintings so Different, so Appealing?*, in *Federico Barocci. Inspiration and Innovation in Early Modern Italy*, a cura di J.W. Mann, Routledge, London-New York 2018, pp. 33-45.

C. Plazzotta, *From Altar to Earth. Barocci and the Brancaleoni of Piobbico*, in *Federico Barocci. Inspiration and Innovation in Early Modern Italy*, a cura di J.W. Man, Routledge, London-New York 2018, pp. 19-32.

2019

B. Agosti, *Lineamenti di storiografia artistica marchigiana nell'età moderna. La tradizione delle fonti tra Cinque e Seicento: schede di lettura*, in *L'incostante provincia. Architettura e città nella marca pontificia 1450-1750*, a cura di M. Ricci, Officina Libraria, Milano 2019, pp. 15-23.

V. Mezzolani, *La politica dei ritratti scolpiti. Attorno al busto di Francesco Maria II della Rovere di Giovanni Bandini*, in *Francesco Maria I della Rovere di Tiziano*, catalogo della mostra (Urbania, 2019), a cura di F. Paoli e J.T. Spike, QuattroVenti, Urbino 2019, pp. 131-139.

M. Wivel, *Lotto and the Renaissance Oil Sketch*, in *Lorenzo Lotto: contesti, significati, conservazione*, atti del convegno (Loreto, 2019), a cura di L. Coltrinari ed E.M. Dal Pozzolo, Zel Edizioni, Treviso 2019, pp. 307-323.

2020

A.M. Ambrosini Massari, *"L'incamminato studio sulle opre del Baroccio": nuovi disegni di Simone Cantarini*, in *Storie dell'Arte. Studi in onore di Francesco Federico Mancini*, 2 voll., Aguaplano, Perugia 2020a, I, pp. 597-614.

A.M.Ambrosini Massari, *Prefazione*, in *Barocci ritrovato. Il restauro del Martirio di san Sebastiano*, a cura di L. Baroni, Officina Libraria, Roma 2020b, pp. 8-11.

V. Balzarotti, *Lorenzo Sabatini "pittore di Nostro Signore" nella Roma di Gregorio XIII Boncompagni*, in *Gregorio XIII Boncompagni. Arte dei moderni e immagini venerabili nei cantieri della nuova* Ecclesia, a cura di V. Balzarotti e B. Hermanin, Edizioni Efesto, Roma 2020, pp. 69-78.

Barocci ritrovato. Il restauro del Martirio di san Sebastiano, a cura di L. Baroni, Officina Libraria, Milano 2020.

L. Baroni, *"Cultura e umanità". Il Martirio di san Sebastiano e qualche spunto sulla giovinezza di Federico Barocci*, in *Barocci ritrovato. Il restauro del Martirio di San Sebastiano*, a cura di L. Baroni, Officina Libraria, Milano 2020a, pp. 13-54.

L. Baroni, *Dürer, Urbino, la maiolica e Federico Barocci*, in Id., *Incisori tedeschi del Cinquecento*, Officina Libraria, Milano 2020b, pp. 33-39.

L. Baroni, *Il convitato di pietra. Federico Barocci, il disegno e la scena romana tra Cinque e Seicento*, in *La scintilla divina: il disegno a Roma tra Cinque e Seicento*, atti del convegno (Roma, 2018), a cura di S. Albl e M.S. Bolzoni, Artemide, Roma 2020c, pp. 203-222.

L. Baroni e L. Toccacieli, *Federico Barocci. La stampa dell'*Annunciazione. *Due letture a confronto*, Silvana Editoriale, Cinisello Balsamo 2020.

A. Bianco, *Le due esecuzioni di Rubens per la Chiesa Nuova: una questione oratoriana*, in *Rubens e la cultura italiana, 1600-1608*, a cura di R. Morselli e C. Paolini, Viella, Roma 2020, pp. 87-100.

M.S. Bolzoni e G. Damen, *Sketching in Rome: Early Drawings by Pellegrino Tibaldi and a Mysterious Collector*, in "Master Drawings", 58, 1, 2020, pp. 15-28.

S. Mara, *Arte e scienza tra Urbino e Milano: pittura, cartografia e ingegneria nell'opera di Giovanni Battista Clarici (1542-1602)*, Il Poligrafo, Padova 2020.

C. Monbeig Goguel, *De l'usage du pastel dans quelques dessins d'artistes romains à la fin du XVIe siècle*, in *La scintilla divina: il disegno a Roma tra Cinque e Seicento*, atti del convegno (Roma, 2018), a cura di S. Albl e M.S. Bolzoni, Artemide, Roma 2020, pp. 223-232.

M. Moretti, ad vocem *Viviani, Antonio, detto il Sordo di Urbino*, in *Dizionario Biografico degli Italiani*, C, Treccani, Roma 2020.

C. Paparello, *"Un qualche piccolo lustro alla Patria comune". Per una storia della Pinacoteca civica "Francesco Podesti" di Ancona*, Edifir, Firenze 2020.

B. Wilson, *Spiritual and Material Conversions: Federico Barocci's "Christ and Mary Magdalene"*, in *Quid est sacramentum? On the Visual Representation of Sacred Mysteries in Early Modern Europe and the Americas, 1400-1700*, atti del convegno (Atlanta, 2017), a cura di W.S. Melion, E. Carson Pastan, L. Palmer Wandel, Brill, Boston-Leiden 2020, pp. 394-427.

2021

B. Agosti, *Su un possibile soggiorno di Federico Barocci nella Roma di papa Gregorio XIII*, in "Bollettino d'arte", s. VII, 50, CVI, 2021, pp. 45-50.

V. Balzarotti, *Lorenzo Sabatini. La grazia nella pittura della Controriforma*, Bononia University Press, Bologna 2021.

L. Baroni, *Federico Barocci in Portogallo (con un ricordo di Rudolf Heinrich Krommes)*, in "Bollettino d'arte", s. VII, 50, CVI, 2021a, pp. 51-70.

L. Baroni, *Disegni a pietra rossa di Federico Barocci*, in *Red Chalk Drawings. Sources, Techniques and Styles c. 1500-1800*, atti del convegno (Firenze, 2019), a cura di L. Fiorentino, Edifir, Firenze 2021b, pp. 131-142.

V. Catalucci, ad vocem *Vitali, Alessandro*, in *Dizionario Biografico degli Italiani*, XCIX, Treccani, Roma 2021.

D. Ekserdjian, *The Italian Renaissance Altarpiece. Between Icon and Narrative*, Yale University Press, New Haven-London 2021a.

D. Ekserdjian, *Review of Libri e album di disegni, 1550–1800*, in "Master Drawings", 59, 4, 2021b, pp. 545-548.

R. Gandolfi, *Le Vite degli artisti di Gaspare Celio. "Compendio delle Vite di Vasari con alcune altre aggiunte"*, Olschki, Firenze 2021.

C. Lindenlaub-Sauer, *Federico Baroccis zweite Fassung der "Flucht des Aeneas aus Troja" in der Galleria Borghese in Rom*, GRIN Verlag, München 2021.

S. Lingo, *Federico Barocci and the Legacy of the Renaissance Art at San Vitale*, in *The Network of Cassinese Arts in Renaissance Italy*, a cura di A. Nova e G. Periti, Officina Libraria, Roma 2021, pp. 277-295.

I. Miarelli Mariani, *La fortuna del classicismo bolognese nelle stampe di traduzione*, in *La tradizione dell'"Ideale classico" nelle arti figurative dal Seicento al Novecento*, a cura di M. di Macco e S. Ginzburg, Sagep editori, Genova 2021, pp. 210-223.

2022

R. Aliventi, *"... quel che di già ha concetto nella mente". Considerazioni sul modus operandi di Federico Barocci*, in *Sulle orme di Federico Barocci. Tecniche pittoriche ed eredità culturale*, a cura di D. De Luca e E. Borsellino, Tab edizioni, Roma 2022, pp. 101-110.

L. Baroni, *"Per istruttione del modo di veder il quadro": Federico Barocci e le iscrizioni nelle immagini sacre*, in *Aiutando l'arte. Les inscriptions dans les décors post-tridentins d'Italie*, atti del convegno (Parigi, 2018), a cura di G. Le Cuff e A. Lepoittevin, Peter Lang, Bruxelles 2022a, pp. 269-295.

L. Baroni, *A Cartoon Fragment by Barocci for the 'Madonna del popolo'*, in "Master Drawings", 60, 4, 2022b, pp. 303-310.

A. Bernardini, *Le liste di Pasquale Rotondi*, in *Arte Liberata. Capolavori salvati dalla guerra. 1937-1947*, catalogo della mostra (Roma, 2022-2023), a cura di L. Gallo e R. Morselli, Electa, Milano 2022, pp. 154-162.

I disegni del Principe. La collezione di Alberico XII Barbiano di Belgioioso al Gabinetto dei Disegni del Castello Sforzesco, a cura di A. Alberti, Il Poligrafo, Padova 2022.

F. Duro, *"Magnificus ac excellens Dominus Federicus Barotius Urbinas Pictor celleberrimus". Il primo testamento di Federico Barocci e altri nuovi documenti inediti*, in "Horti Hesperidum", 22, 2022, pp. 209-223.

L. Gallo, *L'arte in guerra. Appunti per una storia della tutela negli anni del secondo conflitto mondiale*, in *Arte Liberata. Capolavori salvati dalla guerra. 1937-1947*, catalogo della mostra (Roma, 2022-2023), a cura di L. Gallo e R. Morselli, Electa, Milano 2022, pp. 16-34.

G. Sapori, *Barocci a Roma e gli affreschi del Casino di Pio IV*, in *Sulle orme di Federico Barocci. Tecniche pittoriche ed eredità culturale*, a cura di D. De Luca e E. Borsellino, Tab edizioni, Roma 2022, pp. 37-51.

B. Toscano, *Il Barocci di Emiliani*, in *Sulle orme di Federico Barocci. Tecniche pittoriche ed eredità culturale*, a cura di D. De Luca e E. Borsellino, Tab edizioni, Roma 2022, pp. 27-28.

I. Verstegen, *I ritratti di Vitali di Federico Ubaldo della Rovere. Ipotesi sulla collaborazione di Barocci*, in *ulle orme di Federico Barocci. Tecniche pittoriche ed eredità culturale*, a cura di D. De Luca e E. Borsellino, Tab edizioni, Roma 2022, pp. 111-117.

2022-2023

A. Cerboni Baiardi, *Barocci verso Cort: un incontro decisivo*, in "Rivista d'arte", serie 5a, 12-13, 2022-2023, pp. 97-116.

2023

L'altra collezione. Storie e opere dai depositi della Galleria Nazionale delle Marche, catalogo della mostra (Urbino, 2023-2024), a cura di L. Gallo, A. Bernardini e V. Catalucci, Electa, Milano 2023.

A.M. Ambrosini Massari, *Federico Barocci*, in G. Baglione, *Le vite de' pittori, scultori et architetti (Roma 1642)*, con commenti e apparati critici, a cura di B. Agosti e P. Tosini, Officina Libraria, Roma 2023, pp. 388-393.

L. Baroni, *New Drawings by Vincenzo and Felice Pellegrini*, in "Master Drawings", 61, 3, 2023a, pp. 325-330.

L. Baroni, *Peter Paul Rubens e Federico Barocci tra arte e politica*, in "Arte marchigiana", 11, 2023b, pp. 51-82.

L. Baroni, *Alessandro Vitali, The Crucifixion with Saints Sebastian, John the Evangelist, and the Virgin Mary*, in *Old Master Paintings* (Bonhams, London, New Bond Street, July 5, 2023, lot. 37), 2023c, pp. 52-55.

E. Giffi, *Federico Zuccari e la professione del pittore*, Artemide, Roma 2023.

V. Lisanti, *Agostino Tofanelli. Artista e direttore dei Musei Capitolini durante la Restaurazione*, GBE Ginevra Bentivoglio Editoria, Roma 2023.

Pier Francesco Foschi (1502-1567). Pittore fiorentino, catalogo della mostra (Firenze, 2023-2024), a cura di C. Hollberg, E. Altiero, N. Damiano e S. Giordani, Silvana Editoriale, Cinisello Balsamo 2023

C. Prete, *Antonio Viviani*, in G. Baglione, *Le vite de' pittori, scultori et architetti (Roma 1642)*, con commenti e apparati critici, a cura di B. Agosti e P. Tosini, Officina Libraria, Roma 2023, pp. 294-297.

F. Rinaldi, *The Viti-Antaldi Collection of Raphael's Drawings*, in *Raffaello Sanzio da Urbino in Art Collections and in the History of Collecting*, atti del convegno "Collecting Raphael. Raffaello Sanzio da Urbino nelle collezioni e nella storia del collezionismo" (Roma, 2017), a cura di S. Ebert-Schiffer e C. La Malfa, Cambridge Publishing, Newcastle upon Tyne 2023, pp. 157-176.

Turning Heads. Rubens, Rembrandt and Vermeer, catalogo della mostra (Anversa, 2023; Dublino, 2024), Hannibal Books-KMSKA, Antwerp 2023.

2024

L. Baroni, *Getting to Colour: Early Pastels by Federico Barocci*, in "Master Drawings", 62, 2, 2024a, pp. 167-178.

L. Baroni, *The Last Altarpiece. Barocci, Lucca, and the Oratorians*, in *Congregation of the Oratory of Saint Philip Neri: Art & Culture*, a cura di J.R. dos Santos, Brill, Leiden 2024b, pp. 61-86.

L. Baroni, *Ottaviano Nelli to Barocci: Drawing on Blue Paper in the Marche, c. 1420-1620*, in *Venice in Blue. The Use of Carta azzurra in the Artist's Studio and in the Printer's Workshop, ca. 1500–50*, atti del convegno (Edimburgo, 2021), a cura di A. McCarthy *et al.*, Leo S. Olschki, Firenze 2024c, pp. 47-78.

S. Vowles, *Vittoria Colonna*, in *Michelangelo. The Last Decades*, catalogo della mostra (Londra, 2024), a cura di S. Vowles e G. Lewis, British Museum Press, London 2024, pp. 77-107.

In corso di stampa

B. Agosti e A.M. Ambrosini Massari, *Barocci dentro e fuori Bellori*, in corso di stampa.

A.M. Ambrosini Massari, *Arte e artisti. Andata e ritorno sulle rotte adriatiche nel Cinque-Seicento*, in *Le Marche e il mare. Arte, architettura, paesaggio*, atti del convegno internazionale di studi (San Benedetto del Tronto e Ascoli Piceno, 2023), a cura di G. Bonaccorso, C. Castelletti e F. Bulfone Gransinigh, Genova in corso di stampa [a].

A.M. Ambrosini Massari, *Federico Barocci e altri artisti: andata e ritorno sulle rotte adriatiche nel Cinque-Seicento*, in *Le Marche e il mare. Arte, architettura, paesaggio*, atti del convegno internazionale di studi (San Benedetto del Tronto e Ascoli Piceno, 2023), a cura di G. Bonaccorso, C. Castelletti e F. Bulfone Gransinigh, Genova in corso di stampa [b].

A.M. Ambrosini Massari, *Barocci e l'antico*, in *Studi in onore di Valeria Purcaro*, a cura di O. Mei, Venezia in corso di stampa [c].

L. Baroni, *Federico Barocci*, in *Enciclopedia dell'Umanesimo e del Rinascimento*, a cura di M. Ciliberto, 4 voll., Edizioni della Normale, Pisa-Firenze in corso di stampa [a].

L. Baroni, *Il giovane Federico Barocci e Raffaello: Raffaello nella Urbino dei Della Rovere - II*, in *Studi Raffaelleschi - II*, a cura di B. Agosti, A.M. Ambrosini Massari e S. Ginzburg, Accademia Raffaello, Urbino in corso di stampa [b].

L. Baroni, *Federico Barocci. Studio critico e catalogo ragionato*, Silvana Editoriale, Cinisello Balsamo in corso di pubblicazione [c].

M.S. Bolzoni, *"Havere per primo modello essa natura". Federico Zuccari e il disegno di paesaggio*, in *Nuovi studi sul disegno di paesaggio: materialità, esperienza, pratica. 1500-1800*, atti del convegno internazionale di studi (Venezia, 2024), a cura di C. Pietrabissa ed E. Spataro, in corso di stampa.

M.M. Paolini, *Federico Barocci, Prospero Urbani e Francesco Maria II della Rovere*, in corso di stampa.

Copertina
Presentazione della Vergine al Tempio, 1593-1603, particolare
Roma, Santa Maria in Vallicella
(cat. VI.8)

Quarta di copertina
La fuga di Enea da Troia, 1598, particolare
Roma, Galleria Borghese
(cat. V.12)

Alette
Madonna col Bambino, i santi Giuda e Simone e i donatori, detta *Madonna di san Simone*, 1566-1567, particolare
Urbino, Galleria Nazionale delle Marche
(cat. II.1)

Madonna col Bambino e san Giovanni Evangelista, detta *Madonna di san Giovanni*, 1564-1565 circa, particolare
Urbino, Galleria Nazionale delle Marche
(cat. III.1)

Crediti fotografici

© Alfredo Dagli Orti / Shutterstock, p. 74

Ambasciata d'Italia nel Regno Unito, Londra – Federico Perale – Federico Perale Photography, p. 145

Archivio Storico GANMAR, pp. 29, 32

Archivio Vescovile di Arezzo, p. 85

© Ashmolean Museum / Bridgeman Images, p. 258

Bertolami Fine Art, Roma (Lorenzo Vanzetti), p. 119 in basso a sinistra

© 2024. Bpk, Bildagentur für Kunst, Kultur und Geschichte, Berlin / Scala, Firenze, pp. 44 a sinistra, 52 a destra, 91, 97, 190, 209, 210, 211, 212, 213, 215, 259

© Comune di Milano, tutti i diritti riservati – Gabinetto dei Disegni del Castello Sforzesco, Milano, p. 205

© Confraternita del SS. Sacramento e Croce, Senigallia © Luca Baroni ph. Gilberto Urbinati, pp. 26 a destra, 232, 233

Courtesy Pinacoteca San Domenico della Fondazione Cassa di Risparmio di Fano, p. 120 a destra

© Curia Arcivescovile Urbino – Urbania – Sant'Angelo i Vado. Ph. Claudio Ripalti, pp. 18, 78, 291, 293, 295

© 2024. DeAgostini Picture Library / Scala, Firenze, pp. 39 a destra

Diocesi di Genova, Genova, p. 120 a sinistra

Diocesi di Senigallia, p. 257

© Fitzwilliam Museum, Cambridge, p. 225

Fondation Custodia, Collection Frits Lugt, Paris, pp. 182, 202

Foto Claudio Giusti, Firenze, p. 86

Foto Federico Manusardi, Milano, p. 118

Foto Gaia Schiavinotto, Roma, copertina, pp. 2, 25, 63, 67, 72, 73, 157, 269

Foto © Governatorato SCV – Direzione dei Musei. Tutti i diritti riservati, pp. 12, 47, 169, 238, 261

Foto Paci, Fossombrone, pp. 30, 186

© 2024. Foto Scala, Firenze, p. 42

© 2024. Foto Scala, Firenze – su concessione Ministero Beni e Attività Culturali e del Turismo, pp. 40, 46, 52 a sinistra

© Galleria Borghese / foto Mauro Coen, quarta di copertina, pp. 4, 8, 177, 226, 248

Galleria Doria Pamphilj, Roma © 2024 Amministrazione Doria Pamphilj s.r.l. Tutti i diritti riservati, p. 198

Galleria Nazionale delle Marche. Ph. Claudio Ripalti, alette, pp. 10, 16, 20, 27, 28, 31, 34, 43, 45, 71, 79, 111, 117, 130, 135, 153, 167, 191, 235, 250, 265, 270, 272, 275, 277, 281, 283, 285, 286, 297, 299, 301, 303, 305

Gallerie degli Uffizi. Su concessione del Ministero della Cultura, pp. 14, 26 a sinistra, 39 a sinistra, 83, 84, 87 a destra, 92 in alto, 119 in alto a destra, 124, 130, 131, 137, 139, 143, 147, 159, 173, 184, 188, 189, 192, 214, 221, 223, 239, 240, 266

Istituto Centrale per la Grafica, per gentile concessione del Ministero della Cultura, pp. 101, 102, 103, 104, 106, 108, 243

Istituto Centrale per la Grafica, per gentile concessione del Ministero della Cultura. Proprietà Accademia Nazionale dei Lincei, Roma, pp. 92 in basso, 208

© KHM Wien, Gemäldegalerie, p. 142

Lent by The Metropolitan Museum of Art, Harry G. Sperling Fund, 1976 (1976.87.2), p. 200

Lent by The Metropolitan Museum of Art, Harry G. Sperling Fund, 1976 (1976.87.1), p. 201

Lent by The Metropolitan Museum of Art, Purchase, Lila Acheson Wallace Gift and 2002 Benefit Fund, 2003 (2003.281), p. 179

Marco Baldassari, p. 119 in basso a destra

MiC - Roma, Soprintendenza Speciale di Roma Archeologia Belle Arti Paesaggio, pp. 66, 161

Mondadori Portfolio/Archivio Mauro Magliani / Mauro Magliani per concessione del Ministero della Cultura, p. 54

Nino Silvestri, p. 68

Opera Pia Nobile Collegio della Mercanzia, Perugia. Ph. Claudio Ripalti, pp. 80, 148, 155

Per gentile concessione delle Gallerie Nazionali di Arte Antica (MiC) - Bibliotheca Hertziana, Istituto Max Planck per la storia dell'arte / Enrico Fontolan, p. 133

Ph. Claudio Ripalti, pp. 38, 65 a destra, 112, 114, 119 in alto a sinistra

Photo by BlueRed / REDA&CO / Universal Images Group via Getty Images, p. 87 a sinistra

Photo by Fine Art Images / Heritage Images / Getty Images, pp. 37, 77

© Photographic Archive Museo Nacional del Prado, Madrid, pp. 51, 59, 175

Piemags / rmn / Alamy Foto Stock, p. 107

© Pinacoteca di Brera, Milano - MiC, p. 55

Proprietà privata Whitfield Fine Arts, p. 69

Reproduced by permission of Chatsworth Settlement Trustees / Bridgeman Images, pp. 224, 245, 267

Rijksmuseum. I.Q. van Regteren Altena Bequest, Amsterdam, pp. 94, 219, 235

© 2024. RMN-Grand Palais / Daniel Arnaudet / RMN-GP / Dist. Photo Scala, Firenze, p. 199

© 2024. RMN-Grand Palais / Dist. Photo Scala, Firenze, p. 183

© 2024. RMN-Grand Palais / Gèrard Blot / RMN-GP / Dist. Photo Scala, Firenze, p. 249

© 2024. RMN-Grand Palais / Jean-Gilles Berizzi / RMN-GP / Dist. Photo Scala, Firenze, pp. 57, 95, 218

© 2024. RMN-Grand Palais / Michèle Bellot / RMN-GP / Dist. Photo Scala, Firenze, pp. 96, 187, 220, 222

© 2024. RMN-Grand Palais / Thierry Le Mage / RMN-GP / Dist. Photo Scala, Firenze, p. 203

Royal Collection Trust / © His Majesty King Charles III 2024, pp. 204, 241

Statens Museum for Kunst, Copenaghen, p. 41

Szépművészeti Múzeum, Budapest, p. 242

The History Collection / Alamy Foto Stock, p. 102

© 2024. The National Gallery, London / Scala, Firenze, pp. 44 a destra, 65 a sinistra, 162, 171

© 2024. The Trustees of the British Museum c/o Scala, Firenze, pp. 185, 244

© Veneranda Biblioteca Ambrosiana / Paolo Manusardi / Mondadori Portfolio, p. 58

Si ringraziano gli autori per aver fornito alcune immagini autorizzandone la pubblicazione

L'editore è a disposizione degli aventi diritto per quanto riguarda eventuali fonti iconografiche non identificate

www.electa.it

Questo volume è stato stampato per conto di Electa S.p.A., presso Errestampa s.r.l., Orio al Serio (BG), nell'anno 2024